VICTOR

THÉATRE

VICTOR HUGO

THÉATRE

LUCRÈCE BORGIA — MARIE TUDOR
ANGELO, TYRAN DE PADOUE
RUY BLAS

Chronologie, introduction, notices
choix de variantes, notes

par

Raymond POUILLIART
professeur à l'Université catholique
de Louvain

GF
FLAMMARION

CHRONOLOGIE

1772 (19 juin) : Naissance à Nantes de Sophie-Françoise Trébuchet, mère de Hugo.

1773 (15 novembre) : Naissance à Nancy de Léopold-Joseph-Sigisbert Hugo.

1798 : Naissance d'Abel Hugo.

1802 (26 février) : Naissance de *Victor-Marie Hugo*, à Besançon.

1804 : Léopold Hugo nommé gouverneur de la province d'Avellino (Italie) et promu colonel.
Mme Hugo et ses enfants à Paris.

1807 (fin) : Mme Hugo et ses enfants rejoignent le père en Italie.

1808 : Retour à Paris. Léopold Hugo en Espagne.

1809 (mai) : Installation aux Feuillantines.

1810 (mars) : Départ pour l'Espagne. Victor et son frère Eugène au Collège des Nobles à Madrid.

1812 (mars) : Retour à Paris ; octobre : Le général Lahorie, amant de Mme Hugo, fusillé pour complicité de coup d'Etat.

1814 : Les époux entament une procédure en divorce. Victor et Eugène enlevés par leur tante sur l'ordre de leur père.

1815 : (13 février) : Victor et Eugène entrent à la pension Cordier.

1816 : Victor écrit des vers et prépare l'école Polytechnique.
Octobre : Victor et Eugène entrent à Louis-le-Grand. Premiers essais dramatiques.

1817 (25 août) : Victor obtient une mention de l'Académie française pour son poème *Bonheur que procure l'Etude.*

1818 : Premières *Odes.*
Août : Les garçons retournent vivre avec leur mère. Hugo écrit le premier *Bug-Jargal.*

1819 : Couronné aux Jeux Floraux.
Décembre : Fonde le *Conservateur littéraire.*

1820 : Odes et articles. Mme Hugo s'oppose au mariage de Victor avec Adèle Foucher, son amie d'enfance.

1821 : Composition de *Han d'Islande.*
27 juin : Mort de Mme Hugo.

1822 (janvier) : *Amy Robsart,* début d'une collaboration avec Alexandre Soumet.
Mars : Victor fiancé.
8 juin : Odes et poésies diverses.
Juin-juillet : Hugo obtient deux pensions du Roi.
12 octobre : Mariage de Hugo avec Adèle Foucher. Folie d'Eugène.

1823 : 8 février : Publication de *Han d'Islande.*
Juillet : Début de la *Muse française.*
16 juillet-9 octobre : Naissance et mort du petit Léopold-Victor.

1824 : 13 mars : *Nouvelles Odes.*
15 juin : La *Muse française* cesse de paraître.
28 août : Naissance de Léopoldine.

1825 (29 avril) : Hugo nommé chevalier de la Légion d'honneur.
29 mai : Assiste au sacre de Charles X à Reims.
Juin : *Ode sur le Sacre.*
Juin-juillet : *Les Deux Iles.*
Août : Voyage dans les Alpes avec Nodier et leurs familles.

1826 (janvier) : Fin du remaniement du second *Bug-Jargal,* et *préface.*
30 janvier : Publication du second *Bug-Jargal,* sans nom d'auteur.
Juin : *Les Têtes du Sérail (Orientales).*
30 juillet : La *Quotidienne* publie un article (anonyme) de Hugo sur le *Cinq-Mars* de Vigny.
6 août : Début du 1er acte de *Cromwell.*
24 août : Fin du 1er acte.

Préface des *Odes et Ballades.*
31 août : 2e acte de *Cromwell.*
20 septembre : Fin du 2e acte.
22 septembre : 3e acte.
9 octobre : Fin du 3e acte.
11 octobre : 4e acte.
19 octobre : Mort de Talma, à qui Hugo avait parlé de *Cromwell* et à qui il destinait le rôle.
25 octobre : Fin du 4e acte de *Cromwell.*
28 octobre : Début du 5e acte.
2 novembre : Naissance de Charles Hugo, le second fils du poète.
3 novembre : Hugo interrompt la rédaction de *Cromwell.*
7 novembre : Publication des *Odes et Ballades.*
9 décembre : Hugo se remet à *Cromwell.*
31 décembre : Lettre de Hugo à une Académie provinciale, contenant un éloge de Napoléon.

1827 (début) : Hugo reprend et termine *Amy Robsart.*
1er janvier : *Cromwell :* Fin de la scène VI de l'acte V.
Janvier : Début de l'amitié de Hugo et de Sainte-Beuve.
26 janvier : *Cromwell,* V, VII.
1er février : Fin de la scène VII.
Début février : *Ode à la Colonne de la Place Vendôme.*
8 février : *Cromwell,* V, VIII.
Vers le 12 février : Lecture par Hugo chez Pierre Foucher des 4 premiers actes de *Cromwell.* Vigny et Sainte-Beuve présents.
Février : Lettre de Sainte-Beuve à Hugo à propos de la lecture de *Cromwell.*
12 mars : Nouvelle lecture de *Cromwell* (les 3 premiers actes).
15 mars : Hugo achève la scène X de l'acte V de *Cromwell.*
26 mars : Lecture chez Pierre Foucher des 2 derniers actes (?) de *Cromwell.*
Fin mars : Hugo s'installe 11, rue Notre-Dame-des-Champs : il pourra plus aisément recevoir ses amis poètes.
2 juin : Hugo lit les 3 premiers actes d'*Amy Robsart* au nouveau directeur de l'Odéon.
7 août : Reprise du travail sur *Cromwell* (V, XII).
1er septembre : *Amy Robsart* reçue à l'Odéon.
Août-septembre : *Cromwell* achevé.

Fin septembre : Hugo termine la rédaction de la *Préface*.
Fin octobre : Hugo écrit la *Note sur ces Notes*.
Milieu novembre : Hugo lit la *Préface* à ses amis.
5 décembre : Publication de *Cromwell* chez Ambroise Dupont.
6 décembre : Extraits de *Cromwell* dans le *Globe*.

1828 (Nuit du 28 au 29 janvier) : Mort du général Hugo.
13 février : Echec d'*Amy Robsart*.
21 octobre : Naissance de Victor-François, deuxième fils de Hugo.
26 décembre : Fin du *Dernier Jour d'un condamné*.

1829 (19 janvier) : Publication des *Orientales*.
3 février : Publication du *Dernier Jour d'un condamné*.
1er au 30 juin : *Marion de Lorme*.
13 août : Interdiction de *Marion*.
29 août-24 septembre : Hugo écrit *Hernani*.

1830 (25 février) : Première représentation d'*Hernani*.
Juillet : Travaille à *Notre-Dame de Paris*.
28 juillet : Naissance d'Adèle Hugo, deuxième fille du poète.
Novembre : Début du conflit avec Sainte-Beuve à propos de Mme Hugo.

1831 (16 mars) : Publication de *Notre-Dame de Paris*.
11 août : Première de *Marion de Lorme*.
30 novembre : Publication des *Feuilles d'Automne*.

1832 (15 mars) : Nouvelle préface pour *Le Dernier Jour d'un condamné*.
8 octobre : Hugo s'installe Place Royale, pour 18 ans.
22 novembre : Première du *Roi s'amuse*.
23 novembre : Interdiction du *Roi s'amuse*.

1833 (2 février) : Première de *Lucrèce Borgia*.
16 février : Liaison de Hugo avec Juliette Drouet qui l'aimera pendant cinquante ans.
6 novembre : Première de *Marie Tudor*.

1834 (19 mars) : *Littérature et Philosophie mêlées*.
6 juillet : Publication de *Claude Gueux* dans la *Revue de Paris*.
6 septembre : Publication de *Claude Gueux* en librairie.

1835 (28 avril) : Première d'*Angelo, tyran de Padoue*.
Juillet-août : Hugo voyage avec Juliette dans l'Est et en Normandie.
27 octobre : *Chants du crépuscule*.

1836 (juin-juillet) : Voyage en Bretagne et en Normandie.

1837 (20 février) : Mort d'Eugène Hugo à l'asile de Charenton.
Mai-juin : Hugo fêté par le duc et la duchesse d'Orléans.
26 juin : *Les Voix intérieures*.
21 octobre : Ecrit *Tristesse d'Olympio*.

1838 (8 novembre) : Première de *Ruy Blas*.

1839 (juillet-août) : Ecrit le drame *Les Jumeaux*, inachevé.
(août-novembre) : Voyage dans l'Est, la Suisse et la Provence avec Juliette.

1840 (16 mai) : *Les Rayons et les Ombres*.
Août-novembre : Grand voyage sur le Rhin, avec Juliette.

1841 (7 janvier) : Elu à l'Académie française, après trois échecs.

1842 : (12-28 janvier) : *Le Rhin*.

1843 (15 février) : Mariage de Léopoldine Hugo et de Charles Vacquerie.
7 mars : Première des *Burgraves*.
4 septembre : Mort de Léopoldine et de son mari, noyés accidentellement, à Villequier.

1845 (13 avril) : Nommé pair de France.
5 juillet : Flagrant délit d'adultère avec Mme Biard.
Novembre : Commence un roman qui deviendra *Les Misérables*.

1846-1847 : Travaille à ce roman.

1848 (24 février) : Tente, lors de la révolution, d'obtenir la régence pour la duchesse d'Orléans.
4 juin : Elu député conservateur.

1849 (13 février) : Réélu député conservateur.
Juillet-octobre : Ses discours lui aliènent la sympathie de la droite.

1850 : Interventions à la Chambre.

1851 (2 décembre) : Coup d'Etat de Louis-Napoléon Bonaparte. Hugo tente sans succès d'organiser la résistance.
11 décembre : Fuite vers Bruxelles.

1852 (5 août) : S'installe à Jersey. Publication à Bruxelles de *Napoléon le Petit*.
Travaille aux *Châtiments* et aux *Contemplations*.

1853 (6 septembre) : Mme de Girardin, à Jersey, initie Hugo et les siens au spiritisme.
21 novembre : *Les Châtiments.*

1855 (31 octobre) : Expulsé de Jersey, s'installe à Guernesey.

1856 (23 avril) : Publication des *Contemplations.*

1856-1858 : Travaille à plusieurs œuvres, *La Fin de Satan, Dieu, Les Petites Epopées* (plus tard *La Légende des Siècles), L'Ane, La Pitié suprême.*

1859 (28 septembre) : *La Légende des Siècles.*

1860-1861 : Travaille aux *Misérables.*

1862 (30 mars) : Bruxelles ; 3 avril à Paris : Publication des *Misérables.*

1863 (18 mai) : Fuite d'Adèle Hugo.

1864 (14 avril) : Publication de *William Shakespeare.*

1865 (25 octobre) : Publication des *Chansons des rues et des bois,* en chantier depuis plusieurs années.

1865-1866 : Ecrit plusieurs pièces du *Théâtre en liberté.*

1866 (12 mars) : *Les Travailleurs de la mer.*

1868 (16 août) : Naissance de Georges, petit-fils de Hugo.
27 août : Mort de Mme Hugo.

1869 (19 avril) : Publication de *L'Homme qui rit.*
Mai-juin : Ecrit *Torquemada.*
29 septembre : Naissance de Jeanne, petite-fille du poète.

1870 (5 septembre) : Rentre à Paris le lendemain de la proclamation de la République.

1871 (13 mars) Mort de Charles Hugo.
21 mars : Hugo à Bruxelles.
30 mai : Expulsé de Belgique pour avoir offert asile aux Communards, se rend au Luxembourg.

1872 (20 avril) : Publication de *L'Année terrible.*

1873 (26 décembre) : Mort de François-Victor, deuxième fils du poète.

1874 (20 février) : Publication de *Quatrevingt-Treize.*

1875 (Mai-novembre) : Publication d'*Actes et Paroles,* I et II.

1876 (30 janvier) : Sénateur de Paris.
22 mai : Intervention pour l'amnistie.
5 juillet : *Actes et Paroles*, III.

1877 (26 février) : *La Légende des Siècles*, 2e série.
12 mai : *L'Art d'être grand-père.*
1er octobre : *Histoire d'un crime*, 1re partie.

1878 (mars) : *Histoire d'un crime*, 2e partie.
29 avril : *Le Pape.*
27 juin : Hugo est atteint d'une congestion cérébrale.

1879 (février) : *La Pitié suprême.*

1880 (avril) : *Religions et Religion.*
24 octobre : *L'Ane.*

1881 (31 mai) : *Les Quatre Vents de l'Esprit.*

1882 (26 mai) : *Torquemada.*

1883 (11 mai) : Mort de Juliette Drouet, sa compagne depuis cinquante ans.
9 juin : Troisième série de *La Légende des Siècles.*

1885 (14 mai) : Est atteint d'une congestion pulmonaire.
22 mai : Mort du poète.
1er juin : Funérailles nationales.

1886 : *Théâtre en liberté.*

1888 : *La Fin de Satan.*

1891 : Publication de *Dieu.*

INTRODUCTION

A trente ans Victor Hugo peut faire le point : son apport à l'instauration d'un théâtre nouveau est substantiel. Pour ses adversaires, politiques et littéraires, la conviction peut être tout autre : *Amy Robsart* est tombé dans un fracas indescriptible, *Marion de Lorme* n'a eu que vingt-quatre représentations, son auteur ayant préféré retirer son drame plutôt que d'en modifier les passages qui choquaient la censure; *Le Roi s'amuse* vient d'être interdit après la première représentation. Seul *Hernani* a affronté le public pendant cinquante-trois soirées, toutes tumultueuses, où s'opposaient les partisans d'un classicisme resté tenace jusque dans ses médiocres épigones, et les jeunes romantiques. Quatre ans de luttes et de défis, voilà pour le théâtre. C'est là que le conflit a été le plus vif, les affrontements les plus durs : non pour les recueils de poésie, ni pour les romans, car l'effet de rupture avec la tradition était plus considérable à la scène, et la réaction plus immédiate, plus brutale dans le public de la salle de spectacles. Le livre peut attendre son lecteur; la pièce de théâtre l'atteint directement, dans ses habitudes ou dans sa soif de nouveauté. En quatre ans Hugo a mis au point sa technique dramaturgique; une fois passé le cap de *Cromwell*, œuvre immense, fresque d'une époque et portrait d'un homme, le jeune auteur a trouvé l'accent juste, l'art de la brièveté percutante au sein de l'abondance verbale; le vers s'est désarticulé pour laisser la place à une unité plus secrète; la repartie se fait, selon les cas, cinglante, désinvolte, pittoresque; la tirade s'oriente vers le lyrisme, la méditation, l'imprécation, d'après les nécessités du mouvement dramatique. Au-delà des effets qui ont surpris, choqué ou séduit, une architecture a été découverte, qui assure au texte, apparemment jailli de l'improvisation, son unité par la récurrence de situations, d'images et de mots dont la parenté n'est pas perceptible immédiatement, par des jeux de couleurs, de lumières. Dès *Amy Robsart*, Hugo voyait ses personnages comme un metteur en scène, avec leur vêtement, le lieu concret où ils doivent évoluer. Tout est pour lui signe et spectacle, chose qui est donnée à voir.

La révolution de juillet 1830 n'a pas modifié sa relation avec le théâtre. Elle lui laisse entrevoir qu'une ère de liberté d'expression, inscrite dans la charte, s'avérera une réalité pour l'écrivain, même insoucieux de la politique. La monarchie de la Restauration avait eu ses faveurs ; Louis XVIII avait accordé une pension au jeune Hugo, qui reçut une invitation à assister au sacre de Charles X. La pression du pouvoir s'est fait sentir peu après ; elle venait non du roi mais des institutions mises en place, le ministre, la censure. Dans sa dignité d'écrivain, Hugo est blessé, sa colère se tourne moins contre l'institution royale que contre les hommes qui l'exécutent et contre les articles de la charte. L'avènement de la Monarchie bourgeoise laisse augurer un âge de plus grande liberté pour l'homme qui écrit. La préface du *Roi s'amuse*, rédigée après l'interdiction du drame, montre la déception et la colère de l'écrivain.

Le Roi s'amuse n'avait pas encore affronté le public et la censure, que Hugo avait déjà choisi *Lucrèce Borgia* comme thème de son nouveau drame. Dans la fidélité au drame d'histoire se glissait une orientation nouvelle. Sans doute, l'imaginaire de Hugo reste-t-il attaché au schéma triangulaire des « actants », le prince, la femme, le « rival ». Mais pourquoi la documentation historique requiert-elle des soins et une attention qui ne s'étaient déployés que pour *Cromwell ?* Dans ce premier drame Hugo avait tenté l'impossible : évoquer une époque tout entière, montrer le pouvoir et le peuple, allier le tragique et le grotesque, l'histoire et l'imaginaire, écrire un drame historique et un drame d'histoire, être fidèle aux faits réels du passé et dégager un problème moral. Dans *Marion de Lorme*, *Hernani* et *Le Roi s'amuse*, la volonté d'une soumission à l'événement ou à l'époque s'est estompée, réduite à une certaine couleur, à quelques faits signifiants, au profit d'une tension morale, violente. Voici venu le moment d'un changement. La lecture d'ouvrages sur les Borgia, sur l'Italie du XVe et du

XVIe siècle plonge l'écrivain, peut-être à son insu, non tellement dans un passé moins bien connu et non aussi familier que celui qui sous-tend ses trois drames précédents, que dans l'Histoire. Derrière les événements multiples qui se sont déroulés dans une Italie morcelée, au devenir compliqué par les tensions et les alliances, envahie par les rois de France, une force se dessine : le devenir des collectivités, ballottées entre des factions, des haines personnelles et des avidités; Hugo s'est immergé dans l'histoire, comme il l'avait fait en 1827, mais il a maintenant l'expérience d'un dramaturge qui est en pleine maturité et le regard d'un homme qui a rencontré, dans l'exercice de ses pouvoirs les plus intimes, l'écriture et la pression de puissances qui la dépassent, celles de la politique. La révolution de Juillet n'a pas pu ne pas attirer son regard sur les relations entre le peuple et l'autorité.

Mais il est dramaturge. Comptent avant tout la structuration scénique d'une aventure humaine, la tension morale entre des êtres. Il n'en reste pas moins que les prolongements historiques, les dessous d'une aventure collective sont présents dans *Lucrèce Borgia* d'une manière nouvelle; en témoignent les mentions de lieux, d'événements qui renvoient à l'histoire de l'Italie. Apparemment posés dans le drame pour lui conférer sa couleur temporelle, ces repères, plus nombreux que ceux qui se trouvent dans les trois drames précédents, ont une autre fonction : le lien des Borgia avec leur temps est marqué régulièrement; sans doute, l'écart entre les tenants du pouvoir et la population n'est-il pas souligné abondamment; Alexandre VI, César, Lucrèce, Gennaro gravitent dans les mêmes sphères sociales, et le peuple ne figure ici que comme comparse, comme victime des ordres venus d'en haut. Mais pourquoi ces mentions, rapides, d'Imola, de Faenza, de Forli ? pourquoi le rappel des assassinats perpétrés sur l'ordre des deux maîtres de jeu ? Leur présence est double : pour souligner le caractère criminel du pouvoir le plus élevé en Occident; mais aussi pour assurer l'existence d'un mouvement où se trouvent prises la collectivité, les populations italiennes. Les nécessités du drame concentrent ces allusions en quelques mots; don Ruy Gomez *(Hernani)* faisait miroiter la lignée de ses ancêtres; ce brillant discours, non sans virtuosité, illustrait un passé, une famille; dans *Lucrèce Borgia*, les références à l'histoire sont comme éclatées, mais elles renvoient à des réalités, découvertes dans l'histoire de l'Italie.

L'architecture du drame est élaborée d'une manière plus secrète, au point de passer inaperçue. Certes, l'action fait sauter les cadres traditionnels auxquels Hugo était resté fidèle jusqu'alors, même dans ses audaces; l'acte se divise en deux parties. L'opposition entre Venise et Ferrare est un élément d'organisation du matériau dramaturgique; à la fête collective sur laquelle s'ouvre la pièce correspond la fête privée qui la clôt; le carnaval annonce, sans que nous le sachions, les masques des pénitents qui vont accompagner les corps des convives empoisonnés; les chants des gondoliers comportent, déjà dès la scène I, des airs lugubres, qui n'ont d'autre raison que d'annoncer les litanies de la fin. Venise est là, avec ses masques; ils laissent présager secrètement, d'une autre manière, les visages cachés des pénitents, et pour quelle fête sinistre ? La scène initiale se déroule la nuit, carnaval de plein air; la scène finale, à l'intérieur, sous l'éclairage intense de la fête.

Le double continue de hanter Hugo. A la mère coupable s'oppose le fils pur et droit; à l'action souterraine des empoisonneurs princiers, tout le passé du jeune homme, dont le langage atteste le caractère chevaleresque. Avec Alphonse d'Este le contraste est net : le duc aurait pu être un prince magnanime, uni pour des raisons politiques à une famille qui suscite son mépris et à une femme sans mœurs qu'il a aimée; il se révèle aussi infâme dans la vengeance qu'il organise contre celui qu'il croit être son rival. Trois visages détonnent sur le monde tyrannique et exaspéré dans lequel nous sommes plongés : la princesse Negroni, Gennaro et Maffio. Une seule femme contraste avec Lucrèce et constitue le pendant de Gennaro : la princesse Negroni, qui paraît peu, très tard dans le drame. Un couple d'amis, liés par leur passé guerrier, traverse toute l'œuvre : Gennaro et Maffio; l'affection qui les lie les a sauvés dans leur vie de combattants, elle les unit, involontairement, dans la mort. La vision binaire qui prévaut dans tout le drame appelle la création de figures diverses et parallèles, suscite des situations contrastées et des formes de langage qui se posent en s'opposant, jusqu'à la dernière scène. Dans *Le Roi s'amuse* la vision du monde différait assez nettement de celle qui sous-tend les deux drames précédents. Ils intégraient dans le Destin des valeurs morales, l'amitié, la fidélité à la parole, l'honneur. Elles disparaissent dans le monde dont Hugo entoure François Ier : le destin frappe aveuglément Saint-Vallier dans la personne de sa fille Diane ; Blanche, l'innocence même, dont la seule faute est d'avoir été élevée loin du monde et de ses corruptions ; Triboulet, dont la pauvreté et la difformité sont la cause de sa rancœur et de sa méchanceté à l'égard des grands de la Cour ; la malédiction de Saint-Vallier, proférée contre le roi et le bouffon, ne tombe que sur celui-ci. Le drame semble être né d'une rupture intime dans Hugo, du sentiment que l'univers comporte une faille originelle et essentielle, irréparable. *Lucrèce Borgia* scrute davantage cette scission première et l'élargit : l'univers du mal est partout dans les hommes, du pape aux sbires, du prince aux domestiques. Gubetta incarne l'esprit du mal qui seconde les grands de la terre, avec une note grotesque qui n'enlève rien à sa malignité essentielle. Seuls Gennaro et Maffio dans ce monde retors projettent des valeurs, la sincérité, l'amitié, l'honneur. Ils sont vaincus non par quelque fidélité à une parole mais par le hasard, celui qui les fait s'attabler au repas qui doit les tuer, avec leurs compagnons. La machine mise en place par Alphonse d'Este, reprise par Lucrèce, broie inexorablement les victimes. Le contrepoison, artifice apparemment assez facile, se révèle, à cet égard, un moyen du destin. Un moment le dramaturge a conçu de jeter une lueur dans cet enfer : mais la version où Gennaro comprend Lucrèce et lui pardonne a été écartée ; la raison ultime de cette décision ne peut se situer que dans les couches les plus profondes de l'imaginaire hugolien. En Hugo le vigoureux, le créateur, l'onde opaque monte à la surface. Il importe peu d'en connaître les « causes » : la liaison de sa femme, Adèle Foucher, passionnément aimée en 1822, avec son ami et son compagnon de lutte littéraire Sainte-Beuve ? Hugo sent-il disparaître alors l'univers de sa première maturité ? Les obstacles opposés à ses drames ont-ils aggravé la crise ? La folie de son frère Eugène, l'obsession qui en résulte pour lui ont-elles provoqué un désarroi que la création d'êtres et d'aventures de l'esprit exprime bien plus que toute confidence ? La crise ressortit à la métaphysique, non pas théorique, mais vécue intensément. Le mélodrame, haussé jusqu'au drame, convient mieux à l'expression d'une scission vitale, par son tour plus rhapsodique, moins formel, par son langage plus familier. Que *Lucrèce Borgia* ne compte pas parmi les toutes grandes œuvres de Hugo pourrait s'expliquer par cette proximité de l'imaginaire avec le vécu le plus secret. Le hasard joue un rôle plus ample que dans les drames précédents. La mort de Gennaro, rejetant la fiole qui peut le sauver, constitue un suicide délibéré; Gennaro est amené à constater que les valeurs qu'il a défendues pendant toute sa vie s'effondrent devant la révélation la plus grave, l'identité de sa mère, incestueuse et haïe dans l'Italie entière, et, surtout, que son sang est doublement corrompu par l'hérédité unique de son père et de sa mère. Le hasard des rencontres et des événements rejoint les fatalités héréditaires qu'avait évoquées incidemment son ami Maffio.

Le pouvoir politique est plus directement visé dans *Marie Tudor*. Choisissant comme héroïne la fille aînée de Henri VIII, le dramaturge trouvait un cas typique de l'absurdité qui, des rois, retombait sur les sujets. Le règne fait prévaloir non seulement une politique, mais une croyance religieuse; des hommes et des femmes sont tués pour leurs convictions; le règne suivant persécute jusqu'au bûcher ceux qui étaient considérés officiellement dans leur droit et dans la vérité absolue, religieuse. Il y va non pas de conceptions opposées du bien des êtres, mais de leur vérité fondamentale, de leur croyance en Dieu, ou, plus exactement, de leur manière d'honorer Dieu et de le servir. Que les gouvernements se suivent et varient, soit; que les manières d'interpréter Dieu et son Eglise changent et qu'elles soient sanctionnées par la mort, là est l'offense faite à la raison. Certes, ce n'est là que la toile de fond sur laquelle se déploie le drame; mais elle est présente, au-delà des mouvements d'humeur de la reine, de ses oscillations à l'égard de ceux qui l'entourent. La dramaturgie est marquée par une dualité qui empreint l'œuvre entière : Fabiano Fabiani est italien et espagnol, Jane est noble et roturière, la reine veut et ne veut pas, elle aime et elle hait, elle condamne à mort et songe à faire ses Pâques, elle mêle la vie privée et l'action politique. Seul, en retrait, Simon Renard poursuit dans l'ombre son action politique, meneur de jeu, lucide, machiavélique. Le Palais de Westminster fait pendant à la Tour de Londres, le menu peuple à la Cour; la Ville est comme un monstre qui guette sa proie, face à la reine seule devant les décisions qu'elle doit prendre. Pour la première fois dans le drame Hugo exploite les ressources du bruit de la foule; *Marion de Lorme* y accordait une petite part, à la dernière scène; voici le moment où l'émeute gronde, où la population londonienne peut renverser la reine et pousser au trône sa demi-sœur, sa rivale, Elisabeth. Ces cris ont leur fonction dans le drame, et Hugo connaît l'art d'en montrer les alternances.

Pour la première fois aussi, Hugo met l'ouvrier en scène. Le titre annonce une reine; le drame l'évoque avec son favori et ses courtisans. En face d'eux, le petit peuple des artisans prend la parole. Le guichetier parle comme un homme qui est au service du pouvoir; ses convictions sont celles des maîtres et varient comme eux; elles sont inexistantes. L'ouvrier apparaît non dans son attitude politique, mais dans son univers moral, toute droiture, toute bonté, tout amour, capable de courage et de sacrifice; la vengeance en lui n'a rien de bas, elle vise l'hypocrisie du faux aristocrate. Que Hugo ait rejeté la première version de l'acte I a sa raison; il lui fallait montrer l'ouvrier dans sa vie quotidienne, non son métier, mais son for intérieur, sa charité réelle. Enfin, l'ontologie binaire de Hugo se transforme : le destin n'a plus un cours fatal. Un homme peut, délibérément, agir conformément à son vouloir le plus intime, dût-il passer par le mensonge politique : le serment équivoque que prononce Gilbert n'a de sens que par là. Le drame se termine selon la tradition du mélodrame : le méchant est puni, le « bon » trouve son bonheur. Mais ce n'est pas sans quelque hésitation : une autre issue des événements avait été d'abord prévue, écrite. Elle a été modifiée, non par quelque caprice ou par quelque concession au goût du public : une lueur d'optimisme perce dans le monde, qui met en évidence les valeurs morales, et celles-ci se situent chez l'ouvrier et chez la jeune aristocrate qui a été élevée dans la chaumière. C'est là peut-être une image d'Epinal; mais Hugo est sur la voie du socialisme des *Misérables*. Une fois encore, sa pensée imaginaire aura précédé sa réflexion théorique et ses convictions avérées.

Le monde sur lequel règne le podestat est marqué par l'étouffement. Le despotisme radical imprègne le pouvoir; il est d'autant plus signalé dans *Angelo, tyran de Padoue* que le tyran est maître par délégation et qu'il est soumis lui-même à un maître supérieur. Le régime qui écrase Padoue est, l'oublierait-on ? celui d'une république, Venise est la reine des républiques. Mais, au fil des siècles, l'autorité s'est concentrée dans les mains de quelques familles, qui n'acceptent de mariages qu'avec des familles royales ou princières; l'idéal républicain s'est fait despotique au point de nier ses origines; le Conseil des Dix est une oligarchie qui écrase le peuple. Byron avait montré les conflits moraux que pouvait poser à des âmes d'élite cette dictature. Hugo en illustrera les effets sur la femme.

La dramaturgie est d'essence binaire : Venise et Padoue, le Conseil des Dix et Angelo son délégué, Angelo et la Tisbe, Rodolfo et Catarina, tout un jeu de relations doubles est mis en place, qui fonctionne à travers tout le drame. En filigrane nous voyons s'opposer le haut et le bas, le pouvoir et les subordonnés, la tour dans laquelle est enfermée Catarina et la Brenta où sont jetés les condamnés. La patricienne Catarina, de la famille des Bragadini, a une rivale, la Tisbe, l'actrice, d'origine populaire. Toutes deux sont aimantes, sincères dans leur sentiment. Mais c'est l'actrice qui se sacrifie pour celui qu'elle aime, pour assurer son bonheur. La décision de mort volontaire consentie par l'ouvrier Gilbert *(Marie Tudor)* reparaît ici dans la comédienne, qui organise, avec la lucidité du désespoir, sa propre mort à la place de sa rivale. La pitié prend place dans la dramaturgie hugolienne, doublée d'un sentiment de piété à l'égard de la mère. L'amour récent pour Juliette Drouet a éveillé dans l'être intime de Hugo un accent dramaturgique nouveau; avant même qu'il ne connût celle qui allait partager sa vie, Hugo avait pressenti le pouvoir de la compassion dans Esmeralda; la bohémienne donnait à boire à Quasimodo, qu'elle ne pouvait aimer; la Tisbe sauve la vie de celle qui a eu pitié jadis et qui, même sa rivale, assurera le bonheur de l'homme qu'elles aiment toutes deux. Plus que jamais les objets, le crucifix, le poignard, les deux flacons sont chargés de sens : leur fonction dramaturgique première se double d'un sens second.

Ruy Blas naît d'un processus dynamique qui ramène Hugo au vers. Il a deviné que cette forme convenait mieux à sa nature intime de poète dramaturge. Les contraintes de la prosodie, dont il triomphait avec une aisance sans pareille, et non sans virtuosité, l'obligent à la discipline; elles permettent des effets que la prose ne provoque pas. La prescience du génie lui fait entrevoir que le moment est venu de produire un drame à la fois individuel et social, sentimental et politique, alliant le pathétique et le bouffon. Le triomphe de *Ruy Blas* est là, dans un accord étonnamment juste et un équilibre parfait : « drame de la synthèse », écrit très justement Mme Ubersfeld. Le programme avait été énoncé dans la *Préface* de *Cromwell*, onze ans plus tôt; le drame *Cromwell* en constituait une application, grandiose, mais marquée quelque peu par l'application, et peu apte à la représentation. Voici l'heure de la pleine maturité; *Hernani* avait été la réussite de la jeunesse épanouie; *Ruy Blas* sera celle de la plénitude des moyens et de la pensée mise en forme parfaitement dramaturgique.

Pour aucun drame Hugo ne s'est autant informé que pour celui-ci. En lui le sentiment d'un déclin de la politique française se fait obsédant; le peuple s'associe en groupes qui attendent le moment de participer au gouvernement, ou de le diriger. De la conjonction de tous ces éléments, où la pensée théorique va de concert avec l'intuition imaginaire, naît une œuvre puissante, sans faille. Tout y est à sa place, sans qu'on puisse y changer quoi que ce soit. La part du hasard se conjugue avec celle du destin; la fatalité est tempérée par la volonté de l'individu, le grotesque se déploie avec un faste et une truculence que Hugo n'a jamais atteints et son insertion dans le drame se réalise selon un dosage parfaitement équilibré.

Les structures se font plus souples et plus secrètes. La hantise du double est projetée dans don Salluste et don César, semblables et opposés. Les gestes, même involontaires en apparence, sont chargés de sens. Les couleurs sont toutes signifiantes, même si elles paraissent logiques ou naturelles. La géographie et l'histoire, fondées sur des documents, s'intègrent au discours avec une telle perfection qu'elles paraissent provenir de la situation et être inventées, toujours justes, toujours adaptées à l'événement, politique, économique. Les interversions de rôles se produisent avec une aisance parfaite, avec leurs corrélats, celles des costumes. Proche de la reine, Ruy Blas l'est de don César.

En filigrane le tableau de l'Espagne contient une image de la France de 1830 : la manière dont les ministres se partagent les revenus trace, d'une manière hyperbolique, le portrait des financiers qui dirigent le royaume de Louis-Philippe. Leur appétit de l'argent trouve son équivalent dans celui de don César, devant la table garnie et l'argent qui lui parvient d'une manière inattendue;

le miracle bouffon forme l'antithèse de la rapacité délibérée. Parvenu involontaire, Ruy Blas porte sur lui les traits des classes nouvelles auxquelles le bouleversement napoléonien a donné le goût de l'ascension sociale et les possibilités de la réaliser. Fresque historique, *Ruy Blas* peut être vu comme un tableau relativement fidèle de l'Espagne des années 1700; par une projection discrète mais constante, on peut y lire le portrait de la société de 1835. Au romantisme Hugo donnait un chef-d'œuvre, qui faisait pendant à *Lorenzaccio*, paru deux ans plus tôt, deux drames qui appartiennent au répertoire de toutes les époques et qui séduisent tous les publics. Davantage : après les effets percutants et provocants des années 1830, le romantisme trouvait son point d'équilibre, son classicisme.

Raymond POUILLIART.

BIBLIOGRAPHIE

Œuvres complètes de Victor Hugo. Paris, Ollendorff, puis Albin Michel, 1901-1953, 45 vol. Edition dite de l'« Imprimerie nationale ». Edition de base, en tous points excellente.

Hugo. *Œuvres complètes.* Edition chronologique publiée sous la direction de Jean Massin. Paris, Club Français du Livre, 1967-1971, 18 volumes.
Excellente édition, munie de notes et de portefeuilles inédits, outre les trois volumes d'iconographie.

Victor Hugo. *Ruy Blas.* Edition critique établie par Anne Ubersfeld. I.-II. Paris, Les Belles-Lettres, 1971 et 1972, Annales littéraires de l'Université de Besançon, 121 et 131. Centre de recherches de littérature française (XIXe et XXe siècles, vol. 5 et 6). Edition exemplaire pour l'établissement du texte, ses variantes et ses notes.

Paul et Victor Glachant. *Un laboratoire dramatique. Essai critique sur le théâtre de Victor Hugo.* I. *Les drames en vers de l'époque romantique* (1827-1839). — II. *Les drames en prose. Les drames épiques. Les comédies lyriques* (1822-1886). Paris, Hachette, 1902 et 1903.
Premier examen attentif des variantes. Utile pour les textes qui n'ont pas fait l'objet d'éditions critiques.

Pierre Albouy. *La Création mythologique chez Victor Hugo.* Paris, José Corti, 1963.
Très bonne étude des thèmes fondamentaux de l'Univers imaginaire.

Jean-Bertrand Barrère. *La Fantaisie de Victor Hugo.* Paris, José Corti, 1949, 1950 et 1960.

Excellente synthèse d'un aspect important de la création littéraire.

JEAN-BERTRAND BARRÈRE. *Hugo, l'homme et l'œuvre*. Paris, Boivin (1952). Connaissance des lettres.
Bonne introduction générale.

MARC BLANCHARD. *Marie Tudor. Essai sur les sources du drame*. Paris, Boivin, 1934.
Premier examen sérieux du sujet; toujours utile.

PATRICE BOUSSEL et MADELEINE DUBOS. *De quoi vivait Victor Hugo ?* Paris, Deux Rives, 1952. De quoi vivaient-ils ? N° 11.
Approche intéressante.

SAMIA CHAHINE. *La Dramaturgie de Victor Hugo*. Paris, Nizet, 1971.
Synthèse positive et utile.

ANNE UBERSFELD. *Le Roi et le Bouffon. Etude sur le théâtre de Hugo de 1830 à 1839*. Paris, José Corti, 1974.
Excellente étude, qui unit les approches sémiotique, psychanalytique et sociologique et tient compte des circonstances concrètes de la vie théâtrale.

W. PENDELL. *Victor Hugo acted dramas and the contemporary Press*. Baltimore, Johns Hopkins Press, 1947.
Bon inventaire des articles contemporains des premières représentations. Ne comporte pas d'étude sur les auteurs des articles ni sur les tendances des journaux et des revues. Utile.

NOTE SUR LE TEXTE

A été reproduit le texte définitif tel qu'il paraît dans l'édition « ne varietur » de l'Imprimerie nationale. Les notes élucident les références historiques et légendaires les plus importantes et reproduisent les variantes majeures ou significatives telles qu'elles apparaissent dans les manuscrits et dans les éditions originales. Pour *Ruy Blas*, l'édition critique de Mme Ubersfeld fournit les explications les plus nombreuses; nous en avons fait notre profit, en y ajoutant de nouvelles, lorsqu'il y avait lieu.

LUCRÈCE BORGIA [1]

INTRODUCTION

Avant même que n'échouât *Le Roi s'amuse*, représenté le 22 novembre 1832, dans le tumulte, puis interdit par l'autorité légale le 24 et condamné par la critique presque unanime, Hugo avait repensé sa dramaturgie. Jusqu'alors son effort s'était porté sur la formule que le jeune groupe romantique cherchait à substituer à la tragédie traditionnelle, celle des grands classiques et celle d'auteurs sans originalité réelle, auxquelles restait fidèle un public épris de confort intellectuel et de formes rassurantes. De *Marion de Lorme* au *Roi s'amuse*, trois œuvres avaient été inventées, trois drames divisés en cinq actes et en vers, conformément à la tradition. Cette soumission apparente contenait une révolution : les unités classiques étaient bousculées, l'alexandrin, coupé, tordu, était semé de mots insolites, ou banals, voire triviaux, choisis pour leurs effets de sonorité. Pourquoi Hugo adopte-t-il soudain la prose alors que son dernier drame n'avait été ni porté à la scène ni imprimé ? Alexandre Dumas venait de faire représenter au Théâtre-Français *La Tour de Nesle*, le 29 mai 1832, un drame en prose. Son ami songea-t-il à rivaliser avec lui ? Les mobiles de la décision ne sont pas clairs, non plus que les dates où germa en lui son nouveau projet. Hugo voulait-il conquérir un public plus populaire ou moins paralysé par les conventions traditionnelles ? Deux mobiles ont dû jouer surtout : la volonté de hausser le drame, tenu pour genre mineur, à un niveau élevé et, surtout, le sens, qui s'éveillait en Hugo, d'une mission sociale et littéraire à la fois, éduquer le peuple par la scène. L'Odéon l'attirait peu, et pas davantage les petits théâtres. Restait le Théâtre de la Porte-Saint-Martin, dont le directeur avait déjà obtenu de représenter *Marion de Lorme* en 1829.

La famille Borgia avait retenu son attention depuis 1827. Est-ce la légende qui portait ces personnages, ou quelque lecture qui fait jaillir en lui un de ces calembours ou le signifiant stimule le signifié : « B-orgia » ? Une feuille porte ce mot double, et ceux de deux personnages, Mardi-Gras et Vendredi-Saint — dénomination qui s'apparente à celles, plus tardives, de Quasimodo et Sabactani : tous trois sont empruntés au carême catholique, le dernier à la liturgie de la Passion. Le nom des Borgia est-il alors une réminiscence de l'*Essai sur les mœurs ?* Voltaire avait consacré un chapitre entier à la célèbre famille. Plus tard, un glissement s'opère dans l'esprit de Hugo : au pape Alexandre Borgia, à son fils César se substitue Lucrèce, à laquelle les historiens s'attachaient peu alors. Un bref fragment contient un schéma de monologue : « ma mère est l'exécrable empoisonneuse amoureuse de moi — lettres — je ne l'ai jamais vue, je lui réponds — Empoisonneuse — persécutions d'amour. »

Pour concrétiser et étoffer le noyau dramaturgique ainsi entrevu, les documents ne manquent pas. L'*Essai sur les mœurs* trace un tableau général de l'Italie au XVe et au XVIe siècle, relate les guerres d'Italie menées par Charles VIII et Louis XII, leurs alliances et leurs luttes avec les maîtres des Etats qui composaient une péninsule divisée en principautés, duchés, royaumes, avec leurs coalitions et leurs conflits où l'intérêt local l'emportait souvent. De Voltaire aussi viennent quelques anecdotes significatives, où est mentionné le poison utilisé par Borgia, et la référence à quelques ouvrages d'histoire, bons, contestables ou mauvais. Sa connaissance du latin a permis à Hugo de lire probablement le *Specimen historiæ arcanæ sive anecdotæ de vita Alexandrii VI, papæ* [...], paru à Hanovre en 1696; la Bibiliothèque royale possédait ce très bref condensé d'un très ample ouvrage écrit par Johannes Burchard, qui avait été le secrétaire du pape et qui avait noté sèchement les événements dont il avait été le témoin; ce *Diarium* est la principale source de la légende qui s'est formée sur Lucrèce. Tomasi avait écrit un livre, trois fois édité en français, les *Mémoires pour servir à l'histoire de la vie de César Borgia, duc de Valentinois;* ce n'est que très tard, presque au moment de la rédaction, que Hugo emprunte un exemplaire de cet ouvrage à la Bibliothèque royale, qui lui procure quelques faits significatifs. Les noms italiens sont francisés par le traducteur de Tomasi; la *Biographie universelle Michaud* les donne dans leur forme originale; plus prudente et plus objective, elle émet des réserves sur les relations incestueuses de Lucrèce et reproduit une critique de Voltaire concernant Guichardin et son *Histoire des guerres d'Italie*. Hugo en a lu une traduction française et a pu y trouver l'énumération des différents mariages de Lucrèce, surtout le premier, passé généralement sous silence. En outre, l'*Histoire des républiques italiennes du Moyen Age*, de Sismondi (1818-1877), hostile aux Borgia.

La genèse du drame, son glissement d'une image politique à un drame personnel se produisent à partir d'images plus profondément enracinées dans le psychisme de Hugo et dans son monde imaginaire. Le sentiment paternel constituait un des centres dynamiques du *Roi s'amuse;* le voici repris sous la forme de l'amour maternel; cynique et impitoyable dans son métier d'amuseur de la Cour, difforme et aigri, Triboulet appelait, par contraste, l'image de la belle Lucrèce, haineuse à l'égard de ses ennemis et aimant son fils d'une affection débordante — la préface du drame parle d'une « bilogie »; Hugo voit clair. Au roi frivole correspond une princesse cruelle; à l'histoire d'un roi et de son bouffon succède celle d'une duchesse et de son fils, intimement unis et fondamentalement séparés par un secret vital. La fille de Triboulet a été élevée dans l'ignorance totale de la vie officielle de son père; Gennaro ne sait rien de sa naissance et, comme Blanche, il incarne la pureté d'être. Les parallélismes contrastés abondent entre les deux œuvres, dont la création met en branle des forces semblables qui soustendent des images divergentes, mais apparentées.

La rédaction a été rapide : du 9 juillet 1832 au 12, l'acte I est rédigé; du 13 au 16, l'acte II, avec une conclusion que Hugo modifiera; le 18, l'acte III est entamé, mais le tour que prennent les événements ne correspond pas au désir du dramaturge; interrompu, l'acte est repris le 19 et achevé le 20. Trois semaines auront suffi. L'intervention de Maffio dans l'épisode final provient-elle d'un remaniement tardif ? Il est possible que le manuscrit ait été retouché au moment des répétitions : la réalisation concrète du texte écrit permet de voir des détails, des lacunes, de suggérer d'ultimes modifications.

Le drame fut représenté au Théâtre de la Porte-Saint-Martin le 2 février 1833. Les décors avaient été brossés par un ami, Louis Boulanger. La distribution était la suivante : Lucrèce (Mlle George), Alphonse d'Este (Delafosse), Gubetta (Provost); les rôles secondaires d'Orsini, Liveretto, Gazella, Petrucci, Vitellozzo, Rustighello et Astolfo étaient tenus respectivement par Chéri, Chilly, Monval, Tournay, Auguste, Serres et Vissot. A l'étonnant Frédérick Lemaître avait été confié celui de Gennaro. Une jeune actrice, Mlle Juliette (Drouet) assurait celui de la princesse Negroni.

L'accueil fut triomphal. Dès le lever du rideau la vue de Venise provoqua des applaudissements. La pièce fut écoutée « dans un silence religieux, interrompu seulement par des tonnerres de bravos frénétiques, sans sifflets, sans huées, sans éclats de rires moqueurs, sans injures par conséquent [...] » (*Le Courrier français*, 4 février). Des remarques ont été émises sur l'aspect historique : la *Revue des Deux Mondes*, conservatrice et hostile, estime que l'amour incestueux d'Alexandre VI et de ses deux fils eût constitué un thème plus logique. Ce point de vue contestable appelle une mise au point intéressante de *L'Artiste* (1833, t. 5) :

> C'est ici l'occasion de répondre aux reproches d'immoralité et d'exactitude *(sic)* tant de fois adressés aux ouvrages de M. Hugo. En vérité, nous ne les comprenons pas. Il faut pourtant choisir entre Marion Delorme, Lucrèce Borgia, telles que nous les montre l'histoire ou bien comme nous les représente l'auteur, c'est-à-dire rattachées chacune à la nature humaine par ses deux plus beaux sentiments, l'amour maternel, l'amour pur, idéal, poétique, l'amour de dévouement. S'il fausse l'histoire, c'est au contraire au profit de la morale, et nous l'en félicitons (...) Nulle part nous n' (...) avons vu (de l'époque) la reproduction plus exacte, plus sentie, plus palpitante, l'intelligence plus profonde, dans son dernier ouvrage surtout.

La surabondance de l'horreur suscite quelques réserves : *Le Courrier français* trouve que l'intérêt du drame s'en trouve amoindri (4 février). Mais la plupart des critiques estiment que la maîtrise de la dramaturgie croît en Hugo. Leurs avis divergent sur l'opportunité de la prose ou du vers; si *L'Artiste*, vraiment gagné à la cause de Hugo, opte pour la prose, *Le Courrier français*, *Le Courrier des Théâtres*, *Le Journal des Débats*, *La Revue des Deux Mondes*, *La Tribune politique et littéraire*, *Le Moniteur universel* préfèrent le vers. Certains épinglent la similitude du drame avec celui de Dumas, *Le Courrier des Théâtres*, par exemple, qui nuance le lendemain en signalant que *Lucrèce Borgia* « était terminé avant que parût *La Tour de Nesle* ». Clairvoyante peut-être malgré elle, *La Revue des Deux Mondes*, à partir d'une réserve, prononce une vérité :

> *Lucrèce Borgia*, très inférieure littérairement aux pièces précédentes de l'auteur que la foule a répudiées, offre aux appétits vulgaires une pâture plus solide. Ceci n'est plus un chef-d'œuvre destiné seulement aux esprits raffinés d'une pléiade, au goût dédaigneux d'une académie, aux disciples ascétiques d'un cénacle mystérieux; l'étude et l'initiation sont inutiles; les yeux suffisent et font seuls toute la besogne.

C'était oublier que la pièce contenait des beautés qui tiennent à sa composition même, plus solide qu'il n'y paraissait; c'était dire qu'elle s'adressait au grand public et non aux seuls lettrés.

Il y eut trois parodies : de Scribe, Desvergers et Varon, *Une répétition générale*, « à-propos vaudeville » (Gymnase, le 16 seulement); de Dupin et Jules, *Tigresse Mort-aux-Rats ou Poison et Contre-poison, médecine en quatre doses et en vers* (Variétés, le 22), qu'édita Barba; de Mallian, *L'Ogresse Gorgia, gros cauchemar en cinq parties en vers* (L'Ambigu-Comique, le 23).

Le drame suscita rapidement à l'étranger un écho, qui ne parvint pas en France, pas même à l'auteur. Georg Büchner traduisit *Lucrèce Borgia* en février-mars 1835. Peut-être cette tâche fut-elle entreprise pour des raisons pécuniaires; cela n'enlève rien à la décision ni au choix ni à la qualité de la traduction, qui resta manuscrite jusqu'en 1850. En Hugo l'auteur de *La Mort de Danton* trouvait un modèle.

Le drame fut repris au Théâtre de la Porte-Saint-Martin le 7 février 1870. Méry Laurent, l'amie de Mallarmé, tenait le rôle principal, avec Mélingue (Alphonse d'Este) et Taillade (Gennaro). Des manifestations politiques eurent lieu, pour Hugo exilé et contre l'Empereur et sa famille, assimilés par le public aux Borgia.

L'édition originale avait paru à Paris, chez Renduel, le 24 février 1833, avec une note de l'auteur, comportant deux variantes assez longues, destinées aux troupes de province. Elle avait été tirée à 2 000 exemplaires et rapporta à Hugo 4 000 F. Dans l'édition Furne (1841) fut ajouté un hommage à Juliette Drouet. L'édition Hugues (1882) produisit une variante fort longue.

PRÉFACE

Ainsi qu'il s'y était engagé dans la préface de son dernier drame [2], l'auteur est revenu à l'occupation de toute sa vie, à l'art. Il a repris ses travaux de prédilection, avant même d'en avoir tout à fait fini avec les petits adversaires politiques qui sont venus le distraire il y a deux mois [3]. Et puis, mettre au jour un nouveau drame six semaines après le drame proscrit, c'était encore une manière de dire son fait au présent gouvernement [4]. C'était lui montrer qu'il perdait sa peine. C'était lui prouver que l'art et la liberté peuvent repousser en une nuit sous le pied maladroit qui les écrase. Aussi compte-t-il bien mener de front désormais la lutte politique, tant que besoin sera, et l'œuvre littéraire. On peut faire en même temps son devoir et sa tâche. L'un ne nuit pas à l'autre. L'homme a deux mains.

Le Roi s'amuse et *Lucrèce Borgia* ne se ressemblent ni par le fond ni par la forme, et ces deux ouvrages ont eu chacun de leur côté une destinée si diverse que l'un sera peut-être un jour la principale date politique et l'autre la principale date littéraire de la vie de l'auteur. Il croit devoir le dire cependant, ces deux pièces, si différentes par le fond, par la forme et par la destinée, sont étroitement accouplées dans sa pensée. L'idée qui a produit *Le Roi s'amuse* et l'idée a produit *Lucrèce Borgia* sont nées au même moment, sur le même point du cœur [5]. Quelle est, en effet, la pensée intime cachée sous trois ou quatre écorces concentriques dans *Le Roi s'amuse?* La voici. Prenez la difformité *physique* la plus hideuse, la plus repoussante, la plus complète; placez-la là où elle ressort le mieux, à l'étage le plus infime, le plus souterrain et le plus méprisé de l'édifice social; éclairez de tous côtés, par le jour sinistre des contrastes, cette misérable créature; et puis jetez-lui une âme, et mettez dans cette âme le sentiment le plus pur qui soit donné à l'homme, le sentiment paternel. Qu'arrivera-t-il ? C'est que ce sentiment sublime, chauffé selon certaines conditions, transformera sous vos yeux la créature dégradée; c'est que l'être petit deviendra grand; c'est que l'être difforme deviendra beau. Au fond, voilà ce que c'est que *Le Roi s'amuse*. Eh bien, qu'est-ce que c'est que *Lucrèce Borgia?* Prenez la difformité *morale* la plus hideuse, la plus repoussante, la plus complète; placez-la là où elle ressort le mieux, dans le cœur d'une femme, avec toutes les conditions de beauté physique et de grandeur royale, qui donnent de la saillie au crime; et maintenant mêlez à toute cette difformité morale un sentiment pur, le plus pur que la femme puisse éprouver, le sentiment maternel; dans votre monstre, mettez une mère; et le monstre intéressera, et le monstre fera pleurer, et cette créature qui faisait peur fera pitié, et cette âme difforme deviendra presque belle à vos yeux. Ainsi la paternité sanctifiant la difformité physique, voilà *Le Roi s'amuse;* la maternité purifiant la difformité morale, voilà *Lucrèce Borgia*. Dans la pensée de l'auteur, si le mot *bilogie* n'était pas un mot barbare, ces deux pièces ne feraient qu'une bilogie *sui generis*, qui pourrait avoir pour titre *Le Père et la Mère*. Le sort les a séparées, qu'importe ! L'une a prospéré, l'autre a été frappée d'une lettre de cachet; l'idée qui fait le fond de la première restera longtemps encore peut-être voilée par mille préventions à bien des regards, l'idée qui a engendré la seconde semble être chaque soir, si aucune illusion ne nous aveugle, comprise et acceptée par une foule intelligente et sympathique; *habent sua fata* [6]*;* mais, quoi qu'il en soit de ces deux pièces, qui n'ont d'autre mérite d'ailleurs que l'attention dont le public a bien voulu les entourer, elles sont sœurs jumelles, elles se sont touchées en germe, la couronnée et la proscrite, comme Louis XIV et le Masque de Fer [7].

Corneille et Molière avaient pour habitude de répondre en détail aux critiques que leurs ouvrages suscitaient, et ce n'est pas une chose peu curieuse aujourd'hui de voir ces géants du théâtre se débattre dans des *avant-propos* et des *avis au lecteur* sous l'inextricable réseau d'objections que la critique contemporaine ourdissait sans relâche autour d'eux. L'auteur de ce drame ne se croit pas digne de suivre d'aussi grands exemples. Il se taira, lui, devant la critique. Ce qui sied à des hommes pleins d'autorité, comme Molière et Corneille, ne sied pas à d'autres. D'ailleurs, il n'y a peut-être que Corneille au monde qui puisse rester grand et sublime, au moment même où il fait mettre une préface à genoux devant Scudéri ou Chapelain. L'auteur est loin d'être Corneille; l'auteur est loin d'avoir affaire à Chapelain et à Scudéri [8]. La critique, à quelques rares exceptions près, a été en général loyale et bienveillante pour lui. Sans doute il pourrait répondre à plus d'une objection. A ceux qui trouvent, par exemple, que Gennaro se laisse trop candidement empoisonner par le duc au second acte, il pourrait demander si Gennaro, personnage construit par la fantaisie du poète, est tenu d'être plus *vraisemblable* et plus défiant que l'historique Drusus de Tacite, *ignarus et juveniliter hauriens* [9]. A ceux qui lui reprochent d'avoir exagéré les crimes de Lucrèce Borgia, il dirait : « Lisez Tomasi, lisez Guicciardini, lisez surtout le *Diarium* [10] » A ceux qui le blâment d'avoir accepté sur la mort des maris de Lucrèce certaines rumeurs populaires à demi fabuleuses, il répondrait que souvent les fables du peuple font la vérité du poète; et puis il citerait encore Tacite, historien plus obligé de se critiquer sur la réalité des faits que le poète dramatique : *Quamvis fabulosa et immania credebantur, atrociore semper fama erga dominantium exitus.* Il pourrait pousser le détail de ces explications beaucoup plus loin, et examiner une à une avec la critique toutes les pièces de la charpente de son ouvrage; mais il a plus de plaisir à remercier la critique qu'à la contredire; et, après tout, les réponses qu'il pourrait faire aux objections de la critique [11], il aime mieux que le lecteur les trouve dans le drame, si elles y sont, que dans la préface.

On lui pardonnera de ne point insister davantage sur le côté purement esthétique de son ouvrage. Il est tout un autre ordre d'idées, non moins hautes selon lui, qu'il voudrait avoir le loisir de remuer et d'approfondir à l'occasion de cette pièce de *Lucrèce Borgia*. À ses yeux, il y a beaucoup de questions sociales [12] dans les questions littéraires, et toute œuvre est une action. Voilà le sujet sur lequel il s'étendrait volontiers, si l'espace et le temps ne lui manquaient. Le théâtre, on ne saurait trop le répéter, a de nos jours une importance immense, et qui tend à s'accroître sans cesse avec la civilisation même. Le théâtre est une tribune. Le théâtre est une chaire. Le théâtre parle fort et parle haut. Lorsque Corneille dit :

Pour être plus qu'un roi tu te crois quelque chose [13], Corneille, c'est Mirabeau. Quand Shakespeare dit : *To die, to sleep* [14], Shakespeare, c'est Bossuet.

L'auteur de ce drame sait combien c'est une grande et sérieuse chose que le théâtre. Il sait que le drame, sans sortir des limites impartiales de l'art, a une mission nationale, une mission sociale, une mission humaine. Quand il voit chaque soir ce peuple si intelligent et si avancé qui a fait de Paris la cité centrale du progrès s'entasser en foule devant un rideau que sa pensée, à lui chétif poète, va soulever le moment d'après [15], il sent combien il est peu de chose, lui, devant tant d'attente et de curiosité; il sent que si son talent n'est rien, il faut que sa probité soit tout; il s'interroge avec sévérité et recueillement sur la portée philosophique de son œuvre; car il se sait responsable, et il ne veut pas que cette foule puisse lui demander compte un jour de ce qu'il lui aura enseigné. Le poète aussi a charge d'âmes. Il ne faut pas que la multitude sorte du théâtre sans emporter avec elle quelque moralité austère et profonde. Aussi espère-t-il bien, Dieu aidant, ne développer jamais sur la scène (du moins tant que dureront les temps sérieux où nous sommes) que des choses pleines de leçons et de conseils. Il fera toujours apparaître volontiers le cercueil dans la salle du banquet, la prière des morts à travers les refrains de l'orgie, la cagoule à côté du masque. Il laissera quelquefois le carnaval débraillé chanter à tue-tête sur l'avant-scène; mais il lui criera du fond du théâtre : *Memento quia pulvis es* [16]. Il sait bien que l'art seul, l'art pur, l'art proprement dit, n'exige pas tout cela du poète; mais il pense qu'au théâtre surtout il ne suffit pas de remplir seulement les conditions de l'art. Et quant aux plaies et aux misères de l'humanité, toutes les fois qu'il les étalera dans le drame, il tâchera de jeter sur ce que ces nudités-là auraient de trop odieux le voile d'une idée consolante et grave. Il ne mettra pas Marion de Lorme sur la scène sans purifier la courtisane avec un peu d'amour; il donnera à Triboulet le difforme un cœur de père; il donnera à Lucrèce la monstrueuse des entrailles de mère. Et de cette façon, sa conscience se reposera du moins tranquille et sereine sur son œuvre. Le drame qu'il rêve et qu'il tente de réaliser pourra toucher à tout sans se souiller à rien. Faites circuler dans tout une pensée morale et compatissante, et il n'y a plus rien de difforme ni de repoussant. A la chose la plus hideuse mêlez une idée religieuse, elle deviendra sainte et pure. Attachez Dieu au gibet, vous avez la croix.

11 février 1833.

PERSONNAGES

Dona Lucrezia Borgia
Don alphonse d'Este
Gennaro
Gubetta
Maffio Orsini
Jeppo Liveretto
Don Apostolo Gazella
Ascanio Petrucci
Oloferno Vitellozzo
Rustighello
Astolfo
La Princesse Negroni
Un huissier
Des moines
Seigneurs, pages, gardes

Venise. — Ferrare.
15...[17]

ACTE PREMIER[18]

AFFRONT SUR AFFRONT

PREMIÈRE PARTIE

Une terrasse du palais Barbarigo [19], à Venise. C'est une fête de nuit. Des masques [20] traversent par instants le théâtre. Des deux côtés de la terrasse, le palais, splendidement illuminé et résonnant de fanfares. La terrasse couverte d'ombre et de verdure. Au fond, au bas de la terrasse, est censé couler le canal de la Zuecca, sur lequel on voit passer par moments, dans les ténèbres, des gondoles, chargées de masques et de musiciens, à demi éclairées. Chacune de ces gondoles traverse le fond du théâtre avec une symphonie tantôt gracieuse, tantôt lugubre, qui s'éteint par degrés dans l'éloignement. Au fond, Venise, au clair de lune.

SCÈNE PREMIÈRE

De jeunes seigneurs, magnifiquement vêtus, leurs masques à la main, causent sur la terrasse.

GUBETTA, GENNARO, *vêtu en capitaine;* DON APOSTOLO GAZELLA, MAFFIO ORSINI, ASCANIO PETRUCCI, OLOFERNO VITELLOZZO, JEPPO LIVERETTO [21]

OLOFERNO

Nous vivons dans une époque où les gens accomplissent tant d'actions horribles qu'on ne parle plus de celle-là, mais certes il n'y eut jamais événement plus sinistre et plus mystérieux.

ASCANIO

Une chose ténébreuse faite par des hommes ténébreux.

JEPPO

Moi, je sais les faits, messeigneurs. Je les tiens de mon cousin éminentissime le cardinal Carriale[22], qui a été mieux informé que personne. — Vous savez, le cardinal Carriale, qui eut cette fière dispute avec le cardinal Riario[23], au sujet de la guerre contre Charles VIII de France ?

GENNARO[24], *bâillant.*

Ah! voilà Jeppo qui va nous conter des histoires! — Pour ma part, je n'écoute pas. Je suis déjà bien assez fatigué sans cela.

MAFFIO

Ces choses-là ne t'intéressent pas, Gennaro, et c'est tout simple. Tu es un brave capitaine d'aventure[25]. Tu portes un nom de fantaisie. Tu ne connais ni ton père ni ta mère. On ne doute pas que tu ne sois gentilhomme, à la façon dont tu tiens une épée; mais tout ce qu'on sait de ta noblesse, c'est que tu te bats comme un lion. Sur mon âme, nous sommes compagnons d'armes, et ce que je dis n'est pas pour t'offenser. Tu m'as sauvé la vie à Rimini, je t'ai sauvé la vie au pont de Vicence. Nous nous sommes juré de nous aider en périls comme en amour, de nous venger l'un l'autre quand besoin serait, de n'avoir pour ennemis, moi, que les tiens, toi, que les miens. Un astrologue[26] nous a prédit que nous mourrions tous deux de la même mort et le même jour, et nous lui avons donné dix sequins d'or pour la prédiction. Nous ne sommes pas amis, nous sommes frères. Mais enfin, tu as le bonheur de t'appeler simplement Gennaro, de ne tenir à personne, de ne traîner après toi aucune de ces fatalités, souvent héréditaires, qui s'attachent aux noms historiques. Tu es heureux! Que t'importe ce qui se passe et ce qui s'est passé, pourvu qu'il y ait toujours des hommes pour la guerre et des femmes pour le plaisir ? Que te fait l'histoire des familles et des villes, à toi, enfant du drapeau, qui n'as ni ville ni famille ? Nous, vois-tu, Gennaro ? c'est différent. Nous avons droit de prendre intérêt aux catastrophes de notre temps. Nos pères et nos mères ont été mêlés à ces tragédies, et presque toutes nos familles saignent encore. — Dis-nous ce que tu sais, Jeppo.

GENNARO

Il se jette dans un fauteuil, dans l'attitude de quelqu'un qui va dormir.

Vous me réveillerez quand Jeppo aura fini.

JEPPO

Voici. — C'est en quatorze cent quatrevingt...

GUBETTA, *dans un coin du théâtre.*

Quatrevingt-dix-sept.

JEPPO

C'est juste. Quatrevingt-dix-sept. Dans une certaine nuit d'un mercredi à un jeudi...

GUBETTA

Non. D'un mardi à un mercredi.

JEPPO

Vous avez raison. — Cette nuit [27] donc, un batelier du Tibre, qui s'était couché dans son bateau, le long du bord, pour garder ses marchandises, vit quelque chose d'effrayant. C'était un peu au-dessous de l'église Santo-Hieronimo. Il pouvait être cinq heures après minuit. Le batelier vit venir dans l'obscurité, par le chemin qui est à gauche de l'église, deux hommes qui allaient à pied, de çà, de là, comme inquiets ; après quoi il en parut deux autres, et enfin trois ; en tout sept. Un seul était à cheval. Il faisait nuit assez noire. Dans toutes les maisons qui regardent le Tibre, il n'y avait plus qu'une seule fenêtre éclairée. Les sept hommes s'approchèrent du bord de l'eau. Celui qui était monté tourna la croupe de son cheval du côté du Tibre, et alors le batelier vit distinctement sur cette croupe des jambes qui pendaient d'un côté, une tête et des bras de l'autre, — le cadavre d'un homme. Pendant que leurs camarades guettaient les angles des rues, deux de ceux qui étaient à pied prirent le corps mort, le balancèrent deux ou trois fois avec force, et le lancèrent au milieu du Tibre. Au moment où le cadavre frappa l'eau, celui qui était à cheval fit une question à laquelle les deux autres répondirent : Oui, monseigneur. Alors le cavalier se retourna vers le Tibre, et vit quelque chose de noir qui flottait sur l'eau. Il demanda ce que c'était. On lui répondit : Monseigneur, c'est le manteau de monseigneur qui est mort. Et quelqu'un de la troupe jeta des pierres à ce manteau, ce qui le fit enfoncer. Ceci fait, ils s'en allèrent tous de compagnie, et prirent le chemin qui mène à Saint-Jacques. Voilà ce que vit ce batelier.

MAFFIO

Une lugubre aventure. Etait-ce quelqu'un de considérable que ces hommes jetaient ainsi à l'eau ? Ce cheval me fait un effet étrange; l'assassin en selle, et le mort en croupe.

GUBETTA

Sur ce cheval il y avait les deux frères.

JEPPO

Vous l'avez dit, monsieur de Belverana [28]. Le cadavre, c'était Jean Borgia; le cavalier, c'était César Borgia.

MAFFIO

Famille de démons que ces Borgia! Et dites, Jeppo, pourquoi le frère tuait-il ainsi le frère ?

JEPPO

Je ne vous le dirai pas. La cause du meurtre est tellement abominable que ce doit être un péché mortel d'en parler seulement.

GUBETTA

Je vous le dirai, moi. César, cardinal de Valence, a tué Jean, duc de Gandia, parce que les deux frères aimaient la même femme.

MAFFIO

Et qui était cette femme ?

GUBETTA, *toujours au fond du théâtre.*

Leur sœur.

JEPPO

Assez, monsieur de Belverana. Ne prononcez pas devant nous le nom de cette femme monstrueuse. Il n'est pas une de nos familles à laquelle elle n'ait fait quelque plaie profonde.

MAFFIO

N'y avait-il pas aussi un enfant mêlé à tout cela ?

JEPPO

Oui, un enfant dont je ne veux nommer que le père, qui était Jean Borgia.

MAFFIO

Cet enfant serait un homme maintenant [29].

OLOFERNO

Il a disparu.

JEPPO

Est-ce César Borgia qui a réussi à le soustraire à la mère ? Est-ce la mère qui a réussi à le soustraire à César Borgia ? On ne sait.

DON APOSTOLO

Si c'est la mère qui cache son fils, elle fait bien. Depuis que César Borgia, cardinal de Valence, est devenu duc de Valentinois, il a fait mourir, comme vous savez, sans compter son frère Jean, ses deux neveux, les fils de Guifry Borgia, prince de Squillacci, et son cousin, le cardinal François Borgia [30]. Cet homme a la rage de tuer ses parents.

JEPPO

Pardieu ! il veut être le seul Borgia, et avoir tous les biens du pape.

ASCANIO

La sœur que vous ne voulez pas nommer, Jeppo, ne fit-elle pas à la même époque une cavalcade secrète au monastère de Saint-Sixte [31] pour s'y renfermer, sans qu'on sût pourquoi ?

JEPPO

Je crois que oui. C'était pour se séparer du seigneur Jean Sforza, son deuxième mari [32].

MAFFIO

Et comment se nommait ce batelier qui a tout vu ?

JEPPO

Je ne sais pas.

GUBETTA

Il se nommait Georgio Schiavone, et avait pour industrie de mener du bois par le Tibre à Ripetta.

MAFFIO, *bas à Ascanio.*

Voilà un Espagnol qui en sait plus long sur nos affaires que nous autres Romains.

ASCANIO, *bas.*

Je me défie comme toi de ce monsieur de Belverana. Mais n'approfondissons pas ceci. Il y a peut-être une chose dangereuse là-dessous.

JEPPO

Ah! messieurs, messieurs! dans quel temps sommes-nous ? Et connaissez-vous une créature humaine qui soit sûre de vivre quelques lendemains dans cette pauvre Italie, avec les guerres, les pestes et les Borgia qu'il y a ?

DON APOSTOLO

Ah çà, messeigneurs, je crois que tous tant que nous sommes nous devons faire partie de l'ambassade que la république de Venise envoie au duc de Ferrare, pour le féliciter d'avoir repris Rimini sur les Malatesta [33]. Quand partons-nous pour Ferrare ?

OLOFERNO

Décidément, après-demain. Vous savez que les deux ambassadeurs sont nommés. C'est le sénateur Tiopolo et le général de galères Grimani [34].

DON APOSTOLO

Le capitaine Gennaro sera-t-il des nôtres ?

MAFFIO

Sans doute! Gennaro et moi, nous ne nous séparons jamais [35].

ASCANIO

J'ai une observation importante à vous soumettre, messieurs; c'est qu'on boit le vin d'Espagne sans nous.

MAFFIO

Rentrons au palais. — Hé! Gennaro!

A Jeppo.

— Mais c'est qu'il s'est réellement endormi pendant votre histoire, Jeppo.

JEPPO

Qu'il dorme.

Tous sortent, excepté Gubetta.

SCÈNE II

GUBETTA, *puis* DONA LUCREZIA, GENNARO, *endormi.*

GUBETTA, *seul.*

Oui, j'en sais plus long qu'eux; ils se disaient cela tout bas. J'en sais plus long qu'eux, mais dona Lucrezia en sait plus que moi, monsieur de Valentinois en sait plus que dona Lucrezia, le diable en sait plus que monsieur de Valentinois, et le pape Alexandre six [36] en sait plus que le diable.

Regardant Gennaro.

— Comme cela dort, ces jeunes gens!

Entre dona Lucrezia, masquée. Elle aperçoit Gennaro endormi, et va le contempler avec une sorte de ravissement et de respect.

DONA LUCREZIA, *à part.*

Il dort. — Cette fête l'aura sans doute fatigué. — Qu'il est beau!

Se retournant.

— Gubetta!

GUBETTA

Parlez moins haut, madame. — Je ne m'appelle pas ici Gubetta, mais le comte de Belverana, gentilhomme castillan; vous, vous êtes madame la marquise de Pontequadrato, dame napolitaine [37]. Nous ne devons pas avoir l'air de nous connaître. Ne sont-ce pas là les ordres de votre altesse ? Vous n'êtes point ici chez vous; vous êtes à Venise.

DONA LUCREZIA

C'est juste, Gubetta. Mais il n'y a personne sur cette terrasse, que ce jeune homme qui dort. Nous pouvons causer un instant.

GUBETTA

Comme il plaira à votre altesse. J'ai encore un conseil

à vous donner, c'est de ne point vous démasquer. On pourrait vous reconnaître.

DONA LUCREZIA

Et que m'importe ? S'ils ne savent pas qui je suis, je n'ai rien à craindre. S'ils savent qui je suis, c'est à eux d'avoir peur.

GUBETTA

Nous sommes à Venise, madame. Vous avez bien des ennemis ici, et des ennemis libres. Sans doute la république de Venise ne souffrirait pas qu'on osât attenter à la personne de votre altesse, mais on pourrait vous insulter.

DONA LUCREZIA

Ah! tu as raison. Mon nom fait horreur, en effet.

GUBETTA

Il n'y a pas ici que des vénitiens. Il y a des romains, des napolitains, des romagnols [38], des lombards, des italiens de toute l'Italie.

DONA LUCREZIA

Et toute l'Italie me hait! tu as raison. Il faut pourtant que tout cela change. Je n'étais pas née pour faire le mal, je le sens à présent plus que jamais. C'est l'exemple de ma famille qui m'a entraînée [39]. — Gubetta!

GUBETTA

Madame.

DONA LUCREZIA

Fais porter sur-le-champ les ordres que nous allons te donner dans notre gouvernement de Spolète [40].

GUBETTA

Ordonnez, madame, j'ai toujours quatre mules sellées et quatre coureurs tout prêts à partir.

DONA LUCREZIA

Qu'a-t-on fait de Galeas Accaioli [41] ?

GUBETTA

Il est toujours en prison, en attendant que votre altesse le fasse pendre.

DONA LUCREZIA

Et Guifry Buondelmonte ?

GUBETTA

Au cachot. Vous n'avez pas encore dit de le faire étrangler.

DONA LUCREZIA

Et Manfredi de Curzola ?

GUBETTA

Pas encore étranglé non plus.

DONA LUCREZIA

Et Spadacappa ?

GUBETTA

D'après vos ordres, on ne doit lui donner le poison que le jour de Pâques, dans l'hostie. Cela viendra dans six semaines. Nous sommes au carnaval [42].

DONA LUCREZIA

Et Pierre Capra [43] ?

GUBETTA

A l'heure qu'il est, il est encore évêque de Pesaro et régent de la chancellerie. Mais, avant un mois, il ne sera plus qu'un peu de poussière. Car notre Saint-Père le pape l'a fait arrêter sur votre plainte, et le tient sous bonne garde dans les chambres basses [44] du Vatican.

DONA LUCREZIA

Gubetta, écris en hâte au Saint-Père que je lui demande la grâce de Pierre Capra ! Gubetta, qu'on mette en liberté Accaioli ! En liberté Manfredi de Curzola ! En liberté Buondelmonte ! En liberté Spadacappa !

GUBETTA

Attendez ! attendez, madame ! laissez-moi respirer ! Quels ordres me donnez-vous là ? Ah ! mon Dieu ! il pleut des pardons ! il grêle de la miséricorde ! je suis submergé dans la clémence ! je ne me tirerai jamais de ce déluge effroyable [45] de bonnes actions !

DONA LUCREZIA

Bonnes ou mauvaises, que t'importe, pourvu que je te les paye ?

GUBETTA

Ah! c'est qu'une bonne action est bien plus difficile à faire qu'une mauvaise. — Hélas! pauvre Gubetta que je suis! À présent que vous vous imaginez de devenir miséricordieuse, qu'est-ce que je vais devenir, moi ?

DONA LUCREZIA

Ecoute, Gubetta, tu es mon plus ancien et mon plus fidèle confident [46]...

GUBETTA

Voilà quinze ans, en effet, que j'ai l'honneur d'être votre collaborateur [47].

DONA LUCREZIA

Eh bien! dis, Gubetta, mon vieil ami, mon vieux complice, est-ce que tu ne commences pas à sentir le besoin de changer de genre de vie ? est-ce que tu n'as pas soif d'être bénis, toi et moi, autant que nous avons été maudits ? est-ce que tu n'en as pas assez du crime ?

GUBETTA

Je vois que vous êtes en train de devenir la plus vertueuse altesse qui soit.

DONA LUCREZIA

Est-ce que notre commune renommée à tous deux, notre renommée infâme, notre renommée de meurtre et d'empoisonnement, ne commence pas à te peser, Gubetta ?

GUBETTA

Pas du tout. Quand je passe dans les rues de Spolète, j'entends bien quelquefois des manants qui fredonnent autour de moi : Hum! ceci est Gubetta, Gubetta-poison, Gubetta-poignard, Gubetta-gibet! car ils ont mis à mon nom une flamboyante aigrette de sobriquets. On dit tout cela, et, quand les voix ne le disent pas, ce sont les yeux qui le disent. Mais qu'est-ce que cela me fait ? Je suis habitué à ma mauvaise réputation comme un soldat du pape à servir la messe [48].

DONA LUCREZIA

Mais ne sens-tu pas que tous les noms odieux dont on t'accable, et dont on m'accable aussi, peuvent aller éveiller le mépris et la haine dans un cœur où tu voudrais être aimé? Tu n'aimes donc personne au monde, Gubetta?

GUBETTA

Je voudrais bien savoir qui vous aimez, madame?

DONA LUCREZIA

Qu'en sais-tu? Je suis franche avec toi, je ne te parlerai ni de mon père, ni de mon frère, ni de mon mari, ni de mes amants [49].

GUBETTA

Mais c'est que je ne vois guère que cela qu'on puisse aimer.

DONA LUCREZIA

Il y a encore autre chose, Gubetta.

GUBETTA

Ah çà! est-ce que vous vous faites vertueuse pour l'amour de Dieu?

DONA LUCREZIA

Gubetta! Gubetta! s'il y avait aujourd'hui en Italie, dans cette fatale et criminelle Italie, un cœur noble et pur, un cœur plein de hautes et de mâles vertus, un cœur d'ange sous une cuirasse de soldat; s'il ne me restait, à moi, pauvre femme, haïe, méprisée, abhorrée, maudite des hommes, damnée du ciel, misérable toute-puissante que je suis; s'il ne me restait, dans l'état de détresse où mon âme agonise douloureusement, qu'une idée, qu'une espérance, qu'une ressource, celle de mériter et d'obtenir avant ma mort une petite place, Gubetta, un peu de tendresse, un peu d'estime dans ce cœur si fier et si pur; si je n'avais d'autre pensée que l'ambition de le sentir battre un jour joyeusement et librement sur le mien, comprendrais-tu alors, dis, Gubetta, pourquoi j'ai hâte de racheter mon passé, de laver ma renommée, d'effacer les taches de toutes sortes que j'ai partout sur moi, et de changer en une idée de gloire, de pénitence et de vertu, l'idée infâme et sanglante que l'Italie attache à mon nom?

GUBETTA

Mon Dieu, madame! sur quel ermite avez-vous marché aujourd'hui [50].

DONA LUCREZIA

Ne ris pas. Il y a longtemps déjà que j'ai ces pensées sans te les dire. Lorsqu'on est entraîné par un courant de crimes, on ne s'arrête pas quand on veut. Les deux anges luttaient en moi, le bon et le mauvais; mais je crois que le bon va enfin l'emporter [51].

GUBETTA

Alors, *te Deum laudamus, magnificat anima mea Dominum*[52]; — Savez-vous, madame, que je ne vous comprends plus, et que, depuis quelque temps, vous êtes devenue indéchiffrable pour moi? Il y a un mois, votre altesse annonce qu'elle part pour Spolète, prend congé de monseigneur don Alphonse d'Este, votre mari, qui a, du reste, la bonhomie d'être amoureux de vous comme un tourtereau et jaloux comme un tigre; votre altesse donc quitte Ferrare, et s'en vient secrètement à Venise, presque sans suite, affublée d'un faux nom napolitain, et moi d'un faux nom espagnol. Arrivée à Venise [53], votre altesse se sépare de moi, et m'ordonne de ne pas la connaître. Et puis vous vous mettez à courir les fêtes, les musiques, les tertullias [54] à l'espagnole, profitant du carnaval pour aller partout masquée, cachée à tous, déguisée [55], me parlant à peine entre deux portes chaque soir; et voilà que toute cette mascarade se termine par un sermon que vous me faites! Un sermon de vous à moi, madame! cela n'est-il pas véhément et prodigieux? Vous avez métamorphosé votre nom, vous avez métamorphosé votre habit, à présent vous métamorphosez votre âme. En honneur, c'est pousser furieusement loin le carnaval. Je m'y perds. Où est la cause de cette conduite de la part de votre altesse [56]?

DONA LUCREZIA, *lui saisissant vivement le bras et l'attirant près de Gennaro endormi.*

Vois-tu ce jeune homme?

GUBETTA

Ce jeune homme n'est pas nouveau pour moi, et je sais bien que c'est après lui que vous courez sous votre masque depuis que vous êtes à Venise.

DONA LUCREZIA

Qu'est-ce que tu en dis ?

GUBETTA

Je dis que c'est un jeune homme qui dort assis dans un fauteuil, et qui dormirait debout s'il avait été en tiers dans la conversation morale et édifiante que je viens d'avoir avec votre altesse.

DONA LUCREZIA

Est-ce que tu ne le trouves pas bien beau ?

GUBETTA

Il serait plus beau, s'il n'avait pas les yeux fermés. Un visage sans yeux, c'est un palais sans fenêtres [57].

DONA LUCREZIA

Si tu savais comme je l'aime !

GUBETTA

C'est l'affaire de don Alphonse, votre royal mari. Je dois cependant avertir votre altesse qu'elle perd ses peines. Ce jeune homme, à ce qu'on m'a dit, aime d'amour une belle jeune fille nommée Fiametta [58].

DONA LUCREZIA

Et la jeune fille, l'aime-t-elle ?

GUBETTA

On dit que oui.

DONA LUCREZIA

Tant mieux ! Je voudrais tant le savoir heureux !

GUBETTA

Voilà qui est singulier et n'est guère dans vos façons. Je vous croyais plus jalouse.

DONA LUCREZIA, *contemplant Gennaro.*

Quelle noble figure !

GUBETTA

Je trouve qu'il ressemble à quelqu'un...

DONA LUCREZIA, *vivement.*

Ne me dis pas à qui tu trouves qu'il ressemble! — Laisse-moi.

Gubetta sort. Dona Lucrezia reste quelques instants comme en extase devant Gennaro; elle ne voit pas deux hommes masqués qui viennent d'entrer au fond du théâtre et qui l'observent.

DONA LUCREZIA, *se croyant seule.*

C'est donc lui! il m'est donc enfin donné de le voir un instant sans péril! Non, je ne l'avais pas rêvé plus beau! O Dieu! épargnez-moi l'angoisse d'être jamais haïe et méprisée de lui. Vous savez qu'il est tout ce que j'aime sous le ciel! — Je n'ose ôter mon masque, il faut pourtant que j'essuie mes larmes [59].

Elle ôte son masque pour s'essuyer les yeux. Les deux hommes masqués causent à voix basse pendant qu'elle retombe dans sa contemplation de Gennaro.

PREMIER HOMME MASQUÉ

Cela suffit. Je puis retourner à Ferrare. Je n'étais venu à Venise que pour m'assurer de son infidélité; j'en ai assez vu. Mon absence de Ferrare ne peut se prolonger plus longtemps. Ce jeune homme est son amant. Comment le nomme-t-on, Rustighello ?

DEUXIÈME HOMME MASQUÉ

Il s'appelle Gennaro. C'est un capitaine aventurier, un brave, sans père ni mère, un homme dont on ne connaît pas les bouts [60]. Il est en ce moment au service de la république de Venise.

PREMIER HOMME

Fais en sorte qu'il vienne à Ferrare.

DEUXIÈME HOMME

Cela se fera de soi-même, monseigneur. Il part après-demain pour Ferrare avec plusieurs de ses amis, qui font partie de l'ambassade des sénateurs Tiopolo et Grimani.

PREMIER HOMME

C'est bien. Les rapports qu'on m'a faits étaient exacts. J'en ai assez vu, te dis-je; nous pouvons repartir.

Ils sortent.

DONA LUCREZIA, *joignant les mains et presque agenouillée devant Gennaro.*

O mon Dieu, qu'il y ait autant de bonheur pour lui qu'il y a eu de malheur pour moi!

Elle dépose un baiser sur le front de Gennaro, qui s'éveille en sursaut.

GENNARO, *saisissant par les deux bras Lucrezia interdite.*

Un baiser! une femme! — Sur mon honneur, madame, si vous étiez reine et si j'étais poète, ce serait véritablement l'aventure de messire Alain Chartier [61], le rimeur français. — Mais j'ignore qui vous êtes, et moi je ne suis qu'un soldat.

DONA LUCREZIA

Laissez-moi, seigneur Gennaro!

GENNARO

Non pas, madame!

DONA LUCREZIA

Voici quelqu'un!

Elle s'enfuit, Gennaro la suit.

SCÈNE III

JEPPO, *puis* MAFFIO

JEPPO, *entrant par le côté opposé.*

Quel est ce visage? C'est bien elle! Cette femme à Venise! — Hé, Maffio!

MAFFIO, *entrant.*

Qu'est-ce?

JEPPO

Que je te dise une rencontre inouïe.

Il parle bas à l'oreille de Maffio.

MAFFIO

En es-tu sûr?

JEPPO

Comme je suis sûr que nous sommes ici dans le palais Barbarigo et non dans le palais Labbia [62].

MAFFIO

Elle était en causerie galante avec Gennaro?

JEPPO

Avec Gennaro.

MAFFIO

Il faut tirer mon frère Gennaro de cette toile d'araignée [63].

JEPPO

Viens avertir nos amis.

Ils sortent. — Pendant quelques instants la scène reste vide; on voit seulement passer, de temps en temps, au fond du théâtre, quelques gondoles avec des symphonies. — Rentrent Gennaro et dona Lucrezia masquée.

SCÈNE IV

GENNARO, DONA LUCREZIA

DONA LUCREZIA

Cette terrasse est obscure et déserte; je puis me démasquer ici. Je veux que vous voyez mon visage, Gennaro.

Elle se démasque.

GENNARO

Vous êtes bien belle!

DONA LUCREZIA

Regarde-moi bien, Gennaro et dis-moi que je ne te fais pas horreur!

GENNARO

Vous, me faire horreur, madame! et pourquoi ? Bien au contraire, je me sens au fond du cœur quelque chose qui m'attire vers vous [64].

DONA LUCREZIA

Donc tu crois que tu pourrais m'aimer, Gennaro ?

GENNARO

Pourquoi non ? Pourtant, madame, je suis sincère, il y aura toujours une femme que j'aimerai plus que vous.

DONA LUCREZIA, *souriant.*

Je sais. La petite Fiametta.

GENNARO

Non.

DONA LUCREZIA

Qui donc ?

GENNARO

Ma mère [65].

DONA LUCREZIA

Ta mère ! ta mère, ô mon Gennaro ! Tu aimes bien ta mère, n'est-ce pas ?

GENNARO

Et pourtant je ne l'ai jamais vue. Voilà qui vous paraît bien singulier, n'est-il pas vrai ? Tenez, je ne sais pas pourquoi, j'ai une pente [66] à me confier à vous ; je vais vous dire un secret que je n'ai encore dit à personne, pas même à mon frère d'armes, pas même à Maffio Orsini. Cela est étrange de se livrer ainsi au premier venu ; mais il me semble que vous n'êtes pas pour moi la première venue [67]. — Je suis un capitaine qui ne connaît pas sa famille. J'ai été élevé en Calabre par un pêcheur dont je me croyais le fils [68]. Le jour où j'eus seize ans, ce pêcheur m'apprit qu'il n'était pas mon père. Quelque temps après, un seigneur vint qui m'arma chevalier et qui repartit sans avoir levé la visière de son morion [69]. Quelque temps après encore, un homme vêtu de noir [70] vint m'apporter une lettre. Je l'ouvris. C'était ma mère qui m'écrivait, ma mère que je ne connaissais pas, ma mère que je rêvais bonne, douce, tendre, belle comme vous, ma mère, que j'adorais de toutes les forces de mon âme ! Cette lettre m'apprit, sans me dire aucun nom, que j'étais noble et de grande race, et que ma mère était bien malheureuse. Pauvre mère !

DONA LUCREZIA

Bon Gennaro!

GENNARO

Depuis ce jour-là, je me suis fait aventurier, parce qu'étant quelque chose par ma naissance, j'ai voulu être aussi quelque chose par mon épée. J'ai couru toute l'Italie. Mais, le premier jour de chaque mois, en quelque lieu que je sois, je vois toujours venir le même messager. Il me remet une lettre de ma mère, prend ma réponse et s'en va; et il ne me dit rien, et je ne lui dis rien, parce qu'il est sourd et muet.

DONA LUCREZIA

Ainsi tu ne sais rien de ta famille ?

GENNARO

Je sais que j'ai une mère, qu'elle est malheureuse, et que je donnerais ma vie dans ce monde pour la voir pleurer, et ma vie dans l'autre pour la voir sourire. Voilà tout.

DONA LUCREZIA

Que fais-tu de ses lettres ?

GENNARO

Je les ai toutes là, sur mon cœur. Nous autres gens de guerre, nous risquons souvent notre poitrine à l'encontre des épées. Les lettres d'une mère, c'est une bonne cuirasse.

DONA LUCREZIA

Noble nature [71] !

GENNARO

Tenez, voulez-vous voir son écriture ? voici une de ses lettres.

Il tire de sa poitrine un papier qu'il baise, et qu'il remet à dona Lucrezia.

— Lisez cela.

DONA LUCREZIA, *lisant.*

« ... Ne cherche pas à me connaître, mon Gennaro,
« avant le jour que je te marquerai. Je suis bien à plain-
« dre, va. Je suis entourée de parents sans pitié [72], qui te

« tueraient comme ils ont tué ton père. Le secret de ta « naissance, mon enfant, je veux être la seule à le savoir. « Si tu le savais, toi, cela est à la fois si triste et si illustre « que tu ne pourrais pas t'en taire; la jeunesse est « confiante, tu ne connais pas les périls qui t'environnent « comme je les connais; qui sait ? tu voudrais les affronter « par bravade de jeune homme, tu parlerais, ou tu te « laisserais deviner, et tu ne vivrais pas deux jours. Oh « non! contente-toi de savoir que tu as une mère qui « t'adore, et qui veille nuit et jour sur ta vie. Mon Gen- « naro, mon fils, tu es tout ce que j'aime sur la terre. « Mon cœur se fond quand je songe à toi... »

Elle s'interrompt pour dévorer une larme.

GENNARO

Comme vous lisez cela tendrement! On ne dirait pas que vous lisez, mais que vous parlez. — Ah! vous pleurez! — Vous êtes bonne, madame, et je vous aime de pleurer de ce qu'écrit ma mère.

Il reprend la lettre, la baise de nouveau, et la remet dans sa poitrine.

— Oui, vous voyez, il y a eu bien des crimes autour de mon berceau. — Ma pauvre mère! N'est-ce pas que vous comprenez maintenant que je m'arrête peu aux galanteries et aux amourettes, parce que je n'ai qu'une pensée au cœur, ma mère! Oh! délivrer ma mère! la servir, la venger, la consoler, quel bonheur! Je penserai à l'amour après. Tout ce que je fais, je le fais pour être digne de ma mère. Il y a bien des aventuriers qui ne sont pas scrupuleux, et qui se battraient pour Satan après s'être battus pour saint Michel [73]; moi, je ne sers que des causes justes. Je veux pouvoir déposer un jour aux pieds de ma mère une épée nette et loyale comme celle d'un empereur. — Tenez madame, on m'a offert un gros enrôlement au service de cette infâme Lucrèce Borgia. J'ai refusé.

DONA LUCREZIA

Gennaro! — Gennaro! ayez pitié des méchants! Vous ne savez pas ce qui se passe dans leur cœur.

GENNARO

Je n'ai pitié de qui est sans pitié. — Mais laissons cela, madame. Et maintenant que je vous ai dit qui je suis, faites de même, et dites-moi à votre tour qui vous êtes.

DONA LUCREZIA

Une femme qui vous aime, Gennaro.

GENNARO

Mais votre nom ?...

DONA LUCREZIA

Ne m'en demandez pas plus.

Des flambeaux. Entrent avec bruit Maffio et Jeppo. Dona Lucrezia remet son masque précipitamment.

SCÈNE V

LES MÊMES, MAFFIO ORSINI, JEPPO LIVERETTO, ASCANIO PETRUCCI, OLOFERNO VITELLOZZO, DON APOSTOLO GAZELLA. SEIGNEURS, DAMES. PAGES *portant des flambeaux.*

MAFFIO, *un flambeau à la main.*

Gennaro, veux-tu savoir quelle est la femme à qui tu parles d'amour ?

DONA LUCREZIA, *à part, sous son masque.*

Juste ciel!

GENNARO

Vous êtes tous mes amis, mais je jure Dieu que celui qui touchera au masque de cette femme sera un enfant hardi [74]. Le masque d'une femme est sacré comme la face d'un homme [75].

MAFFIO

Il faut d'abord que la femme soit une femme, Gennaro! Mais nous ne voulons pas insulter celle-là, nous voulons seulement lui dire nos noms.

Faisant un pas vers dona Lucrezia.

— Madame, je suis Maffio Orsini, frère du duc de Gravina [76], que vos sbires ont étranglé la nuit pendant qu'il dormait.

JEPPO

Madame, je suis Jeppo Liveretto, neveu de Liveretto Vitelli, que vous avez fait poignarder dans les caves du Vatican.

ASCANIO

Madame, je suis Ascanio Petrucci, cousin de Pandolfo Petrucci, seigneur de Sienne, que vous avez assassiné pour lui voler plus aisément sa ville.

OLOFERNO

Madame, je m'appelle Oloferno Vitellozzo, neveu d'Iago d'Appiani, que vous avez empoisonné dans une fête, après lui avoir traîtreusement dérobé sa bonne citadelle seigneuriale de Piombino.

DON APOSTOLO

Madame, vous avez mis à mort sur l'échafaud don Francisco Gazella, oncle maternel de don Alphonse d'Aragon, votre troisième mari, que vous avez fait tuer à coups de hallebarde sur le palier de l'escalier de Saint-Pierre. Je suis don Apostolo Gazella, cousin de l'un et fils de l'autre.

DONA LUCREZIA

O Dieu!

GENNARO

Quelle est cette femme ?

MAFFIO

Et maintenant que nous vous avons dit nos noms, madame, voulez-vous que nous vous disions le vôtre ?

DONA LUCREZIA

Non! non! ayez pitié, messeigneurs! Pas devant lui!

MAFFIO, *la démasquant.*

Otez votre masque, madame, qu'on voie si vous pouvez encore rougir.

DON APOSTOLO

Gennaro, cette femme à qui tu parlais d'amour est empoisonneuse et adultère [77].

JEPPO

Inceste à tous les degrés. Inceste avec ses deux frères, qui se sont entretués pour l'amour d'elle!

DONA LUCREZIA

Grâce!

ASCANIO

Inceste avec son père, qui est pape!

DONA LUCREZIA

Pitié!

OLOFERNO

Inceste avec ses enfants, si elle en avait; mais le ciel en refuse aux monstres!

DONA LUCREZIA

Assez! assez!

MAFFIO

Veux-tu savoir son nom, Gennaro?

DONA LUCREZIA

Grâce! grâce! messeigneurs!

MAFFIO

Gennaro, veux-tu savoir son nom?

DONA LUCREZIA

Elle se traîne aux genoux de Gennaro.

N'écoute pas, mon Gennaro!

MAFFIO, *étendant le bras.*

C'est Lucrèce Borgia!

GENNARO, *la repoussant.*

Oh!...

Elle tombe évanouie à ses pieds.

DEUXIÈME PARTIE

Une place de Ferrare [78]. A droite, un palais avec un balcon garni de jalousies, et une porte basse. Sous le balcon, un grand écusson de pierre chargé d'armoiries avec ce mot en grosses lettres saillantes de cuivre doré au-dessous : BORGIA. A gauche une petite maison avec porte sur la place. Au fond des maisons et des clochers.

SCÈNE PREMIÈRE

DONA LUCREZIA, GUBETTA

DONA LUCREZIA

Tout est-il prêt pour ce soir, Gubetta ?

GUBETTA

Oui, madame.

DONA LUCREZIA

Y seront-ils tous les cinq ?

GUBETTA

Tous les cinq.

DONA LUCREZIA

Ils m'ont bien cruellement outragée, Gubetta !

GUBETTA

Je n'étais pas là, moi.

DONA LUCREZIA

Ils ont été sans pitié !

GUBETTA

Ils vous ont dit votre nom tout haut comme cela ?

DONA LUCREZIA

Ils ne m'ont pas dit mon nom, Gubetta, ils me l'ont craché au visage !

GUBETTA

En plein bal.

DONA LUCREZIA

Devant Gennaro!

GUBETTA

Ce sont de fiers étourdis d'avoir quitté Venise et d'être venus à Ferrare. Il est vrai qu'ils ne pouvaient guère faire autrement, étant désignés par le sénat pour faire partie de l'ambassade qui est arrivée l'autre semaine.

DONA LUCREZIA

Oh! il me hait et me méprise maintenant, et c'est leur faute. — Ah! Gubetta, je me vengerai d'eux!

GUBETTA

A la bonne heure, voilà parler. Vos fantaisies de miséricorde [79] vous ont quittée, Dieu soit loué! Je suis bien plus à mon aise avec votre altesse quand elle est naturelle comme la voilà. Je m'y retrouve au moins. Voyez-vous, madame, un lac, c'est le contraire d'une île; une tour, c'est le contraire d'un puits; un aqueduc, c'est le contraire d'un pont; et moi, j'ai l'honneur d'être le contraire d'un personnage vertueux.

DONA LUCREZIA

Gennaro est avec eux. Prends garde qu'il ne lui arrive rien.

GUBETTA

Si nous devenions, vous une bonne femme, et moi un bon homme, ce serait monstrueux [80].

DONA LUCREZIA

Prends garde qu'il n'arrive rien à Gennaro, te dis-je!

GUBETTA

Soyez tranquille.

DONA LUCREZIA

Je voudrais pourtant bien le voir encore une fois.

GUBETTA

Vive Dieu! madame, votre altesse le voit tous les jours. Vous avez gagné son valet pour qu'il déterminât son maître à prendre logis là, dans cette bicoque, vis-à-vis votre balcon, et de votre fenêtre grillée vous avez tous les jours l'ineffable bonheur de voir entrer et sortir le susdit gentilhomme.

DONA LUCREZIA

Je dis que je voudrais lui parler, Gubetta.

GUBETTA

Rien de plus simple. Envoyez-lui dire par votre porte-chape [81] Astolfo que votre altesse l'attend aujourd'hui à telle heure au palais.

DONA LUCREZIA

Je le ferai, Gubetta. Mais voudra-t-il venir ?

GUBETTA

Rentrez, madame; je crois qu'il va passer ici tout à l'heure avec les étourneaux en question.

DONA LUCREZIA

Te prennent-ils toujours pour le comte de Belverana ?

GUBETTA

Ils me croient espagnol depuis le talon jusqu'au sourcil. Je suis un de leurs meilleurs amis. Je leur emprunte de l'argent.

DONA LUCREZIA

De l'argent! et pourquoi faire ?

GUBETTA

Pardieu! pour en avoir. D'ailleurs, il n'y a rien qui soit plus espagnol que d'avoir l'air gueux et de tirer le diable par la queue.

DONA LUCREZIA, *à part.*

O mon Dieu! faites qu'il n'arrive pas malheur à mon Gennaro!

GUBETTA

Et à ce propos, madame, il me vient une réflexion.

DONA LUCREZIA

Laquelle ?

GUBETTA

C'est qu'il faut que la queue du diable lui soit soudée, chevillée et vissée à l'échine d'une façon bien triomphante [82], pour qu'elle résiste à l'innombrable multitude de gens qui la tirent perpétuellement!

DONA LUCREZIA

Tu ris à travers tout, Gubetta.

GUBETTA

C'est une manière comme une autre.

DONA LUCREZIA

Je crois que les voici. — Songe à tout.

Elle rentre dans le palais par la petite porte sous le balcon.

SCÈNE II

GUBETTA, *seul.*

Qu'est-ce que c'est que ce Gennaro ? et que diable en veut-elle faire ? Je ne sais pas tous les secrets de la dame, il s'en faut; mais celui-ci pique ma curiosité. Ma foi, elle n'a pas eu de confiance en moi cette fois, il ne faut pas qu'elle s'imagine que je vais la servir dans cette occasion; elle se tirera de l'intrigue avec le Gennaro comme elle pourra. Mais quelle étrange manière d'aimer un homme, quand on est fille de Roderigo Borgia et de la Vanozza [83], quand on est une femme qui a dans les veines du sang de courtisane et du sang de pape! Madame Lucrèce devient platonique. Je ne m'étonnerai plus de rien maintenant, quand même on viendrait me dire que le pape Alexandre six croit en Dieu!

Il regarde dans la rue voisine.

Allons, voici nos jeunes fous du carnaval de Venise. Ils ont eu une belle idée de quitter une terre neutre et libre pour venir à Ferrare après avoir mortellement offensé la duchesse de Ferrare! A leur place je me serais, certes, abstenu de faire partie de la cavalcade des ambassadeurs vénitiens. Mais les jeunes gens sont ainsi faits. La gueule du loup est de toutes les choses sublunaires celle où ils se précipitent le plus volontiers.

Entrent les jeunes seigneurs sans voir d'abord Gubetta, qui s'est placé en observation sous l'un des piliers qui soutiennent le balcon. Ils causent à voix basse et d'un air d'inquiétude.

SCÈNE III

GUBETTA, GENNARO, MAFFIO, JEPPO, ASCANIO, DON APOSTOLO, OLOFERNO

MAFFIO, *bas.*

Vous direz ce que vous voudrez, messieurs, on peut se dispenser de venir à Ferrare quand on a blessé au cœur madame Lucrèce Borgia.

DON APOSTOLO

Que pouvions-nous faire ? le sénat nous envoie ici. Est-ce qu'il y a moyen d'éluder les ordres du sérénissime sénat de Venise ? Une fois désignés, il fallait partir. Je ne me dissimule pourtant pas, Maffio, que la Lucrezia Borgia est en effet une redoutable ennemie. Elle est la maîtresse ici.

JEPPO

Que veux-tu qu'elle nous fasse, Apostolo ? Ne sommes-nous pas au service de la république de Venise ? Ne faisons-nous pas partie de son ambassade ? Toucher à un cheveu de notre tête, ce serait déclarer la guerre au doge, et Ferrare ne se frotte pas volontiers à Venise.

GENNARO, *rêveur dans un coin du théâtre, sans se mêler à la conversation.*

O ma mère! ma mère! Qui me dira ce que je puis faire pour ma pauvre mère [84] !

MAFFIO

On peut te coucher tout de ton long dans le sépulcre, Jeppo, sans toucher à un cheveu de ta tête. Il y a des poisons [85] qui font les affaires des Borgia sans éclat et sans bruit, et beaucoup mieux que la hache et le poignard.

Rappelle-toi la manière dont Alexandre six a fait disparaître du monde le sultan Zizimi, frère de Bajazet [86].

OLOFERNO

Et tant d'autres.

DON APOSTOLO

Quant au frère de Bajazet, son histoire est curieuse, ce n'est pas des moins sinistres. Le pape lui persuada que Charles de France l'avait empoisonné le jour où ils firent collation ensemble; Zizimi crut tout, et reçut des belles mains de Lucrèce Borgia un soi-disant contre-poison qui, en deux heures, délivra de lui son frère Bajazet.

JEPPO

Il paraît que ce brave turc n'entendait rien à la politique.

MAFFIO

Oui, les Borgia ont des poisons qui tuent en un jour, en un mois, en un an, à leur gré. Ce sont d'infâmes poisons qui rendent le vin meilleur, et font vider le flacon avec plus de plaisir. Vous vous croyez ivre, vous êtes mort. Ou bien un homme tombe tout à coup en langueur, sa peau de ride, ses yeux se cavent, ses cheveux blanchissent, ses dents se brisent comme verre sur le pain; il ne marche plus, il se traîne; il ne respire plus, il râle; il ne rit plus, il ne dort plus, il grelotte au soleil en plein midi; jeune homme, il a l'air d'un vieillard; il agonise ainsi quelque temps, enfin il meurt. Il meurt; et alors on se souvient qu'il y a six mois ou un an il a bu un verre de vin de Chypre chez un Borgia [87].

Se retournant.

— Tenez, messeigneurs, voilà justement Montefeltro, que vous connaissez peut-être, qui est de cette ville, et à qui la chose arrive en ce moment. — Il passe là au fond de la place. — Regardez-le.

On voit passer au fond du théâtre un homme à cheveux blancs, maigre, chancelant, boitant, appuyé sur un bâton et enveloppé d'un manteau.

ASCANIO

Pauvre Montefeltro [88]!

DON APOSTOLO

Quel âge a-t-il ?

MAFFIO

Mon âge. Vingt-neuf ans.

OLOFERNO

Je l'ai vu l'an passé rose et frais comme vous.

MAFFIO

Il y a trois mois, il a soupé chez notre Saint-Père le pape dans sa vigne du Belvédère.

ASCANIO

C'est horrible !

MAFFIO

Oh ! l'on conte des choses bien étranges de ces soupers des Borgia !

ASCANIO

Ce sont des débauches effrénées [89], assaisonnées d'empoisonnements.

MAFFIO

Voyez, messeigneurs, comme cette place est déserte autour de nous. Le peuple ne s'aventure pas si près que nous du palais ducal. Il a peur que les poisons qui s'y élaborent jour et nuit ne transpirent à travers les murs.

ASCANIO

Messieurs, à tout prendre, les ambassadeurs ont eu hier leur audience du duc. Notre service est à peu près fini. La suite de l'ambassade se compose de cinquante cavaliers. Notre disparition ne s'apercevrait guère dans le nombre. Et je crois que nous ferions sagement de quitter Ferrare.

MAFFIO

Aujourd'hui même.

JEPPO

Messieurs, il sera temps demain. Je suis invité à souper ce soir chez la princesse Negroni [90], dont je suis fort éperdument amoureux, et je ne voudrais pas avoir l'air de fuir devant la plus jolie femme de Ferrare.

OLOFERNO

Tu es invité à souper ce soir chez la princesse Negroni ?

JEPPO

Oui.

OLOFERNO

Et moi aussi.

ASCANIO

Et moi aussi.

DON APOSTOLO

Et moi aussi.

MAFFIO

Et moi aussi.

GUBETTA, *sortant de l'ombre du pilier* [91].

Et moi aussi, messieurs.

JEPPO

Tiens, voilà monsieur de Belverana. Eh bien! nous irons tous ensemble. Ce sera une joyeuse soirée. Bonjour, monsieur de Belverana.

GUBETTA

Que Dieu vous garde longues années, seigneur Jeppo!

MAFFIO, *bas, à Jeppo.*

Vous allez encore me trouver bien timide, Jeppo. Eh bien, si vous m'en croyiez, nous n'irions pas à ce souper. Le palais Negroni touche au palais ducal, et je n'ai pas grande croyance aux airs aimables de ce seigneur Belverana.

JEPPO, *bas.*

Vous êtes fou, Maffio. La Negroni est une femme charmante, je vous dis que j'en suis amoureux, et le Belverana est un brave homme. Je me suis enquis de lui et des siens. Mon père était avec son père au siège de Grenade [92], en quatorze cent quatrevingt et tant.

MAFFIO

Cela ne prouve pas que celui-ci soit le fils du père avec qui était votre père.

JEPPO

Vous êtes libre de ne pas venir souper, Maffio.

MAFFIO

J'irai si vous y allez, Jeppo.

JEPPO

Vive Jupiter, alors! — Et toi, Gennaro, est-ce que tu n'es pas des nôtres ce soir ?

ASCANIO

Est-ce que la Negroni ne t'a pas invité ?

GENNARO

Non. La princesse m'aura trouvé trop médiocre gentilhomme.

MAFFIO, *souriant.*

Alors, mon frère, tu iras de ton côté à quelque rendez-vous d'amour, n'est-ce pas ?

JEPPO

A propos, conte-nous donc un peu ce que te disait madame Lucrèce l'autre soir. Il paraît qu'elle est folle de toi. Elle a dû t'en dire long. La liberté du bal était une bonne fortune pour elle. Les femmes ne déguisent leur personne que pour déshabiller plus hardiment leur âme. Visage masqué, cœur à nu [93].

Depuis quelques instants dona Lucrezia est sur le balcon dont elle a entrouvert la jalousie. Elle écoute.

MAFFIO

Ah! tu es venu te loger précisément en face de son balcon. Gennaro! Gennaro!

DON APOSTOLO

Ce qui n'est pas sans danger, mon camarade; car on dit ce digne duc de Ferrare fort jaloux de madame sa femme.

OLOFERNO

Allons, Gennaro, dis-nous où tu en es de ton amourette avec la Lucrèce Borgia.

GENNARO

Messeigneurs ! si vous me parlez encore de cette horrible femme, il y aura des épées qui reluiront au soleil !

DONA LUCREZIA, *sur le balcon.*

Hélas !

MAFFIO

C'est pure plaisanterie, Gennaro. Mais il me semble qu'on peut bien te parler de cette dame, puisque tu portes ses couleurs.

GENNARO

Que veux-tu dire ?

MAFFIO, *lui montrant l'écharpe qu'il porte.*

Cette écharpe ?

JEPPO

Ce sont en effet les couleurs de Lucrèce Borgia.

GENNARO

C'est Fiametta qui me l'a envoyée.

MAFFIO

Tu le crois. Lucrèce te l'a fait dire. Mais c'est Lucrèce qui a brodé l'écharpe de ses propres mains pour toi.

GENNARO

En es-tu sûr, Maffio ? Par qui le sais-tu ?

MAFFIO

Par ton valet qui t'a remis l'écharpe et qu'elle a gagné.

GENNARO

Damnation !

Il arrache l'écharpe, la déchire et la foule aux pieds [94].

DONA LUCREZIA, *à part.*

Hélas !

Elle referme la jalousie et se retire.

MAFFIO

Cette femme est belle pourtant !

JEPPO

Oui, mais il y a quelque chose de sinistre empreint sur sa beauté.

MAFFIO

C'est un ducat d'or à l'effigie de Satan [95].

GENNARO

Oh! maudite soit cette Lucrèce Borgia [96]! Vous dites qu'elle m'aime, cette femme! Eh bien, tant mieux! que ce soit son châtiment! elle me fait horreur! Oui, elle me fait horreur! Tu sais, Maffio, cela est toujours ainsi. Il n'y a pas moyen d'être indifférent pour une femme qui nous aime. Il faut l'aimer ou la haïr. Et comment aimer celle-là ? Il arrive aussi que, plus on est persécuté par l'amour de ces sortes de femmes, plus on les hait. Celle-ci m'obsède, m'investit, m'assiège. Par où ai-je pu mériter l'amour d'une Lucrèce Borgia ? Cela n'est-il pas une honte et une calamité ? Depuis cette nuit où vous m'avez dit son nom d'une façon si éclatante, vous ne sauriez croire à quel point la pensée de cette femme scélérate m'est odieuse. Autrefois je ne voyais Lucrèce Borgia que de loin, à travers mille intervalles, comme un fantôme terrible debout sur toute l'Italie, comme le spectre de tout le monde. Maintenant ce spectre est mon spectre à moi, il vient s'asseoir à mon chevet, il m'aime, ce spectre, et veut se coucher dans mon lit. Par ma mère, c'est épouvantable! Ah! Maffio! elle a tué monsieur de Gravina, elle a tué ton frère! Eh bien, ton frère, je le remplacerai près de toi, et je le vengerai près d'elle! — Voilà donc son exécrable palais! palais de la luxure, palais de la trahison, palais de l'assassinat, palais de l'adultère, palais de l'inceste, palais de tous les crimes, palais de Lucrèce Borgia! Oh! la marque d'infamie que je ne puis lui mettre au front à cette femme, je veux la mettre au moins au front de son palais!

Il monte sur le banc de pierre qui est au-dessous du balcon, et avec son poignard il fait sauter la première lettre du nom de Borgia gravé sur le mur, de façon qu'il ne reste plus que ce mot : ORGIA.

MAFFIO

Que diable fait-il ?

JEPPO

Gennaro, cette lettre de moins au nom de madame Lucrèce, c'est ta tête de moins sur tes épaules.

GUBETTA

Monsieur Gennaro, voilà un calembour qui fera mettre demain la moitié de la ville à la question [97].

GENNARO

Si l'on cherche le coupable, je me présenterai.

GUBETTA, *à part.*

Je le voudrais, pardieu! cela embarrasserait madame Lucrèce.

Depuis quelques instants, deux hommes vêtus de noir se promènent sur la place et observent.

MAFFIO

Messieurs, voilà des gens de mauvaise mine qui nous regardent un peu curieusement. Je crois qu'il serait prudent de nous séparer. — Ne fais pas de nouvelles folies, frère Gennaro.

GENNARO

Sois tranquille, Maffio. Ta main ? — Messieurs, bien de la joie cette nuit!

Il rentre chez lui. Les autres se dispersent.

SCÈNE IV [98]

LES DEUX HOMMES *vêtus de noir* [99].

PREMIER HOMME

Que diable fais-tu là, Rustighello ?

DEUXIÈME HOMME

J'attends que tu t'en ailles, Astolfo.

PREMIER HOMME

En vérité ?

DEUXIÈME HOMME

Et toi, que fais-tu là, Astolfo ?

PREMIER HOMME

J'attends que tu t'en ailles, Rustighello.

DEUXIÈME HOMME

A qui donc as-tu affaire, Astolfo ?

PREMIER HOMME

A l'homme qui vient d'entrer là. Et toi, à qui en veux-tu ?

DEUXIÈME HOMME

Au même.

PREMIER HOMME

Diable!

DEUXIÈME HOMME

Qu'est-ce que tu en veux faire ?

PREMIER HOMME

Le mener chez la duchesse. — Et toi ?

DEUXIÈME HOMME

Je veux le mener chez le duc.

PREMIER HOMME

Diable!

DEUXIÈME HOMME

Qu'est-ce qui l'attend chez la duchesse ?

PREMIER HOMME

L'amour, sans doute. — Et chez le duc ?

DEUXIÈME HOMME

Probablement, la potence.

PREMIER HOMME

Comment faire ? il ne peut pas être à la fois chez le duc et chez la duchesse, amant heureux et pendu.

DEUXIÈME HOMME

Voici un ducat. Jouons à croix ou pile [100] à qui de nous deux aura l'homme.

PREMIER HOMME

C'est dit.

DEUXIÈME HOMME

Ma foi, si je perds, je dirai tout bonnement au duc que j'ai trouvé l'oiseau déniché [101]. Cela m'est bien égal, les affaires du duc.

Il jette un ducat en l'air.

PREMIER HOMME

Pile.

DEUXIÈME HOMME, *regardant à terre.*

C'est face.

PREMIER HOMME

L'homme sera pendu. Prends-le. Adieu.

DEUXIÈME HOMME

Bonsoir.

L'autre une fois disparu, il ouvre la porte basse sous le balcon, y entre, et revient un moment après accompagné de quatre sbires avec lesquels il va frapper à la porte de la maison où est entré Gennaro. La toile tombe.

ACTE DEUXIÈME

LE COUPLE

PREMIÈRE PARTIE

Une salle du palais ducal de Ferrare. Tentures de cuir de Hongrie frappées d'arabesques d'or [102]. Ameublement magnifique dans le goût de la fin du quinzième siècle en Italie. — Le fauteuil ducal en velours rouge, brodé aux armes de la maison d'Este [103]. A côté, une table couverte de velours rouge. — Au fond, une grande porte. A droite, une petite porte. A gauche, une autre petite porte masquée. — Derrière la petite porte masquée, on voit, dans un compartiment ménagé sur le théâtre, la naissance d'un escalier en spirale qui s'enfonce sous le plancher et qui est éclairé par une longue et étroite fenêtre grillée.

SCÈNE PREMIÈRE

DON ALPHONSE D'ESTE,
en magnifique costume à ses couleurs,
RUSTIGHELLO,
vêtu des mêmes couleurs, mais d'étoffes plus simples.

RUSTIGHELLO

Monseigneur le duc, voilà vos premiers ordres exécutés. J'en attends d'autres.

DON ALPHONSE

Prends cette clef. Va à la galerie de Numa [104]. Compte tous les panneaux de la boiserie à partir de la grande figure peinte qui est près de la porte, et qui représente Hercule [105], fils de Jupiter, un de mes ancêtres. Arrivé au vingt-troisième panneau, tu verras une petite ouverture cachée dans la gueule d'une guivre [106] dorée, qui est une guivre de Milan. C'est Ludovic le Maure [107] qui a fait faire ce panneau. Introduis la clef dans cette ouverture. Le panneau tournera sur ses gonds comme une porte. Dans l'armoire secrète qu'il recouvre, tu verras sur un plateau de cristal un flacon d'or et un flacon d'argent avec deux coupes en émail. Dans le flacon d'argent, il y a de l'eau pure. Dans le flacon d'or il y a du vin préparé. Tu apporteras le plateau, sans y rien déranger, dans le cabinet voisin de cette chambre, Rustighello, et si tu as jamais entendu des gens, dont les dents claquaient de terreur, parler de ce fameux poison des Borgia qui, en poudre, est blanc et scintillant comme de la poussière de marbre de Carrare, et qui, mêlé au vin, change du vin de Romorantin [108] en vin de Syracuse, tu te garderas de toucher au flacon d'or.

RUSTIGHELLO

Est-ce là tout, monseigneur ?

DON ALPHONSE

Non. Tu prendras ta meilleure épée, et tu te tiendras dans le cabinet, debout, derrière la porte, de manière à entendre tout ce qui se passera ici, et à pouvoir entrer au premier signal que je te donnerai avec cette clochette d'argent, dont tu connais le son.

Il montre une clochette sur la table.

Si j'appelle simplement : — Rustighello! tu entreras avec le plateau. Si je secoue la clochette, tu entreras avec l'épée.

RUSTIGHELLO

Il suffit, monseigneur.

DON ALPHONSE

Tu tiendras ton épée nue à la main, afin de n'avoir pas la peine de la tirer.

RUSTIGHELLO

Bien.

DON ALPHONSE

Rustighello, prends deux épées. Une peut se briser [109]. — Va.

Rustighello sort par la petite porte.

UN HUISSIER, *entrant par la porte du fond.*

Notre dame la duchesse demande à parler à notre seigneur le duc.

DON ALPHONSE

Faites entrer ma dame.

SCÈNE II

DON ALPHONSE, DONA LUCREZIA

DONA LUCREZIA, *entrant avec impétuosité.*

Monsieur, monsieur, ceci est indigne, ceci est odieux, ceci est infâme. Quelqu'un de votre peuple, — savez-vous cela, don Alphonse ? — vient de mutiler le nom de votre femme gravé au-dessous de mes armoiries de famille sur la façade de votre propre palais [110]. La chose s'est faite en plein jour, publiquement, par qui ? je l'ignore, mais c'est bien injurieux et bien téméraire. On a fait de mon nom un écriteau d'ignominie, et votre populace de Ferrare, qui est bien la plus infâme populace de l'Italie, monseigneur, est là qui ricane autour de mon blason comme autour d'un pilori. — Est-ce que vous vous imaginez, don Alphonse, que je m'accommode de cela, et que je n'aimerais pas mieux mourir en une fois d'un coup de poignard qu'en mille fois de la piqûre envenimée du sarcasme et du quolibet [111] ? Pardieu, monsieur. on me traite étrangement dans votre seigneurie de Ferrare! Ceci commence à me lasser, et je vous trouve l'air trop gracieux et trop tranquille pendant qu'on traîne dans le ruisseau de votre ville la renommée de votre femme, déchiquetée à belles dents par l'injure et la calomnie. Il me faut une réparation éclatante de ceci, je vous en préviens, monsieur le duc. Préparez-vous à faire justice. C'est un événement sérieux qui arrive là, voyez-vous ? Est-ce que vous croyez par hasard que je ne tiens à l'estime de personne au monde, et que mon mari peut se dispenser d'être mon chevalier ? Non, non, monseigneur, qui épouse protège. Qui donne la main donne le bras. J'y compte. Tous les jours, ce sont de nouvelles injures, et jamais je ne vous en vois ému. Est-ce que cette boue dont on me couvre ne vous éclabousse pas, don Alphonse ? Allons, sur mon âme, courroucez-vous donc un peu, que je vous voie, une fois dans votre vie, vous fâcher à mon sujet, monsieur [112]! Vous êtes amoureux de moi, dites-vous quelquefois! soyez-le donc de ma gloire. Vous êtes jaloux ? soyez-le de ma renommée! Si j'ai doublé par ma dot vos domaines héréditaires; si je vous ai apporté en mariage, non seulement la rose d'or et la bénédiction du Saint-Père [113], mais, ce qui tient plus de place sur la surface du monde, Sienne, Rimini, Cesena, Spolète et Piombino, et plus de villes que vous n'aviez de châteaux, et plus de duchés que vous n'aviez de baronnies; si j'ai fait de vous le plus puissant gentilhomme de l'Italie, ce n'est pas une raison, monsieur, pour que vous laissiez votre peuple me railler, me publier et m'insulter; pour que vous laissiez votre Ferrare montrer du doigt à toute l'Europe votre femme plus méprisée et plus bas placée que la servante des valets de vos palefreniers; ce n'est pas une raison, dis-je, pour que vos sujets ne puissent me voir passer au milieu d'eux sans dire : — Ha ! cette femme !... — Or, je vous le déclare, monsieur, je veux que le crime d'aujourd'hui soit recherché et notablement puni, ou je m'en plaindrai au pape, je m'en plaindrai au Valentinois qui est à Forli [114] avec quinze mille hommes de guerre ; et voyez maintenant si cela vaut la peine de vous lever de votre fauteuil !

DON ALPHONSE

Madame, le crime dont vous vous plaignez m'est connu.

DON LUCREZIA

Comment, monsieur ! le crime vous est connu, et le criminel n'est pas découvert !

DON ALPHONSE

Le criminel est découvert.

DONA LUCREZIA

Vive Dieu ! s'il est découvert, comment se fait-il qu'il ne soit pas arrêté ?

DON ALPHONSE

Il est arrêté, madame.

DONA LUCREZIA

Sur mon âme, s'il est arrêté, d'où vient qu'il n'est pas encore puni ?

DON ALPHONSE

Il va l'être. J'ai voulu d'abord avoir votre avis sur le châtiment.

DONA LUCREZIA

Et vous avez bien fait, monseigneur ! — Où est-il ?

DON ALPHONSE

Ici.

DONA LUCREZIA

Ah, ici ! — Il me faut un exemple, entendez-vous, monsieur ? C'est un crime de lèse-majesté. Ces crimes-là font toujours tomber la tête qui les conçoit et la main qui les exécute. — Ah ! il est ici ! Je veux le voir.

DON ALPHONSE

C'est facile.

Appelant.

— Bautista !

L'huissier reparaît.

DONA LUCREZIA

Encore un mot, monsieur, avant que le coupable soit introduit. — Quel que soit cet homme, fût-il de votre ville, fût-il de votre maison, don Alphonse, donnez-moi votre parole de duc couronné qu'il ne sortira pas d'ici vivant[115].

DON ALPHONSE

Je vous la donne. — Je vous la donne, entendez-vous bien, madame ?

DONA LUCREZIA

C'est bien. Eh! sans doute, j'entends. Amenez-le maintenant. Que je l'interroge moi-même! — Mon Dieu! qu'est-ce que je leur ai donc fait à ces gens de Ferrare pour me persécuter ainsi ?

DON ALPHONSE, *à l'huissier.*

Faites entrer le prisonnier.

La porte du fond s'ouvre. On voit paraître Gennaro désarmé entre deux pertuisaniers[116]. Dans le même moment, on voit Rustighello monter l'escalier dans le petit compartiment à gauche, derrière la porte masquée. Il tient à la main un plateau sur lequel il y a un flacon doré, un flacon argenté et deux coupes. Il pose le plateau sur l'appui de la fenêtre, tire son épée, et se place derrière la porte.

SCÈNE III

LES MÊMES, GENNARO

DONA LUCREZIA, *à part.*

Gennaro !

DON ALPHONSE,
s'approchant d'elle, bas et avec un sourire.

Est-ce que vous connaissez cet homme ?

DONA LUCREZIA, *à part.*

C'est Gennaro! — Quelle fatalité, mon Dieu!

Elle le regarde avec angoisse. Il détourne les yeux.

GENNARO

Monseigneur le duc, je suis un simple capitaine et je vous parle avec le respect qui convient. Votre Altesse m'a fait saisir dans mon logis ce matin. Que me veut-elle?

DON ALPHONSE

Seigneur capitaine, un crime de lèse-majesté humaine a été commis ce matin vis-à-vis la maison que vous habitez. Le nom de notre bien-aimée épouse et cousine dona Lucrezia Borgia a été insolemment balafré sur la face de notre palais ducal. Nous cherchons le coupable.

DONA LUCREZIA

Ce n'est pas lui! il y a méprise, don Alphonse. Ce n'est pas ce jeune homme!

DON ALPHONSE

D'où le savez-vous?

DONA LUCREZIA

J'en suis sûre. Ce jeune homme est de Venise et non de Ferrare. Ainsi...

DON ALPHONSE

Qu'est-ce que cela prouve?

DONA LUCREZIA

Le fait a eu lieu ce matin, et je sais qu'il a passé la matinée chez une nommée Fiametta.

GENNARO

Non, madame.

DON ALPHONSE

Vous voyez bien que votre altesse est mal renseignée. Laissez-moi l'interroger. — Capitaine Gennaro, êtes-vous celui qui a commis le crime?

DONA LUCREZIA, *éperdue.*

On étouffe ici! De l'air! de l'air! J'ai besoin de respirer un peu!

Elle va à la fenêtre, et, en passant à côté de Gennaro, elle lui dit bas et rapidement :

— Dis que ce n'est pas toi!

DON ALPHONSE, *à part.*

Elle lui a parlé bas.

GENNARO

Duc Alphonse, les pêcheurs de Calabre qui m'ont élevé, et qui m'ont trempé tout jeune dans la mer pour me rendre fort et hardi, m'ont enseigné cette maxime, avec laquelle on peut risquer souvent sa vie, jamais son honneur : — Fais ce que tu dis, dis ce que tu fais [117]. — Duc Alphonse, je suis l'homme que vous cherchez.

DON ALPHONSE, *se tournant vers dona Lucrezia.*

Vous avez ma parole de duc couronné, madame.

DONA LUCREZIA

J'ai deux mots à vous dire en particulier, monseigneur.

Le duc fait signe à l'huissier et aux gardes de se retirer avec le prisonnier dans la salle voisine.

SCÈNE IV

DONA LUCREZIA, DON ALPHONSE

DON ALPHONSE

Que me voulez-vous, madame ?

DONA LUCREZIA

Ce que je vous veux, don Alphonse, c'est que je ne veux pas que ce jeune homme meure.

DON ALPHONSE

Il n'y a qu'un instant, vous êtes entrée chez moi comme la tempête, irritée et pleurante, vous vous êtes plainte à moi d'un outrage fait à vous, vous avez réclamé avec injure et cris la tête du coupable, vous m'avez demandé ma parole ducale qu'il ne sortirait pas d'ici vivant, je vous l'ai loyalement octroyée, et maintenant vous ne voulez pas qu'il meure! — Par Jésus! madame, ceci est nouveau!

DONA LUCREZIA

Je ne veux pas que ce jeune homme meure, monsieur le duc!

DON ALPHONSE

Madame, les gentilshommes aussi prouvés [118] que moi n'ont pas coutume de laisser leur foi en gage [119]. Vous avez ma parole, il faut que je la retire. J'ai juré que le coupable mourrait. Il mourra. Sur mon âme, vous pouvez choisir le genre de mort.

DONA LUCREZIA, *d'un air riant et plein de douceur.*

Don Alphonse, don Alphonse, en vérité, nous disons là des folies, vous et moi. Tenez, c'est vrai, je suis une femme pleine de déraison. Mon père m'a gâtée, que voulez-vous ? On a depuis mon enfance obéi à tous mes caprices. Ce que je voulais il y a un quart d'heure, je ne le veux plus à présent. Vous savez bien, don Alphonse, que j'ai toujours été ainsi. Tenez, asseyez-vous là, près de moi, et causons un peu, tendrement, cordialement, comme mari et femme, comme deux bons amis [120].

DON ALPHONSE,
prenant de son côté un air de galanterie.

Dona Lucrezia, vous êtes ma dame, et je suis trop heureux qu'il vous plaise de m'avoir un instant à vos pieds.

Il s'assied près d'elle.

DONA LUCREZIA

Comme cela est bon de s'entendre! Savez-vous bien, Alphonse, que je vous aime encore comme le premier jour de notre mariage, ce jour où vous fîtes une si éblouissante entrée à Rome, entre monsieur de Valentinois, mon frère, et monsieur le cardinal Hippolyte d'Este, le vôtre [121] ? J'étais sur le balcon des degrés de Saint-Pierre. Je me rappelle encore votre beau cheval blanc chargé d'orfèvrerie d'or, et l'illustre mine de roi que vous aviez dessus!

DON ALPHONSE

Vous étiez vous-même bien belle, madame, et bien rayonnante sous votre dais de brocart d'argent.

DONA LUCREZIA

Oh! ne me parlez pas de moi, monseigneur, quand je vous parle de vous. Il est certain que toutes les princesses de l'Europe m'envient d'avoir épousé le meilleur chevalier de la chrétienté. Et moi je vous aime vraiment comme si j'avais dix-huit ans. Vous savez que je vous aime, n'est-ce pas, Alphonse ? Vous n'en doutez jamais, au moins ? Je suis froide quelquefois, et distraite; cela vient de mon caractère, non de mon cœur. Ecoutez, Alphonse, si votre altesse m'en grondait doucement, je me corrigerais bien vite. La bonne chose de s'aimer comme nous faisons! Donnez-moi votre main, — embrassez-moi, don Alphonse! — En vérité, j'y songe maintenant, il est bien ridicule qu'un prince et une princesse comme vous et moi, qui sont assis côte à côte sur le plus beau trône ducal qui soit au monde, et qui s'aiment, aient été sur le point de se quereller pour un misérable petit capitaine aventurier vénitien! Il faut chasser cet homme, et n'en plus parler. Qu'il aille où il voudra, ce drôle, n'est-ce pas, Alphonse ? Le lion et la lionne ne se courroucent pas d'un moucheron [122]. — Savez-vous, monseigneur, que si la couronne ducale était à donner en concours au plus beau cavalier de votre duché de Ferrare, c'est encore vous qui l'auriez ? — Attendez, que j'aille dire à Bautista de votre part qu'il ait à chasser au plus vite de Ferrare ce Gennaro.

DON ALPHONSE

Rien ne presse.

DONA LUCREZIA, *d'un air enjoué.*

Je voudrais n'avoir plus à y songer. — Allons, monsieur, laissez-moi terminer cette affaire à ma guise!

DON ALPHONSE

Il faut que celle-ci se termine à la mienne.

DONA LUCREZIA

Mais enfin, mon Alphonse, vous n'avez pas de raison pour vouloir la mort de cet homme.

DON ALPHONSE

Et la parole que je vous ai donnée ? Le serment d'un roi est sacré.

DONA LUCREZIA

Cela est bon à dire au peuple. Mais de vous à moi, Alphonse, nous savons ce que c'est. Le Saint-Père avait promis à Charles VIII de France la vie de Zizimi, sa sainteté n'en a pas moins fait mourir Zizimi. Monsieur de Valentinois s'était constitué sur parole otage du même enfant Charles VIII, monsieur de Valentinois s'est évadé du camp français dès qu'il a pu [123]. Vous-même, vous aviez promis aux Petrucci de leur rendre Sienne. Vous ne l'avez pas fait, ni dû faire. Hé! l'histoire des pays est pleine de cela. Ni rois ni nations ne pourraient vivre un jour avec la rigidité des serments qu'on tiendrait. Entre nous, Alphonse, une parole jurée n'est une nécessité que quand il n'y en a pas d'autre [124].

DON ALPHONSE

Pourtant, dona Lucrezia, un serment...

DONA LUCREZIA

Ne me donnez pas de ces mauvaises raisons-là. Je ne suis pas une sotte. Dites-moi plutôt, mon cher Alphonse, si vous avez quelque motif d'en vouloir à ce Gennaro. Non ? Eh bien! accordez-moi sa vie. Vous m'aviez bien accordé sa mort. Qu'est-ce que cela vous fait ? S'il me plaît de lui pardonner. C'est moi qui suis l'offensée.

DON ALPHONSE

C'est justement parce qu'il vous a offensée, mon amour, que je ne veux pas lui faire grâce.

DONA LUCREZIA

Si vous m'aimez, Alphonse, vous ne me refuserez pas plus longtemps. Et s'il me plaît d'essayer de la clémence, à moi ? C'est un moyen de me faire aimer de votre peuple. Je veux que votre peuple m'aime. La miséricorde, Alphonse, cela fait ressembler un roi à Jésus-Christ. Soyons des souverains miséricordieux. Cette pauvre Italie a assez de tyrans sans nous, depuis le baron vicaire du pape jusqu'au pape vicaire de Dieu [125]. Finissons-en, cher Alphonse. Mettez ce Gennaro en liberté! C'est un caprice, si vous voulez; mais c'est quelque chose de sacré et d'auguste que le caprice d'une femme, quand il sauve la tête d'un homme.

DON ALPHONSE

Je ne puis, chère Lucrèce.

DONA LUCREZIA

Vous ne pouvez ? Mais enfin pourquoi ne pouvez-vous pas m'accorder quelque chose d'aussi insignifiant que la vie de ce capitaine ?

DON ALPHONSE

Vous me demandez pourquoi, mon amour ?

DONA LUCREZIA

Oui, pourquoi ?

DON ALPHONSE

Parce que ce capitaine est votre amant, madame!

DONA LUCREZIA

Ciel!

DON ALPHONSE

Parce que vous l'avez été chercher à Venise! Parce que vous l'iriez chercher en enfer! Parce que je vous ai suivie pendant que vous le suiviez! Parce que je vous ai vue, masquée et haletante, courir après lui comme la louve après sa proie! Parce que tout à l'heure encore vous le couviez d'un regard plein de pleurs et plein de flamme! Parce que vous vous êtes prostituée à lui, sans aucun doute, madame! Parce que c'est assez de honte et d'infamie et d'adultère comme cela! Parce qu'il est temps que je venge mon honneur et que je fasse couler autour de mon lit un fossé de sang, entendez-vous, madame ?

DONA LUCREZIA

Don Alphonse...

DON ALPHONSE

Taisez-vous. — Veillez sur vos amants désormais, Lucrèce! La porte par laquelle on entre dans votre chambre de nuit, mettez-y tel huissier qu'il vous plaira, mais à la porte par où l'on sort, il y aura maintenant un portier de mon choix, — le bourreau!

DONA LUCREZIA

Monseigneur, je vous jure...

DON ALPHONSE

Ne jurez pas. Les serments, cela est bon pour le peuple. Ne me donnez pas de ces mauvaises raisons-là.

DONA LUCREZIA

Si vous saviez...

DON ALPHONSE

Tenez, madame, je hais toute votre abominable famille de Borgia, et vous toute la première, que j'ai si follement aimée [126] ! Il faut que je vous dise un peu cela à la fin, c'est une chose honteuse, inouïe et merveilleuse, de voir alliées en nos deux personnes la maison d'Este, qui vaut mieux que la maison de Valois et que la maison de Tudor, la maison d'Este, dis-je, et la famille Borgia, qui ne s'appelle pas même Borgia, qui s'appelle Lenzuoli, ou Lenzolio [127], on ne sait quoi! J'ai horreur de votre frère César [128], qui a des taches de sang naturelles au visage! de votre frère César, qui a tué votre frère Jean! J'ai horreur de votre mère la Rosa Vanozza, la vieille fille de joie espagnole qui scandalise Rome après avoir scandalisé Valence [129] ! Et quant à vos neveux prétendus, les ducs de Sermoneto et de Nepi, de beaux ducs, ma foi! des ducs d'hier! des ducs faits avec des duchés volés! Laissez-moi finir. J'ai horreur de votre père qui est pape et qui a un sérail de femmes comme le sultan des turcs Bajazet; de votre père qui est l'antechrist; de votre père qui peuple le bagne de personnes illustres et le sacré collège de bandits, si bien qu'en les voyant tous vêtus de rouge, galériens et cardinaux, on se demande si ce sont les galériens qui sont les cardinaux et les cardinaux qui sont les galériens [130] ! — Allez maintenant!

DONA LUCREZIA

Monseigneur! monseigneur! je vous demande, à genoux et à mains jointes, au nom de Jésus et de Marie, au nom de votre père et de votre mère, monseigneur, je vous demande la vie de ce capitaine.

DON ALPHONSE

Voilà aimer! — Vous pourrez faire de son cadavre ce qu'il vous plaira, madame, et je prétends que ce soit avant une heure.

DONA LUCREZIA

Grâce pour Gennaro!

DON ALPHONSE

Si vous pouviez lire la ferme résolution qui est dans mon âme, vous n'en parleriez pas plus que s'il était déjà mort.

DONA LUCREZIA, *se relevant.*

Ah! prenez garde à vous, don Alphonse de Ferrare, mon quatrième mari!

DON ALPHONSE

Oh! ne faites pas la terrible, madame! Sur mon âme, je ne vous crains pas! Je sais vos allures. Je ne me laisserai pas empoisonner comme votre premier mari, ce pauvre gentilhomme d'Espagne dont je ne sais plus le nom, ni vous non plus [131]. Je ne me laisserai pas chasser comme votre second mari, Jean Sforza, seigneur de Pesaro, cet imbécile! Je ne me laisserai pas tuer à coups de pique, sur n'importe quel escalier, comme le troisième, don Alphonse d'Aragon, faible enfant dont le sang n'a guère plus taché les dalles que de l'eau pure! Tout beau! Moi je suis un homme, madame. Le nom d'Hercule est souvent porté dans ma famille. Par le ciel! j'ai des soldats plein ma ville et plein ma seigneurie, et j'en suis un moi-même, et je n'ai point encore vendu, comme ce pauvre roi de Naples, mes bons canons d'artillerie [132] au pape, votre saint père!

DONA LUCREZIA

Vous vous repentirez de ces paroles, monsieur. Vous oubliez qui je suis...

DON ALPHONSE

Je sais fort bien qui vous êtes, mais je sais aussi où vous êtes. Vous êtes la fille du pape, mais vous n'êtes pas à Rome; vous êtes la gouvernante de Spolète, mais vous n'êtes pas à Spolète; vous êtes la femme, la sujette et la servante d'Alphonse, duc de Ferrare, et vous êtes à Ferrare!

Dona Lucrezia, toute pâle de terreur et de colère, regarde fixement le duc, et recule lentement devant lui jusqu'à un fauteuil où elle vient tomber comme brisée.

— Ah! cela vous étonne, vous avez peur de moi, madame! jusqu'ici c'était moi qui avais peur de vous. J'entends qu'il en soit ainsi désormais, et, pour commencer, voici le premier de vos amants sur lequel je mets la main. Il mourra.

DONA LUCREZIA, *d'une voix faible.*

Raisonnons un peu, don Alphonse. Si cet homme est celui qui a commis envers moi le crime de lèse-majesté, il ne peut être en même temps mon amant.

DON ALPHONSE

Pourquoi non ? Dans un accès de dépit, de colère, de jalousie! car il est peut-être jaloux aussi, lui. D'ailleurs, est-ce que je sais, moi ? Je veux que cet homme meure. C'est ma fantaisie. Ce palais est plein de soldats qui me sont dévoués et qui ne connaissent que moi. Il ne peut échapper. Vous n'empêcherez rien, madame. J'ai laissé à votre altesse le choix du genre de mort, décidez-vous.

DONA LUCREZIA, *se tordant les mains.*

O mon Dieu! ô mon Dieu! ô mon Dieu!

DON ALPHONSE

Vous ne répondez pas ? — Je vais le faire tuer dans l'antichambre à coups d'épée.

Il va pour sortir, elle lui saisit le bras.

DONA LUCREZIA

Arrêtez!

DON ALPHONSE

Aimez-vous mieux lui verser vous-même un verre de vin de Syracuse?

DONA LUCREZIA

Gennaro!

DON ALPHONSE

Il faut qu'il meure.

DONA LUCREZIA

Pas à coups d'épée!

DON ALPHONSE

La manière m'importe peu. — Que choisissez-vous ?

DONA LUCREZIA

L'autre chose.

DON ALPHONSE

Vous aurez soin de ne pas vous tromper, et de lui verser vous-même du flacon d'or que vous savez. Je serai là, d'ailleurs. Ne vous figurez pas que je vais vous quitter.

DONA LUCREZIA

Je ferai ce que vous voulez.

DON ALPHONSE

Bautista!

L'huissier reparaît.

— Ramenez le prisonnier.

DONA LUCREZIA

Vous êtes un homme affreux, monseigneur.

SCÈNE V

LES MÊMES, GENNARO, LES GARDES

DON ALPHONSE

Qu'est-ce que j'entends dire, seigneur Gennaro! Que ce que vous avez fait ce matin, vous l'avez fait par étourderie et bravade, et sans intention méchante, que madame la duchesse vous pardonne, et que d'ailleurs vous êtes un vaillant. Par ma mère [133], s'il en est ainsi, vous pouvez retourner sain et sauf à Venise. A Dieu ne plaise que je prive la magnifique république de Venise d'un bon domestique et la chrétienté d'un bras fidèle qui porte une fidèle épée, quand il y a devers les eaux de Chypre et de Candie [134] des idolâtres et des sarrasins!

GENNARO

A la bonne heure, monseigneur! Je ne m'attendais pas, je l'avoue, à ce dénouement. Mais je remercie votre altesse. La clémence est une vertu de race royale, et Dieu fera grâce là-haut à qui aura fait grâce ici-bas.

DON ALPHONSE

Capitaine, est-ce un bon service que celui de la république, et combien y gagnez-vous, bon an, mal an ?

GENNARO

J'ai une compagnie de cinquante lances, monseigneur, que je défraie et que j'habille. La sérénissime république, sans compter les aubaines [135] et les épaves, me donne deux mille sequins d'or par an.

DON ALPHONSE

Et si je vous en offrais quatre mille, prendriez-vous service chez moi ?

GENNARO

Je ne pourrais. Je suis encore pour cinq ans au service de la république. Je suis lié [136].

DON ALPHONSE

Comment ? lié ?

GENNARO

Par serment.

DON ALPHONSE, *bas à dona Lucrezia.*

Il paraît que ces gens-là tiennent les leurs, madame.

Haut.

— N'en parlons plus, seigneur Gennaro.

GENNARO

Je n'ai fait aucune lâcheté pour obtenir la vie sauve; mais, puisque votre altesse me la laisse, voici ce que je puis lui dire maintenant. Votre altesse se souvient de l'assaut de Faenza, il y a deux ans. Monseigneur le duc Hercule d'Este, votre père, y courut grand péril de la part de deux cranequiniers [137] du Valentinois qui l'allaient tuer. Un soldat aventurier lui sauva la vie.

DON ALPHONSE

Oui, et l'on n'a jamais pu retrouver ce soldat.

GENNARO

C'était moi.

DON ALPHONSE

Pardieu, mon capitaine, ceci mérite récompense. — Est-ce que vous n'accepteriez pas cette bourse de sequins d'or [138] ?

GENNARO

Nous faisons le serment, en prenant le service de la république, de ne recevoir aucun argent des souverains étrangers. Cependant, si votre altesse le permet, je prendrai cette bourse et je la distribuerai en mon nom aux braves soldats que voici.

Il montre les gardes.

DON ALPHONSE

Faites.

Gennaro prend la bourse.

— Mais alors vous boirez avec moi, suivant le vieil usage de nos ancêtres, comme bons amis que nous sommes, un verre de mon vin de Syracuse.

GENNARO

Volontiers, monseigneur.

DON ALPHONSE

Et pour vous faire honneur comme à quelqu'un qui a sauvé mon père [139], je veux que ce soit madame la duchesse elle-même qui vous le verse.

Gennaro s'incline et se retourne pour aller distribuer l'argent aux soldats au fond du théâtre. Le duc appelle.

— Rustighello!

Rustighello paraît avec le plateau.

— Pose le plateau là, sur cette table. — Bien.

Prenant dona Lucrezia par la main.

— Madame, écoutez ce que je vais dire à cet homme. — Rustighello, retourne te placer derrière cette porte avec ton épée nue à la main; si tu entends le bruit de cette clochette, tu entreras. Va.

Rustighello sort, et on le voit se replacer derrière la porte.

— Madame, vous verserez vous-même à boire au jeune homme, et vous aurez soin de verser du flacon d'or que voici.

DONA LUCREZIA, *pâle et d'une voix faible.*

Oui. — Si vous saviez ce que vous faites en ce moment, et combien c'est une chose horrible, vous frémiriez vous-même, tout dénaturé que vous êtes, monseigneur!

DON ALPHONSE

Ayez soin de ne pas vous tromper de flacon. — Eh bien, capitaine!

Gennaro, qui a fini sa distribution d'argent, revient sur le devant du théâtre. Le duc se verse à boire dans une des deux coupes d'émail avec le flacon d'argent, et prend la coupe qu'il porte à ses lèvres.

GENNARO

Je suis confus de tant de bonté, monseigneur.

DON ALPHONSE

Madame, versez à boire au seigneur Gennaro. — Quel âge avez-vous, capitaine?

GENNARO

saisissant l'autre coupe et la présentant à la duchesse.

Vingt ans [140].

DON ALPHONSE, *bas à la duchesse qui essaie de prendre le flacon d'argent.*

Le flacon d'or, madame!

Elle prend en tremblant le flacon d'or.

— Ah çà, vous devez être amoureux?

GENNARO

Qui est-ce qui ne l'est pas un peu, monseigneur?

DON ALPHONSE

Savez-vous, madame, que c'eût été une cruauté que d'enlever ce capitaine à la vie, à l'amour, au soleil d'Italie, à la beauté de son âge de vingt ans, à son glorieux métier de guerre et d'aventure par où toutes les maisons royales ont commencé, aux fêtes, aux bals masqués, aux gais carnavals de Venise, où il se trompe tant de maris, et aux belles femmes que ce jeune homme peut aimer et qui doivent aimer ce jeune homme, n'est-ce pas, madame? — Versez donc à boire au capitaine.

Bas.

— Si vous hésitez, je fais entrer Rustighello.

Elle verse à boire à Gennaro sans dire une parole.

GENNARO

Je vous remercie, monseigneur, de me laisser vivre pour ma pauvre mère.

DONA LUCREZIA, *à part.*

Oh! horreur!

DON ALPHONSE, *buvant.*

A votre santé, capitaine Gennaro, et vivez beaucoup d'années.

GENNARO

Monseigneur, Dieu vous le rende!

Il boit.

DONA LUCREZIA, *à part.*

Ciel!

DON ALPHONSE, *à part.*

C'est fait.

Haut.

Sur ce, je vous quitte, mon capitaine. Vous partirez pour Venise quand vous voudrez.

Bas à dona Lucrezia.

— Remerciez-moi, madame, je vous laisse tête à tête avec lui. Vous devez avoir des adieux à lui faire. Vivez avec lui, si bon vous semble, son dernier quart d'heure.

Il sort, les gardes le suivent.

SCÈNE VI

DONA LUCREZIA, GENNARO

On voit toujours dans le compartiment Rustighello immobile derrière la porte masquée.

DONA LUCREZIA

Gennaro! — Vous êtes empoisonné!

GENNARO

Empoisonné, madame!

DONA LUCREZIA

Empoisonné!

GENNARO

J'aurais dû m'en douter, le vin étant versé par vous.

DONA LUCREZIA

Oh! ne m'accablez pas, Gennaro. Ne m'ôtez pas le peu de force qui me reste et dont j'ai besoin encore pour quelques instants. Ecoutez-moi. Le duc est jaloux de vous, le duc vous croit mon amant. Le duc ne m'a laissé d'autre alternative que de vous voir poignarder devant moi par Rustighello, ou de vous verser moi-même le poison. Un poison redoutable, Gennaro, un poison dont la seule idée fait pâlir tout italien qui sait l'histoire de ces vingt dernières années.

GENNARO

Oui, le poison des Borgia!

DONA LUCREZIA

Vous en avez bu. Personne au monde ne connaît de contre-poison à cette composition terrible, personne, excepté le pape, monsieur de Valentinois et moi. Tenez, voyez cette fiole que je porte toujours cachée dans ma ceinture. Cette fiole, Gennaro, c'est la vie, c'est la santé, c'est le salut. Une seule goutte sur vos lèvres, et vous êtes sauvé!

Elle veut approcher la fiole des lèvres de Gennaro, il recule.

GENNARO, *la regardant fixement.*

Madame, qui est-ce qui me dit que ce n'est pas cela qui est du poison?

DONA LUCREZIA, *tombant anéantie sur le fauteuil.*

O mon Dieu! mon Dieu!

GENNARO

Ne vous appelez-vous pas Lucrèce Borgia? Est-ce que vous croyez que je ne me souviens pas du frère de Bajazet? Oui, je sais un peu d'histoire. On lui fit accroire, à lui aussi, qu'il était empoisonné par Charles VIII [141], et on lui donna un contre-poison, dont il mourut. Et la main qui lui présenta le contre-poison, la voilà, elle tient cette fiole. Et la bouche qui lui dit de le boire, la voici, elle me parle [142]!

DONA LUCREZIA

Misérable femme que je suis!

GENNARO

Ecoutez, madame, je ne me méprends pas à vos semblants d'amour. Vous avez quelque sinistre dessein sur moi. Cela est visible. Vous devez savoir qui je suis. Tenez, dans ce moment-ci, cela se lit sur votre visage que vous le savez, et il est aisé de voir que vous avez quelque insurmontable raison pour ne me le dire jamais. Votre famille doit connaître la mienne, et peut-être à cette heure ce n'est pas de moi que vous vous vengeriez en m'empoisonnant, mais, qui sait? de ma mère [143]!

DONA LUCREZIA

Votre mère, Gennaro! vous la voyez peut-être autrement qu'elle n'est. Que diriez-vous si ce n'était qu'une femme criminelle comme moi?

GENNARO

Ne la calomniez pas. Oh non! ma mère n'est pas une femme comme vous, madame Lucrèce! Oh! je la sens dans mon cœur et je la rêve dans mon âme telle qu'elle est; j'ai son image là, née avec moi; je ne l'aimerais pas comme je l'aime si elle n'était pas digne de moi; le cœur d'un fils ne se trompe pas sur sa mère. Je la haïrais si elle pouvait vous ressembler. Mais non, non. Il y a quelque chose en moi qui me dit bien haut que ma mère n'est pas un de ces démons d'inceste, de luxure et d'empoisonnement comme vous autres, les belles femmes d'à présent. Oh Dieu! j'en suis bien sûr, s'il y a sous le ciel une femme innocente, une femme vertueuse, une femme sainte, c'est ma mère! Oh! elle est ainsi et pas autrement! Vous la connaissez sans doute, madame Lucrèce, et vous ne me démentirez point!

DONA LUCREZIA

Non, cette femme-là, Gennaro, cette mère-là, je ne la connais pas [144]!

GENNARO

Mais devant qui est-ce que je parle ainsi ? Qu'est-ce que cela vous fait à vous, Lucrèce Borgia, les joies ou les douleurs d'une mère ? Vous n'avez jamais eu d'enfants, à ce qu'on dit, et vous êtes bien heureuse. Car vos enfants, si vous en aviez, savez-vous bien qu'ils vous renieraient, madame ? Quel malheureux assez abandonné du ciel voudrait d'une pareille mère ? Etre le fils de Lucrèce Borgia ! dire ma mère à Lucrèce Borgia ! Oh !...

DONA LUCREZIA

Gennaro ! vous êtes empoisonné, le duc qui vous croit mort peut revenir à tout moment, je ne devrais songer qu'à votre salut et à votre évasion, mais vous me dites des choses si terribles que je ne puis faire autrement que de rester là, pétrifiée, à les entendre.

GENNARO

Madame...

DONA LUCREZIA

Voyons ! il faut en finir. Accablez-moi, écrasez-moi sous votre mépris ; mais vous êtes empoisonné, buvez ceci sur-le-champ !

GENNARO

Que dois-je croire, madame ? Le duc est loyal, et j'ai sauvé la vie à son père. Vous, je vous ai offensé. Vous avez à vous venger de moi.

DONA LUCREZIA

Me venger de toi, Gennaro ! — il faudrait donner toute ma vie pour ajouter une heure à la tienne, il faudrait répandre tout mon sang pour t'empêcher de verser une larme, il faudrait m'asseoir au pilori pour te mettre sur un trône, il faudrait payer d'une torture de l'enfer chacun de tes moindres plaisirs, que je n'hésiterais pas, que je ne murmurerais pas, que je serais heureuse, que je baiserais tes pieds, mon Gennaro ! Oh ! tu ne sauras jamais rien de mon pauvre misérable cœur, sinon qu'il est plein de toi ! Gennaro, le temps presse, le poison marche, tout à l'heure tu le sentirais, vois-tu ! encore un peu, il ne serait plus temps. La vie ouvre en ce moment deux espaces obscurs devant toi, mais l'un a moins de minutes que l'autre n'a d'années. Il faut te déterminer pour l'un des deux. Le choix est terrible. Laisse-toi guider par moi. Aie pitié de toi et de moi, Gennaro. Bois vite, au nom du ciel!

GENNARO

Allons, c'est bien. S'il y a un crime en ceci, qu'il retombe sur votre tête. Après tout, que vous disiez vrai ou non, ma vie ne vaut pas la peine d'être tant disputée. Donnez.

Il prend la fiole et boit.

DONA LUCREZIA

Sauvé! — Maintenant il faut repartir pour Venise de toute la vitesse de ton cheval. Tu as de l'argent ?

GENNARO

J'en ai.

DONA LUCREZIA

Le duc te croit mort. Il sera aisé de lui cacher ta fuite. Attends! Garde cette fiole et porte-la toujours sur toi. Dans des temps comme ceux où nous vivons, le poison est de tous les repas. Toi surtout, tu es exposé. Maintenant pars vite.

Lui montrant la porte masquée qu'elle entrouvre.

— Descends par cet escalier. Il donne dans une des cours du palais Negroni. Il te sera aisé de t'évader par là. N'attends pas jusqu'à demain matin, n'attends pas jusqu'au coucher du soleil, n'attends pas une heure, n'attends pas une demi-heure! Quitte Ferrare sur-le-champ, quitte Ferrare comme si c'était Sodome [145], qui brûle, et ne regarde pas derrière toi! Adieu! — Attends encore un instant. J'ai un dernier mot à te dire, mon Gennaro [146]!

GENNARO

Parlez, madame.

DONA LUCREZIA

Je te dis adieu en ce moment, Gennaro, pour ne plus te revoir jamais. Il ne faut plus songer maintenant à te rencontrer quelquefois sur mon chemin. C'était le seul bonheur que j'eusse au monde. Mais ce serait risquer ta tête. Nous voilà donc pour toujours séparés dans cette vie; hélas! je ne suis que trop sûre que nous serons séparés aussi dans l'autre. Gennaro! est-ce que tu ne me diras pas quelque douce parole avant de me quitter ainsi pour l'éternité ?...

GENNARO, *baissant les yeux.*

Madame...

DONA LUCREZIA

Je viens de te sauver la vie, enfin!

GENNARO

Vous me le dites. Tout ceci est plein de ténèbres. Je ne sais que penser. Tenez, madame, je puis tout vous pardonner, une chose exceptée.

DONA LUCREZIA

Laquelle ?

GENNARO

Jurez-moi par tout ce qui vous est cher, par ma propre tête puisque vous m'aimez, par le salut éternel de mon âme, jurez-moi que vos crimes ne sont pour rien dans les malheurs de ma mère.

DONA LUCREZIA

Toutes les paroles sont sérieuses avec vous, Gennaro. Je ne puis vous jurer cela [147].

GENNARO

O ma mère! ma mère! la voilà donc l'épouvantable femme qui a fait ton malheur!

DONA LUCREZIA

Gennaro!

GENNARO

Vous l'avez avoué, madame! Adieu! soyez maudite!

DONA LUCREZIA

Et toi, Gennaro, sois béni!

Il sort. — Elle tombe évanouie sur le fauteuil.

DEUXIÈME PARTIE

La deuxième décoration. — La place de Ferrare avec le balcon ducal d'un côté et la maison de Gennaro de l'autre. — Il est nuit.

SCÈNE PREMIÈRE

DON ALPHONSE, RUSTIGHELLO,
enveloppés de manteaux.

RUSTIGHELLO

Oui, monseigneur, cela s'est passé ainsi. Avec je ne sais quel philtre elle l'a rendu à la vie, et l'a fait évader par la cour du palais Negroni.

DON ALPHONSE

Et tu as souffert cela ?

RUSTIGHELLO

Comment l'empêcher ? Elle avait verrouillé la porte. J'étais enfermé.

DON ALPHONSE

Il fallait briser la porte.

RUSTIGHELLO

Une porte de chêne, un verrou de fer. Chose facile !

DON ALPHONSE

N'importe ! il fallait briser le verrou, te dis-je ; il fallait entrer et le tuer.

RUSTIGHELLO

D'abord, en supposant que j'eusse pu enfoncer la porte, madame Lucrèce l'aurait couvert de son corps. Il aurait fallu tuer aussi madame Lucrèce.

DON ALPHONSE

Eh bien ? Après ?

RUSTIGHELLO

Je n'avais pas d'ordre pour elle.

DON ALPHONSE

Rustighello! les bons serviteurs sont ceux qui comprennent les princes sans leur donner la peine de tout dire [148].

RUSTIGHELLO

Et puis j'aurais craint de brouiller votre altesse avec le pape.

DON ALPHONSE

Imbécile!

RUSTIGHELLO

C'était bien embarrassant, monseigneur. Tuer la fille du Saint-Père!

DON ALPHONSE

Eh bien, sans la tuer, ne pouvais-tu pas crier, appeler, m'avertir, empêcher l'amant de s'évader ?

RUSTIGHELLO

Oui, et puis le lendemain votre altesse se serait réconciliée avec madame Lucrèce, et le surlendemain madame Lucrèce m'aurait fait pendre.

DON ALPHONSE

Assez. Tu m'as dit que rien n'était encore perdu.

RUSTIGHELLO

Non. Vous voyez une lumière à cette fenêtre. Le Gennaro n'est pas encore parti. Son valet, que la duchesse avait gagné, est à présent gagné par moi, et m'a tout dit. En ce moment il attend son maître derrière la citadelle avec deux chevaux sellés. Le Gennaro va sortir pour l'aller rejoindre dans un instant.

DON ALPHONSE

En ce cas, embusquons-nous derrière l'angle de sa maison. Il est nuit noire. Nous le tuerons quand il passera.

RUSTIGHELLO

Comme il vous plaira.

DON ALPHONSE

Ton épée est bonne ?

RUSTIGHELLO

Oui.

DON ALPHONSE

Tu as un poignard ?

RUSTIGHELLO

Il y a deux choses qu'il n'est pas aisé de trouver sous le ciel, c'est un italien sans poignard, et une italienne sans amant.

DON ALPHONSE

Bien. — Tu frapperas des deux mains.

RUSTIGHELLO

Monseigneur le duc, pourquoi ne le faites-vous pas arrêter tout simplement et pendre par jugement du fiscal [149] ?

DON ALPHONSE

Il est sujet de Venise, et ce serait déclarer la guerre à la république. Non. Un coup de poignard vient on ne sait d'où, et ne compromet personne. L'empoisonnement vaudrait mieux encore, mais l'empoisonnement est manqué.

RUSTIGHELLO

Alors, voulez-vous, monseigneur, que j'aille chercher quatre sbires pour le dépêcher sans que vous ayez la peine de vous en mêler ?

DON ALPHONSE

Mon cher, le seigneur Machiavel [150] m'a dit souvent que, dans ces cas-là, le mieux était que les princes fissent leurs affaires eux-mêmes.

RUSTIGHELLO

Monseigneur, j'entends venir quelqu'un.

DON ALPHONSE

Rangeons-nous le long de ce mur.

Ils se cachent dans l'ombre, sous le balcon. — Paraît Maffio en habit de fête, qui arrive en fredonnant, et va frapper à la porte de Gennaro.

SCÈNE II

DON ALPHONSE *et* RUSTIGHELLO, *cachés;*
MAFFIO, GENNARO

MAFFIO

Gennaro!

La porte s'ouvre. Gennaro paraît.

GENNARO

C'est toi, Maffio ? Veux-tu entrer ?

MAFFIO

Non. Je n'ai que deux mots à te dire. Est-ce que décidément tu ne viens pas ce soir souper avec nous chez la princesse Negroni ?

GENNARO

Je ne suis pas convié.

MAFFIO

Je te présenterai.

GENNARO

Il y a une autre raison. Je dois te dire cela, à toi. Je pars.

MAFFIO

Comment, tu pars ?

GENNARO

Dans un quart d'heure.

MAFFIO

Pourquoi ?

GENNARO

Je te dirai cela à Venise.

MAFFIO

Affaire d'amour ?

GENNARO

Oui, affaire d'amour.

MAFFIO

Tu agis mal avec moi, Gennaro. Nous avions fait serment de ne jamais nous quitter, d'être inséparables, d'être frères, et voilà que tu pars sans moi!

GENNARO

Viens avec moi!

MAFFIO

Viens plutôt avec moi, toi! — Il vaut bien mieux passer la nuit à table avec de jolies femmes et de gais convives que sur la grande route, entre les bandits et les ravins.

GENNARO

Tu n'étais pas très sûr ce matin de ta princesse Negroni.

MAFFIO

Je me suis informé. Jeppo avait raison. C'est une femme charmante et de belle humeur, et qui aime les vers et la musique, voilà tout. Allons, viens avec moi.

GENNARO

Je ne puis.

MAFFIO

Partir à la nuit close! Tu vas te faire assassiner.

GENNARO

Sois tranquille. Adieu. Bien du plaisir.

MAFFIO

Frère Gennaro, j'ai mauvaise idée de ton voyage.

GENNARO

Frère Maffio, j'ai mauvaise idée de ton souper [151].

MAFFIO

S'il allait t'arriver malheur sans que je fusse là!

GENNARO

Qui sait si je ne me reprocherai pas demain de t'avoir quitté ce soir?

MAFFIO

Tiens, décidément, ne nous séparons pas. Cédons quelque chose chacun de notre côté. Viens ce soir avec moi chez la Negroni, et demain, au point du jour, nous partirons ensemble. Est-ce dit ?

GENNARO

Allons, il faut que je te conte, à toi, Maffio, les motifs de mon départ subit. Tu vas juger si j'ai raison.

Il prend Maffio à part et lui parle à l'oreille.

RUSTIGHELLO, *sous le balcon, bas à don Alphonse.*

Attaquons-nous, monseigneur ?

DON ALPHONSE, *bas.*

Voyons la fin de ceci.

MAFFIO, *éclatant de rire après le récit de Gennaro.*

Veux-tu que je te dise, Gennaro ? tu es dupe. Il n'y a dans toute cettte affaire ni poison, ni contre-poison. Pure comédie. La Lucrèce est amoureuse éperdue de toi, et elle a voulu te faire accroire qu'elle te sauvait la vie, espérant te faire doucement glisser de la reconnaissance à l'amour. Le duc est un bon homme, incapable d'empoisonner ou d'assassiner qui que ce soit. Tu as sauvé la vie à son père d'ailleurs, et il le sait. La duchesse veut que tu partes, c'est fort bien. Son amourette se déroulerait en effet plus commodément à Venise qu'à Ferrare. Le mari la gêne toujours un peu. Quant au souper de la princesse Negroni, il sera délicieux. Tu y viendras. Que diable ! il faut cependant raisonner un peu et ne rien s'exagérer. Tu sais que je suis prudent, moi, et de bon conseil. Parce qu'il y a eu deux ou trois soupers fameux où les Borgia ont empoisonné, avec de fort bon vin, quelques-uns de leurs meilleurs amis, ce n'est pas une raison pour ne plus souper du tout. Ce n'est pas une raison pour voir toujours du poison dans l'admirable vin de Syracuse, et, derrière toutes les belles princesses de l'Italie, Lucrèce Borgia. Spectres et balivernes que tout cela ! A ce compte, il n'y aurait que les enfants à la mamelle qui seraient sûrs de ce qu'ils boivent, et qui pourraient souper sans inquiétude. Par Hercule, Gennaro ! sois enfant ou sois homme. Retourne te mettre en nourrice ou viens souper [152] !

GENNARO

Au fait, cela a quelque chose d'étrange de se sauver ainsi la nuit. J'ai l'air d'un homme qui a peur. D'ailleurs, s'il y a danger à rester, je ne dois pas y laisser Maffio tout seul. Il en sera ce qui pourra. C'est une chance comme une autre. C'est dit. Tu me présenteras à ta princesse Negroni. Je vais avec toi.

MAFFIO, *lui prenant la main.*

Vrai Dieu! voilà un ami!

Ils sortent. On les voit s'éloigner vers le fond de la place. Don Alphonse et Rustighello sortent de leur cachette.

RUSTIGHELLO, *l'épée nue.*

Eh bien, qu'attendez-vous, monseigneur ? Ils ne sont que deux. Chargez-vous de votre homme, je me charge de l'autre.

DON ALPHONSE

Non, Rustighello. Ils vont souper chez la princesse Negroni. Si je suis bien informé...

Il s'interrompt et paraît rêver un instant. Eclatant de rire.

— Pardieu! cela ferait encore mieux mon affaire, et ce serait une plaisante aventure. Attendons à demain.

Ils rentrent au palais.

ACTE TROISIÈME

IVRES MORTS [153]

Une salle magnifique du palais Negroni. A droite, une porte bâtarde [154]. Au fond, une grande et très large porte à deux battants. Au milieu, une table superbement servie à la mode du XVIe siècle. De petits pages noirs, vêtus de brocart d'or, circulent à l'entour.

Au moment où la toile se lève, il y a quatorze convives à table, Jeppo, Maffio, Ascanio, Oloferno, Apostolo, Gennaro et Gubetta, et sept jeunes femmes, jolies et très galamment parées. Tous boivent ou mangent, ou rient à gorge déployée avec leurs voisines, excepté Gennaro qui paraît pensif et silencieux.

SCÈNE PREMIÈRE

JEPPO, MAFFIO, ASCANIO, OLOFERNO, DON APOSTOLO, GUBETTA, GENNARO, des femmes, des pages.

OLOFERNO, *son verre à la main.*

Vive le vin de Xerès! Xerès de la Frontera [155] est une ville du paradis.

MAFFIO, *son verre à la main.*

Le vin que nous buvons vaut mieux que les histoires que vous nous contez, Jeppo.

ASCANIO

Jeppo a la maladie de conter des histoires quand il a bu.

DON APOSTOLO

L'autre jour c'était à Venise, chez le sérénissime doge Barbarigo; aujourd'hui, c'est à Ferrare, chez la divine princesse Negroni.

JEPPO

L'autre jour c'était une histoire lugubre; aujourd'hui c'est une histoire gaie.

MAFFIO

Une histoire gaie, Jeppo! Comment il advint que don Siliceo, beau cavalier de trente ans, qui avait perdu son patrimoine au jeu, épousa la très riche marquise Calpurnia [156], qui comptait quarante-huit printemps. Par le corps de Bacchus [157]! vous trouvez cela gai!

GUBETTA

C'est triste et commun. Un homme ruiné qui épouse une femme en ruine. Chose qui se voit tous les jours.

Il se met à manger. De temps en temps, quelques-uns se lèvent de table et viennent causer sur le devant de la scène pendant que l'orgie continue.

LA PRINCESSE NEGRONI, *à Maffio, montrant Gennaro.*

Monsieur le comte Orsini, vous avez là un ami qui me paraît bien triste.

MAFFIO

Il est toujours ainsi, madame. Il faut que vous me pardonniez de l'avoir amené sans que vous lui eussiez fait la grâce de l'inviter. C'est mon frère d'armes. Il m'a sauvé la vie à l'assaut de Rimini. J'ai reçu à l'attaque du pont de Vicence un coup d'épée qui lui était destiné. Nous ne nous séparons jamais. Nous vivons ensemble. Un bohémien nous a prédit que nous mourrions le même jour.

LA NEGRONI, *riant.*

Vous a-t-il dit si ce serait le soir ou le matin ?

MAFFIO

Il nous a dit que ce serait le matin.

LA NEGRONI, *riant plus fort.*

Votre bohémien ne savait ce qu'il disait. — Et vous aimez bien ce jeune homme [158] ?

MAFFIO

Autant qu'un homme peut en aimer un autre.

LA NEGRONI

Eh bien! vous vous suffisez l'un à l'autre. Vous êtes heureux!

MAFFIO

L'amitié ne remplit pas tout le cœur, madame.

LA NEGRONI

Mon Dieu! qu'est-ce qui remplit tout le cœur ?

MAFFIO

L'amour.

LA NEGRONI

Vous avez toujours l'amour à la bouche.

MAFFIO

Et vous dans les yeux.

LA NEGRONI

Etes-vous singulier!

MAFFIO

Etes-vous belle!

Il lui prend la taille.

LA NEGRONI

Monsieur le comte Orsini, laissez-moi!

MAFFIO

Un baiser sur votre main ?

LA NEGRONI

Non!

Elle lui échappe.

GUBETTA, *abordant Maffio.*

Vos affaires sont en bon train près de la princesse.

MAFFIO

Elle me dit toujours non.

GUBETTA

Dans la bouche d'une femme Non n'est que le frère aîné de Oui.

JEPPO, *survenant, à Maffio.*

Comment trouves-tu madame la princesse Negroni ?

MAFFIO

Adorable. Entre nous, elle commence à m'égratigner furieusement le cœur.

JEPPO

Et son souper ?

MAFFIO

Une orgie parfaite.

JEPPO

La princesse est veuve.

MAFFIO

On le voit à sa gaîté!

JEPPO

J'espère que tu ne te défies plus de son souper ?

MAFFIO

Moi! Comment donc! J'étais fou.

JEPPO, *à Gubetta.*

Monsieur de Belverana, vous ne croiriez pas que Maffio avait peur de venir souper chez la princesse ?

GUBETTA

Peur ? — Pourquoi ?

JEPPO

Parce que le palais Negroni touche au palais Borgia.

GUBETTA

Au diable les Borgia! — et buvons!

JEPPO, *bas à Maffio.*

Ce que j'aime dans ce Belverana, c'est qu'il n'aime pas les Borgia.

MAFFIO, *bas.*

En effet, il ne manque jamais une occasion de les envoyer au diable avec une grâce toute particulière. Cependant, mon cher Jeppo...

JEPPO

Eh bien ?

MAFFIO

Je l'observe depuis le commencement du souper, ce prétendu espagnol. Il n'a encore bu que de l'eau.

JEPPO

Voilà tes soupçons qui te reprennent, mon bon ami Maffio. Tu as le vin étrangement monotone.

MAFFIO

Peut-être as-tu raison. Je suis fou.

GUBETTA,
revenant et regardant Maffio de la tête aux pieds.

Savez-vous, monsieur Maffio, que vous êtes taillé pour vivre quatrevingt-dix ans, et que vous ressemblez à un mien grand-père, qui a vécu cet âge, et qui s'appelait comme moi Gil-Basilio-Fernan-Ireneo-Felipe-Frasco-Frasquito, comte de Belverana [159] ?

JEPPO, *bas à Maffio.*

J'espère que tu ne doutes plus de sa qualité d'espagnol. Il a au moins vingt noms de baptême. — Quelle litanie [160], monsieur de Belverana !

GUBETTA

Hélas ! nos parents ont coutume de nous donner plus de noms à notre baptême que d'écus à notre mariage. Mais qu'ont-ils donc à rire là-bas ?

A part.

— Il faut pourtant que les femmes aient un prétexte pour s'en aller. Comment faire ?

Il retourne s'asseoir à table.

OLOFERNO, *buvant.*

Par Hercule ! messieurs ! je n'ai jamais passé soirée plus délicieuse. Mesdames, goûtez de ce vin. Il est plus doux que le vin de Lacryma-Christi, et plus ardent que le vin de Chypre. C'est du vin de Syracuse, messeigneurs !

GUBETTA, *mangeant.*

Oloferno est ivre, à ce qu'il paraît.

OLOFERNO

Mesdames, il faut que je vous dise quelques vers que je viens de faire. Je voudrais être plus poète que je ne le suis pour célébrer d'aussi admirables festins.

GUBETTA

Et moi, je voudrais être plus riche que je n'ai l'honneur de l'être pour en donner de pareils à mes amis [161].

OLOFERNO

Rien n'est si doux que de chanter une belle femme et un bon repas.

GUBETTA

Si ce n'est d'embrasser l'une et de manger l'autre.

OLOFERNO

Oui, je voudrais être poète. Je voudrais pouvoir m'élever au ciel. Je voudrais avoir deux ailes...

GUBETTA

De faisan dans mon assiette.

OLOFERNO

Je vais pourtant vous dire mon sonnet.

GUBETTA

Par le diable, monsieur le marquis Oloferno Vitellozzo! je vous dispense de nous dire votre sonnet [162]. Laissez-nous boire!

OLOFERNO

Vous me dispensez de vous dire mon sonnet?

GUBETTA

Comme je dispense les chiens de me mordre, le pape de me bénir, et les passants de me jeter des pierres.

OLOFERNO

Tête-dieu! vous m'insultez, je crois, monsieur le petit espagnol!

GUBETTA

Je ne vous insulte pas, grand colosse d'italien que vous êtes. Je refuse mon attention à votre sonnet. Rien de plus. Mon gosier a plus soif de vin de Chypre que mes oreilles de poésie.

OLOFERNO

Vos oreilles, monsieur le castillan râpé, je vous les clouerai sur les talons!

GUBETTA

Vous êtes un absurde bélître! Fi! A-t-on jamais vu lourdaud pareil? s'enivrer de vin de Syracuse, et avoir l'air de s'être soûlé avec de la bière [163]!

OLOFERNO

Savez-vous bien que je vous couperai en quatre, par la mort-dieu!

GUBETTA, *tout en découpant un faisan.*

Je ne vous en dirai pas autant. Je ne découpe pas d'aussi grosses volailles que vous. — Mesdames, vous offrirai-je de ce faisan?

OLOFERNO, *se jetant sur un couteau.*

Pardieu! j'éventrerai ce faquin, fût-il plus gentilhomme que l'empereur!

LES FEMMES, *se levant de table.*

Ciel! ils vont se battre!

LES HOMMES

Tout beau, Oloferno!

Ils désarment Oloferno qui veut se jeter sur Gubetta. Pendant ce temps-là, les femmes disparaissent par la porte latérale.

OLOFERNO, *se débattant.*

Corps-dieu!

GUBETTA

Vous rimez si richement en Dieu, mon cher poète, que vous avez mis ces dames en fuite. Vous êtes un fier maladroit.

JEPPO

C'est vrai, cela. Que diable sont-elles devenues ?

MAFFIO

Elles ont eu peur. Couteau qui luit, femme qui fuit [164].

ASCANIO

Bah! elles vont revenir.

OLOFERNO, *menaçant Gubetta.*

Je te retrouverai demain, mon petit Belverana du démon!

GUBETTA

Demain, tant qu'il vous plaira!

Oloferno va se rasseoir en chancelant avec dépit. Gubetta éclate de rire.

— Cet imbécile! Mettre en déroute les plus jolies femmes de Ferrare avec un couteau emmanché dans un sonnet! Se fâcher à propos de vers! Je le crois bien qu'il a des ailes. Ce n'est pas un homme, c'est un oison. Cela perche, cela doit dormir sur une patte, cet Oloferno-là!

JEPPO

Là, là, faites la paix, messieurs. Vous vous couperez galamment la gorge demain matin. Par Jupiter, vous vous battrez du moins en gentilshommes, avec des épées, et non avec des couteaux.

ASCANIO

A propos, au fait, qu'avons-nous donc fait de nos épées ?

DON APOSTOLO

Vous oubliez qu'on nous les a fait quitter dans l'antichambre.

GUBETTA

Et la précaution était bonne, car autrement nous nous serions battus devant les dames; ce dont rougiraient des flamands de Flandre ivres de tabac [165]!

GENNARO

Bonne précaution, en effet!

MAFFIO

Pardieu, mon frère Gennaro! voilà la première parole que tu dis depuis le commencement du souper, et tu ne bois pas! Est-ce que tu songes à Lucrèce Borgia ? Gennaro! tu as décidément quelque amourette avec elle! Ne dis pas non [166].

GENNARO

Verse-moi à boire, Maffio! Je n'abandonne pas plus mes amis à table qu'au feu.

UN PAGE NOIR, *deux flacons à la main.*

Messeigneurs, du vin de Chypre ou du vin de Syracuse ?

MAFFIO

Du vin de Syracuse. C'est le meilleur.

Le page noir remplit tous les verres.

JEPPO

La peste soit d'Oloferno! Est-ce que ces dames ne vont pas revenir ?

Il va successivement aux deux portes.

— Les portes sont fermées en dehors, messieurs!

MAFFIO

N'allez-vous pas avoir peur à votre tour, Jeppo! Elles ne veulent pas que nous les poursuivions. C'est tout simple.

GUBETTA

Buvons, messeigneurs.

Ils choquent leurs verres.

MAFFIO

A ta santé, Gennaro! et puisses-tu bientôt retrouver ta mère [167]!

GENNARO

Que Dieu t'entende!

Tous boivent, excepté Gubetta qui jette son vin par-dessus son épaule.

MAFFIO, *bas à Jeppo.*

Pour le coup, Jeppo, je l'ai bien vu.

JEPPO, *bas.*

Quoi ?

MAFFIO

L'espagnol n'a pas bu.

JEPPO

Eh bien ?

MAFFIO

Il a jeté son vin par-dessus son épaule.

JEPPO

Il est ivre, et toi aussi.

MAFFIO

C'est possible.

GUBETTA

Une chanson à boire, messieurs [168]! Je vais vous chanter une chanson à boire qui vaudra mieux que le sonnet du marquis Oloferno. Je jure par le bon vieux crâne de mon père que ce n'est pas moi qui ai fait cette chanson, attendu que je ne suis pas poète et que je n'ai pas l'esprit assez galant pour faire se becqueter deux rimes au bout d'une idée. Voici ma chanson. Elle est adressée à monsieur saint Pierre [169], célèbre portier du paradis, et elle a pour sujet cette pensée délicate que le ciel du bon Dieu appartient aux buveurs.

JEPPO, *bas, à Maffio.*

Il est plus qu'ivre, il est ivrogne.

TOUS, *excepté Gennaro.*

La chanson! la chanson!

GUBETTA, *chantant.*

Saint Pierre, ouvre ta porte
Au buveur qui t'apporte
Une voix pleine et forte
Pour chanter : *Domino !*

TOUS, *en chœur, excepté Gennaro.*

Gloria Domino !

GUBETTA

Au buveur, joyeux chantre,
Qui porte un si gros ventre
Qu'on doute, lorsqu'il entre,
S'il est homme ou tonneau.

TOUS EN CHŒUR

Gloria Domino !

Ils choquent leurs verres en riant aux éclats. Tout à coup on entend des voix éloignées qui chantent sur un ton lugubre.

VOIX *au-dehors.*

Sanctum et terribile nomen ejus. Initium sapientiæ timor Domini [170].

JEPPO, *riant de plus belle.*

Ecoutez, messieurs! — Corbacque [171]! pendant que nous chantons à boire, l'écho chante vêpres [172].

TOUS

Ecoutons.

VOIX *au-dehors, un peu plus rapprochées.*

Nisi Dominus custodierit civitatem, frustra vigilat qui custodit eam [173].

Tous éclatent de rire.

JEPPO

Du plain-chant [174] tout pur.

MAFFIO

Quelque procession qui passe.

GENNARO

A minuit! c'est un peu tard.

JEPPO

Bah! continuez, monsieur de Belverana.

VOIX *au-dehors, qui se rapprochent de plus en plus.*

Oculos habent, et non videbunt. Nares habent, et non odorabunt. Aures habent, et non audient [175].

Tous rient de plus en plus fort.

JEPPO

Sont-ils braillards, ces moines [176]!

MAFFIO

Regarde donc, Gennaro. Les lampes s'éteignent ici. Nous voici tout à l'heure dans l'obscurité.

Les lampes pâlissent en effet, comme n'ayant plus d'huile.

VOIX *au-dehors, plus près.*

Manus habent, et non palpabunt. Pedes habent, et non ambulabunt. Non clamabunt in gutture suo [177].

GENNARO

Il me semble que les voix se rapprochent.

JEPPO

La procession me fait l'effet d'être en ce moment sous nos fenêtres.

MAFFIO

Ce sont les prières des morts [178].

ASCANIO

C'est quelque enterrement.

JEPPO

Buvons à la santé de celui qu'on va enterrer.

GUBETTA

Savez-vous s'il n'y en a pas plusieurs ?

JEPPO

Eh bien! à la santé de tous!

APOSTOLO, *à Gubetta.*

Bravo! — et continuons de notre côté notre invocation à saint Pierre.

GUBETTA

Parlez donc plus poliment. On dit : A monsieur saint Pierre, honorable huissier et guichetier patenté du paradis [179].

Il chante.

Si les saints ont des trognes,
Ton ciel est aux ivrognes
Qui n'ont d'autres besognes
Que de boire aux chansons!

TOUS

Que de boire aux chansons!

GUBETTA

Si la mer de Cocagne
Qui baigne ta campagne
Est faite en vin d'Espagne,
Change-nous en poissons!

TOUS, *en choquant leurs verres avec des éclats de rire.*

Change-nous en poissons!

La grande porte du fond s'ouvre silencieusement dans toute sa largeur. On voit au-dehors une vaste salle tapissée en noir, éclairée de quelques flambeaux, avec une grande croix d'argent au fond. Une longue file de pénitents blancs et noirs dont on ne voit que les yeux par les trous de leurs cagoules, croix en tête et torche en main, entre par la grande porte en chantant d'un accent sinistre et d'une voix haute :

De profundis clamavi ad te, Domine [180] *!*

Puis ils viennent se ranger en silence des deux côtés de la salle, et y restent immobiles comme des statues, pendant que les jeunes gentilshommes les regardent avec stupeur.

MAFFIO

Qu'est-ce que cela veut dire ?

JEPPO, *s'efforçant de rire.*

C'est une plaisanterie. Je gage mon cheval contre un pourceau, et mon nom de Liveretto contre le nom de Borgia, que ce sont nos charmantes comtesses qui se sont déguisées de cette façon pour nous éprouver, et que si nous levons une de ces cagoules au hasard, nous trouverons dessous la figure fraîche et malicieuse d'une jolie femme. — Voyez plutôt.

Il va soulever en riant un des capuchons, et il reste pétrifié en voyant dessous le visage livide d'un moine qui demeure immobile, la torche à la main et les yeux baissés. Il laisse tomber le capuchon et recule.

— Ceci commence à devenir étrange!

MAFFIO

Je ne sais pourquoi mon sang se fige dans mes veines.

LES PÉNITENTS, *chantant d'une voix éclatante.*

Conquassabit capita in terra multorum [181] *!*

JEPPO

Quel piège affreux! Nos épées! nos épées! Ah çà! messieurs, nous sommes chez le démon ici.

SCÈNE II

LES MÊMES, DONA LUCREZIA

DONA LUCREZIA, *paraissant tout à coup, vêtue de noir* [182], *au seuil de la porte.*

Vous êtes chez moi!

TOUS, *excepté Gennaro, qui observe tout dans un coin du théâtre où dona Lucrezia ne le voit pas.*

Lucrèce Borgia!

DONA LUCREZIA

Il y a quelques jours, tous, les mêmes qui êtes ici, vous

disiez ce nom avec triomphe. Vous le dites aujourd'hui avec épouvante. Oui, vous pouvez me regarder avec vos yeux fixes de terreur. C'est bien moi, messieurs. Je viens vous annoncer une nouvelle, c'est que vous êtes tous empoisonnés, messeigneurs, et qu'il n'y en a pas un de vous qui ait encore une heure à vivre. Ne bougez pas. La salle d'à côté est pleine de piques. A mon tour maintenant. A moi de parler haut et de vous écraser la tête du talon! — Jeppo Liveretto, va rejoindre ton oncle Vitelli que j'ai fait poignarder dans les caves du Vatican! Ascanio Petrucci va retrouver ton cousin Pandolfo que j'ai assassiné pour lui voler sa ville! Oloferno Vitellozzo, ton oncle t'attend, tu sais bien, Iago d'Appiani que j'ai empoisonné dans une fête! Maffio Orsini, va parler de moi dans l'autre monde à ton frère de Gravina que j'ai fait étrangler dans son sommeil! Apostolo Gazella, j'ai fait décapiter ton père Francisco Gazella, j'ai fait égorger ton cousin Alphonse d'Aragon, dis-tu; va les rejoindre! — Sur mon âme! vous m'avez donné un bal à Venise, je vous rends un souper à Ferrare [183]. Fête pour fête, messeigneurs!

JEPPO

Voilà un rude réveil, Maffio!

MAFFIO

Songeons à Dieu!

DONA LUCREZIA

Ah! mes jeunes amis du carnaval dernier! vous ne vous attendiez pas à cela? Pardieu! il me semble que je me venge. Qu'en dites-vous, messieurs? Qui est-ce qui se connaît en vengeance ici [184]? Ceci n'est point mal, je crois! — Hein? qu'en pensez-vous? pour une femme!

Aux moines.

— Mes pères, emmenez ces gentilshommes dans la salle voisine qui est préparée, confessez-les, et profitez du peu d'instants qui leur restent pour sauver ce qui peut être encore sauvé de chacun d'eux. — Messieurs, que ceux d'entre vous qui ont des âmes y avisent. Soyez tranquilles. Elles sont en bonnes mains. Ces dignes pères sont des moines réguliers de Saint-Sixte [185], auxquels notre Saint-Père le pape a permis de m'assister dans des occasions comme celles-ci. Et si j'ai eu soin de vos âmes, j'ai eu soin aussi de vos corps. Tenez.

Aux moines qui sont devant la porte du fond.

— Rangez-vous un peu, mes pères, que ces messieurs voient.

Les moines s'écartent et laissent voir cinq cercueils couverts chacun d'un drap noir rangés devant la porte.

— Le nombre y est. Il y en a bien cinq. — Ah! jeunes gens! vous arrachez les entrailles à une malheureuse femme, et vous croyez qu'elle ne se vengera pas! Voici le tien, Jeppo. Maffio, voici le tien. Oloferno, Apostolo, Ascanio, voici les vôtres!

GENNARO, *qu'elle n'a pas vu jusqu'alors, faisant un pas.*

Il en faut un sixième, madame [186]!

DONA LUCREZIA

Ciel! Gennaro!

GENNARO

Lui-même.

DONA LUCREZIA

Que tout le monde sorte d'ici. — Qu'on nous laisse seuls. — Gubetta, quoi qu'il arrive, quoi qu'on puisse entendre du dehors de ce qui va se passer ici, que personne n'y entre!

GUBETTA

Il suffit.

Les moines ressortent processionnellement, emmenant avec eux dans leurs files les cinq seigneurs chancelants et éperdus.

SCÈNE III

GENNARO, DONA LUCREZIA

Il y a à peine quelques lampes mourantes dans l'appartement. Les portes sont refermées. Dona Lucrezia et Gennaro, restés seuls, s'entre-regardent quelques instants en silence, comme ne sachant par où commencer.

DONA LUCREZIA, *se parlant à elle-même.*

C'est Gennaro!

CHANT DES MOINES, *au-dehors.*

Nisi Dominus ædificaverit domum, in vanum laborant qui ædificant eam[187].

DONA LUCREZIA

Encore vous, Gennaro! Toujours vous sous tous les coups que je frappe! Dieu du ciel! comment vous êtes-vous mêlé à ceci?

GENNARO

Je me doutais de tout.

DONA LUCREZIA

Vous êtes empoisonné encore une fois. Vous allez mourir!

GENNARO

Si je veux. — J'ai le contre-poison.

DONA LUCREZIA

Ah oui! Dieu soit loué!

GENNARO

Un mot, madame. Vous êtes experte en ces matières. Y a-t-il assez d'élixir dans cette fiole[188] pour sauver les gentilshommes que vos moines viennent d'entraîner dans ce tombeau?

DONA LUCREZIA, *examinant la fiole.*

Il y en a à peine assez pour vous, Gennaro!

GENNARO

Vous ne pouvez pas en avoir d'autre sur-le-champ?

DONA LUCREZIA

Je vous ai donné tout ce que j'avais.

GENNARO

C'est bien.

DONA LUCREZIA

Que faites-vous, Gennaro? Dépêchez-vous donc. Ne jouez pas avec des choses si terribles. On n'a jamais assez tôt bu un contre-poison. Buvez, au nom du ciel! Mon Dieu! quelle imprudence vous avez faite là! Mettez votre vie en sûreté. Je vous ferai sortir du palais par une porte dérobée [189] que je connais. Tout peut se réparer encore. Il est nuit. Des chevaux seront bientôt sellés. Demain matin vous serez loin de Ferrare. N'est-ce pas qu'il s'y fait des choses qui vous épouvantent ? Buvez, et partons. Il faut vivre! Il faut vous sauver!

GENNARO, *prenant un couteau* [190] *sur la table.*

C'est-à-dire que vous allez mourir, madame!

DONA LUCREZIA

Comment! que dites-vous ?

GENNARO

Je dis que vous venez d'empoisonner traîtreusement cinq gentilshommes, mes amis, mes meilleurs amis, par le ciel! et, parmi eux, Maffio Orsini, mon frère d'armes, qui m'avait sauvé la vie à Vicence, et avec qui toute injure et toute vengeance m'est commune. Je dis que c'est une action infâme que vous avez faite là, qu'il faut que je venge Maffio et les autres, et que vous allez mourir!

DONA LUCREZIA

Terre et cieux!

GENNARO

Faites votre prière, et faites-la courte, madame. Je suis empoisonné. Je n'ai pas le temps d'attendre.

DONA LUCREZIA

Bah! cela ne se peut. Ah bien oui! Gennaro me tuer! Est-ce que cela est possible [191] ?

GENNARO

C'est la réalité pure, madame, et je jure Dieu qu'à votre place je me mettrais à prier en silence, à mains jointes et à deux genoux. — Tenez, voici un fauteuil qui est bon pour cela.

DONA LUCREZIA

Non. Je vous dis que c'est impossible. Non, parmi les plus terribles idées qui me traversent l'esprit, jamais celle-là ne me serait venue. — Hé bien! hé bien! vous levez le couteau! Attendez! Gennaro! J'ai quelque chose à vous dire!

GENNARO

Vite.

DONA LUCREZIA

Jette ton couteau, malheureux! Jette-le, te dis-je! Si tu savais... — Gennaro! Sais-tu qui tu es ? Sais-tu qui je suis ? Tu ignores combien je te tiens de près. Faut-il tout lui dire ? Le même sang coule [192] dans nos veines, Gennaro! Tu as eu pour père Jean Borgia, duc de Gandia!

GENNARO

Votre frère! Ah! vous êtes ma tante! Ah! madame!

DONA LUCREZIA, *à part.*

Sa tante!

GENNARO

Ah! je suis votre neveu! Ah! c'est ma mère, cette infortunée duchesse de Gandia [193], que tous les Borgia ont rendue si malheureuse! Madame Lucrèce, ma mère me parle de vous dans ses lettres. Vous êtes du nombre de ces parents dénaturés [194] dont elle m'entretient avec horreur, et qui ont tué mon père, et qui ont noyé sa destinée, à elle, de larmes et de sang. Ah! j'ai de plus mon père à venger, ma mère à sauver de vous maintenant! Ah! vous êtes ma tante! Je suis un Borgia! Oh! cela me rend fou! — Ecoutez-moi, dona Lucrezia Borgia, vous avez vécu longtemps, et vous êtes si couverte d'attentats que vous devez en être devenue odieuse et abominable à vous-même. Vous êtes fatiguée de vivre, sans nul doute, n'est-ce pas ? Eh bien, il faut en finir. Dans les familles comme les nôtres, où le crime est héréditaire et se transmet de père en fils comme le nom, il arrive toujours que cette fatalité se clôt par un meurtre, qui est d'ordinaire un meurtre de famille, dernier crime qui lave tous les autres. Un gentilhomme n'a jamais été blâmé pour avoir coupé une mauvaise branche à l'arbre de sa maison. L'espagnol Mudarra a tué son oncle Rodrigue de Lara [195] pour moins que vous n'avez fait. Cet espagnol a été loué de tous pour avoir tué son oncle, entendez-vous, ma tante ? — Allons! en voilà assez de dit là-dessus! Recommandez votre âme à Dieu, si vous croyez à Dieu et à votre âme.

DONA LUCREZIA

Gennaro! par pitié pour toi! Tu es innocent encore. Ne commets pas ce crime!

GENNARO

Un crime! Oh! ma tête s'égare et se bouleverse! Sera-ce un crime? Eh bien! quand je commettrais un crime! Parbleu! je suis un Borgia, moi! A genoux, vous dis-je! ma tante! à genoux!

DONA LUCREZIA

Dis-tu en effet ce que tu penses, mon Gennaro? Est-ce ainsi que tu payes mon amour pour toi?

GENNARO

Amour!...

DONA LUCREZIA

C'est impossible. Je veux te sauver de toi-même. Je vais appeler. Je vais crier.

GENNARO

Vous n'ouvrirez point cette porte. Vous ne ferez point un pas. Et quant à vos cris, ils ne peuvent vous sauver. Ne venez-vous pas d'ordonner vous-même tout à l'heure que personne n'entrât, quoi qu'on pût entendre au-dehors de ce qui va se passer ici?

DONA LUCREZIA

Mais c'est lâche ce que vous faites là, Gennaro! Tuer une femme, une femme sans défense [196]! Oh! vous avez de plus nobles sentiments que cela dans l'âme! Ecoute-moi, tu me tueras après si tu veux, je ne tiens pas à la vie, mais il faut bien que ma poitrine déborde, elle est pleine d'angoisse de la manière dont tu m'as traitée jusqu'à présent. Tu es jeune, enfant, et la jeunesse est toujours trop sévère. Oh! si je dois mourir [197], je ne veux pas mourir de ta main. Cela n'est pas possible, vois-tu, que je meure de ta main. Tu ne sais pas toi-même à quel point cela serait horrible. D'ailleurs, Gennaro, mon heure n'est pas encore venue. C'est vrai, j'ai commis bien des actions mauvaises, je suis une grande criminelle; et c'est parce que je suis une grande criminelle qu'il faut me laisser le temps de me reconnaître et de me repentir. Il le faut absolument, entends-tu, Gennaro?

GENNARO

Vous êtes ma tante. Vous êtes le sœur de mon père. Qu'avez-vous fait de ma mère, madame Lucrèce Borgia ?

DONA LUCREZIA

Attends! attends! Mon Dieu, je ne puis tout te dire. Et puis, si je te disais tout, je ne ferais peut-être que redoubler ton horreur et ton mépris pour moi! Ecoute-moi encore un instant. Oh! je voudrais bien que tu me reçusses repentante à tes pieds! Tu me feras grâce de la vie, n'est-ce pas ? Eh bien! veux-tu que je prenne le voile ? Veux-tu que je m'enferme dans un cloître, dis ? Voyons, si l'on te disait : Cette malheureuse femme s'est fait raser la tête, elle couche dans la cendre, elle creuse sa fosse de ses mains, elle prie Dieu nuit et jour, non pour elle, qui en aurait besoin cependant, mais pour toi, qui peux t'en passer; elle fait tout cela, cette femme, pour que tu abaisses un jour sur sa tête un regard de miséricorde, pour que tu laisses tomber une larme sur toutes les plaies vives de son cœur et de son âme, pour que tu ne lui dises plus, comme tu viens de le faire avec cette voix plus sévère que celle du jugement dernier : Vous êtes Lucrèce Borgia! Si l'on te disait cela, Gennaro, est-ce que tu aurais le cœur de la repousser ? Oh! grâce! ne me tue pas, mon Gennaro! Vivons tous les deux, toi pour me pardonner, moi pour me repentir! Aie quelque compassion de moi! Enfin, cela ne sert à rien de traiter sans miséricorde une pauvre misérable femme qui ne demande qu'un peu de pitié! — Un peu de pitié! Grâce de la vie! — Et puis, vois-tu bien, mon Gennaro, je te le dis pour toi, ce serait vraiment lâche ce que tu ferais là, ce serait un crime affreux, un assassinat! Un homme tuer une femme! un homme qui est le plus fort! Oh! tu ne voudras pas! tu ne voudras pas!

GENNARO, *ébranlé.*

Madame...

DONA LUCREZIA

Oh! je le vois bien, j'ai ma grâce! Cela se lit dans tes yeux. Oh! laisse-moi pleurer à tes pieds!

UNE VOIX, *au-dehors.*

Gennaro!

GENNARO

Qui m'appelle ?

LA VOIX

Mon frère Gennaro!

GENNARO

C'est Maffio [198]!

LA VOIX

Gennaro! Je meurs! Venge-moi!

GENNARO, *relevant le couteau.*

C'est dit. Je n'écoute plus rien. Vous l'entendez, madame, il faut mourir!

DONA LUCREZIA, *se débattant et lui retenant le bras.*

Grâce! grâce! Encore un mot!

GENNARO

Non!

DONA LUCREZIA

Pardon! Ecoute-moi!

GENNARO

Non!

DONA LUCREZIA

Au nom du ciel!

GENNARO

Non!

Il la frappe.

DONA LUCREZIA

Ah!... tu m'as tuée! — Gennaro! je suis ta mère [199]!

NOTE DE L'ÉDITION ORIGINALE DE 1833

Le texte de la pièce, telle qu'elle est imprimée ici, est conforme à la représentation, à deux variantes près que l'auteur croit devoir donner ici pour ceux de MM. les directeurs des théâtres de province qui voudraient monter *Lucrèce Borgia*.

Voici de quelle façon se termine à la représentation la deuxième partie du premier acte :

[voir n. 98]

Dans le troisième acte, la scène de l'orgie, à partir de la page 128 jusqu'à la page 131, doit être jouée comme il suit :

[voir n. 168]

L'auteur ne terminera pas cette note sans engager ceux des acteurs de province qui pourraient être chargés des rôles de sa pièce à étudier, s'ils en ont l'occasion, la manière dont *Lucrèce Borgia* est représentée à la Porte-Saint-Martin. L'auteur est heureux de le dire, il n'est pas un rôle dans son ouvrage qui ne soit joué avec une intelligence singulière. Chaque acteur a la physionomie de son rôle. Chaque personnage se pose à son plan. De là un ensemble parfait, quoique mêlé à tout moment de verve et de fantaisie. Le jeu général de la pièce est tout à la fois plein d'harmonie et plein de relief, deux qualités qui s'excluent d'ordinaire. Aucun de ces effets criards qui détonnent dans les troupes jeunes, aucune de ces monotonies qui alanguissent les troupes faites. Il n'est pas de troupe à Paris qui comprenne mieux que celle de la Porte-Saint-Martin la mystérieuse loi de perspective suivant laquelle doit se mouvoir et s'étager au théâtre ce groupe de personnages passionné ou ironique qui noue et dénoue un drame.

Et cet ensemble est d'autant plus frappant dans le cas présent, qu'il y a dans *Lucrèce Borgia* certains personnages du second ordre représentés à la Porte-Saint-Martin par des acteurs qui sont du premier ordre et qui se tiennent avec une grâce, une loyauté et un goût parfaits dans le demi-jour de leurs rôles. L'auteur les en remercie ici.

Quant aux deux grands acteurs dont la lutte commence aux premières scènes du drame et ne s'achève qu'à la dernière, l'auteur n'a rien à leur dire qui ne leur soit dit chaque soir d'une manière bien autrement éclatante et sonore par les acclamations dont le public les salue. M. Frédérick [200] a réalisé avec génie le Gennaro que l'auteur avait rêvé. M. Frédérick est élégant et familier, il est plein de fatalité et plein de grâce, il est redoutable et doux; il est enfant et il est homme; il charme et il épouvante; il est modeste, sévère et terrible. Mademoiselle George [201] réunit également au degré le plus rare les qualités diverses et quelquefois même opposées que son rôle exige. Elle prend puissamment et en reine toutes les attitudes du personnage qu'elle représente. Mère au premier acte, femme au second, grande comédienne dans cette scène de ménage avec le duc de Ferrare, où elle est si admirablement secondée par M. Lockroy [202], grande tragédienne pendant l'insulte, grande tragédienne pendant la vengeance, grande tragédienne pendant le châtiment, elle passe comme elle le veut, et sans effort, du pathétique tendre au pathétique terrible. Elle fait applaudir et elle fait pleurer. Elle est sublime comme Hécube [203] et touchante comme Desdémona [204].

MARIE TUDOR

INTRODUCTION

Des lectures anciennes, remontant aux années 1827-1830, avaient laissé dans la mémoire de Hugo une image de Marie Tudor ; sur le XVIe siècle anglais, sur Henri VIII, sur Philippe II, des notes avaient été prises, que le dramaturge avait conservées. Une réminiscence plus lointaine a peut-être contribué à nourrir son nouveau dessein. Avait-il vu, au Musée du Prado, le portrait de Marie Tudor, souvent reproduit, peint par Antonio Moro ? Peut-être est-ce à cette image qu'une allusion est faite plus tard : « J'ai dans ma chambre un portrait de Marie Tudor, la sanglante Marie. C'était une jalouse reine, une vraie fille d'Henri VIII, et dont l'alcôve, comme celle de son père, s'ouvrait de plain-pied sur l'échafaud. » La relation entre l'amour et l'échafaud avait constitué la trame de *Marion de Lorme;* dans *Lucrèce Borgia* le poison s'alliait au pouvoir. Voici surgir le thème politique, où la vengeance privée s'unit à la peine infligée par la loi. Le personnage du favori avait été traité dans *Amy Robsart :* le comte de Leicester menait une double intrigue secrète, avec la reine Elisabeth et avec Amy. La seule représentation de ce drame avait sombré sous les huées d'un public d'avance hostile ; aux yeux de Hugo il avait le double défaut d'être inspiré, de très près, de Walter Scott — donc, de ne se fonder sur aucune documentation historique personnelle — et d'avoir été écrit hâtivement, pour des raisons tactiques. La composition de *Cromwell* l'avait plongé, en 1827, dans l'histoire de l'Angleterre ; Hugo savait comment étayer de documents une œuvre d'imagination. Pour *Hernani,* les légendes du *Romancero* suffisaient ; pour *Marion de Lorme* et pour *Le Roi s'amuse,* des traits généraux de l'époque. Avec *Lucrèce Borgia,* il avait appris à s'immerger dans le passé.

Les notes sur le XVIe siècle anglais devenaient utiles dès que se concrétisa le projet de consacrer une œuvre à Marie Tudor. Le thème du favori, traité sur un plan moral, dans *Amy Robsart*, restait vivace. Refoulé des drames, entre 1829 et 1832, il mène une vie souterraine; après *Marie Tudor*, sa pleine image sera tracée dans *Ruy Blas*. Dès 1833, elle est chargée d'un sens politique.

Les notes anciennes sont tirées d'un ouvrage particulièrement précieux, les *Nouveaux Eclaircissements sur l'histoire de Marie, reine d'Angleterre, fille aînée d'Henri VIII* (...) (Amsterdam et Paris, L.-F. Delatour, 1766), écrits par le P. Henri Griffet de la Baume, qui corrige les interprétations données par David Hume; de celui de Francis Godwin, *Annales des choses les plus mémorables arrivées sous le règne d'Henri VIII, Edouard VI et Marie tant en Angleterre qu'ailleurs* (Paris, 1647), qu'il lit en français et en latin; de Vertot les *Ambassades de M. de Noailles en Angleterre* (Paris, 1763). Outre une quantité de faits précis, Hugo trouve le climat d'étouffement qui caractérisait déjà le monde italien des Borgia, mais avec une forme d'absurdité : « on pend ceux qui sont pour le pape, on brûle ceux qui sont contre ». L'arbitraire vient du pouvoir, fortement concentré dans les mains d'un seul être, la reine « entêtée, superstitieuse, violente, cruelle, maligne, vindicative, tyrannique, mauvais naturel, esprit étroit », comme le note Hugo, qui recopie un texte du P. Griffet. D'autres volumes permettent de glaner des notes touchant la noblesse anglaise, les ouvrages de Collins *(Baronetage of England)*, de John Chamberlayne *(L'Etat de Grande-Bretagne)* ; l'*Histoire de la Maison Tudor*, traduite par Mme Belot (1769), sera très utile. La *Biographie universelle Michaud* fournit des indications sur la reine, sur Simon Renard et sa politique anglaise.

La passion change de nature. Si certains traits de Lucrèce Borgia : ledespotisme, la cruauté, se retrouvent dans ceux de la reine, celle-ci ne connaît pas l'amour maternel; plus superficielle, sa vie intime n'a rien de réellement instinctif. La vraie passion glisse vers l'homme du peuple et vers celle qu'il a éduquée.

Amy Robsart appartenait à une famille noble. L'intérêt que porte Hugo à la classe ouvrière lui fait modifier le statut social de la rivale de la reine; elle sera issue du peuple, du moins en apparence. Les *Obras d'Antonio Perez* et la *Primera parte de la Historia General del Mundo* d'Antonio Herrera y Tordesillas (Valladolid, 1606) seront utiles au dramaturge, surtout le dernier, pour le sort de l'homme de condition modeste qui, par un caprice du souverain, est autorisé à approcher le pouvoir et en sera écarté. De l'origine inconnue de Jane naît une possibilité nouvelle pour Hugo : l'amour entre l'ouvrier et celle qu'il a élevée; dans sa simplicité, Jane est un être double, son éducation l'ayant faite « peuple », ses origines la situant dans les sphères élevées du royaume. Déjà l'empreinte du milieu agit; s'esquisse un thème qui prendra toute son ampleur, avec bien des modulations, dans *Ruy Blas*. Enfin, pour Fabiani, Dumas offrait un modèle, dans *Christine*, (Odéon, 30 mars 1830), et Gaillardet avec *Struensee* (Th. de la Gaîté, octobre 1833).

Du 7 au 10 août 1833, un acte est rédigé. Ces trois scènes sont immédiatement abandonnées. Pourquoi? Elles étaient bonnes; l'action se situe d'emblée dans la Tour de Londres; deux cortèges s'opposent, celui de la reine et celui du condamné; dès le début Simon Renard apparaît comme le maître du jeu, organisant l'intrigue double des amours de Fabiani et de Jane; l'ascension rapide de Fabiani est ponctuée par le son de la cloche qui annonce l'exécution d'un favori, indice de son propre destin. Dès le 11 août, la première séquence est reprise à neuf. Hugo a choisi la division en « journées », selon les dramaturges espagnols de la Renaissance; chaque séquence doit faire tableau, centré sur un portrait, l'homme du peuple, la reine, l'homme du peuple ou le courtisan, « lequel des deux »? La nouvelle version, entreprise le 11 août, montre les réactions des grands devant une situation devenue intolérable : le parvenu subjuguant la reine. La duplicité de Fabiani est mise en évidence, ainsi que sa fausse origine espagnole. Le cadre général de l'époque est tracé, avec la menace permanente de la mort, pour tous, quel que soit le statut social. A ces raisons d'ordre psychologique et historique s'en ajoute une autre : Hugo semble avoir voulu mettre en évidence (scène III) l'amour de Gilbert pour Jane; il lui fallait une scène lyrique; l'amoureux de Juliette Drouet s'identifie à Gilbert et voit dans son amante la très jeune Jane. Le passé de celle-ci appelle la scène IV, qui évoque les tueries de 1536 et contient le long récit du Juif inconnu, avec ses effets mélodramatiques de suspens. La venue de Fabiani, chantant, annonce la scène, parallèle, avec la reine : non sans quelque insistance, Hugo a voulu montrer le personnage dans toute sa duplicité et allant jusqu'au meurtre; la révélation de son intrigue avec Jane doit susciter le désir de vengeance chez Gilbert. Subsiste surtout de la version antérieure la présence de Simon Renard; on ne perçoit plus d'emblée sa machination qui jette Jane dans les bras de Fabiano; Gilbert devient l'instrument aveugle de la politique du légat impérial. La deuxième journée est rédigée du 17 août au 22; la troisième, entreprise le 25, après un faux départ, est continuée le 25 et terminée le 31. Mais immédiatement le dramaturge modifie la fin — la mort de Gilbert — pour y substituer la décapitation de Fabiani, ce qui constitue une forme de fin heureuse — serait-ce là une autre justification de la division en « journées » ? Le titre adopté par Hugo, *Marie d'Angleterre*, subsista jusqu'à l'édition originale.

Le drame avait été promis dès avril au directeur du Théâtre de la Porte-Saint-Martin, Harel : non sans difficultés, Harel ayant retiré de l'affiche *Lucrèce Borgia* pour porter à la scène *L'Auberge des Adrets*. Un duel faillit s'ensuivre. Les intérêts pécuniaires n'étaient pas seuls en jeu, vraisemblablement; il y avait la rivalité entre Mlle George et Juliette Drouet, la présence d'Alexandre Dumas et la faveur dont il jouissait auprès des critiques, les conditions draconiennes que mettait Hugo pour la qualité des décors, avec les frais qu'ils entraînaient. Bocage aurait dû se voir attribuer le rôle de Gilbert; ses agressions continues contre Juliette Drouet l'ont fait se retirer. Les rôles furent assurés par Mlle George (Marie), Mlle Juliette (Jane), Lockroy (Gilbert), Delafosse (Fabiano Fabiani), Provost (Simon Renard), Valmore (Joshua Farnaby) et, pour les rôles du Juif, de Lord Clinton, de Lord Chandos, de Lord Montagu, d'Eneas Dulverton, de Lord Gardiner et du geôlier, respectivement Chilly, Auguste, Monval, Tournan, Delaistre, Héret et Vissot. Juliette Drouet, fortement critiquée par la presse, se retira dès la deuxième représentation et fut remplacée par Mlle Ida. Le drame fut représenté le 6 novembre 1833. Y eut-il des mouvements divers dans la salle ? Les journaux se contredisent. Il semble que le public ait écouté le drame dans le silence et que les rires et les sifflets aient fusé après la dernière scène, qualifiée d'« inimaginable » par *Le Courrier des Théâtres* (8 novembre). On admire, avec plus ou moins d'ironie, selon que le critique est bienveillant ou hostile, la mise en scène, particulièrement ample :

> M. Hugo a une prédilection marquée pour les processions et les escaliers. Nous avons vu des processions dans *Hernani* et dans *Lucrèce Borgia*. Dans *Hernani*, nous avions aussi un grand escalier; ici, il y a progrès : nous avons deux escaliers. (*L'Impartial*, 11 novembre.)

En revanche, *L'Entr'acte* comprend la raison de ce luxe et de cette complexité :

> Emouvoir est le but de tous les ouvrages d'art. Or, l'émotion née du drame puise sa source dans l'exacte représentation des scènes terribles qui se jouent sur cette terre. Si M. Hugo produit cette émotion, qu'importe que ce soit par surabondance des moyens et de force ? Au peintre du Déluge, battez des mains et ne dites pas : dans votre déluge il y a trop d'eau (9 novembre).

La critique négative a surtout porté sur le portrait de Marie Tudor : *Le Moniteur universel*, *La Gazette de France* et *Le Courrier français* du 9 novembre en contestent la vérité — la liste que Hugo produit dans la note de l'édition y répond; mais en octobre 1873, la *Revue encyclopédique* montrera qu'il n'a pas utilisé les ouvrages dont il se réclame. — *Le Moniteur universel* (9 novembre) trouve que « la reine offre un assemblage de commun, de trivial, d'élévation, de folie, de jalousie; elle rit, elle pleure, elle menace toujours, c'est une furie attachée à sa proie, qui ne sait être ni reine ni amante »; l'auteur de l'article n'avance pas l'argument essentiel, du moins dans la perspective qui est la sienne : Marie Tudor était-elle comme la présente Hugo ? Jane n'échappe pas à la critique : « amoureuse tout au plus comme une pensionnaire de seize ans, après la lecture clandestine de quelques romans vulgaires, sans savoir comment ni pourquoi. C'est un chiffre, ce n'est pas une femme » (*Revue des Deux Mondes*, 1833, t. 4.) Et Gilbert, « le plus niais et le plus ridicule des hommes », qui n'a rien d'un homme du peuple réel : « ni beau ni jeune; nous savons qu'il n'est ni brave, ni adroit, ni loyal : comment voulez-vous qu'il intéresse ? » (*Le Courrier français*, 17 novembre.)

Marie Tudor est le drame qui a suscité le plus de critiques pour son défaut d'originalité : la *Christine* de Dumas, Scribe *(Le Clerc de la basoche)*, même *Mithridate* et *Le Comte d'Essex* de La Calprenède sont cités pour leur ressemblance avec ce drame : « des traductions, des imitations étrangères, une importation sans discernement et sans résultat des œuvres nationales ailleurs, étrangères en France! », s'exclame *La Tribune politique et littéraire*, le 15 novembre.

Il y eut en tout quarante-deux représentations de novembre à mars 1834 : trente-sept jusqu'en janvier, puis, d'une manière intermittente. Une reprise eut lieu en janvier 1844, à l'Odéon, en tout vingt représentations, avec Marie Dorval (la reine) et Mlle George (Jane).

La verve des parodistes s'émoussait. *Marie-crie-fort, pièce en quatre endroits et en cinq quarts d'heure*, publiée en 1833 par un anonyme, peut-être Roberge, semble n'avoir pas été représentée. Un monologue, *Marie Tudor racontée par Mme Pochet à sa voisine* (Paris, 1833), contient des renseignements intéressants sur la mise en scène de l'époque. En 1873, A. Chaulieu et Battaille firent représenter à Bruxelles *Marie, tu dors encore!;* le texte fut publié à Paris en 1873.

Après la reconstruction du théâtre de la Porte-Saint-Martin, incendié pendant la Commune, les directeurs projetèrent de représenter *Le Roi s'amuse;* le refus de l'autorité militaire — la France n'avait pas trouvé sa nouvelle structure politique — fit écarter ce drame; il fut remplacé par *Marie Tudor*, à partir du 27 septembre 1873. Pendant les cinquante-deux représentations, les rôles furent assurés par Marie Laurent, la maîtresse de Mallarmé (la reine), Mlle Dica-Petit (Jane), Dumaine (Gilbert), Taillade (Simon Renard). Frédérick Lemaître joua le rôle du Juif. En Allemagne, Georg Büchner avait joint à sa traduction de *Lucrèce Borgia* celle de *Marie Tudor;* toutes deux furent faites au même moment et restèrent inédites jusqu'en 1850.

Le texte avait paru chez Renduel, le 17 novembre 1833, à 1 000 exemplaires. L'édition originale garde, au frontispice et dans les titres courants, le premier titre : *Marie d'Angleterre*.

PRÉFACE

Il y a deux manières de passionner la foule [1] au théâtre : par le grand et par le vrai. Le grand prend les masses, le vrai saisit l'individu.

Le but du poète dramatique, quel que soit d'ailleurs l'ensemble de ses idées sur l'art, doit donc toujours être, avant tout, de chercher le grand, comme Corneille, ou le vrai, comme Molière; ou, mieux encore, et c'est ici le plus haut sommet où puisse monter le génie, d'atteindre tout à la fois le grand et le vrai, le grand dans le vrai, le vrai dans le grand, comme Shakespeare [2].

Car remarquons-le en passant, il a été donné à Shakespeare, et c'est ce qui fait la souveraineté de son génie, de concilier, d'unir, d'amalgamer sans cesse dans son œuvre ces deux qualités, la vérité et la grandeur, qualités presque opposées, ou tout au moins tellement distinctes, que le défaut de chacune d'elles constitue le contraire de l'autre. L'écueil du vrai, c'est le petit; l'écueil du grand, c'est le faux. Dans tous les ouvrages de Shakespeare, il y a du grand qui est vrai et du vrai qui est grand. Au centre de toutes ses créations, on retrouve le point d'intersection de la grandeur et de la vérité; et là où les choses grandes et les choses vraies se croisent, l'art est complet. Shakespeare, comme Michel-Ange, semble avoir été créé pour résoudre ce problème étrange dont le simple énoncé paraît absurde : — rester toujours dans la nature, tout en sortant quelquefois. Shakespeare exagère les proportions, mais il maintient les rapports. Admirable toute-puissance du poète! il fait des choses plus hautes que nous qui vivent comme nous. Hamlet, par exemple, est aussi vrai qu'aucun de nous, et plus grand. Hamlet est colossal, et pourtant réel. C'est que Hamlet, ce n'est pas vous, ce n'est pas moi, c'est nous tous. Hamlet, ce n'est pas un homme, c'est l'homme [3].

Dégager perpétuellement le grand à travers le vrai, le vrai à travers le grand, tel est donc, selon l'auteur de ce drame, et en maintenant, du reste, toutes les autres idées qu'il a pu développer ailleurs sur ces matières, tel est le but du poète au théâtre. Et ces deux mots, *grand* et *vrai*, renferment tout. La vérité contient la moralité, le grand contient le beau.

Ce but, on ne lui supposera pas la présomption de croire qu'il l'a jamais atteint, ou même qu'il pourra jamais l'atteindre; mais on lui permettra de se rendre à lui-même publiquement ce témoignage qu'il n'en a jamais cherché d'autre au théâtre jusqu'à ce jour. Le nouveau drame qu'il vient de faire représenter est un effort de plus vers ce but rayonnant. Quelle est, en effet, la pensée qu'il a tenté de réaliser dans *Marie Tudor?* La voici. Une reine qui soit une femme. Grande comme reine. Vraie comme femme.

Il l'a déjà dit ailleurs [4], le drame comme il le sent, le drame comme il voudrait le voir créer par un homme de génie, le drame selon le XIXe siècle, ce n'est pas la tragi-comédie hautaine, démesurée, espagnole et sublime de Corneille; ce n'est pas la tragédie abstraite [5], amoureuse, idéale et divinement élégiaque de Racine; ce n'est pas la comédie profonde, sagace, pénétrante, mais trop impitoyablement ironique, de Molière; ce n'est pas la tragédie à intention philosophique de Voltaire; ce n'est pas la comédie à action révolutionnaire de Beaumarchais [6]; ce n'est pas plus que tout cela, mais c'est tout cela à la fois; ou, pour mieux dire, ce n'est rien de tout cela. Ce n'est pas, comme chez ces grands hommes, un seul côté des choses systématiquement et perpétuellement mis en lumière, c'est tout regardé à la fois sous toutes les faces. S'il y avait un homme aujourd'hui qui pût réaliser le drame comme nous le comprenons, ce drame, ce serait le cœur humain, la tête humaine, la passion humaine, la volonté humaine; ce serait le passé ressuscité au profit du présent; ce serait l'histoire que nos pères ont faite, confrontée avec l'histoire que nous faisons; ce serait le mélange sur la scène de tout ce qui est mêlé dans la vie; ce serait une émeute là et une causerie d'amour ici, et dans la causerie d'amour une leçon pour le peuple, et dans l'émeute un cri pour le cœur; ce serait le rire [7]; ce seraient les larmes; ce serait le bien, le mal, le haut, le bas, la fatalité, la providence, le génie, le hasard, la société, le monde, la nature, la vie; et au-dessus de tout cela on sentirait planer quelque chose de grand!

A ce drame, qui serait pour la foule un perpétuel enseignement, tout serait permis, parce qu'il serait dans son essence de n'abuser de rien. Il aurait pour lui une telle notoriété de loyauté, d'élévation, d'utilité et de bonne conscience, qu'on ne l'accuserait jamais de chercher l'effet et le fracas, là où il n'aurait cherché qu'une moralité et une leçon. Il pourrait mener François Ier chez Maguelonne sans être suspect [8]; il pourrait, sans alarmer les plus sévères, faire jaillir du cœur de Didier la pitié pour Marion; il pourrait, sans qu'on le taxât d'emphase et d'exagération comme l'auteur de *Marie Tudor*, poser largement sur la scène, dans toute sa réalité terrible, ce formidable triangle qui apparaît si souvent dans l'histoire : une reine, un favori, un bourreau.

A l'homme qui créera ce drame il faudra deux qualités, conscience et génie. L'auteur qui parle ici n'a que la première, il le sait. Il n'en continuera pas moins ce qu'il a commencé, en désirant que d'autres fassent mieux que lui. Aujourd'hui, un immense public, de plus en plus intelligent, sympathise avec toutes les tentatives sérieuses de l'art. Aujourd'hui, tout ce qu'il y a d'élevé dans la critique aide et encourage le poète. Le reste des jugeurs importe peu. Que le poète vienne donc! Quant à l'auteur de ce drame, sûr de l'avenir qui est au progrès, certain qu'à défaut de talent sa persévérance lui sera comptée un jour, il attache un regard serein, confiant et tranquille sur la foule qui, chaque soir, entoure cette œuvre si incomplète de tant de curiosité, d'anxiété et d'attention. En présence de cette foule, il sent la responsabilité qui pèse sur lui, et il l'accepte avec calme. Jamais, dans ses travaux, il ne perd un seul instant de vue le peuple que le théâtre civilise, l'histoire que le théâtre explique, le cœur humain que le théâtre conseille [9]. Demain il quittera l'œuvre faite pour l'œuvre à faire; il sortira de cette foule pour rentrer dans sa solitude; solitude profonde, où ne parvient aucune mauvaise influence du monde extérieur, où la jeunesse, son amie, vient quelquefois lui serrer la main, où il est seul avec sa pensée, son indépendance et sa volonté. Plus que jamais, sa solitude lui sera chère; car ce n'est que dans la solitude qu'on peut travailler pour la foule. Plus que jamais, il tiendra son esprit, son œuvre et sa pensée éloignés de toute coterie; car il connaît quelque chose de plus grand que les coteries, ce sont les partis, quelque chose de plus grand que les partis, c'est le peuple, quelque chose de plus grand que le peuple, c'est l'humanité.

17 novembre 1833.

PERSONNAGES

MARIE, REINE
JANE
GILBERT
FABIANO FABIANI
SIMON RENARD
JOSHUA FARNABY
UN JUIF
LORD CLINTON
LORD CHANDOS
LORD MONTAGU
MAÎTRE ENEAS DULVERTON
LORD GARDINER
UN GEOLIER
SEIGNEURS. PAGES. GARDES. LE BOURREAU

PREMIÈRE JOURNÉE [10]

L'HOMME DU PEUPLE [11]

Le bord de la Tamise. Un grève déserte. Un vieux parapet en ruine cache le bord de l'eau. A droite, une maison de pauvre apparence. A l'angle de cette maison, une statuette de la Vierge, au pied de laquelle une étoupe brûle dans un treillis de fer. Au fond, au-delà de la Tamise, Londres. On distingue deux hauts édifices, la Tour de Londres et Westminster [12]. — Le jour commence à baisser.

SCÈNE PREMIÈRE

Plusieurs hommes groupés çà et là sur la grève, parmi lesquels SIMON RENARD; JOHN BRIDGES, baron CHANDOS; ROBERT CLINTON, baron CLINTON; ANTHONY BROWN, vicomte DE MONTAGU [13].

LORD CHANDOS

Vous avez raison, mylord. Il faut que ce damné italien ait ensorcelé la reine. La reine ne peut plus se passer de lui. Elle ne vit que par lui, elle n'a de joie qu'en lui, elle n'écoute que lui. Si elle est un jour sans le voir, ses yeux deviennent languissants, comme du temps où elle aimait le cardinal Polus [14], vous savez ?

SIMON RENARD

Très amoureuse, c'est vrai, et par conséquent très jalouse.

LORD CHANDOS

L'italien l'a ensorcelée!

LORD MONTAGU

Au fait, on dit que ceux de sa nation ont des philtres pour cela.

LORD CLINTON

Les espagnols sont habiles aux poisons qui font mourir, les italiens aux poisons qui font aimer.

LORD CHANDOS

Le Fabiani alors est tout à la fois espagnol et italien [15]. La reine est amoureuse et malade. Il lui a fait boire des deux.

LORD MONTAGU

Ah ça, en réalité, est-il espagnol ou italien ?

LORD CHANDOS

Il paraît certain qu'il est né en Italie, dans la Capitanate [16], et qu'il a été élevé en Espagne. Il se prétend allié à une grande famille espagnole. Lord Clinton sait cela sur le bout du doigt.

LORD CLINTON

Un aventurier. Ni espagnol, ni italien. Encore moins anglais, Dieu merci! Ces hommes qui ne sont d'aucun pays n'ont point de pitié pour les pays quand ils sont puissants!

LORD MONTAGU

Ne disiez-vous pas la reine malade, Chandos ? Cela ne l'empêche pas de mener vie joyeuse avec son favori.

LORD CLINTON

Vie joyeuse! vie joyeuse! Pendant que la reine rit, le peuple pleure. Et le favori est gorgé. Il mange de l'argent et boit de l'or, cet homme! La reine lui a donné les biens de Lord Talbot, du grand lord Talbot! la reine l'a fait comte de Clanbrassil et baron de Dinasmonddy [17], ce Fabiano Fabiani qui se dit de la famille espagnole de Peñalver, et qui en a menti! Il est pair d'Angleterre comme vous, Montagu, comme vous, Chandos, comme Stanley, comme Norfolk, comme moi, comme le roi! Il a la jarretière comme l'infant de Portugal [18], comme le roi de Danemark, comme Thomas Percy, septième comte de Northumberland! Et quel tyran que ce tyran qui nous gouverne de son lit! Jamais rien de si dur n'a pesé sur l'Angleterre. J'en ai pourtant vu, moi qui suis vieux [19]! Il y a soixante-dix potences neuves à Tyburn [20]; les bûchers sont toujours braise et jamais cendre, la hache du bourreau est aiguisée tous les matins et ébréchée tous les soirs. Chaque jour c'est quelque grand gentilhomme qu'on abat. Avant-hier Blantyre, hier Northcurry, aujourd'hui South-Reppo, demain Tyrconne [21]. La semaine prochaine ce sera vous, Chandos, et le mois prochain ce sera moi. Mylords! mylords! c'est une honte et c'est une impiété que toutes ces bonnes têtes anglaises tombent ainsi pour le plaisir d'on ne sait quel misérable aventurier qui n'est même pas de ce pays! C'est une chose affreuse et insupportable de penser qu'un favori napolitain peut tirer autant de billots qu'il en veut de dessous le lit de cette reine! Ils mènent tous deux joyeuse vie, dites-vous. Par le ciel! c'est infâme! Ah! ils mènent joyeuse vie, les amoureux, pendant que le coupe-tête à leur porte fait des veuves et des orphelins! Oh! leur guitare italienne est trop accompagnée du bruit des chaînes! Madame la reine! vous faites venir des chanteurs de la chapelle d'Avignon, vous avez tous les jours dans votre palais des comédies, des théâtres, des estrades pleines de musiciens [22]. Pardieu, madame, moins de joie chez vous, s'il vous plaît, et moins de deuil chez nous. Moins de baladins ici, et moins de bourreaux là. Moins de tréteaux à Westminster, et moins d'échafauds à Tyburn!

LORD MONTAGU

Prenez garde [23]. Nous sommes loyaux sujets, mylord Clinton. Rien sur la reine, tout sur Fabiani.

SIMON RENARD,
posant la main sur l'épaule de lord Clinton.

Patience!

LORD CLINTON

Patience! cela vous est facile à dire à vous, monsieur Simon Renard. Vous êtes bailli d'Amont en Franche-Comté, sujet de l'empereur et son légat à Londres. Vous représentez ici le prince d'Espagne, futur mari de la reine [24]. Votre personne est sacrée pour le favori. Mais nous, c'est autre chose. — Voyez-vous? Fabiani, pour vous, c'est le berger; pour nous, c'est le boucher.

La nuit est tout à fait tombée.

SIMON RENARD

Cet homme ne me gêne pas moins que vous. Vous ne craignez que pour votre vie, je crains pour mon crédit, moi. C'est bien plus. Je ne parle pas, j'agis. J'ai moins de colère que vous, mylord, j'ai plus de haine. Je détruirai le favori.

LORD MONTAGU

Oh! comment faire ? j'y songe tout le jour.

SIMON RENARD

Ce n'est pas le jour que se font et se défont les favoris des reines, c'est la nuit [25].

LORD CHANDOS

Celle-ci est bien noire et bien affreuse!

SIMON RENARD

Je la trouve belle pour ce que j'en veux faire.

LORD CHANDOS

Qu'en voulez-vous faire ?

SIMON RENARD

Vous verrez. — Mylord Chandos, quand une femme règne, le caprice règne. Alors la politique n'est plus chose de calcul, mais de hasard. On ne peut plus compter sur rien. Aujourd'hui n'amène plus logiquement demain. Les affaires ne se jouent plus aux échecs, mais aux cartes [26].

LORD CLINTON

Tout cela est fort bien, mais venons au fait. Monsieur le bailli, quand nous aurez-vous délivrés du favori ? cela presse. On décapite demain Tyrconnel.

SIMON RENARD

Si je rencontre cette nuit un homme comme j'en cherche un, Tyrconnel soupera avec vous demain soir.

LORD CLINTON

Que voulez-vous dire ? Que sera devenu Fabiani ?

SIMON RENARD

Avez-vous de bons yeux, mylord ?

LORD CLINTON

Oui, quoique je sois vieux et que la nuit soit noire.

SIMON RENARD

Voyez-vous Londres de l'autre côté de l'eau ?

LORD CLINTON

Oui, pourquoi ?

SIMON RENARD

Regardez bien. On voit d'ici le haut et le bas de la fortune de tout favori, Westminster et la Tour de Londres.

LORD CLINTON

Eh bien ?

SIMON RENARD

Si Dieu m'est en aide, il y a un homme qui, au moment où nous parlons, est encore là *(il montre Westminter)*, et qui demain, à pareille heure, sera ici [27]. *(Il montre la Tour.)*

LORD CLINTON

Que Dieu vous soit en aide !

LORD MONTAGU

Le peuple ne le hait pas moins que nous. Quelle fête dans Londres le jour de sa chute !

LORD CHANDOS

Nous nous sommes mis entre vos mains, monsieur le bailli. Disposez de nous. Que faut-il faire ?

SIMON RENARD, *montrant la maison près de l'eau.*

Vous voyez bien tous cette maison. C'est la maison de Gilbert, l'ouvrier ciseleur. Ne la perdez pas de vue. Dispersez-vous avec vos gens, mais sans trop vous écarter. Surtout ne faites rien sans moi.

LORD CHANDOS

C'est dit.

Tous sortent de divers côtés.

SIMON RENARD, *resté seul.*

Un homme comme celui qu'il me faut n'est pas facile à trouver.

Il sort. — Entrent Jane et Gilbert se tenant sous le bras; ils vont du côté de la maison. Joshua Farnaby les accompagne, enveloppé d'un manteau.

SCÈNE II

JANE, GILBERT [28], JOSHUA FARNABY

JOSHUA

Je vous quitte ici, mes bons amis. Il est nuit, et il faut que j'aille reprendre mon service de porte-clefs à la Tour de Londres. Ah! c'est que je ne suis pas libre comme vous, moi! Voyez-vous! un guichetier, ce n'est qu'une espèce de prisonnier. Adieu, Jane. Adieu, Gilbert. Mon Dieu! mes amis, que je suis donc heureux de vous voir heureux! Ah çà, Gilbert, à quand la noce ?

GILBERT

Dans huit jours; n'est-ce pas, Jane ?

JOSHUA

Sur ma foi, c'est après-demain la Noël. Voici le jour des souhaits et des étrennes. Mais je n'ai rien à vous souhaiter. Il est impossible de désirer plus de beauté à la fiancée et plus d'amour au fiancé. Vous êtes heureux!

GILBERT

Bon Joshua! et toi est-ce que tu n'es pas heureux ?

JOSHUA

Ni heureux ni malheureux. J'ai renoncé à tout, moi. Vois-tu, Gilbert *(il entrouvre son manteau et laisse voir un trousseau de clefs qui pend à sa ceinture)*, des clefs de prison qui vous sonnent sans cesse à la ceinture, cela parle, cela vous entretient de toutes sortes de pensées philosophiques. Quand j'étais jeune, j'étais comme un autre, amoureux tout un jour, ambitieux tout un mois, fou toute l'année. C'était sous le roi Henri VIII que j'étais jeune. Un homme singulier que ce roi Henri VIII [29]! Un homme qui changeait de femmes comme une femme change de robes. Il répudia la première, il fit couper la tête à la seconde, il fit ouvrir le ventre à la troisième; quant à la quatrième, il lui fit grâce, il la chassa; mais, en revanche, il fit couper la tête à la cinquième. Ce n'est pas le conte de Barbe-Bleue que je vous fais là, belle Jane, c'est l'histoire de Henri VIII [30]. Moi, dans ce temps-là, je m'occupais de guerres de religion, je me battais pour l'un et pour l'autre [31]. C'était ce qu'il y avait de mieux alors. La question, d'ailleurs, était fort épineuse [32]. Il s'agissait d'être pour ou contre le pape. Les gens du roi pendaient ceux qui étaient pour, mais ils brûlaient ceux qui étaient contre [33]. Les indifférents, ceux qui n'étaient ni pour ni contre, on les brûlait ou on les pendait, indifféremment. S'en tirait qui pouvait. Oui, la corde. Non, le fagot. Ni oui ni non, le fagot ou la corde. Moi qui vous parle, j'ai senti le roussi bien souvent, et je ne suis pas sûr de n'avoir pas été deux ou trois fois dépendu. C'était un beau temps, à peu près pareil à celui-ci. Oui, je me battais pour tout cela. Du diable si je sais maintenant pour qui et pour quoi je me battais. Si l'on me reparle de maître Luther [34] et du pape Paul III, je hausse les épaules. Vois-tu, Gilbert quand on a des cheveux gris, il ne faut pas revoir les opinions pour qui l'on faisait la guerre et les femmes à qui l'on faisait l'amour à vingt ans. Femmes et opinions vous paraissent bien laides, bien vieilles, bien chétives, bien édentées, bien ridées, bien sottes. C'est mon histoire. Maintenant je suis retiré des affaires. Je ne suis plus soldat du roi ni soldat du pape, je suis geôlier à la Tour de Londres. Je ne me bats plus pour personne, et je mets tout le monde sous clef. Je suis guichetier et je suis vieux; j'ai un pied dans une prison et l'autre dans la fosse. C'est moi qui ramasse les morceaux de tous les ministres et de tous les favoris qui se cassent chez la reine. C'est fort amusant. Et puis j'ai un petit enfant que j'aime, et puis vous deux que j'aime aussi, et si vous êtes heureux, je suis heureux!

GILBERT

En ce cas, sois heureux, Joshua! N'est-ce pas Jane?

JOSHUA

Moi, je ne puis rien pour ton bonheur, mais Jane peut tout. Tu l'aimes! Je ne te rendrai même aucun service de ma vie. Tu n'es heureusement pas assez grand seigneur pour avoir jamais besoin du porte-clefs de la Tour de Londres [35]. Jane acquittera ma dette en même temps que la sienne. Car, elle et moi, nous te devons tout. Jane n'était qu'une pauvre enfant, orpheline abandonnée; tu l'as recueillie et élevée. Moi, je me noyais un beau jour dans la Tamise; tu m'as tiré de l'eau.

GILBERT

A quoi bon toujours parler de cela, Joshua ?

JOSHUA

C'est pour te dire que notre devoir, à Jane et à moi, est de t'aimer, moi comme un frère, elle... — pas comme une sœur!

JANE

Non, comme une femme. Je vous comprends, Joshua. *(Elle retombe dans sa rêverie.)*

GILBERT, *bas à Joshua.*

Regarde-là, Joshua! N'est-ce pas qu'elle est belle et charmante, et qu'elle serait digne d'un roi ? Si tu savais! tu ne peux pas te figurer comme je l'aime!

JOSHUA

Prends garde. C'est imprudent. Une femme, ça ne s'aime pas tant que ça [36]. Un enfant, à la bonne heure!

GILBERT

Que veux-tu dire ?

JOSHUA

Rien. — Je serai de votre noce dans huit jours [37]. — J'espère qu'alors les affaires d'Etat me laisseront un peu de liberté, et que tout sera fini.

GILBERT

Quoi ? qu'est-ce qui sera fini ?

JOSHUA

Ah! tu ne t'occupes pas de ces choses-là, toi, Gilbert. Tu es amoureux. Tu es du peuple. Et qu'est-ce que cela te fait les intrigues d'en haut, à toi qui es heureux en bas ? Mais, puisque tu me questionnes, je te dirai qu'on espère que, d'ici à huit jours, d'ici à vingt-quatre heures peut-être, Fabiano Fabiani sera remplacé près de la reine par un autre.

GILBERT

Qu'est-ce que c'est que Fabiano Fabiani ?

JOSHUA

C'est l'amant de la reine, c'est un favori très célèbre et très charmant [38], un favori qui a plus vite fait couper la tête à un homme qui lui déplaît qu'une entremetteuse n'a dit *ave*, le meilleur favori que le bourreau de la Tour de Londres ait eu depuis dix ans. Car tu sais que le bourreau reçoit, pour chaque tête de grand seigneur, dix écus d'argent, et quelquefois le double, quand la tête est tout à fait considérable [39]. — On souhaite fort la chute de ce Fabiani. — Il est vrai que, dans mes fonctions à la Tour, je n'entends guère gloser sur son compte que des gens d'assez mauvaise humeur, des gens à qui l'on doit couper le cou d'ici à un mois, des mécontents [40].

GILBERT

Que les loups se dévorent entre eux ! que nous importe, à nous, la reine et le favori de la reine, n'est-ce pas, Jane ?

JOSHUA

Oh ! il y a une fière conspiration contre Fabiani ! S'il s'en tire, il sera heureux. Je ne serais pas surpris qu'il y eût quelque coup de fait cette nuit. Je viens de voir rôder par là maître Simon Renard tout rêveur.

GILBERT

Qu'est-ce que c'est que maître Simon Renard ?

JOSHUA

Comment ne sais-tu pas cela ? C'est le bras droit de l'empereur à Londres. La reine doit épouser le prince d'Espagne, dont Simon Renard est le légat près d'elle. La reine le hait, ce Simon Renard, mais elle le craint, et ne peut rien contre lui. Il a déjà détruit deux ou trois favoris. C'est son instinct de détruire les favoris. Il nettoie le palais de temps en temps. Un homme subtil et très malicieux, qui sait tout ce qui se passe, et qui creuse toujours deux ou trois étages d'intrigues souterraines sous tous les événements [41]. Quant à lord Paget, — ne m'as-tu pas demandé aussi ce que c'était que lord Paget ? — c'est un gentilhomme délié, qui a été dans les affaires sous Henri VIII. Il est membre du conseil étroit. Un tel ascendant, que les autres ministres n'osent pas souffler devant lui. Excepté le chancelier cependant, mylord Gardiner, qui le déteste. Un homme violent, ce Gardiner, et très bien né [42]. Quant à Paget, ce n'est rien du tout. Le fils d'un savetier. Il va être fait baron Paget de Beaudesert [43] en Stafford.

GILBERT

Comme il vous débite couramment toutes ces choses-là, ce Joshua!

JOSHUA

Pardieu! à force d'entendre causer les prisonniers d'Etat!

Simon Renard paraît au fond du théâtre.

— Vois-tu, Gilbert, l'homme qui sait le mieux l'histoire de ce temps-ci, c'est le guichetier de la Tour de Londres.

SIMON RENARD,

qui a entendu les dernières paroles du fond du théâtre.

Vous vous trompez, mon maître. C'est le bourreau [44].

JOSHUA, *bas à Jane et à Gilbert.*

Reculons-nous un peu.

Simon Renard s'éloigne lentement. — Quand Simon Renard a disparu.

— C'est précisément maître Simon Renard.

GILBERT

Tous ces gens qui rôdent autour de ma maison me déplaisent.

JOSHUA

Que diable vient-il faire par ici ? Il faut que je m'en retourne vite. Je crois qu'il me prépare de la besogne. Adieu, Gilbert. Adieu, belle Jane. — Je vous ai pourtant vue pas plus haute que cela!

GILBERT

Adieu, Joshua. — Mais, dis-moi, qu'est-ce que tu caches donc là, sous ton manteau ?

JOSHUA

Ah! j'ai mon complot aussi, moi.

GILBERT

Quel complot ?

JOSHUA

Oh! amoureux qui oubliez tout! Je viens de vous rappeler que c'était après-demain le jour des étrennes et des cadeaux. Les seigneurs complotent une surprise à Fabiani; moi, je complote de mon côté. La reine va se donner peut-être un favori tout neuf. Moi, je vais donner une poupée à mon enfant [45]. *(Il tire une poupée de dessous son manteau.)* — Toute neuve aussi. — Nous verrons lequel des deux aura le plus vite brisé son joujou. Dieu vous garde, mes amis!

GILBERT

Au revoir, Joshua.

Joshua s'éloigne. Gilbert prend la main de Jane et la baise avec passion.

JOSHUA, *au fond du théâtre.*

Oh! que la providence est grande! elle donne à chacun son jouet, la poupée à l'enfant, l'enfant à l'homme, l'homme à la femme, et la femme au diable! *(Il sort.)*

SCÈNE III

GILBERT, JANE [46]

GILBERT

Il faut que je vous quitte aussi. Adieu, Jane. Dormez bien.

JANE

Vous ne rentrez pas ce soir avec moi, Gilbert ?

GILBERT

Je ne puis. Vous savez, je vous l'ai déjà dit, Jane, j'ai un travail à terminer à mon atelier cette nuit. Un manche de poignard à ciseler pour je ne sais quel lord Clanbrassil, que je n'ai jamais vu, et qui me l'a fait demander pour demain matin.

JANE

Alors, bonsoir, Gilbert. A demain.

GILBERT

Non, Jane, encore un instant. Ah! mon Dieu! que j'ai de peine à me séparer de vous, fût-ce pour quelques heures! Qu'il est bien vrai que vous êtes ma vie et ma joie! Il faut pourtant que j'aille travailler. Nous sommes si pauvres! Je ne veux pas entrer, car je resterais; et cependant je ne puis partir, homme faible que je suis! Tenez, asseyons-nous quelques minutes à la porte, sur ce banc. Il me semble qu'il me sera moins difficile de m'en aller que si j'entrais dans la maison, et surtout dans votre chambre. Donnez-moi votre main. *(Il s'assied et lui prend les deux mains dans les siennes, elle debout.)* — Jane! m'aimes-tu?

JANE

Oh! je vous dois tout, Gilbert! je le sais, quoique vous me l'ayez caché longtemps. Toute petite, presque au berceau, j'ai été abandonnée par mes parents, vous m'avez prise. Depuis seize ans, votre bras a travaillé pour moi comme celui d'un père, vos yeux ont veillé sur moi comme ceux d'une mère. Qu'est-ce que je serais sans vous, mon Dieu! Tout ce que j'ai, vous me l'avez donné; tout ce que je suis, vous l'avez fait.

GILBERT

Jane! m'aimes-tu?

JANE

Quel dévouement que le vôtre, Gilbert! vous travaillez nuit et jour pour moi, vous vous brûlez les yeux, vous vous tuez. Tenez, voilà encore que vous passez la nuit aujourd'hui. Et jamais un reproche, jamais une dureté, jamais une colère. Vous si pauvre! jusqu'à mes petites coquetteries de femme, vous en avez pitié, vous les satisfaites. Gilbert, je ne songe à vous que les larmes aux yeux. Vous avez quelquefois manqué de pain, je n'ai jamais manqué de rubans.

GILBERT

Jane! m'aimes-tu?

JANE

Gilbert, je voudrais baiser vos pieds.

GILBERT

M'aimes-tu ? m'aimes-tu ? Oh! tout cela ne me dit pas que tu m'aimes. C'est de ce mot-là que j'ai besoin, Jane! De la reconnaissance, toujours de la reconnaissance! Oh! je la foule aux pieds, la reconnaissance! je veux de l'amour, ou rien. — Mourir! — Jane, depuis seize ans tu es ma fille, tu vas être ma femme maintenant. Je t'avais adoptée, je veux t'épouser. Dans huit jours, tu sais, tu me l'as promis. Tu as consenti. Tu es ma fiancée. Oh! tu m'aimais quand tu m'as promis cela. O Jane! il y a eu un temps, te rappelles-tu ? où tu me disais : je t'aime! en levant tes beaux yeux au ciel. C'est toujours comme cela que je te veux. Depuis plusieurs mois il me semble que quelque chose est changé en toi, depuis trois semaines surtout que mon travail m'oblige à m'absenter quelquefois les nuits. O Jane! je veux que tu m'aimes, moi. Je suis habitué à cela. Toi, si gaie auparavant, tu es toujours triste et préoccupée à présent; pas froide, pauvre enfant, tu fais ton possible pour ne pas l'être; mais je sens bien que les paroles d'amour ne te viennent plus bonnes et naturelles comme autrefois. Qu'as-tu ? Est-ce que tu ne m'aimes plus ? Sans doute je suis un honnête homme, sans doute je suis un bon ouvrier; sans doute, sans doute, mais je voudrais être un voleur et un assassin, et être aimé de toi! — Jane! si tu savais comme je t'aime!

JANE

Je le sais, Gilbert, et j'en pleure.

GILBERT

De joie! n'est-ce pas ? Dis-moi que c'est de joie. Oh! j'ai besoin de le croire. Il n'y a que cela au monde, être aimé. Je ne suis qu'un pauvre cœur d'ouvrier, mais il faut que ma Jane m'aime. Que me parles-tu sans cesse de ce que j'ai fait pour toi ? Un seul mot d'amour de toi, Jane, laisse toute la reconnaissance de mon côté. Je me damnerai et je commettrai un crime quand tu voudras. Tu seras ma femme, n'est-ce pas, et tu m'aimes ? Vois-tu, Jane, pour un regard de toi je donnerais mon travail et ma peine; pour un sourire, ma vie; pour un baiser, mon âme!

JANE

Quel noble cœur vous avez, Gilbert!

GILBERT

Ecoute, Jane! ris si tu veux, je suis fou, je suis jaloux! C'est comme cela. Ne t'offense pas. Depuis quelque temps il me semble que je vois bien des jeunes seigneurs rôder par ici. Sais-tu, Jane, que j'ai trente-quatre ans? Quel malheur pour un misérable ouvrier gauche et mal vêtu comme moi, qui n'est plus jeune, qui n'est pas beau, d'aimer une belle et charmante enfant de dix-sept ans, qui attire les beaux jeunes gentilshommes dorés et chamarrés comme une lumière attire les papillons! Oh! je souffre, va! Je ne t'offense jamais dans ma pensée, toi si honnête, toi si pure, toi dont le front n'a encore été touché que par mes lèvres! Je trouve seulement quelquefois que tu as trop de plaisir à voir passer les cortèges et les cavalcades de la reine, et tous ces beaux habits de satin et de velours sous lesquels il y a si peu de cœurs et si peu d'âmes! Pardonne-moi! — Mon Dieu! pourquoi donc vient-il par ici tant de jeunes gentilshommes? Pourquoi ne suis-je pas jeune, beau, noble et riche? Gilbert, l'ouvrier ciseleur, voilà tout. Eux, c'est lord Chandos [47], lord Gerard Fitz-Gerard, le comte d'Arundel, le duc de Norfolk! Oh! que je les hais! Je passe ma vie à ciseler pour eux des poignées d'épée dont je leur voudrais mettre la lame dans le ventre.

JANE

Gilbert!...

GILBERT

Pardon, Jane. N'est-ce pas, l'amour rend bien méchant?

JANE

Non, bien bon. — Vous êtes bon, Gilbert.

GILBERT

Oh! que je t'aime! Tous les jours davantage. Je voudrais mourir pour toi. Aime-moi ou ne m'aime pas, tu en es bien la maîtresse. Je suis fou. Pardonne-moi tout ce que je t'ai dit. Il est tard. Il faut que je te quitte. Adieu! Mon Dieu! que c'est triste de te quitter! — Rentre chez toi. Est-ce que tu n'as pas ta clef?

JANE

Non. Depuis quelques jours je ne sais ce qu'elle est devenue [48].

GILBERT

Voici la mienne. — A demain matin. — Jane, n'oublie pas ceci. Encore aujourd'hui ton père; dans huit jours ton mari. *(Il la baise au front et sort.)*

JANE, *restée seule.*

Mon mari! Oh! non, je ne commettrai pas ce crime. Pauvre Gilbert! il m'aime, celui-là, — et l'autre!... Pourvu que je n'aie pas préféré la vanité à l'amour! Malheureuse fille que je suis! dans la dépendance de qui suis-je maintenant? Oh! je suis bien ingrate et bien coupable! J'entends marcher. Rentrons vite. *(Elle entre dans la maison.)*

SCÈNE IV

GILBERT, UN HOMME, *enveloppé d'un manteau et coiffé d'un bonnet jaune* [49]. *L'homme tient Gilbert par la main.*

GILBERT

Oui, je te reconnais, tu es le mendiant juif qui rôde depuis quelques jours autour de cette maison. Mais que me veux-tu? Pourquoi m'as-tu pris la main et m'as-tu ramené ici?

L'HOMME

C'est que ce que j'ai à vous dire, je ne puis vous le dire qu'ici.

GILBERT

Eh bien, qu'est-ce donc? Parle, hâte-toi.

L'HOMME

Ecoutez, jeune homme. — Il y a seize ans, dans la même nuit où lord Talbot, comte de Waterford [50], fut décapité aux flambeaux pour fait de papisme et de rébellion, ses partisans furent taillés en pièces dans Londres même par les soldats du roi Henri VIII. On s'arquebusa toute la nuit dans les rues. Cette nuit-là, un tout jeune ouvrier, beaucoup plus occupé de sa besogne que de la guerre, travaillait dans son échoppe. La première échoppe à l'entrée du pont de Londres. Une porte basse à droite. Il y a des restes d'ancienne peinture rouge sur le mur. Il pouvait être deux heures du matin. On se battait par là. Les balles traversaient la Tamise en sifflant. Tout à coup, on frappa à la porte de l'échoppe, à travers laquelle la lampe de l'ouvrier jetait quelque lueur. L'artisan ouvrit. Un homme qu'il ne connaissait pas entra. Cet homme portait dans ses bras un enfant au maillot fort effrayé et qui pleurait. L'homme déposa l'enfant sur la table et dit : Voici une créature qui n'a plus ni père ni mère. Puis il sortit lentement et referma la porte sur lui. Gilbert, l'ouvrier, n'avait lui-même ni père ni mère. L'ouvrier accepta l'enfant, l'orphelin adopta l'orpheline. Il la prit, il la veilla, il la vêtit, il la nourrit, il la garda, il l'éleva, il l'aima. Il se donna tout entier à cette pauvre petite créature que la guerre civile jetait dans son échoppe. Il oublia tout pour elle, sa jeunesse, ses amourettes, son plaisir; il fit de cette enfant l'objet unique de son travail, de ses affections, de sa vie, et voilà seize ans que cela dure. Gilbert, l'ouvrier, c'était vous; l'enfant...

GILBERT

C'était Jane. — Tout est vrai dans ce que tu dis; mais où veux-tu en venir [51] ?

L'HOMME

J'ai oublié de dire qu'aux langes de l'enfant il y avait un papier attaché avec une épingle sur lequel on avait écrit ceci : *Ayez pitié de Jane.*

GILBERT

C'était écrit avec du sang. J'ai conservé ce papier. Je le porte toujours sur moi. Mais tu me mets à la torture. Où veux-tu en venir, dis ?

L'HOMME

A ceci. — Vous voyez que je connais vos affaires. Gilbert! veillez sur votre maison cette nuit [52].

GILBERT

Que veux-tu dire ?

L'HOMME

Plus un mot. N'allez pas à votre travail. Restez dans les environs de cette maison. Veillez. Je ne suis ni votre ami ni votre ennemi, mais c'est un avis que je vous donne. Maintenant, pour ne pas vous nuire à vous-même, laissez-moi. Allez-vous-en de ce côté, et venez si vous m'entendez appeler main-forte.

GILBERT

Qu'est-ce que cela signifie ? *(Il sort à pas lents.)*

SCÈNE V

L'HOMME, *seul.*

La chose est bien arrangée ainsi. J'avais besoin de quelqu'un de jeune et de fort qui pût me prêter secours, s'il est nécessaire. Ce Gilbert est ce qu'il me faut. — Il me semble que j'entends un bruit de rames et de guitare sur l'eau. — Oui. *(Il va au parapet.)*

On entend une guitare et une voix éloignée qui chante.

Quand tu chantes, bercée
Le soir entre mes bras,
Entends-tu ma pensée
Qui te répond tout bas ?
Ton doux chant me rappelle
Les plus beaux de mes jours... —
Chantez, ma belle,
Chantez toujours !

L'HOMME

C'est mon homme.

LA VOIX

Elle s'approche à chaque couplet.

Quand tu ris, sur ta bouche
L'amour s'épanouit,
Et le soupçon farouche
Soudain s'évanouit.

Ah! le rire fidèle
Prouve un cœur sans détours... —
    Riez, ma belle,
    Riez toujours!

Quand tu dors, calme et pure,
Dans l'ombre, sous mes yeux,
Ton haleine murmure
Des mots harmonieux.
Ton beau corps se révèle
Sans voile et sans atours... —
    Dormez, ma belle,
    Dormez toujours!

Quand tu me dis : Je t'aime!
O ma beauté! je crois...
Je crois que le ciel même
S'ouvre au-dessus de moi!
Ton regard étincelle
Du beau feu des amours... —
    Aimez, ma belle
    Aimez toujours!

Vois-tu ? toute la vie
Tient dans ces quatre mots,
Tous les biens qu'on envie,
Tous les biens sans les maux!
Tout ce qui peut séduire,
Tout ce qui peut charmer : —
    Chanter et rire,
    Dormir, aimer!

L'HOMME

Il débarque. Bien. Il congédie le batelier. A merveille! *(Revenant sur le devant du théâtre.)* — Le voici qui vient.

Entre Fabiano Fabiani dans son manteau. Il se dirige vers la porte de la maison.

SCÈNE VI

L'HOMME, FABIANO FABIANI

L'HOMME, *arrêtant Fabiano.*

Un mot s'il vous plaît.

FABIANI

On me parle, je crois. Quel est ce maraud ? qui es-tu ?

L'HOMME

Ce qu'il vous plaira que je sois.

FABIANI

Cette lanterne éclaire mal. Mais tu as un bonnet jaune, il me semble, un bonnet de juif ? Est-ce que tu es un juif ?

L'HOMME

Oui, un juif. J'ai quelque chose à vous dire.

FABIANI

Comment t'appelles-tu ?

L'HOMME

Je sais votre nom, et vous ne savez pas le mien. J'ai l'avantage sur vous. Permettez-moi de le garder.

FABIANI

Tu sais mon nom, toi ? cela n'est pas vrai.

L'HOMME

Je sais votre nom. A Naples, on vous appelait signor Fabiani ; à Madrid, don Faviano [53] ; à Londres, on vous appelle lord Fabiano Fabiani, comte de Clanbrassil.

FABIANI

Que le diable t'emporte !

L'HOMME

Que Dieu vous garde !

FABIANI

Je te ferai bâtonner. Je ne veux pas qu'on sache mon nom quand je vais devant moi la nuit.

L'HOMME

Surtout quand vous allez où vous allez.

FABIANI

Que veux-tu dire ?

L'HOMME

Si la reine le savait!

FABIANI

Je ne vais nulle part.

L'HOMME

Si, mylord! vous allez chez la belle Jane, la fiancée de Gilbert le ciseleur.

FABIANI, *à part.*

Diable! voilà un homme dangereux.

L'HOMME

Voulez-vous que je vous en dise davantage ? Vous avez séduit cette fille, et depuis un mois elle vous a reçu deux fois chez elle la nuit. C'est aujourd'hui la troisième. La belle vous attend.

FABIANI

Tais-toi! tais-toi! Veux-tu de l'argent pour te taire ? Combien veux-tu ?

L'HOMME

Nous verrons cela tout à l'heure. Maintenant, mylord voulez-vous que je vous dise pourquoi vous avez séduit cette fille ?

FABIANI

Pardieu! parce que j'en étais amoureux.

L'HOMME

Non. Vous n'en étiez pas amoureux.

FABIANI

Je n'étais pas amoureux de Jane ?

L'HOMME

Pas plus que de la reine. — Amour, non; calcul, oui.

FABIANI

Ah çà, drôle, tu n'es pas un homme, tu es ma conscience habillée en juif!

L'HOMME

Je vais vous parler comme votre conscience, mylord. Voici toute votre affaire. Vous êtes le favori de la reine. La reine vous a donné la jarretière, la comté [54] et la seigneurie. Choses creuses que cela! la jarretière, c'est un chiffon; la comté, c'est un mot; la seigneurie, c'est le droit d'avoir la tête tranchée. Il vous fallait mieux. Il vous fallait, mylord, de bonnes terres, de bons bailliages, de bons châteaux et de bons revenus en bonnes livres sterling. Or, le roi Henri VIII avait confisqué les biens de lord Talbot, décapité il y a seize ans. Vous vous êtes fait donner par la reine Marie les biens de lord Talbot. Mais, pour que la donation fût valable, il fallait que lord Talbot fût mort sans postérité. S'il existait un héritier ou une héritière de lord Talbot, comme lord Talbot est mort pour la reine Marie et pour sa mère Catherine d'Aragon, comme lord Talbot était papiste, et comme la reine Marie est papiste, il n'est pas douteux que la reine Marie vous reprendrait les biens, tout favori que vous êtes, mylord, et les rendrait, par devoir, par reconnaissance et par religion, à l'héritier ou à l'héritière. Vous étiez assez tranquille de ce côté. Lord Talbot n'avait jamais eu qu'une petite fille qui avait disparu de son berceau à l'époque de l'exécution de son père, et que toute l'Angleterre croyait morte. Mais vos espions ont découvert dernièrement que, dans la nuit où lord Talbot et son parti furent exterminés par Henri VIII, un enfant avait été mystérieusement déposé chez un ouvrier ciseleur du pont de Londres, et qu'il était probable que cet enfant, élevé sous le nom de Jane, était Jane Talbot, la petite fille disparue. Les preuves écrites de sa naissance manquaient, il est vrai, mais tous les jours elles pouvaient se retrouver. L'incident était fâcheux. Se voir peut-être forcé un jour de rendre à une petite fille Shrewsbury, Wexford, qui est une belle ville, et le magnifique comté de Waterford [54 bis]! c'est dur. Comment faire ? Vous avez cherché un moyen de détruire et d'annuler la jeune fille. Un honnête homme l'eût fait assassiner ou empoisonner. Vous, mylord, vous avez mieux fait, vous l'avez déshonorée.

FABIANI

Insolent!

L'HOMME

C'est votre conscience qui parle, mylord. Un autre eût

pris la vie à la jeune fille, vous lui avez pris l'honneur, et par conséquent l'avenir. La reine Marie est prude, quoiqu'elle ait des amants.

FABIANI

Cet homme va au fond de tout!

L'HOMME

La reine est d'une mauvaise santé [55], la reine peut mourir, et alors, vous favori, vous tomberiez en ruine sur son tombeau. Les preuves matérielles de l'état de la jeune fille peuvent se retrouver, et alors, si la reine est morte, toute déshonorée que vous l'avez faite, Jane sera reconnue héritière de Talbot. Eh bien! vous avez prévu ce cas-là; vous êtes un jeune cavalier de belle mine, vous vous êtes fait aimer d'elle, elle s'est donnée à vous; au pis aller, vous l'épouseriez. Ne vous défendez pas de ce plan, mylord, je le trouve sublime. Si je n'étais moi, je voudrais être vous.

FABIANI

Merci.

L'HOMME

Vous avez conduit la chose avec adresse. Vous avez caché votre nom. Vous êtes à couvert du côté de la reine. La pauvre fille croit avoir été séduite par un chevalier du pays de Sommerset, nommé Amyas Pawlet [56].

FABIANI

Tout! il sait tout! Allons, maintenant, au fait. Que me veux-tu ?

L'HOMME

Mylord, si quelqu'un avait en son pouvoir les papiers qui constatent la naissance, l'existence et le droit de l'héritière de Talbot, cela vous ferait pauvre comme mon ancêtre Job, et ne vous laisserait plus d'autres châteaux, don Fabiano, que vos châteaux en Espagne [57], ce qui vous contrarierait fort.

FABIANI

Oui. Mais personne n'a ces papiers.

L'HOMME

Si.

FABIANI

Qui ?

L'HOMME

Moi.

FABIANI

Bah! toi, misérable! ce n'est pas vrai. Juif qui parle, bouche qui ment.

L'HOMME

J'ai ces papiers.

FABIANI

Tu mens. Où les as-tu ?

L'HOMME

Dans ma poche.

FABIANI

Je ne te crois pas. Bien en règle ? il n'y manque rien ?

L'HOMME

Il n'y manque rien.

FABIANI

Alors il me les faut!

L'HOMME

Doucement.

FABIANI

Juif, donne-moi ces papiers.

L'HOMME

Fort bien. — Juif, misérable mendiant qui passes dans la rue, donne-moi la ville de Shrewsbury, donne-moi la ville de Wexford, donne-moi le comté de Waterford. — La charité, s'il vous plaît!

FABIANI

Ces papiers sont tout pour moi, et ne sont rien pour toi.

L'HOMME

Simon Renard et lord Chandos me les payeraient bien cher!

FABIANI

Simon Renard et lord Chandos sont les deux chiens entre lesquels je te ferai pendre.

L'HOMME

Vous n'avez rien autre chose à me proposer ? Adieu.

FABIANI

Ici, juif! — Que veux-tu que je te donne pour ces papiers ?

L'HOMME

Quelque chose que vous avez sur vous.

FABIANI

Ma bourse ?

L'HOMME

Fi donc! voulez-vous la mienne ?

FABIANI

Quoi, alors ?

L'HOMME

Il y a un parchemin qui ne vous quitte jamais. C'est un blanc-seing que vous a donné la reine, et où elle jure sur sa couronne catholique [58] d'accorder à celui qui le lui présentera la grâce, quelle qu'elle soit, qu'il lui demandera. Donnez-moi ce blanc-seing, vous aurez les titres de Jane Talbot. Papier pour papier.

FABIANI

Que veux-tu faire de ce blanc-seing ?

L'HOMME

Voyons [59]. Jeu sur table, mylord. Je vous ai dit vos affaires, je vais vous dire les miennes. Je suis un des principaux argentiers juifs de la rue Kantersten [60], à Bruxelles. Je prête mon argent. C'est mon métier. Je prête dix, et l'on me rend quinze. Je prête à tout le monde; je prêterais au diable, je prêterais au pape. Il y a deux mois, un de mes débiteurs est mort sans m'avoir payé. C'était un ancien serviteur exilé de la famille Talbot. Le pauvre homme n'avait laissé que quelques guenilles. Je les fis saisir. Dans ces guenilles je trouvai une boîte, et, dans cette boîte, des papiers. Les papiers de Jane

Talbot, mylord, avec toute son histoire contée en détail et appuyée de preuves pour des temps meilleurs. La reine d'Angleterre venait précisément de vous donner les biens de Jane Talbot. Or j'avais justement besoin de la reine d'Angleterre pour un prêt de dix mille marcs d'or [61]. Je compris qu'il y avait une affaire à faire avec vous. Je vins en Angleterre sous ce déguisement, j'épiai vos démarches moi-même, j'épiai Jane Talbot moi-même; je fais tout moi-même. De cette façon j'appris tout, et me voici. Vous aurez les papiers de Jane Talbot si vous me donnez le blanc-seing de la reine. J'écrirai dessus que la reine me donne dix mille marcs d'or. On me doit quelque chose ici au bureau de l'excise [62], mais je ne chicanerai pas. Dix mille marcs d'or, rien de plus. Je ne vous demande pas la somme à vous parce qu'il n'y a qu'une tête couronnée qui puisse la payer. Voilà parler nettement, j'espère. Voyez-vous, mylord, deux hommes aussi adroits que vous et moi n'ont rien à gagner à se tromper l'un l'autre. Si la franchise était bannie de la terre, c'est dans le tête-à-tête de deux fripons qu'elle devrait se retrouver.

FABIANI

Impossible. Je ne puis te donner ce blanc-seing. Dix mille marcs d'or! Que dirait la reine? Et puis, demain je puis être disgracié; ce blanc-seing, c'est ma sauvegarde; ce blanc-seing, c'est ma tête.

L'HOMME

Qu'est-ce que cela me fait?

FABIANI

Demande-moi autre chose.

L'HOMME

Je veux cela.

FABIANI

Juif, donne-moi les papiers de Jane Talbot.

L'HOMME

Mylord, donnez-moi le blanc-seing de la reine.

FABIANI

Allons, juif maudit! il faut te céder.

Il tire un papier de sa poche.

L'HOMME

Montrez-moi le blanc-seing de la reine.

FABIANI

Montre-moi les papiers de Talbot.

L'HOMME

Après.

Ils s'approchent de la lanterne. Fabiani, placé derrière le juif, de la main gauche lui tient le papier sous les yeux. L'homme l'examine.

L'HOMME, *lisant.*

« Nous, Marie, reine... » — C'est bien. — Vous voyez que je suis comme vous, mylord. J'ai tout calculé. J'ai tout prévu.

FABIANI

Il tire son poignard de la main droite et le lui enfonce dans la gorge.

Excepté ceci.

L'HOMME

Oh! traître!... — A moi!

Il tombe. — tombant, il jette dans l'ombre, derrière lui, sans que Fabiani s'en aperçoive, un paquet cacheté.

FABIANI, *se penchant sur le corps.*

Je le crois mort, ma foi! — Vite, ces papiers! *(Il fouille le juif.)* — Mais quoi! il n'a rien! rien sur lui! pas un papier, le vieux mécréant! Il mentait! il me trompait! il me volait! Voyez-vous cela, damné juif! Oh! il n'a rien, c'est fini! Je l'ai tué pour rien. Ils sont tous ainsi, ces juifs. Le mensonge et le vol, c'est tout le juif [63]! — Allons, débarrassons-nous du cadavre, je ne puis le laisser devant cette porte. *(Allant au fond du théâtre.)* — Voyons si le batelier est encore là, qu'il m'aide à le jeter dans la Tamise. *(Il descend et disparaît derrière le parapet.)*

GILBERT, *entrant par le côté opposé.*

Il me semble que j'ai entendu un cri. *(Il aperçoit le corps étendu à terre sous la lanterne.)* — Quelqu'un d'assassiné! — Le mendiant!

L'HOMME, *se soulevant à demi.*

Ah! — vous venez trop tard, Gilbert. *(Il désigne du doigt l'endroit où il a jeté le paquet.)* Prenez ceci. Ce sont des papiers qui prouvent que Jane, votre fiancée, est la fille et l'héritière du dernier lord Talbot. Mon assassin est lord Clanbrassil, le favori de la reine. — Ah! j'étouffe. — Gilbert, venge-moi et venge-toi!

Il meurt.

GILBERT

Mort! — que je me venge? Que veut-il dire? Jane, fille de lord Talbot! — Lord Clanbrassil! le favori de la reine! — Oh! je m'y perds! *(Secouant le cadavre.)* — Parle, encore un mot! — Il est bien mort.

SCÈNE VII

GILBERT, FABIANI

FABIANI, *revenant.*

Qui va là?

GILBERT

On vient d'assassiner un homme.

FABIANI

Non, un juif.

GILBERT

Qui a tué cet homme?

FABIANI

Pardieu! vous ou moi.

GILBERT

Monsieur!...

FABIANI

Pas de témoins. Un cadavre à terre. Deux hommes à côté. Lequel est assassin? Rien ne prouve que ce soit l'un plutôt que l'autre, moi plutôt que vous [64].

GILBERT

Misérable! l'assassin, c'est vous.

FABIANI

Eh bien, oui, au fait! c'est moi. — Après ?

GILBERT

Je vais appeler les constables [65].

FABIANI

Vous allez m'aider à jeter le corps à l'eau.

GILBERT

Je vous ferai saisir et punir.

FABIANI

Vous m'aiderez à jeter le corps à l'eau.

GILBERT

Vous êtes impudent!

FABIANI

Croyez-moi, effaçons toute trace de ceci. Vous y êtes plus intéressé que moi.

GILBERT

Voilà qui est fort!

FABIANI

Un de nous deux a fait le coup. Moi, je suis un grand seigneur, un noble lord. Vous, vous êtes un passant, un manant, un homme du peuple. Un gentilhomme qui tue un juif paie quatre sous d'amende; un homme du peuple qui en tue un autre est pendu [66].

GILBERT

Vous oseriez...

FABIANI

Si vous me dénoncez, je vous dénonce. On me croira plutôt que vous. En tout cas, les chances sont inégales. Quatre sous d'amende pour moi, la potence pour vous.

GILBERT

Pas de témoins! pas de preuves! Oh! ma tête s'égare! Le misérable me tient, il a raison!

FABIANI

Vous aiderai-je à jeter le cadavre à l'eau ?

GILBERT

Vous êtes le démon!

Gilbert prend le corps par la tête, Fabiani par les pieds; ils le portent jusqu'au parapet.

FABIANI

Oui. — Ma foi, mon cher, je ne sais plus au juste lequel de nous deux a tué cet homme. *(Ils descendent derrière le parapet. — Fabiani reparaît.)* — Voilà qui est fait. Bonne nuit, mon camarade. Allez à vos affaires. *(Il se dirige vers la maison, et se retourne, voyant que Gilbert le suit.)* — Eh bien, que voulez-vous ? quelque argent pour votre peine ? En conscience, je ne vous dois rien; mais tenez. *(Il donne sa bourse à Gilbert, dont le premier mouvement est un geste de refus, et qui accepte ensuite de l'air d'un homme qui se ravise.)* — Maintenant, allez-vous-en. Eh bien, qu'attendez-vous encore ?

GILBERT

Rien.

FABIANI

Ma foi, restez là si bon vous semble. A vous la belle étoile, à moi la belle fille. Dieu vous garde [67] ! *(Il se dirige vers la porte de la maison et paraît se disposer à l'ouvrir.)*

GILBERT

Où allez-vous ainsi ?

FABIANI

Pardieu! chez moi.

GILBERT

Comment! chez vous ?

FABIANI

Oui.

GILBERT

Quel est celui de nous deux qui rêve ? Vous me disiez tout à l'heure que l'assassin du juif, c'était moi, vous me dites à présent que cette maison-ci est la vôtre ?

FABIANI

Ou celle de ma maîtresse, ce qui revient au même.

GILBERT

Répétez-moi ce que vous venez de dire!

FABIANI

Je dis, l'ami, puisque vous voulez le savoir, que cette maison est celle d'une belle fille nommée Jane, qui est ma maîtresse.

GILBERT

Et moi je dis, mylord, que tu mens! je dis que tu es un faussaire et un assassin! je dis que tu es un fourbe impudent! Je dis que tu viens de prononcer là des paroles fatales dont nous mourrons tous les deux, vois-tu, toi pour les avoir dites, moi pour les avoir entendues!

FABIANI

Là! là! Quel est ce diable d'homme?

GILBERT

Je suis Gilbert le ciseleur. Jane est ma fiancée.

FABIANI

Et moi, je suis le chevalier Amyas Pawlet. Jane est ma maîtresse.

GILBERT

Tu mens, te dis-je! Tu es lord Clanbrassil, le favori de la reine. Imbécile, qui croit que je ne sais pas cela!

FABIANI, *à part.*

Tout le monde me connaît donc cette nuit [68]! — Encore un homme dangereux, et dont il faudra se défaire!

GILBERT

Dis-moi sur-le-champ que tu as menti comme un lâche, et que Jane n'est pas ta maîtresse.

FABIANI

Connais-tu son écriture?

Il tire un billet de sa poche.

— Lis ceci.

A part, pendant que Gilbert déploie convulsivement le papier.

— Il importe qu'il rentre chez lui et qu'il cherche querelle à Jane, cela donnera à mes gens le temps d'arriver.

GILBERT, *lisant.*

« Je serai seule cette nuit, vous pouvez venir. » — Malédiction! Mylord, tu as déshonoré ma fiancée, tu es un infâme! Rends-moi raison!

FABIANI, *mettant l'épée à la main.*

Je veux bien. Où est ton épée?

GILBERT

O rage! être du peuple [69]! n'avoir rien sur soi, ni épée ni poignard! Va, je t'attendrai la nuit au coin d'une rue, et je t'enfoncerai mes ongles dans le cou, et je t'assassinerai, misérable!

FABIANI

Là, là, vous êtes violent, mon camarade!

GILBERT

Oh! mylord, je me vengerai de toi!

FABIANI

Toi! te venger de moi! toi si bas, moi si haut! tu es fou! je t'en défie.

GILBERT

Tu m'en défies?

FABIANI

Oui.

GILBERT

Tu verras!

FABIANI, *à part.*

Il ne faut pas que le soleil de demain se lève pour cet homme.

Haut.

— L'ami, crois-moi, rentre chez toi. Je suis fâché que tu aies découvert cela; mais je te laisse la belle. Mon intention, d'ailleurs, n'était pas de pousser l'amourette plus loin. Rentre chez toi. *(Il jette une clef aux pieds de Gilbert.)* — Si tu n'as pas de clef, en voici une. Ou, si tu l'aimes mieux, tu n'as qu'à frapper quatre coups contre ce volet, Jane croira que c'est moi, et elle t'ouvrira. Bonsoir *(Il sort.)*

SCÈNE VIII

GILBERT, *resté seul.*

Il est parti! il n'est plus là! Je ne l'ai pas pétri et broyé sous mes pieds, cet homme! Il a fallu le laisser partir! pas une arme sur moi! *(Il aperçoit à terre le poignard* [70] *avec lequel lord Clanbrassil a tué le juif, il le ramasse avec un empressement furieux.)* — Ah! tu arrives trop tard! tu ne pourras probablement tuer que moi! Mais c'est égal, que tu sois tombé du ciel ou vomi par l'enfer, je te bénis! — Oh! Jane m'a trahi! Jane s'est donnée à cet infâme! Jane est l'héritière de lord Talbot! Jane est perdue pour moi! — Oh! Dieu! voilà en une heure plus de choses terribles sur moi que ma tête n'en peut porter!

Simon Renard paraît dans les ténèbres au fond du théâtre.

Oh! me venger de cet homme! me venger de ce lord Clanbrassil! Si je vais au palais de la reine, les laquais me chasseront à coups de pied comme un chien! Oh! je suis fou. Ma tête se brise! Oh! cela m'est égal de mourir, mais je voudrais être vengé! je donnerais mon sang pour la vengeance! N'y a-t-il personne au monde qui veuille faire ce marché avec moi? Qui veut me venger de ce lord Clanbrassil et prendre ma vie pour paiement?

SCÈNE IX

GILBERT, SIMON RENARD

SIMON RENARD, *faisant un pas* [71].

Moi.

GILBERT

Toi! Qui es-tu?

SIMON RENARD

Je suis l'homme que tu désires.

GILBERT

Sais-tu qui je suis?

SIMON RENARD

Tu es l'homme qu'il me faut.

GILBERT

Je n'ai plus qu'une idée, sais-tu cela ? être vengé de lord Clanbrassil, et mourir.

SIMON RENARD

Tu seras vengé de lord Clanbrassil, et tu mourras.

GILBERT

Qui que tu sois, merci !

SIMON RENARD

Oui, tu auras la vengeance que tu veux. Mais n'oublie pas à quelle condition. Il me faut ta vie [72].

GILBERT

Prends-la.

SIMON RENARD

C'est convenu ?

GILBERT

Oui.

SIMON RENARD

Suis-moi.

GILBERT

Où ?

SIMON RENARD

Tu le sauras.

GILBERT

Songe que tu me promets de me venger !

SIMON RENARD

Songe que tu me promets de mourir !

DEUXIÈME JOURNÉE

LA REINE

Une chambre de l'appartement de la reine. — Un évangile ouvert sur un prie-Dieu [73]. La couronne royale sur un escabeau. — Portes latérales. Une large porte au fond. — Une partie du fond masquée par une grande tapisserie de haute lice.

SCÈNE PREMIÈRE

LA REINE,
splendidement vêtue, couchée sur un lit de repos;

FABIANO FABIANI,
assis sur un pliant à côté. Magnifique costume.
La jarretière.

FABIANI, *une guitare à la main, chantant.*

Quand tu dors calme et pure [74]
Dans l'ombre sous mes yeux,
Ton haleine murmure
Des mots harmonieux.
Ton beau corps se révèle
Sans voile et sans atours... —
Dormez, ma belle,
Dormez toujours!

Quand tu me dis : je t'aime!
O ma beauté! je crois...
Je crois que le ciel même
S'ouvre au-dessus de moi!
Ton regard étincelle
Du beau feu des amours... —
Aimez, ma belle,
Aimez toujours!

Vois-tu ? toute la vie
Tient dans ces quatre mots,
Tous les biens qu'on envie,
Tous les biens sans les maux,

Tout ce qui peut séduire,
Tout ce qui peut charmer : —
Chanter et rire,
Dormir, aimer!

(Il pose la guitare à terre.) Oh! je vous aime plus que je ne peux dire, madame! mais ce Simon Renard! ce Simon Renard, plus puissant que vous-même ici, je le hais!

LA REINE

Vous savez bien que je n'y puis rien, mylord. Il est ici le légat du prince d'Espagne, mon futur mari.

FABIANI

Votre futur mari!

LA REINE

Allons, mylord, ne parlons plus de cela. Je vous aime, que vous faut-il de plus ? Et puis, voici qu'il est temps de vous en aller.

FABIANI

Marie, encore un instant!

LA REINE

Mais c'est l'heure où le conseil étroit [75] va s'assembler. Il n'y a eu ici jusqu'à cette heure que la femme, il faut laisser entrer la reine.

FABIANI

Je veux, moi, que la femme fasse attendre la reine à la porte.

LA REINE

Vous voulez, vous! vous voulez, vous! Regardez-moi, mylord. Tu as une jeune et charmante tête, Fabiano!

FABIANI

C'est vous qui êtes belle, madame! Vous n'auriez besoin que de votre beauté pour être toute-puissante. Il y a sur votre tête quelque chose qui dit que vous êtes la reine, mais cela est encore bien mieux écrit sur votre front que sur votre couronne.

LA REINE

Vous me flattez!

FABIANI

Je t'aime.

LA REINE

Tu m'aimes, n'est-ce pas ? Tu n'aimes que moi ? Redis-le-moi encore comme cela, avec ces yeux-là. Hélas ! nous autres pauvres femmes, nous ne savons jamais au juste ce qui se passe dans le cœur d'un homme. Nous sommes obligées d'en croire vos yeux, et les plus beaux, Fabiano, sont quelquefois les plus menteurs. Mais dans les tiens, mylord, il y a tant de loyauté, tant de candeur, tant de bonne foi, qu'ils ne peuvent mentir, ceux-là, n'est-ce pas ? Oui, ton regard est naïf et sincère, mon beau page. Oh ! prendre des yeux célestes pour tromper, ce serait infernal. Ou tes yeux sont les yeux d'un ange, ou ils sont ceux d'un démon [76].

FABIANI

Ni démon ni ange. Un homme qui vous aime.

LA REINE

Qui aime la reine.

FABIANI

Qui aime Marie.

LA REINE

Ecoute, Fabiano, je t'aime aussi, moi. Tu es jeune. Il y a beaucoup de belles femmes qui te regardent fort doucement, je le sais. Enfin, on se lasse d'une reine comme d'une autre. Ne m'interromps pas. Si jamais tu deviens amoureux d'une autre femme, je veux que tu me le dises. Je te pardonnerai peut-être si tu me le dis. Ne m'interromps donc pas. Tu ne sais pas à quel point je t'aime. Je ne le sais pas moi-même. Il y a des moments, cela est vrai, où je t'aimerais mieux mort qu'heureux avec une autre ; mais il y a aussi des moments où je t'aimerais mieux heureux. Mon Dieu ! je ne sais pas pourquoi on cherche à me faire la réputation d'une méchante femme.

FABIANI

Je ne puis être heureux qu'avec toi, Marie. Je n'aime que toi.

LA REINE

Bien sûr ? Regarde-moi. Bien sûr ? Oh ! je suis jalouse par instant ! je me figure, — quelle est la femme qui n'a pas de ces idées-là ? — je me figure quelquefois que tu me trompes. Je voudrais être invisible, et pouvoir te suivre, et toujours savoir ce que tu fais, ce que tu dis, où tu es! Il y a dans les contes des fées une bague qui rend invisible [77], je donnerais ma couronne pour cette bague-là. Je m'imagine sans cesse que tu vas voir les belles jeunes femmes qu'il y a dans la ville. Oh! il ne faudrait pas me tromper, vois-tu!

FABIANI

Mais ôtez-vous donc ces idées-là de l'esprit, madame. Moi vous tromper, madame, ma reine, ma bonne maîtresse! Mais il faudrait que je fusse le plus ingrat et le plus misérable des hommes pour cela! Mais je ne vous ai donné aucune raison de croire que je fusse le plus ingrat et le plus misérable des hommes! Mais je t'aime, Marie! mais je t'adore! mais je ne pourrais seulement pas regarder une autre femme! Je t'aime, te dis-je! mais est-ce que tu ne vois pas cela dans mes yeux ? Oh! mon Dieu, il y a un accent de vérité qui devrait persuader, pourtant. Voyons, regarde-moi bien, est-ce que j'ai l'air d'un homme qui te trahit ? Quand un homme trahit une femme, cela se voit tout de suite. Les femmes ordinairement ne se trompent pas à cela. Et quel moment choisis-tu pour me dire des choses pareilles, Marie ? le moment de ma vie où je t'aime peut-être le plus! C'est vrai, il me semble que je ne t'ai jamais tant aimée qu'aujourd'hui. Je ne parle pas ici à la reine. Pardieu, je me moque bien de la reine! Qu'est-ce que cela peut me faire, la reine ? elle peut me faire couper la tête, qu'est-ce que cela ? Toi, Marie, tu peux me briser le cœur. Ce n'est pas votre majesté que j'aime, c'est toi. C'est ta belle main blanche et douce que je baise et que j'adore, et non votre sceptre, madame!

LA REINE

Merci, mon Fabiano. Adieu. — Mon Dieu, mylord, que vous êtes jeune! les beaux cheveux noirs et la charmante tête que voilà! — Revenez dans une heure.

FABIANI

Ce que vous appelez une heure, vous, je l'appelle un siècle, moi! *(Il sort.)*

Sitôt qu'il est sorti, la reine se lève précipitamment, va à une porte masquée, l'ouvre, et introduit Simon Renard.

SCÈNE II

La Reine, Simon Renard

La reine

Entrez, monsieur le bailli. Eh bien, étiez-vous resté là ? l'avez-vous entendu [78] ?

Simon Renard

Oui, madame.

La reine

Qu'en dites-vous ? Oh! c'est le plus fourbe et le plus faux des hommes! Qu'en dites-vous ?

Simon Renard

Je dis, madame, qu'on voit bien que cet homme porte un nom en *i* [79].

La reine

Et vous êtes sûr qu'il va chez cette femme la nuit ? Vous l'avez vu ?

Simon Renard

Moi, Chandos, Clinton, Montagu. Dix témoins.

La reine

C'est que c'est vraiment infâme!

Simon Renard

D'ailleurs, la chose sera encore mieux prouvée à la reine tout à l'heure. La jeune fille est ici, comme je l'ai dit à votre majesté. Je l'ai fait saisir dans sa maison cette nuit.

La reine

Mais est-ce que ce n'est pas là un crime suffisant pour lui faire trancher la tête, à cet homme, monsieur ?

Simon Renard

Avoir été chez une jolie fille la nuit ? Non, madame. Votre majesté a fait mettre en jugement Trogmorton [80] pour un fait pareil. Trogmorton a été absous.

LA REINE

J'ai puni les juges de Trogmorton.

SIMON RENARD

Tâchez de n'avoir pas à punir les juges de Fabiani.

LA REINE

Oh! comment me venger de ce traître ?

SIMON RENARD

Votre majesté ne veut la vengeance que d'une certaine manière ?

LA REINE

La seule qui soit digne de moi.

SIMON RENARD

Trogmorton a été absous, madame. Il n'y a qu'un moyen. Je l'ai dit à votre majesté. L'homme qui est là.

LA REINE

Fera-t-il tout ce que je voudrai ?

SIMON RENARD

Oui, si vous faites tout ce qu'il voudra.

LA REINE

Donnera-t-il sa vie ?

SIMON RENARD

Il fera ses conditions; mais il donnera sa vie.

LA REINE

Qu'est-ce qu'il veut ? savez-vous ?

SIMON RENARD

Ce que vous voulez vous-même. Se venger.

LA REINE

Dites qu'il entre, et restez par là à portée de la voix. — Monsieur le bailli!

SIMON RENARD, *revenant.*

Madame ?

Dites à mylord Chandos qu'il se tienne là dans la chambre voisine avec six hommes de mon ordonnance, tout prêts à entrer. — Et la femme aussi, toute prête à entrer! — Allez.

Simon Renard sort.
La reine, seule.

— Oh! ce sera terrible!

Une des portes latérales s'ouvre. Entrent Simon Renard et Gilbert.

SCÈNE III

LA REINE, GILBERT, SIMON RENARD

GILBERT

Devant qui suis-je ?

SIMON RENARD

Devant la reine.

GILBERT

La reine!

LA REINE

C'est bien. Oui, la reine. Je suis la reine. Nous n'avons pas le temps de nous étonner. Vous, monsieur, vous êtes Gilbert, un ouvrier ciseleur. Vous demeurez quelque part par là au bord de l'eau avec une nommée Jane, dont vous êtes le fiancé; et qui vous trompe, et qui a pour amant un nommé Fabiano qui me trompe, moi. Vous voulez vous venger, et moi aussi. Pour cela, j'ai besoin de disposer de votre vie à ma fantaisie. J'ai besoin que vous disiez ce que je vous commanderai de dire, quoi que ce soit. J'ai besoin qu'il n'y ait plus pour vous ni faux ni vrai, ni bien ni mal, ni juste ni injuste, rien que ma vengeance et ma volonté. J'ai besoin que vous me laissiez faire et que vous vous laissiez faire [81]. Y consentez-vous ?

GILBERT

Madame...

LA REINE

La vengeance, tu l'auras. Mais je te préviens qu'il faudra mourir. Voilà tout. Fais tes conditions. Si tu as une vieille mère, et qu'il faille couvrir sa nappe de lingots d'or, parle, je le ferai. Vends-moi ta vie aussi cher que tu voudras.

GILBERT

Je ne suis plus décidé à mourir, madame.

LA REINE

Comment!

GILBERT

Tenez, majesté, j'ai réfléchi toute la nuit. Rien ne m'est prouvé encore dans cette affaire. J'ai vu un homme qui s'est vanté d'être l'amant de Jane. Qui me dit qu'il n'a pas menti ? J'ai vu une clef. Qui me dit qu'on ne l'a pas volée ? J'ai vu une lettre. Qui me dit qu'on ne l'a pas fait écrire de force ? D'ailleurs, je ne sais même plus si c'était bien son écriture, il faisait nuit, j'étais troublé, je n'y voyais pas. Je ne puis donner ma vie, qui est la sienne, comme cela. Je ne crois à rien, je ne suis sûr de rien. Je n'ai pas vu Jane [82].

LA REINE

On voit bien que tu aimes! Tu es comme moi, tu résistes à toutes les preuves. Et si tu la vois, cette Jane, si tu l'entends avouer le crime, feras-tu ce que je veux ?

GILBERT

Oui. A une condition.

LA REINE

Tu me la diras plus tard.

A Simon Renard.

— Cette femme ici tout de suite.

Simon Renard sort. La reine place Gilbert derrière un rideau qui occupe une partie du fond de l'appartement.

— Mets-toi là.

Entre Jane, pâle et tremblante.

SCÈNE IV

LA REINE, JANE, GILBERT, *derrière le rideau.*

LA REINE

Approche, jeune fille. Tu sais qui nous sommes ?

JANE

Oui, madame.

LA REINE

Tu sais quel est l'homme qui t'a séduite ?

JANE

Oui, madame.

LA REINE

Il t'avait trompée. Il s'était fait passer pour un gentilhomme nommé Amyas Pawlet ?

JANE

Oui, madame.

LA REINE

Tu sais maintenant que c'est Fabiano Fabiani, comte de Clanbrassil ?

JANE

Oui, madame.

LA REINE

Cette nuit, quand on est venu te saisir dans ta maison, tu lui avais donné rendez-vous, tu l'attendais ?

JANE, *joignant les mains.*

Mon Dieu, madame !

LA REINE

Réponds.

JANE, *joignant les mains.*

Oui.

LA REINE

Tu sais qu'il n'y a plus rien à espérer ni pour lui ni pour toi ?

JANE

Que la mort. C'est une espérance.

LA REINE

Raconte-moi toute l'aventure. Où as-tu rencontré cet homme pour la première fois ?

JANE

La première fois que je l'ai vu, c'était... — Mais à quoi bon tout cela ? Une malheureuse fille du peuple, pauvre et vaine, folle et coquette, amoureuse de parures et de beaux dehors, qui se laisse éblouir par la belle mine d'un grand seigneur. Voilà tout. Je suis séduite, je suis déshonorée, je suis perdue. Je n'ai rien à ajouter à cela. Mon Dieu! vous ne voyez donc pas que chaque mot que je dis me fait mourir, madame ?

LA REINE

C'est bien.

JANE

Oh! votre colère est terrible, je le sais, madame. Ma tête ploie d'avance sous le châtiment que vous me préparez...

LA REINE

Moi! un châtiment pour toi! Est-ce que je m'occupe de toi, folle ? Qui es-tu, malheureuse créature, pour que la reine s'occupe de toi ? Non, mon affaire, c'est Fabiano. Quant à toi, femme, c'est un autre que moi qui se chargera de te punir.

JANE

Eh bien, madame, quel que soit celui que vous en chargerez, quel que soit le châtiment, je subirai tout sans me plaindre, je vous remercierai même, si vous avez pitié d'une prière que je vais vous faire. Il y a un homme qui m'a prise orpheline au berceau, qui m'a adoptée, qui m'a élevée, qui m'a nourrie, qui m'a aimée et qui m'aime encore; un homme dont je suis bien indigne, envers qui j'ai été bien criminelle, et dont l'image est pourtant au fond de mon cœur, chère, auguste et sacrée comme celle de Dieu; un homme qui sans doute, à l'heure où je vous parle, trouve sa maison vide et abandonnée, et dévastée, et n'y comprend rien et s'arrache les cheveux de désespoir. Eh bien, ce que je demande à votre majesté, madame, c'est qu'il n'y comprenne jamais rien, c'est que je disparaisse sans qu'il sache jamais ce que je suis devenue, ni ce que j'ai fait, ni ce que vous avez fait de moi. Hélas! mon Dieu! je ne sais pas si je me fais bien comprendre, mais vous devez sentir que j'ai là un ami, un noble et généreux ami, — pauvre Gilbert! oh! oui, c'est bien vrai! — qui m'estime et qui me croit pure, et que je ne veux pas qu'il me haïsse et qu'il me méprise... — Vous me comprenez, n'est-ce pas, madame? L'estime de cet homme, c'est pour moi bien plus que la vie, allez! Et puis cela lui ferait un si affreux chagrin! Tant de surprise! Il n'y croirait pas d'abord. Non, il n'y croirait pas. Mon Dieu! pauvre Gilbert! Oh! madame! ayez pitié de lui et de moi. Il ne vous a rien fait, lui. Qu'il ne sache rien de ceci, au nom du ciel! Au nom du ciel! qu'il ne sache pas que je suis coupable, il se tuerait. Qu'il ne sache pas que je suis morte, il mourrait.

LA REINE

L'homme dont vous parlez est là qui vous écoute, qui vous juge et qui va vous punir.

Gilbert se montre.

JANE

Ciel! Gilbert!

GILBERT, *à la reine.*

Ma vie est à vous, madame.

LA REINE

Bien. Avez-vous quelques conditions à me faire?

GILBERT

Oui, madame.

LA REINE

Lesquelles? Nous vous donnons notre parole de reine que nous y souscrivons d'avance.

GILBERT

Voici, madame. — C'est bien simple. C'est une dette de reconnaissance que j'acquitte envers un seigneur de votre cour qui m'a fait beaucoup travailler dans mon métier de ciseleur.

LA REINE

Parlez.

GILBERT

Ce seigneur a une liaison secrète avec une femme qu'il ne peut épouser, parce qu'elle tient à une famille proscrite. Cette femme, qui a vécu cachée jusqu'à présent, c'est la fille unique et l'héritière du dernier lord Talbot, décapité sous le roi Henri VIII.

LA REINE

Comment! es-tu sûr de ce que tu dis là ? Jean Talbot, le bon lord catholique, le loyal défenseur de ma mère d'Aragon [83], il a laissé une fille, dis-tu ? Sur ma couronne, si cela est vrai, cette enfant est mon enfant. Et ce que Jean Talbot a fait pour la mère de Marie d'Angleterre, Marie d'Angleterre le fera pour la fille de Jean Talbot.

GILBERT

Alors ce sera sans doute un bonheur pour votre majesté de rendre à la fille de lord Talbot les biens de son père ?

LA REINE

Oui, certes, et de les reprendre à Fabiano! — Mais a-t-on les preuves que cette héritière existe ?

GILBERT

On les a.

LA REINE

D'ailleurs, si nous n'avons pas de preuves, nous en ferons. Nous ne sommes pas la reine pour rien.

GILBERT

Votre majesté rendra à la fille de lord Talbot les biens, les titres, le rang, le nom, les armes et la devise de son père. Votre majesté la relèvera de toute proscription et lui garantira la vie sauve. Votre majesté la mariera à ce seigneur, qui est le seul homme qu'elle puisse épouser. A ces conditions, madame, vous pourrez disposer de moi, de ma liberté, de ma vie et de ma volonté, selon votre plaisir [84].

LA REINE

Bien. Je ferai ce que vous venez de dire.

GILBERT

Votre majesté fera ce que je viens de dire ? La reine

d'Angleterre me le jure, à moi, Gilbert, l'ouvrier ciseleur, sur sa couronne que voici et sur l'évangile ouvert [85] que voilà ?

LA REINE

Sur la royale couronne que voici et sur le divin évangile que voilà, je te le jure !

GILBERT

Le pacte est conclu, madame. Faites préparer une tombe pour moi, et un lit nuptial pour les époux. Le seigneur dont je parlais, c'est Fabiani, comte de Clanbrassil. L'héritière de Talbot, la voici.

JANE

Que dit-il ?

LA REINE

Est-ce que j'ai affaire à un insensé ? Qu'est-ce que cela signifie ? Maître, faites attention à ceci, que vous êtes hardi de vous railler de la reine d'Angleterre, que les chambres royales sont des lieux où il faut prendre garde aux paroles qu'on dit, et qu'il y a des occasions où la bouche fait tomber la tête !

GILBERT

Ma tête, vous l'avez, madame. Moi, j'ai votre serment !...

LA REINE

Vous ne parlez pas sérieusement. Ce Fabiano ! cette Jane !... — Allons donc !

GILBERT

Cette Jane est la fille et l'héritière de lord Talbot.

LA REINE

Bah ! vision ! chimère ! folie ! les preuves, les avez-vous ?

GILBERT

Complètes. *(Il tire un paquet de sa poitrine.)* — Veuillez lire ces papiers.

LA REINE

Est-ce que j'ai le temps de lire vos papiers, moi ? Est-ce que je vous ai demandé vos papiers ? Qu'est-ce que cela me fait, vos papiers ? Sur mon âme, s'ils prouvent quelque chose, je les jetterai au feu, et il ne restera rien.

GILBERT

Que votre serment, madame.

LA REINE

Mon serment! mon serment!

GILBERT

Sur la couronne et sur l'évangile, madame! C'est-à-dire sur votre tête et sur votre âme, sur votre vie dans ce monde et sur votre vie dans l'autre.

LA REINE

Mais que veux-tu donc ? Je te jure que tu es en démence!

GILBERT

Ce que je veux ? Jane a perdu son rang, rendez-le lui! Jane a perdu l'honneur, rendez-le lui! Proclamez-la fille de lord Talbot et femme de lord Clanbrassil, — et puis prenez ma vie!

LA REINE

Ta vie! mais que veux-tu que j'en fasse de ta vie à présent ? Je n'en voulais que pour me venger de cet homme, de Fabiano! Tu ne comprends donc rien ? Je ne te comprends pas non plus, moi. Tu parlais de vengeance! C'est comme cela que tu te venges ? Ces gens du peuple sont stupides! Et puis est-ce que je crois à ta ridicule histoire d'une héritière de Talbot ? Les papiers! tu me montres les papiers! Je ne veux pas les regarder. Ah! une femme te trahit, et tu fais le généreux! A ton aise. Je ne suis pas généreuse, moi! J'ai la rage et la haine dans le cœur. Je me vengerai, et tu m'y aideras. Mais cet homme est fou! il est fou! il est fou! Mon Dieu! pourquoi en ai-je besoin ? C'est désespérant d'avoir affaire à des gens pareils dans les affaires sérieuses!

GILBERT

J'ai votre parole de reine catholique. Lord Clanbrassil a séduit Jane, il l'épousera!

LA REINE

Et s'il refuse de l'épouser ?

GILBERT

Vous l'y forcerez, madame.

LA REINE

Oh! non! ayez pitié de moi, Gilbert!

GILBERT

Eh bien, s'il refuse, cet infâme, votre majesté fera de lui et de moi ce qu'il lui plaira.

LA REINE, *avec joie.*

Ah! c'est tout ce que je veux!

GILBERT

Si ce cas-là arrivait, pourvu que la couronne de comtesse de Waterford soit solennellement replacée par la reine sur la tête sacrée et inviolable de Jane Talbot que voici, je ferai, moi, tout ce que la reine m'imposera.

LA REINE

Tout ?

GILBERT

Tout. — Même un crime, si c'est un crime qu'il vous faut; même une trahison, ce qui est plus qu'un crime; même une lâcheté, ce qui est plus qu'une trahison [86].

LA REINE

Tu diras ce qu'il faudra dire ? tu mourras de la mort qu'on voudra ?

GILBERT

De la mort qu'on voudra.

JANE

O Dieu!

LA REINE

Tu le jures ?

GILBERT

Je le jure.

LA REINE

La chose peut s'arranger ainsi. Cela suffit. J'ai ta parole, tu as la mienne. C'est dit. *(Elle paraît réfléchir un moment. A Jane.)* — Vous êtes inutile ici, sortez, vous. On vous rappellera.

JANE

O Gilbert! qu'avez-vous fait là ? O Gilbert! je suis une misérable, et je n'ose lever les yeux sur vous! O Gilbert! vous êtes plus qu'un ange, car vous avez tout à la fois les vertus d'un ange et les passions d'un homme! *(Elle sort.)*

SCÈNE V

LA REINE, GILBERT; *puis* SIMON RENARD, LORD CHANDOS, *et* LES GARDES

LA REINE, *à Gilbert.*

As-tu une arme sur toi ? un couteau, un poignard, quelque chose ?

GILBERT,
tirant de sa poitrine le poignard[87] *de lord Clanbrassil.*

Un poignard ? oui, madame.

LA REINE

Bien. Tiens-le à ta main. *(Elle lui saisit vivement le bras.)* — Monsieur le bailli d'Amont! lord Chandos!

Entrent Simon Renard, lord Chandos et les gardes.

— Assurez-vous de cet homme! Il a levé le poignard sur moi. Je lui ai pris le bras au moment où il allait me frapper. C'est un assassin!

GILBERT

Madame!...

LA REINE, *bas à Gilbert.*

Oublies-tu déjà nos conventions ? est-ce ainsi que tu te laisses faire ?

Haut.

— Vous êtes tous témoins qu'il avait encore le poignard

à la main. Monsieur le bailli, comment se nomme le bourreau de la Tour de Londres ?

SIMON RENARD

C'est un irlandais appelé Mac Dermoti [88].

LA REINE

Qu'on me l'amène. J'ai à lui parler.

SIMON RENARD

Vous-même ?

LA REINE

Moi-même.

SIMON RENARD

La reine parlera au bourreau [89] ?

LA REINE

Oui, la reine parlera au bourreau. La tête parlera à la main. — Allez donc !

Un garde sort.

— Mylord Chandos, et vous, messieurs, vous me répondez de cet homme. Gardez-le là, dans vos rangs, derrière vous. Il va se passer ici des choses qu'il faut qu'il voie. — Monsieur le lieutenant d'Amont, lord Clanbrassil est-il au palais ?

SIMON RENARD

Il est là, dans la chambre peinte, qui attend que le bon plaisir de la reine soit de le voir.

LA REINE

Il ne se doute de rien ?

SIMON RENARD

De rien.

LA REINE, *à lord Chandos.*

Qu'il entre.

SIMON RENARD

Toute la cour est là aussi qui attend. N'introduira-t-on personne avant lord Clanbrassil ?

LA REINE

Quels sont, parmi nos seigneurs, ceux qui haïssent Fabiani ?

SIMON RENARD

Tous.

LA REINE

Ceux qui le haïssent le plus ?

SIMON RENARD

Clinton, Montagu, Somerset, le comte de Derby, Gerard Fitz-Gerard, lord Paget, et le lord chancelier.

LA REINE, *à lord Chandos.*

Introduisez ceux-là, tous, excepté le lord chancelier [89 bis]. Allez. *(Chandos sort. A Simon Renard.)* — Le digne évêque chancelier n'aime pas Fabiani plus que les autres, mais c'est un homme à scrupules. *(Apercevant les papiers que Gilbert a déposés sur la table.)* — Ah! il faut pourtant que je jette un coup d'œil sur ces papiers.

Pendant qu'elle les examine, la porte du fond s'ouvre. Entrent, avec de profonds saluts, les seigneurs désignés par la reine.

SCÈNE VI

LES MÊMES, LORD CLINTON, *et* LES AUTRES SEIGNEURS

LA REINE

Bonjour, messieurs. Dieu vous ait en sa garde, mylords! *(A lord Montagu.)* — Anthony Brown, je n'oublie jamais que vous avez dignement tenu tête à Jean de Montmorency et au sieur de Toulouse dans mes négociations avec l'empereur mon oncle [90]. — Lord Paget, vous recevrez aujourd'hui vos lettres de baron Paget de Beaudesert en Stafford. — Eh mais! c'est notre vieil ami lord Clinton! Nous sommes toujours votre bonne amie, mylord. C'est vous qui avez exterminé Thomas Wyat [91] dans la plaine de Saint-James. Souvenons-nous en tous, messieurs. Ce jour-là, la couronne d'Angleterre a été sauvée par un pont qui a permis à mes troupes d'arriver jusqu'aux rebelles, et par un mur qui a empêché les rebelles d'arriver jusqu'à moi. Le pont, c'est le pont de Londres, le mur, c'est lord Clinton.

LORD CLINTON, *bas, à Simon Renard.*

Voilà six mois que la reine ne m'avait parlé. Comme elle est bonne aujourd'hui !

SIMON RENARD, *bas, à lord Clinton.*

Patience, mylord. Vous la trouverez meilleure encore tout à l'heure.

LA REINE, *à lord Chandos.*

Mylord Clanbrassil peut entrer.

A Simon Renard.

— Quand il sera ici depuis quelques minutes...

Elle lui parle bas à l'oreille, et lui désigne la porte par laquelle Jane est sortie.

SIMON RENARD

Il suffit, madame.

Entre Fabiani.

SCÈNE VII

LES MÊMES, FABIANI

LA REINE

Ah ! le voici !

Elle se remet à parler bas à Simon Renard.

FABIANI, *à part, salué par tout le monde et regardant autour de lui.*

Qu'est-ce que cela veut dire ? Il n'y a que de mes ennemis ici, ce matin. La reine parle bas à Simon Renard. Diable ! elle rit ! mauvais signe [92] !

LA REINE, *gracieusement, à Fabiani.*

Dieu vous garde, mylord !

FABIANI, *saisissant sa main, qu'il baise.*

Madame...

A part.

Elle m'a souri. Le péril n'est pas pour moi.

LA REINE, *toujours gracieuse.*

J'ai à vous parler. *(Elle vient avec lui sur le devant du théâtre.)*

FABIANI

Et moi aussi j'ai à vous parler, madame. J'ai des reproches à vous faire. M'éloigner, m'exiler pendant si longtemps ! Ah ! il n'en serait pas ainsi, si, dans les heures d'absence, vous songiez à moi comme je songe à vous.

LA REINE

Vous êtes injuste. Depuis que vous m'avez quittée, je ne m'occupe que de vous.

FABIANI

Est-il bien vrai ? ai-je tant de bonheur ? Répétez-le-moi.

LA REINE, *toujours souriant.*

Je vous le jure.

FABIANI

Vous m'aimez donc comme je vous aime ?

LA REINE

Oui, mylord. — Certainement je n'ai pensé qu'à vous. Tellement que j'ai songé à vous ménager une surprise agréable à votre retour.

FABIANI

Comment ! quelle surprise ?

LA REINE

Une rencontre qui vous fera plaisir.

FABIANI

La rencontre de qui ?

LA REINE

Devinez. — Vous ne devinez pas ?

FABIANI

Non, madame.

LA REINE

Tournez-vous.

Il se retourne et aperçoit Jane sur le seuil de la petite porte entrouverte.

FABIANI, *à part.*

Jane!

JANE, *à part.*

C'est lui!

LA REINE, *toujours avec un sourire.*

Mylord, connaissez-vous cette jeune fille ?

FABIANI

Non, madame!

LA REINE

Jeune fille, connaissez-vous mylord ?

JANE

La vérité avant la vie. Oui, madame.

LA REINE

Ainsi, mylord, vous ne connaissez pas cette femme ?

FABIANI

Madame, on veut me perdre. Je suis entouré d'ennemis. Cette femme est liguée avec eux sans doute. Je ne la connais pas, madame! je ne sais pas qui elle est, madame!

LA REINE

se levant et lui frappant le visage de son gant.

Ah! tu es un lâche! — Ah! tu trahis l'une et tu renies l'autre! Ah! tu ne sais pas qui elle est! Veux-tu que je te le dise, moi ? Cette femme est Jane Talbot, fille de Jean Talbot, le bon seigneur catholique mort sur l'échafaud pour ma mère. Cette femme est Jane Talbot, ma cousine; Jane Talbot, comtesse de Shrewsbury, comtesse de Wexford, comtesse de Waterford, pairesse d'Angleterre! Voilà ce que c'est que cette femme! — Lord Paget, vous êtes commissaire du sceau privé, vous tiendrez compte de nos paroles. La reine d'Angleterre reconnaît solennellement la jeune femme ici présente pour Jane, fille et unique héritière du dernier comte de Waterford. *(Montrant les papiers.)* — Voici les titres et les preuves que vous ferez sceller du grand sceau. C'est notre plaisir [93]. *(A Fabiani.)* — Oui, comtesse de Waterford! et cela est prouvé! et tu rendras les biens, misérable! — Ah! tu ne connais pas cette femme! Ah! tu ne sais pas qui est cette femme! Eh bien, je te l'apprends, moi! c'est Jane Talbot! et faut-il t'en dire plus encore ?... *(Le regardant en face, à voix basse, entre les dents.)* — Lâche! c'est ta maîtresse!

FABIANI

Madame...

LA REINE

Voilà ce qu'elle est. Maintenant, voici ce que tu es, toi. — Tu es un homme sans âme, un homme sans cœur, un homme sans esprit! tu es un fourbe et un misérable! tu es... — Pardieu, messieurs, vous n'avez pas besoin de vous éloigner. Cela m'est bien égal que vous entendiez ce que je vais dire à cet homme! Je ne baisse pas la voix, il me semble. — Fabiano, tu es un misérable, un traître envers moi, un lâche envers elle, un valet menteur, le plus vil des hommes, le dernier des hommes! Cela est pourtant vrai, je t'ai fait comte de Clanbrassil, baron de Dinasmonddy, quoi encore ? baron de Darmouth en Devonshire. Eh bien, c'est que j'étais folle! Je vous demande pardon de vous avoir fait coudoyer par cet homme-là, mylords. Toi, chevalier! toi, gentilhomme! toi, seigneur! Mais compare-toi donc un peu à ceux qui sont cela, misérable! mais regarde, en voilà autour de toi, des gentilshommes! Voilà Bridges, baron Chandos; voilà Seymour, duc de Somerset; voilà les Stanley, qui sont comtes de Derby depuis l'an quatorze cent quatre-vingt-cinq! voilà les Clinton, qui sont barons Clinton depuis douze cent quatre-vingt-dix-huit! Est-ce que tu t'imagines que tu ressembles à ces gens-là, toi ? Tu te dis allié à la famille espagnole de Peñalver [94], mais ce n'est pas vrai, tu n'es qu'un mauvais italien, rien, moins que rien! fils d'un chaussetier du village de Larino [95]! — Oui, messieurs, fils d'un chaussetier! Je le savais, et je ne le disais pas, et je le cachais, et je faisais semblant de croire cet homme quand il parlait de sa noblesse. Car voilà comme nous sommes, nous autres femmes. O mon Dieu! je voudrais qu'il y eût des femmes ici, ce serait une leçon pour toutes. Ce misérable! ce misérable! il trompe une femme et renie l'autre! Infâme! certainement tu es bien infâme! Comment! depuis que je parle il n'est pas encore à genoux! A genoux, Fabiani! Mylords, mettez cet homme de force à genoux!

FABIANI

Votre majesté...

LA REINE

Ce misérable, que j'ai comblé de bienfaits! ce laquais napolitain, que j'ai fait chevalier doré et comte libre d'Angleterre! Ah! je devais m'attendre à ce qui arrive! On m'avait bien dit que cela finirait ainsi. Mais je suis toujours comme cela, je m'obstine, et je vois ensuite que j'ai eu tort. C'est ma faute. Italien, cela veut dire fourbe! Napolitain, cela veut dire lâche [96]! Toutes les fois que mon père s'est servi d'un italien, il s'en est repenti. Ce Fabiani! Tu vois, lady Jane, à quel homme tu t'es livrée, malheureuse enfant! — Je te vengerai, va! — Oh! je devais le savoir d'avance, on ne peut tirer autre chose de la poche d'un italien qu'un stylet, et de l'âme d'un italien que la trahison!

FABIANI

Madame, je vous jure...

LA REINE

Il va se parjurer, à présent! il sera vil jusqu'à la fin; il nous fera rougir jusqu'au bout devant ces hommes, nous autres faibles femmes qui l'avons aimé! il ne relèvera seulement pas la tête!

FABIANI

Si, madame! je la relèverai. Je suis perdu, je le vois bien. Ma mort est décidée. Vous emploierez tous les moyens, le poignard, le poison...

LA REINE, *lui prenant les mains et l'attirant vivement sur le devant du théâtre.*

Le poison! le poignard! que dis-tu là, italien [97] ? la vengeance traître, la vengeance honteuse, la vengeance par-derrière, la vengeance comme dans ton pays! Non, signor Fabiani, ni poignard, ni poison. Est-ce que j'ai à me cacher, moi ? à chercher le coin des rues la nuit, et à me faire petite quand je me venge ? Non, pardieu! je veux le grand jour, entends-tu, mylord? le plein midi, le beau soleil, la place publique, la hache et le billot, la foule dans la rue, la foule aux fenêtres, la foule sur les toits, cent mille témoins! Je veux qu'on ait peur, entends-tu, mylord! qu'on trouve cela splendide, effroyable et magnifique, et qu'on dise : C'est une femme qui a été outragée, mais c'est une reine qui se venge! Ce favori si envié, ce beau jeune homme insolent que j'ai couvert de velours et de satin, je veux le voir plié en deux effaré et tremblant, à genoux sur un drap noir, pieds nus, mains liées, hué par le peuple, manié par le bourreau. Ce cou blanc où j'avais mis un collier d'or, j'y veux mettre une corde. J'ai vu quel effet ce Fabiani faisait sur un trône, je veux voir quel effet il fera sur un échafaud.

FABIANI

Madame...

LA REINE

Plus un mot! Ah! plus un mot! Tu es bien véritablement perdu, vois-tu. Tu monteras sur l'échafaud comme Suffolk et Northumberland. C'est une fête comme une autre que je donnerai à ma bonne ville de Londres! Tu sais comme elle te hait, ma bonne ville! Pardieu! c'est une belle chose, quand on a besoin de se venger, d'être Marie, dame et reine d'Angleterre, fille de Henri VIII, et maîtresse des quatre mers [98]! Et quand tu seras sur l'échafaud, Fabiani, tu pourras, à ton gré, faire une longue harangue au peuple, comme Northumberland, ou une longue prière à Dieu, comme Suffolk, pour donner à la grâce le temps de venir; le ciel m'est témoin que tu es un traître et que la grâce ne viendra pas! Ce misérable fourbe qui me parlait d'amour et me disait « tu » ce matin! — Eh! mon Dieu, messieurs, cela paraît vous étonner que je parle ainsi devant vous, mais, je vous le répète, que m'importe? *(A lord Somerset.)* — Mylord duc, vous êtes constable [99] de la Tour, demandez son épée à cet homme.

FABIANI

La voici; mais je proteste. En admettant qu'il soit prouvé que j'ai trompé ou séduit une femme...

LA REINE

Eh! que m'importe que tu aies séduit une femme?

est-ce que je m'occupe de cela ? Ces messieurs sont témoins que cela m'est bien égal !

FABIANI

Séduire une femme, ce n'est pas un crime capital, madame. Votre majesté n'a pu faire condamner Trogmorton sur une accusation pareille.

LA REINE

Il nous brave maintenant, je crois ! le ver devient serpent. Et qui te dit que c'est de cela qu'on t'accuse ?

FABIANI

Alors, de quoi m'accuse-t-on ? Je ne suis pas anglais, moi, je ne suis pas sujet de votre majesté. Je suis sujet du roi de Naples et vassal du saint-père. Je sommerai son légat, l'éminentissime cardinal Polus, de me réclamer[100]. Je me défendrai, madame. Je suis étranger. Je ne puis être mis en cause que si j'ai commis un crime, un vrai crime. — Quel est mon crime ?

LA REINE

Tu demandes quel est ton crime ?

FABIANI

Oui, madame.

LA REINE

Vous entendez tous la question qui m'est faite, mylords. Vous allez entendre la réponse. Faites attention, et prenez garde à vous tous tant que vous êtes, car vous allez voir que je n'ai qu'à frapper du pied pour faire sortir de terre un échafaud. — Chandos ! Chandos ! ouvrez cette porte à deux battants ! Toute la cour ! tout le monde ! faites entrer tout le monde !

La porte du fond s'ouvre. Entre toute la cour.

SCÈNE VIII

LES MÊMES, LE LORD CHANCELIER, *toute la cour.*

LA REINE

Entrez, entrez, mylords. J'ai véritablement beaucoup de plaisir à vous voir tous aujourd'hui. — Bien, bien, les hommes de justice, par ici, plus près, plus près. — Où sont les sergents d'armes de la chambre des lords, Harriot et Herbert [101] ? Ah! vous voilà, messieurs. Soyez les bienvenus. Tirez vos épées. Bien. Placez-vous à droite et à gauche de cet homme. Il est votre prisonnier.

FABIANI

Madame, quel est mon crime ?

LA REINE

Mylord Gardiner, mon savant ami, vous êtes chancelier d'Angleterre, nous vous faisons savoir que vous ayez à vous assembler en diligence, vous et les douze lords commissaires de la chambre étoilée [102], que nous regrettons de ne pas voir ici. Il se passe des choses étranges dans ce palais. Ecoutez, mylords. Madame Elisabeth a déjà suscité plus d'un ennemi à notre couronne. Il y a eu le complot de Pietro Caro [103], qui a fait le mouvement d'Exeter, et qui correspondait secrètement avec madame Elisabeth par le moyen d'un chiffre taillé sur une guitare. Il y a eu la trahison de Thomas Wyat, qui a soulevé le comté de Kent. Il y a eu la rébellion du duc de Suffolk [104], lequel a été saisi dans le creux d'un arbre après la défaite des siens. Il y a aujourd'hui un nouvel attentat. Ecoutez tous. Aujourd'hui, ce matin, un homme s'est présenté à mon audience. Après quelques paroles, il a levé un poignard sur moi. J'ai arrêté son bras à temps. Lord Chandos et monsieur le bailli d'Amont ont saisi l'homme. Il a déclaré avoir été poussé à ce crime par lord Clanbrassil.

FABIANI

Par moi ? Cela n'est pas. Oh! mais voilà une chose affreuse! Cet homme n'existe pas. On ne retrouvera pas cet homme. Qui est-il ? où est-il ?

LA REINE

Il est ici.

GILBERT, *sortant du milieu des soldats derrière lesquels il est resté caché jusqu'alors.*

C'est moi.

LA REINE

En conséquence des déclarations de cet homme, nous, Marie, reine, nous accusons devant la chambre aux étoiles cet autre homme, Fabiano Fabiani, comte de Clanbrassil, de haute trahison et d'attentat régicide sur notre personne impériale et sacrée.

FABIANI

Régicide, moi! c'est monstrueux! Oh! ma tête s'égare, ma vue se trouble! Quel est ce piège? Qui que tu sois, misérable, oses-tu affirmer que ce qu'a dit la reine est vrai?

GILBERT

Oui [105].

FABIANI

Je t'ai poussé au régicide, moi?

GILBERT

Oui.

FABIANI

Oui! toujours oui! malédiction! C'est que vous ne pouvez pas savoir à quel point cela est faux, messeigneurs! Cet homme sort de l'enfer. Malheureux! tu veux me perdre, mais tu ignores que tu te perds en même temps. Le crime dont tu me charges te charge aussi. Tu me feras mourir, mais tu mourras. Avec un seul mot, insensé, tu fais tomber deux têtes, la mienne et la tienne. Sais-tu cela?

GILBERT

Je le sais.

FABIANI

Mylords, cet homme est payé...

GILBERT

Par vous. Voici la bourse pleine d'or que vous m'avez

donnée pour le crime. Votre blason et votre chiffre y sont brodés [106].

FABIANI

Juste ciel! — Mais on ne représente pas le poignard avec lequel cet homme voulait, dit-on, frapper la reine. Où est le poignard ?

LORD CHANDOS

Le voici.

GILBERT, *à Fabiani.*

C'est le vôtre. — Vous me l'avez donné pour cela. On en retrouvera le fourreau chez vous.

LE LORD CHANCELIER

Comte de Clanbrassil, qu'avez-vous à répondre ? Reconnaissez-vous cet homme ?

FABIANI

Non.

GILBERT

Au fait, il ne m'a vu que la nuit. — Laissez-moi lui dire deux mots à l'oreille, madame. Cela aidera sa mémoire. *(Il s'approche de Fabiani.)* — Tu ne reconnais donc personne aujourd'hui, mylord, pas plus l'homme outragé que la femme séduite ? Ah! la reine se venge, mais l'homme du peuple se venge aussi. Tu m'en avais défié, je crois! Te voilà pris entre les deux vengeances, mylord! Qu'en dis-tu ? — Je suis Gilbert le ciseleur!

FABIANI

Oui, je vous reconnais. — Je reconnais cet homme, mylords. Du moment où j'ai affaire à cet homme, je n'ai plus rien à dire [107].

LA REINE

Il avoue!

LE LORD CHANCELIER, *à Gilbert.*

D'après la loi normande et le statut vingt-cinq du roi Henri VIII [108], dans le cas de lèse-majesté au premier chef, l'aveu ne sauve pas le complice. N'oubliez point que c'est un cas où la reine n'a pas le droit de grâce, et que vous mourrez sur l'échafaud comme celui que vous accusez. Réfléchissez. Confirmez-vous tout ce que vous avez dit ?

GILBERT

Je sais que je mourrai, et je le confirme.

JANE, *à part.*

Mon Dieu ! si c'est un rêve, il est bien horrible !

LE LORD CHANCELIER, *à Gilbert.*

Consentez-vous à réitérer vos déclarations la main sur l'évangile ? *(Il présente l'évangile à Gilbert, qui y pose la main.)*

GILBERT

Je jure, la main sur l'évangile, et avec ma mort prochaine devant les yeux, que cet homme est un assassin ; que ce poignard, qui est le sien, a servi au crime ; que cette bourse, qui est la sienne, m'a été donnée par lui pour le crime. Que Dieu m'assiste ! c'est la vérité [109] !

LE LORD CHANCELIER, *à Fabiani.*

Mylord, qu'avez-vous à dire ?

FABIANI

Rien. — Je suis perdu !

SIMON RENARD, *bas, à la reine.*

Votre majesté a fait mander le bourreau. Il est là.

LA REINE

Bon. Qu'il vienne.

Les rangs des gentilshommes s'écartent, et l'on voit paraître le bourreau, vêtu de rouge et de noir, portant sur l'épaule une longue épée dans son fourreau [109 bis].

SCÈNE IX

LES MÊMES, LE BOURREAU

LA REINE

Mylord duc de Somerset, ces deux hommes à la Tour ! — Mylord Gardiner, notre chancelier, que leur procès commence dès demain devant les douze pairs de la chambre aux étoiles, et que Dieu soit en aide à la vieille Angleterre! Nous entendons que ces hommes soient jugés tous deux avant que nous partions pour Exford [110], où nous ouvrirons le parlement, et pour Windsor, où nous ferons nos pâques.

Au bourreau.

— Approche, toi! Je suis aise de te voir. Tu es un bon serviteur. Tu es vieux, tu as déjà vu trois règnes [111]. Il est d'usage que les souverains de ce royaume te fassent un don, le plus magnifique possible, à leur avènement. Mon père Henri VIII t'a donné l'agrafe en diamants de son manteau. Mon frère Edouard VI t'a donné un hanap d'or ciselé. C'est mon tour maintenant. Je ne t'ai encore rien donné, moi. Il faut que je te fasse un présent. Approche. *(Montrant Fabiani.)* — Tu vois bien cette tête, cette jeune et charmante tête, cette tête qui, ce matin encore, était ce que j'avais de plus beau, de plus cher et de plus précieux au monde, eh bien! cette tête, tu la vois bien, dis ? — je te la donne!

TROISIÈME JOURNÉE

LEQUEL DES DEUX ?

PREMIÈRE PARTIE

Salle de l'intérieur de la Tour de Londres. Voûte ogive soutenue par de gros piliers. A droite et à gauche, les deux portes basses de deux cachots. A droite, une lucarne qui est censée donner sur la Tamise; à gauche, une lucarne qui est censée donner sur les rues. De chaque côté, une porte masquée dans le mur. Au fond, une galerie avec une sorte de grand balcon fermé par des vitraux et donnant sur les cours extérieures de la Tour.

SCÈNE PREMIÈRE

GILBERT, JOSHUA

GILBERT

Eh bien ?

JOSHUA

Hélas !

GILBERT

Plus d'espoir ?

JOSHUA

Plus d'espoir ! *(Gilbert va à la fenêtre.)* — Oh ! tu ne verras rien de la fenêtre !

GILBERT

Tu t'es informé, n'est-ce pas ?

JOSHUA

Je ne suis que trop sûr !

GILBERT

C'est pour Fabiani ?

JOSHUA

C'est pour Fabiani.

GILBERT

Que cet homme est heureux! Malédiction sur moi!

JOSHUA

Pauvre Gilbert! ton tour viendra. Aujourd'hui c'est lui, demain ce sera toi.

GILBERT

Que veux-tu dire ? Nous ne nous entendons pas. De quoi me parles-tu ?

JOSHUA

De l'échafaud qu'on dresse en ce moment.

GILBERT

Et moi, je te parle de Jane.

JOSHUA

De Jane ?

GILBERT

Oui, de Jane! de Jane seulement! Que m'importe le reste ? Tu as donc tout oublié, toi ? tu ne te souviens donc plus que, depuis un mois, collé aux barreaux de mon cachot d'où l'on aperçoit la rue, je la vois rôder sans cesse, pâle et en deuil, au pied de cette tourelle qui renferme deux hommes, Fabiani et moi ? Tu ne te rappelles donc plus mes angoisses, mes doutes, mes incertitudes ? Pour lequel des deux vient-elle ? Je me fais cette question nuit et jour, pauvre misérable! je te l'ai faite à toi-même, Joshua, et tu m'avais promis hier au soir de tâcher de la voir et de lui parler. Oh! dis! sais-tu quelque chose ? Est-ce pour moi qu'elle vient ou pour Fabiani ?

JOSHUA

J'ai su que Fabiani devait décidément être décapité aujourd'hui, et toi demain, et j'avoue que depuis ce moment-là je suis comme fou, Gilbert. L'échafaud a fait sortir Jane de mon esprit. Ta mort...

GILBERT

Ma mort! Qu'entends-tu par ce mot ? Ma mort, c'est

que Jane ne m'aime plus. Du jour où je n'ai plus été aimé, j'ai été mort. Oh! vraiment mort, Joshua! Ce qui survit de moi depuis ce temps ne vaut pas la peine qu'on prendra demain. Oh! vois-tu, tu ne te fais pas d'idée de ce que c'est qu'un homme qui aime! Si l'on m'avait dit il y a deux mois : Jane, votre Jane sans tache, votre Jane si pure, votre amour, votre orgueil, votre lys, votre trésor, Jane se donnera à un autre; en voudrez-vous après ? — j'aurais dit : Non, je n'en voudrai pas! plutôt mille fois la mort pour elle et pour moi! Et j'aurais foulé sous mes pieds celui qui m'eût parlé ainsi. — Eh bien, si, j'en veux! — Aujourd'hui, vois-tu bien, Jane n'est plus la Jane sans tache qui avait mon adoration, la Jane dont j'osais à peine effleurer le front de mes lèvres, Jane s'est donnée à un autre, à un misérable, je le sais, eh bien, c'est égal, je l'aime! j'ai le cœur brisé, mais je l'aime! Je baiserais le bas de sa robe, et je lui demanderais pardon si elle voulait de moi. Elle serait dans le ruisseau de la rue avec celles qui y sont que je la ramasserais là et que je la serrerais sur mon cœur, Joshua! — Joshua, je donnerais, non cent ans de vie, puisque je n'ai plus qu'un jour, mais l'éternité que j'aurai demain, pour la voir me sourire encore une fois, une seule fois avant ma mort, et me dire ce mot adoré qu'elle me disait autrefois : Je t'aime! — Joshua, Joshua, c'est comme cela, le cœur d'un homme qui aime. Vous croyez que vous tuerez la femme qui vous trompe ? Non, vous ne la tuerez pas, vous vous coucherez à ses pieds après comme avant; seulement vous serez triste. Tu me trouves faible ? Qu'est-ce que j'aurais gagné, moi, à tuer Jane ? Oh! J'ai le cœur plein d'idées insupportables! Oh! si elle m'aimait encore, que m'importe tout ce qu'elle a fait ? Mais elle aime Fabiani! mais elle aime Fabiani! c'est pour Fabiani qu'elle vient! Il y a une chose certaine, c'est que je voudrais mourir! Aie pitié de moi, Joshua!

JOSHUA

Fabiani sera mis à mort aujourd'hui.

GILBERT

Et moi demain.

JOSHUA

Dieu est au bout de tout.

GILBERT

Aujourd'hui je serai vengé de lui. Demain il sera vengé de moi.

JOSHUA

Mon frère, voici le second constable de la Tour, maître Eneas Dulverton. Il faut rentrer. Mon frère, je te reverrai ce soir.

GILBERT

Oh! mourir sans être aimé! mourir sans être pleuré! Jane!... Jane!... Jane!... *(Il rentre dans le cachot.)*

JOSHUA

Pauvre Gilbert! Mon Dieu! qui m'eût jamais dit que ce qui arrive arriverait?

Il sort. — Entrent Simon Renard et maître Eneas.

SCÈNE II

SIMON RENARD, MAÎTRE ENEAS DULVERTON

SIMON RENARD

C'est fort singulier, comme vous dites; mais que voulez-vous? la reine est folle, elle ne sait ce qu'elle veut. On ne peut compter sur rien, c'est une femme. Je vous demande un peu ce qu'elle vient faire ici! Tenez, le cœur de la femme est une énigme dont le roi François Ier a écrit le mot sur les vitraux de Chambord :

Souvent femme varie,
Bien fol est qui s'y fie [112].

Ecoutez, maître Eneas, nous sommes anciens amis. Il faut que cela finisse aujourd'hui. Tout dépend de vous ici. Si l'on vous charge... *(Il parle bas à l'oreille de maître Eneas.)* — Traînez la chose en longueur, faites-la manquer adroitement. Que j'aie deux heures seulement devant moi ce soir, ce que je veux est fait, demain plus de favori, je suis tout-puissant, et après-demain vous êtes baronnet et lieutenant de la Tour. Est-ce compris?

MAÎTRE ENEAS

C'est compris.

SIMON RENARD

Bien. J'entends venir. Il ne faut pas qu'on nous voie ensemble. Sortez par là. Moi, je vais au-devant de la reine.

Ils se séparent.

SCÈNE III

UN GEÔLIER *entre avec précaution, puis il introduit* Lady JANE.

LE GEÔLIER

Vous êtes où vous vouliez parvenir, mylady. Voici les portes des deux cachots. Maintenant, s'il vous plaît, ma récompense. *(Jane détache son bracelet de diamants et le lui donne.)*

JANE

La voilà.

LE GEÔLIER

Merci. Ne me compromettez pas. *(Il sort.)*

JANE, *seule.*

Mon Dieu! comment faire? C'est moi qui l'ai perdu, c'est à moi de le sauver. Je ne pourrai jamais. Une femme, cela ne peut rien. L'échafaud! l'échafaud! c'est horrible! Allons, plus de larmes, des actions. — Mais je ne pourrai pas! je ne pourrai pas! Ayez pitié de moi, mon Dieu! On vient, je crois. Qui parle là? Je reconnais cette voix. C'est la voix de la reine. Ah! tout est perdu!

Elle se cache derrière un pilier. — Entrent la reine et Simon Renard.

SCÈNE IV

LA REINE, SIMON RENARD; JANE, *cachée.*

LA REINE

Ah! le changement vous étonne! Ah! je ne me ressemble plus à moi-même! Eh bien! qu'est-ce que cela me fait? c'est comme cela. Maintenant, je ne veux plus qu'il meure!

SIMON RENARD

Votre majesté avait pourtant arrêté hier que l'exécution aurait lieu aujourd'hui.

LA REINE

Comme j'avais arrêté avant-hier que l'exécution aurait lieu hier. Comme j'avais arrêté dimanche que l'exécution aurait lieu lundi. Aujourd'hui, j'arrête que l'exécution aura lieu demain [113].

SIMON RENARD

En effet, depuis le deuxième dimanche de l'avent [114] que l'arrêt de la chambre étoilée a été prononcé, et que les deux condamnés sont revenus à la Tour, précédés du bourreau, la hache tournée vers leur visage, il y a trois semaines de cela, votre majesté remet chaque jour la chose au lendemain.

LA REINE

Eh bien! est-ce que vous ne comprenez pas ce que cela signifie, monsieur? est-ce qu'il faut tout vous dire, et qu'une femme mette son cœur à nu devant vous, parce qu'elle est reine, la malheureuse, et que vous représentez ici le prince d'Espagne, mon futur mari? Mon Dieu, monsieur, vous ne savez pas cela, vous autres, chez une femme le cœur a sa pudeur comme le corps [115]. Eh bien, oui, puisque vous voulez le savoir, puisque vous faites semblant de ne rien comprendre, oui, je remets tous les jours l'exécution de Fabiani au lendemain, parce que chaque matin, voyez-vous, la force me manque à l'idée que la cloche de la Tour de Londres va sonner la mort de cet homme, parce que je me sens défaillir à la pensée qu'on aiguise une hache pour cet homme, parce que je me sens mourir de songer qu'on va clouer une bière pour cet homme, parce que je suis femme, parce que je suis faible, parce que je suis folle, parce que j'aime cet homme, pardieu! — En avez-vous assez? êtes-vous satisfait? comprenez-vous? Oh! je trouverai moyen de me venger un jour sur vous de tout ce que vous me faites dire, allez!

SIMON RENARD

Il serait temps cependant d'en finir avec Fabiani. Vous

allez épouser mon royal maître le prince d'Espagne, madame.

LA REINE

Si le prince d'Espagne n'est pas content, qu'il le dise, nous en épouserons un autre. Nous ne manquons pas de prétendants. Le fils du roi des Romains, le prince de Piémont, l'infant de Portugal, le cardinal Polus, le roi de Danemark et lord Courtenay [116] sont aussi bons gentilshommes que lui.

SIMON RENARD

Lord Courtenay! lord Courtenay!

LA REINE

Un baron anglais, monsieur, vaut un prince espagnol. D'ailleurs lord Courtenay descend des empereurs d'Orient. Et puis, fâchez-vous si vous voulez!

SIMON RENARD

Fabiani s'est fait haïr de tout ce qui a un cœur dans Londres.

LA REINE

Excepté de moi.

SIMON RENARD

Les bourgeois sont d'accord sur son compte avec les seigneurs. S'il n'est pas mis à mort aujourd'hui même, comme l'a promis votre majesté...

LA REINE

Eh bien ?

SIMON RENARD

Il y aura émeute des manants.

LA REINE

J'ai mes lansquenets.

SIMON RENARD

Il y aura complot des seigneurs.

LA REINE

J'ai le bourreau.

SIMON RENARD

Votre majesté a juré sur le livre d'heures de sa mère qu'elle ne lui ferait pas grâce.

LA REINE

Voici un blanc-seing qu'il m'a fait remettre, et dans lequel je jure sur ma couronne impériale [117] que je la lui ferai. La couronne de mon père vaut le livre d'heures de ma mère. Un serment détruit l'autre [118]. D'ailleurs qui vous dit que je lui ferai grâce ?

SIMON RENARD

Il vous a bien audacieusement trahie, madame!

LA REINE

Qu'est-ce que cela me fait ? Tous les hommes en font autant. Je ne veux pas qu'il meure. Tenez, mylord [119]... — monsieur le bailli, veux-je dire; mon Dieu! vous me troublez tellement l'esprit, que je ne sais vraiment plus à qui je parle! — tenez, je sais tout ce que vous allez me dire. Que c'est un homme vil, un lâche, un misérable! Je le sais comme vous, et j'en rougis. Mais je l'aime [120]. Que voulez-vous que j'y fasse ? J'aimerais peut-être moins un honnête homme. D'ailleurs, qui êtes-vous, tous tant que vous êtes ? Valez-vous mieux que lui! Vous allez me dire que c'est un favori, et que la nation anglaise n'aime pas les favoris. Est-ce que je ne sais pas que vous ne voulez le renverser que pour mettre à sa place le comte de Kildare [121], ce fat, cet irlandais ? Qu'il fait couper vingt têtes par jour! Qu'est-ce que cela vous fait ? Et ne me parlez pas du prince d'Espagne. Vous vous en moquez bien! Ne me parlez pas du mécontentement de M. de Noailles, l'ambassadeur de France. M. de Noailles [122] est un sot, et je le lui dirai à lui-même. D'ailleurs, je suis une femme, moi, je veux et je ne veux plus, je ne suis pas tout d'une pièce. La vie de cet homme est nécessaire à ma vie. Ne prenez pas cet air de candeur virginale et de bonne foi, je vous en supplie. Je connais toutes vos intrigues [123]. Entre nous, vous savez, comme moi, qu'il n'a pas commis le crime pour lequel il est condamné. C'est arrangé. Je ne veux pas que Fabiani meure. Suis-je la maîtresse ou non ? Tenez, monsieur le bailli, parlons d'autre chose, voulez-vous ?

SIMON RENARD

Je me retire, madame. Toute votre noblesse vous a parlé par ma voix.

LA REINE

Que m'importe la noblesse!

SIMON RENARD, *à part.*

Essayons du peuple. *(Il sort avec un profond salut.)*

LA REINE, *seule.*

Il est sorti d'un air singulier. Cet homme est capable d'émouvoir quelque sédition. Il faut que j'aille en hâte à la maison de ville [124]. — Holà, quelqu'un!

Maître Eneas et Joshua paraissent.

SCÈNE V

LES MÊMES, *moins* SIMON RENARD; MAÎTRE ENEAS, JOSHUA

LA REINE

C'est vous, maître Eneas ? Il faut que cet homme et vous, vous vous chargiez de faire évader sur-le-champ le comte de Clanbrassil.

MAÎTRE ENEAS

Madame...

LA REINE

Tenez, je ne me fie pas à vous, je me souviens que vous êtes de ses ennemis. Mon Dieu! je ne suis donc entourée que des ennemis de l'homme que j'aime. Je gage que ce porte-clefs, que je ne connais pas, le hait aussi.

JOSHUA

C'est vrai, madame.

LA REINE

Mon Dieu! mon Dieu! ce Simon Renard est plus roi que je ne suis reine. Quoi! personne à qui me fier ici!

personne à qui donner pleins pouvoirs pour faire évader Fabiani!

JANE, *sortant de derrière le pilier.*

Si, madame, moi [125]!

JOSHUA, *à part.*

Jane!

LA REINE

Toi! qui, toi! C'est vous, Jane Talbot? Comment êtes-vous ici? Ah! c'est égal, vous y êtes! vous venez sauver Fabiani. Merci. Je devrais vous haïr, Jane, je devrais être jalouse de vous, j'ai mille raisons pour cela. Mais non, je vous aime de l'aimer. Devant l'échafaud, plus de jalousie, rien que l'amour. Vous êtes comme moi, vous lui pardonnez, je le vois bien. Les hommes ne comprennent pas cela, eux. Lady Jane, entendons-nous. Nous sommes bien malheureuses toutes deux, n'est-ce pas? Il faut faire évader Fabiani. Je n'ai que vous, il faut bien que je vous prenne. Je suis sûre du moins que vous y mettrez votre cœur. Chargez-vous-en. Messieurs, vous obéirez tous deux à lady Jane en tout ce qu'elle vous prescrira, et vous me répondez sur vos têtes de l'exécution de ses ordres. Embrasse-moi, jeune fille!

JANE

La Tamise baigne le pied de la Tour de ce côté. Il y a là une issue secrète que j'ai observée. Un bateau à cette issue, et l'évasion se ferait par la Tamise. C'est le plus sûr.

MAÎTRE ENEAS

Impossible d'avoir un bateau là avant une bonne heure.

JANE

C'est bien long.

MAÎTRE ENEAS

C'est bientôt passé. D'ailleurs, dans une heure il fera nuit. Cela vaudra mieux, si sa majesté tient à ce que l'évasion soit secrète.

LA REINE

Vous avez peut-être raison. Eh bien, dans une heure, soit! Je vous laisse, lady Jane. Il faut que j'aille à la maison de ville. Sauvez Fabiani!

JANE

Soyez tranquille, madame!

La reine sort. Jane la suit des yeux.

JOSHUA, *sur le devant du théâtre.*

Gilbert avait raison, toute à Fabiani!

SCÈNE VI

LES MÊMES, *moins* LA REINE

JANE, *à maître Eneas.*

Vous avez entendu les volontés de la reine. Un bateau là au pied de la Tour, les clefs des couloirs secrets, un chapeau et un manteau.

MAÎTRE ENEAS

Impossible d'avoir tout cela avant la nuit. Dans une heure, mylady.

JANE

C'est bien. Allez. Laissez-moi avec cet homme.

Maître Eneas sort. Jane le suit des yeux.

JOSHUA, *à part, sur le devant du théâtre.*

Cet homme! C'est tout simple. Qui a oublié Gilbert ne reconnaît plus Joshua. *(Il se dirige vers le cachot de Fabiani et se met en devoir de l'ouvrir.)*

JANE

Que faites-vous là ?

JOSHUA

Je préviens vos désirs, mylady. J'ouvre cette porte.

JANE

Qu'est-ce que c'est que cette porte ?

JOSHUA

La porte du cachot de mylord Fabiani.

JANE

Et celle-ci ?

JOSHUA

C'est la porte du cachot d'un autre.

JANE

Qui, cet autre ?

JOSHUA

Un autre condamné à mort. Quelqu'un que vous ne connaissez pas. Un ouvrier nommé Gilbert.

JANE

Ouvrez cette porte !

JOSHUA, *après avoir ouvert la porte.*

Gilbert !

SCÈNE VII [136]

JANE, GILBERT, JOSHUA

GILBERT, *de l'intérieur du cachot.*

Que me veut-on ?

Il paraît sur le seuil, aperçoit Jane, et s'appuie tout chancelant contre le mur.

— Jane ! lady Jane Talbot !

JANE, *à genoux sans lever les yeux sur lui.*

Gilbert, je viens vous sauver.

GILBERT

Me sauver !

JANE

Ecoutez. Ayez pitié, ne m'accablez pas. Je sais tout ce que vous allez me dire. C'est juste; mais ne me le dites pas. Il faut que je vous sauve. Tout est préparé. L'évasion est sûre. Laissez-vous sauver par moi comme par un autre. Je ne demande rien de plus. Vous ne me connaîtrez plus ensuite. Vous ne saurez plus qui je suis. Ne me pardonnez pas, mais laissez-moi vous sauver [127]. Voulez-vous ?

GILBERT

Merci; mais c'est inutile. A quoi bon vouloir sauver ma vie, lady Jane, si vous ne m'aimez plus ?

JANE, *avec joie.*

Oh! Gilbert, est-ce bien en effet cela que vous me demandez ? Gilbert, est-ce que vous daignez vous occuper encore de ce qui se passe dans le cœur de la pauvre fille ? Gilbert, est-ce que l'amour que je puis avoir pour quelqu'un vous intéresse encore et vous paraît valoir la peine que vous vous en informiez ? Oh! je croyais que cela vous était bien égal, et que vous me méprisiez trop pour vous inquiéter de ce que je faisais de mon cœur. Gilbert, si vous saviez quel effet me font les paroles que vous venez de me dire! C'est un rayon de soleil bien inattendu dans ma nuit, allez! Oh! écoutez-moi donc alors! Si j'osais encore m'approcher de vous, si j'osais toucher vos vêtements, si j'osais prendre votre main dans les miennes, si j'osais encore lever les yeux vers vous et vers le ciel, comme autrefois, savez-vous ce que je vous dirais, à genoux, prosternée, pleurant sur vos pieds, avec des sanglots dans la bouche et la joie des anges dans le cœur ? Je vous dirais : Gilbert, je t'aime!

GILBERT,
la saisissant dans ses bras avec emportement.

Tu m'aimes!

JANE

Oui, je t'aime!

GILBERT

Tu m'aimes! — Elle m'aime, mon Dieu! c'est bien vrai, c'est bien elle qui me le dit, c'est bien sa bouche qui a parlé, Dieu du ciel!

JANE

Mon Gilbert!

GILBERT

Tu as tout préparé pour mon évasion, dis-tu! Vite! vite! la vie! je veux la vie, Jane m'aime [128]! cette voûte s'appuie sur ma tête et l'écrase. J'ai besoin d'air. J'étouffe ici. Fuyons vite! Viens-nous-en, Jane! Je veux vivre, moi! je suis aimé!

JANE

Pas encore. Il faut un bateau. Il faut attendre la nuit. Mais sois tranquille, tu es sauvé. Avant une heure, nous serons dehors. La reine est à la maison de ville, et ne reviendra pas de sitôt. Je suis maîtresse ici. Je t'expliquerai tout cela.

GILBERT

Une heure d'attente, c'est bien long! Oh! il me tarde de ressaisir la vie et le bonheur. Jane, Jane, tu es là! Je vivrai! tu m'aimes! Je reviens de l'enfer! Retiens-moi, je ferai quelque folie, vois-tu. Je rirais, je chanterais. Tu m'aimes donc?

JANE

Oui! je t'aime! Oui, je t'aime! Et, — vois-tu, Gilbert, crois-moi bien, ceci est la vérité comme au lit de la mort, — je n'ai jamais aimé que toi! Même dans ma faute, même au fond de mon crime, je t'aimais! A peine ai-je été tombée aux bras du démon qui m'a perdue, que j'ai pleuré mon ange[129]!

GILBERT

Oublié! pardonné! Ne parle plus de cela. Jane. Oh! que m'importe le passé? Qui est-ce qui résisterait à ta voix? qui est-ce qui ferait autrement que moi? Oh! oui, je te pardonne bien tout, mon enfant bien-aimée! Le fond de l'amour, c'est l'indulgence, c'est le pardon. Jane, la jalousie et le désespoir ont brûlé les larmes dans mes yeux. Mais je te pardonne, mais je te remercie, mais tu es pour moi la seule chose vraiment rayonnante de ce monde, mais à chaque mot que tu prononces je sens une douleur mourir et une joie naître dans mon âme! Jane relevez votre tête, tenez-vous droite là, et regardez-moi. — Je vous dis que vous êtes mon enfant.

JANE

Toujours généreux! toujours! mon Gilbert bien-aimé!

GILBERT

Oh! je voudrais être déjà dehors, en fuite, bien loin, libre avec toi! Oh! cette nuit qui ne vient pas! — Le bateau n'est pas là! — Jane, nous quitterons Londres tout de suite, cette nuit. Nous quitterons l'Angleterre. Nous irons à Venise. Ceux de mon métier gagnent beaucoup d'argent là. Tu seras à moi... — Oh! mon Dieu! je suis insensé, j'oubliais quel nom tu portes! Il est trop beau, Jane!

JANE

Que veux-tu dire ?

GILBERT

Fille de lord Talbot!

JANE

J'en sais un plus beau.

GILBERT

Lequel ?

JANE

Femme de l'ouvrier Gilbert.

GILBERT

Jane!...

JANE

Oh! non, oh! ne crois pas que je te demande cela. Oh! je sais bien que j'en suis indigne. Je ne lèverai pas mes yeux si haut. Je n'abuserai pas à ce point du pardon. Le pauvre ciseleur Gilbert ne se mésalliera pas avec la comtesse de Waterford! Non, je te suivrai, je t'aimerai, je ne te quitterai jamais. Je me coucherai le jour à tes pieds, la nuit à ta porte. Je te regarderai travailler, je t'aiderai, je te donnerai ce qu'il te faudra. Je serai pour toi quelque chose de moins qu'une sœur, quelque chose de plus qu'un chien. Et, si tu te maries, Gilbert, — car il plaira à Dieu que tu finisses par trouver une femme pure et sans tache, et digne de toi, — eh bien, si tu te maries, et si ta femme est bonne, et si elle veut bien, je serai la servante de ta femme. Si elle ne veut pas de moi, je m'en irai, j'irai mourir où je pourrai. Je ne te quitterai que dans ce cas-là. Si tu ne te maries pas, je resterai près de toi, je serai bien douce et bien résignée, tu verras; et, si l'on pense mal de me voir avec toi, on pensera ce qu'on voudra. Je n'ai plus à rougir, moi, vois-tu! je suis une pauvre fille!

GILBERT, *tombant à ses pieds.*

Tu es un ange! tu es ma femme!

JANE

Ta femme! tu ne pardonnes donc que comme Dieu, en purifiant! Ah! sois béni, Gilbert, de me mettre cette couronne sur le front!

Gilbert se relève et la serre dans ses bras. Pendant qu'ils se tiennent étroitement embrassés, Joshua vient prendre la main de Jane.

JOSHUA

C'est Joshua, lady Jane.

GILBERT

Bon Joshua!

JOSHUA

Tout à l'heure vous ne m'avez pas reconnu.

JANE

Ah! c'est que c'est par lui que je devais commencer.

Joshua lui baise les mains.

GILBERT, *la serrant dans ses bras.*

Mais quel bonheur! mais est-ce que c'est bien réel, tout ce bonheur-là?

Depuis quelques instants, on entend au-dehors un bruit éloigné, des cris confus, un tumulte. Le jour baisse.

JOSHUA

Qu'est-ce que c'est que ce bruit? *(Il va à la fenêtre qui donne sur la rue.)*

JANE

Oh! mon Dieu! pourvu qu'il n'aille rien arriver!

JOSHUA

Une grande foule là-bas. Des pioches, des piques, des torches. Les pensionnaires de la reine à cheval et en bataille. Tout cela vient par ici. Quels cris! Ah diable! On dirait une émeute de populaire [130].

JANE

Pourvu que ce ne soit pas contre Gilbert !

CRIS ÉLOIGNÉS

Fabiani ! Mort à Fabiani !

JANE

Entendez-vous ?

JOSHUA

Oui.

JANE

Que disent-ils ?

JOSHUA

Je ne distingue pas.

JANE

Ah ! mon Dieu ! mon Dieu !

Entrent précipitamment par la porte masquée maître Eneas et un batelier.

SCÈNE VIII

LES MÊMES, MAÎTRE ENEAS, UN BATELIER

MAÎTRE ENEAS

Mylord Fabiani, mylord ! pas un instant à perdre ! On a su que la reine voulait sauver votre vie. Il y a sédition du populaire de Londres contre vous. Dans un quart d'heure, vous seriez déchiré. Mylord, sauvez-vous ! Voici un manteau et un chapeau. Voici les clefs. Voici un batelier. N'oubliez pas que c'est à moi que vous devez tout cela. Mylord, hâtez-vous ! *(Bas au batelier.)* — Tu ne te presseras pas.

JANE

(Elle couvre en hâte Gilbert du manteau et du chapeau.)

(Bas à Joshua.) Ciel ! pourvu que cet homme ne reconnaisse pas...

MAÎTRE ENEAS, *regardant Gilbert en face.*

Mais quoi! ce n'est pas lord Clanbrassil! Vous n'exécutez pas les ordres de la reine, mylady! Vous en faites évader un autre!

JANE

Tout est perdu! — J'aurais dû prévoir cela! Ah! Dieu! monsieur, c'est vrai, ayez pitié...

MAÎTRE ENEAS, *bas à Jane*

Silence! Faites! Je n'ai rien dit, je n'ai rien vu.

Il se retire au fond du théâtre d'un air d'indifférence.

JANE

Que dit-il? — Ah! la providence est donc pour nous! Ah! tout le monde veut donc sauver Gilbert!

JOSHUA

Non, lady Jane. Tout le monde veut perdre Fabiani [131].

Pendant toute cette scène, les cris redoublent au-dehors.

JANE

Hâtons-nous, Gilbert! Viens vite!

JOSHUA

Laissez-le partir seul.

JANE

Le quitter!

JOSHUA

Pour un instant. Pas de femme dans le bateau, si vous voulez qu'il arrive à bon port. Il y a encore trop de jour. Vous êtes vêtue de blanc [132]. Le péril passé, vous vous retrouverez. Venez avec moi par ici. Lui par là.

JANE

Joshua a raison. Où te retrouverai-je, mon Gilbert?

GILBERT

Sous la première arche du pont de Londres.

JANE

Bien. Pars vite. Le bruit redouble. Je te voudrais loin!

JOSHUA

Voici les clefs. Il y a douze portes à ouvrir et à fermer d'ici au bord de l'eau [133]. Vous en avez pour un bon quart d'heure.

JANE

Un quart d'heure! douze portes! c'est affreux!

GILBERT, *l'embrassant.*

Adieu, Jane. Encore quelques instants de séparation, et nous nous rejoindrons pour la vie.

JANE

Pour l'éternité! *(Au batelier.)* — Monsieur, je vous le recommande.

MAÎTRE ENEAS, *bas au batelier.*

De crainte d'accident, ne te presse pas.

Gilbert sort avec le batelier.

JOSHUA

Il est sauvé! A nous maintenant! Il faut fermer ce cachot. *(Il referme le cachot de Gilbert.)* — C'est fait. Venez vite, par ici! *(Il sort avec Jane par l'autre porte masquée.)*

MAÎTRE ENEAS, *seul.*

Le Fabiani est resté au piège! Voilà une petite femme fort adroite que maître Simon Renard eût payée bien cher. Mais comment la reine prendra-t-elle la chose? Pourvu que cela ne retombe pas sur moi!

Entrent à grands pas par la galerie Simon Renard et la reine [134]. Le tumulte extérieur n'a cessé d'augmenter. La nuit est presque tout à fait tombée. — Cris de mort, flambeaux, torches, bruit des vagues de la foule. Cliquetis d'armes, coups de feu, piétinements de chevaux. Plusieurs gentilshommes, la dague au poing, accompagnent la reine. Parmi eux, le héraut d'Angleterre, Clarence [135], portant la bannière royale, et le héraut de l'ordre de la jarretière, Jarretière portant la bannière de l'ordre.

SCÈNE IX

LA REINE, SIMON RENARD, MAÎTRE ENEAS, LORD CLINTON, LES DEUX HÉRAUTS, Seigneurs, Pages, etc.

LA REINE, *bas, à maître Eneas.*

Fabiani est-il évadé ?

MAÎTRE ENEAS

Pas encore.

LA REINE

Pas encore !

Elle le regarde fixement d'un air terrible.

MAÎTRE ENEAS, *à part.*

Diable !

CRIS DU PEUPLE, *au-dehors.*

Mort à Fabiani !

SIMON RENARD

Il faut que votre majesté prenne un parti sur-le-champ, madame. Le peuple veut la mort de cet homme. Londres est en feu. La Tour est investie. L'émeute est formidable. Les nobles de ban [136] ont été taillés en pièces au pont de Londres. Les pensionnaires de votre majesté tiennent encore ; mais votre majesté n'en a pas moins été traquée de rue en rue, depuis la maison de ville jusqu'à la Tour. Les partisans de madame Elisabeth [137] sont mêlés au peuple. On sent qu'ils sont là, à la malignité de l'émeute. Tout cela est sombre. Qu'ordonne votre majesté ?

CRIS DU PEUPLE

Fabiani ! Mort à Fabiani ! *(Ils grossissent et se rapprochent de plus en plus.)*

LA REINE

Mort à Fabiani ! Mylords, entendez-vous ce peuple qui hurle ? Il faut lui jeter un homme. La populace veut à manger.

SIMON RENARD

Qu'ordonne votre majesté ?

LA REINE

Pardieu, mylords, vous tremblez tous autour de moi, il me semble! Sur mon âme, faut-il que ce soit une femme qui vous enseigne votre métier de gentilshommes! A cheval, mylords, à cheval! Est-ce que la canaille vous intimide ? Est-ce que les épées ont peur des bâtons [138] ?

SIMON RENARD

Ne laissez pas les choses aller plus loin. Cédez, madame, pendant qu'il en est temps encore. Vous pouvez encore dire la canaille, dans une heure vous seriez obligée de dire le peuple.

Les cris redoublent, le bruit se rapproche.

LA REINE

Dans une heure!

SIMON RENARD, *allant à la galerie et revenant.*

Dans un quart d'heure, madame. Voici que la première enceinte de la Tour est forcée. Encore un pas, le peuple est ici.

LE PEUPLE

A la Tour! à la Tour! Fabiani! mort à Fabiani!

LA REINE

Qu'on a bien raison de dire que c'est une horrible chose que le peuple! Fabiano!

SIMON RENARD

Voulez-vous le voir déchirer sous vos yeux dans un instant ?

LA REINE

Mais savez-vous qu'il est infâme qu'il n'y en ait pas un de vous qui bouge, messieurs ? mais, au nom du ciel, défendez-moi donc!

LORD CLINTON

Vous, oui, madame. Fabiani non.

LA REINE

Ah! ciel! Eh bien oui! je le dis tout haut, tant pis! Fabiano est innocent! Fabiano n'a pas commis le crime pour lequel il est condamné. C'est moi, et celui-ci, et le ciseleur Gilbert, qui avons tout fait, tout inventé, tout supposé. Pure comédie! Osez me démentir, monsieur le bailli! Maintenant, messieurs, le défendrez-vous ? Il est innocent, vous dis-je! Sur ma tête, sur ma couronne, sur mon Dieu, sur l'âme de ma mère, il est innocent du crime! Cela est aussi vrai qu'il est vrai que vous êtes là, lord Clinton. Défendez-le. Exterminez ceux-ci, comme vous avez exterminé Tom Wyat, mon brave Clinton, mon vieil ami, mon bon Robert! Je vous jure qu'il est faux que Fabiano ait voulu assassiner la reine.

LORD CLINTON

Il y a une autre reine qu'il a voulu assassiner, c'est l'Angleterre.

Les cris continuent dehors.

LA REINE

Le balcon! ouvrez le balcon! Je veux prouver moi-même au peuple qu'il n'est pas coupable!

SIMON RENARD

Prouvez au peuple qu'il n'est pas italien.

LA REINE

Quand je pense que c'est un Simon Renard, une créature du cardinal de Granvelle [139], qui ose me parler ainsi! Eh bien, ouvrez cette porte! ouvrez ce cachot! Fabiano est là. Je veux le voir, je veux lui parler.

SIMON RENARD, *bas.*

Que faites-vous ? Dans son propre intérêt, il est inutile de faire savoir à tout le monde où il est.

LE PEUPLE

Fabiani à mort! Vive Elisabeth!

SIMON RENARD

Les voilà qui crient vive Elisabeth! maintenant.

LA REINE

Mon Dieu! mon Dieu!

SIMON RENARD

Choisissez, madame *(il désigne d'une main la porte du cachot) :* — ou cette tête au peuple *(il désigne de l'autre main la couronne que porte la reine)*, — ou cette couronne à madame Elisabeth.

LE PEUPLE

Mort! mort! Fabiani! Elisabeth!

Une pierre vient casser une vitre à côté de la reine.

SIMON RENARD

Votre majesté se perd sans le sauver. La deuxième cour est forcée. Que veut la reine ?

LA REINE

Vous êtes tous des lâches, et Clinton tout le premier! Ah! Clinton, je me souviendrai de cela, mon ami!

SIMON RENARD

Que veut la reine ?

LA REINE

Oh! être abandonnée de tous! avoir tout dit sans rien obtenir! qu'est-ce que c'est donc que ces gentilshommes-là ? Ce peuple est infâme! Je voudrais le broyer sous mes pieds. Il y a donc des cas où une reine, ce n'est qu'une femme! Vous me le payerez tous bien cher, messieurs!

SIMON RENARD

Que veut la reine ?

LA REINE, *accablée.*

Ce que vous voudrez. Faites ce que vous voudrez. Vous êtes un assassin! *(A part.)* — Oh! Fabiano!

SIMON RENARD

Clarence! Jarretière [139 bis]! à moi! — Maître Eneas, ouvrez le grand balcon de la galerie.

Le balcon du fond s'ouvre. Simon Renard y va, Clarence à sa droite, Jarretière à sa gauche. Immense rumeur au-dehors.

LE PEUPLE

Fabiani! Fabiani!

SIMON RENARD, *au balcon, tourné vers le peuple.*

Au nom de la reine!

LES HÉRAUTS

Au nom de la reine!

Profond silence [140] *au-dehors.*

SIMON RENARD

Manants, la reine vous fait savoir ceci. Aujourd'hui, cette nuit même, une heure après le couvre-feu, Fabiano Fabiani, comte de Clanbrassil, couvert d'un voile noir de la tête aux pieds, bâillonné d'un bâillon de fer, une torche de cire jaune du poids de trois livres à la main, sera mené aux flambeaux de la Tour de Londres, par Charing-Cross, au Vieux-Marché de la Cité [141], pour y être publiquement marri [142] et décapité, en réparation de ses crimes de haute trahison au premier chef et d'attentat régicide sur la personne impériale de sa majesté.

Un immense battement de mains éclate au-dehors.

LE PEUPLE

Vive la reine! mort à Fabiani!

SIMON RENARD, *continuant.*

Et, pour que personne dans cette ville de Londres n'en ignore, voici ce que la reine ordonne : — Pendant tout ce trajet que fera le condamné de la Tour de Londres au Vieux-Marché, la grosse cloche de la Tour tintera. Au moment de l'exécution, trois coups de canon seront tirés : le premier, quand il montera sur l'échafaud; le second, quand il se couchera sur le drap noir; le troisième, quand sa tête tombera. *(Applaudissements.)*

LE PEUPLE

Illuminez! illuminez!

SIMON RENARD

Cette nuit, la Tour et la cité de Londres seront illuminées de flammes et flambeaux en signe de joie. J'ai dit. *(Applaudissements.)* Dieu garde la vieille charte d'Angleterre [142 bis] !

LES DEUX HÉRAUTS

Dieu garde la vieille charte d'Angleterre !

LE PEUPLE

Fabiani à mort ! Vive Marie ! vive la reine !

Le balcon se referme, Simon Renard vient à la reine.

SIMON RENARD

Ce que je viens de faire ne me sera jamais pardonné par la princesse Elisabeth.

LA REINE

Ni par la reine Marie. — Laissez-moi, monsieur ! *(Elle congédie du geste tous les assistants.)*

SIMON RENARD, *bas, à maître Eneas.*

Maître Eneas, veillez à l'exécution.

MAÎTRE ENEAS

Reposez-vous sur moi.

Simon Renard sort. Au moment où maître Eneas va sortir, la reine court à lui, le saisit par le bras, et le ramène violemment sur le devant du théâtre.

SCÈNE X

LA REINE, MAÎTRE ENEAS

CRIS DU DEHORS

Mort à Fabiani ! Fabiani ! Fabiani !

LA REINE

Laquelle des deux têtes crois-tu qui vaille le mieux en ce moment, celle de Fabiani ou la tienne ?

MAÎTRE ENEAS

Madame...

LA REINE

Tu es un traître !

MAÎTRE ENEAS

Madame... *(A part.)* Diable !

LA REINE

Pas d'explications. Je le jure par ma mère, Fabiano mort, tu mourras.

MAÎTRE ENEAS

Mais, madame...

LA REINE

Sauve Fabiano, tu te sauveras. Pas autrement.

CRIS

Fabiani à mort ! Fabiani !

MAÎTRE ENEAS

Sauver lord Clanbrassil ! Mais le peuple est là. C'est impossible. Quel moyen ?...

LA REINE

Cherche.

MAÎTRE ENEAS

Comment faire, mon Dieu ?

LA REINE

Fais comme pour toi.

MAÎTRE ENEAS

Mais le peuple va rester en armes jusqu'après l'exécution. Pour l'apaiser, il faut qu'il y ait quelqu'un de décapité.

LA REINE

Qui tu voudras.

MAÎTRE ENEAS

Qui je voudrai! Attendez, madame!... — L'exécution se fera la nuit, aux flambeaux, le condamné couvert d'un voile noir, bâillonné, le peuple tenu fort loin de l'échafaud par les piquiers, comme toujours. Il suffit qu'il voie une tête tomber. La chose est possible. — Pourvu que le batelier soit encore là! Je lui ai dit de ne pas se presser. *(Il va à la fenêtre d'où l'on voit la Tamise.)* Il y est encore! mais il était temps. *(Il se penche à la lucarne, une torche à la main, en agitant son mouchoir, puis il se tourne vers la reine.)* — C'est bien. — Je vous réponds de mylord Fabiani, madame.

LA REINE

Sur ta tête?

MAÎTRE ENEAS

Sur ma tête!

DEUXIÈME PARTIE

Une espèce de salle à laquelle viennent aboutir deux escaliers, un qui monte, l'autre qui descend. L'entrée de chacun de ces deux escaliers occupe une partie du fond du théâtre. Celui qui monte se perd dans les frises; celui qui descend se perd dans les dessous. On ne voit ni d'où partent ces escaliers, ni où ils vont.

La salle est tendue de deuil d'une façon particulière : le mur de droite, le mur de gauche et le plafond, d'un drap noir coupé d'une grande croix blanche; le fond, qui fait face au spectateur, d'un drap blanc avec une grande croix noire [143]. Cette tenture noire et cette tenture blanche se prolongent, chacune de leur côté, à perte de vue, sous les deux escaliers. A droite et à gauche, un autel tendu de noir et de blanc, décoré comme pour des funérailles. Grands cierges. Pas de prêtres. Quelques rares lampes funèbres, pendues çà et là aux voûtes, éclairent faiblement la salle et les escaliers. Ce qui éclaire réellement la salle, c'est le grand drap blanc du fond, à travers lequel passe une lumière rougeâtre comme s'il y avait derrière une immense fournaise flamboyante. La salle est pavée de dalles tumulaires [144]. — Au lever du rideau, on voit se dessiner en noir sur ce drap transparent l'ombre immobile de la reine.

SCÈNE PREMIÈRE

JANE, JOSHUA

Ils entrent avec précaution en soulevant une des tentures noires par quelque petite porte pratiquée là.

JANE

Où sommes-nous. Joshua ?

JOSHUA

Sur le grand palier par où descendent les condamnés qui vont au supplice. Cela a été tendu ainsi sous Henri VIII.

JANE

Aucun moyen de sortir de la Tour ?

JOSHUA

Le peuple garde toutes les issues. Il veut être sûr, cette fois, d'avoir son condamné. Personne ne pourra sortir avant l'exécution.

JANE

La proclamation qu'on a faite du haut de ce balcon me résonne encore dans l'oreille. L'avez-vous entendue, quand nous étions en bas ? Tout ceci est horrible, Joshua !

JOSHUA

Ah ! j'en ai vu bien d'autres, moi !

JANE

Pourvu que Gilbert ait réussi à s'évader ! Le croyez-vous sauvé, Joshua ?

JOSHUA

Sauvé ! j'en suis sûr.

JANE

Vous en êtes sûr, bon Joshua ?

JOSHUA

La Tour n'était pas investie du côté de l'eau. Et puis, quand il a dû partir, l'émeute n'était pas ce qu'elle a été depuis. C'était une belle émeute, savez-vous !

JANE

Vous êtes sûr qu'il est sauvé ?

JOSHUA

Et qu'il vous attend, à cette heure, sous la première arche du pont de Londres, où vous le rejoindrez avant minuit.

JANE

Mon Dieu ! il va être inquiet de son côté.

Apercevant l'ombre de la reine.

— Ciel ! qu'est-ce que c'est que cela, Joshua ?

JOSHUA, *bas, en lui prenant la main.*

Silence ! — C'est la lionne qui guette.

Pendant que Jane considère cette silhouette noire[145] *avec terreur, on entend une voix éloignée, qui paraît venir d'en haut, prononcer lentement et distinctement ces paroles :*

LA VOIX

— Celui qui marche à ma suite, couvert de ce voile noir, c'est très haut et très puissant seigneur Fabiano Fabiani, comte de Clanbrassil, baron de Dinasmonddy, baron de Darmouth en Devonshire, lequel va être décapité au Marché de Londres pour crime de régicide et de haute trahison. — Dieu fasse miséricorde à son âme !

UNE AUTRE VOIX

Priez pour lui !

JANE, *tremblante.*

Joshua ! entendez-vous ?

JOSHUA

Oui. Moi, j'entends de ces choses-là tous les jours.

Un cortège funèbre [146] *paraît au haut de l'escalier, sur les degrés duquel il se développe lentement à mesure qu'il descend. En tête, un homme vêtu de noir, portant une bannière blanche à croix noire. Puis maître Eneas Dulverton, en grand manteau noir, son bâton blanc de constable à la main. Puis un groupe de pertuisaniers* [147] *vêtus de rouge. Puis le bourreau, sa hache sur l'épaule, le fer tourné vers celui qui le suit. Puis un homme entièrement couvert d'un grand voile noir qui traîne sur ses pieds. On ne voit de cet homme que son bras nu, qui passe par une ouverture faite au linceul, et qui porte une torche de cire jaune allumée. A côté de cet homme, un prêtre en costume du jour des Morts. Puis un groupe de pertuisaniers en rouge. Puis un homme vêtu de blanc, portant une bannière noire à croix blanche. A droite et à gauche, deux files de hallebardiers portant des torches.*

JANE

Joshua, voyez-vous ?

JOSHUA

Oui, je vois de ces choses-là tous les jours, moi.

Au moment de déboucher sur le théâtre, le cortège s'arrête.

MAÎTRE ENEAS

Celui qui marche à ma suite, couvert de ce voile noir, c'est très haut et très puissant seigneur Fabiano Fabiani, comte de Clanbrassil, baron de Dinasmonddy, baron de Darmouth en Devonshire, lequel va être décapité au Marché de Londres pour crime de régicide et de haute trahison. — Dieu fasse miséricorde à son âme!

LES DEUX PORTE-BANNIÈRE

Priez pour lui!

Le cortège traverse lentement le fond du théâtre.

JANE

C'est une chose terrible que nous voyons là, Joshua. Cela me glace le sang.

JOSHUA

Ce misérable Fabiani!

JANE

Paix, Joshua! bien misérable, mais bien malheureux!

Le cortège arrive à l'autre escalier. Simon Renard, qui, depuis quelques instants, a paru à l'entrée de cet escalier et a tout observé, se range pour le laisser passer. Le cortège s'enfonce sous la voûte de l'escalier, où il disparaît peu à peu. Jane le suit des yeux avec terreur.

SIMON RENARD, *après que le cortège a disparu.*

Qu'est-ce que cela signifie ? Est-ce bien là Fabiani ? Je le croyais moins grand. Est-ce que maître Eneas ?... Il me semble que la reine l'a gardé auprès d'elle un instant. Voyons donc!

Il s'enfonce sous l'escalier, à la suite du cortège.

VOIX, *qui s'éloigne de plus en plus.*

Celui qui marche à ma suite, couvert de ce voile noir, c'est très haut et très puissant seigneur Fabiano Fabiani, comte de Clanbrassil, baron de Dinasmonddy, baron de Darmouth en Devonshire, lequel va être décapité au Marché de Londres pour crime de régicide et de haute trahison. — Dieu fasse miséricorde à son âme!

AUTRES VOIX, *presque indistinctes.*

Priez pour lui!

JOSHUA

La grosse cloche va annoncer tout à l'heure sa sortie de la Tour. Il vous sera peut-être possible maintenant de vous échapper. Il faut que je tâche d'en trouver les moyens. Attendez-moi là; je vais revenir.

JANE

Vous me laissez, Joshua. Je vais avoir peur, seule ici, mon Dieu!

JOSHUA

Vous ne pourriez parcourir toute la Tour avec moi sans péril. Il faut que je vous fasse sortir de la Tour. Pensez que Gilbert vous attend.

JANE

Gilbert! tout pour Gilbert! Allez! *(Joshua sort.)* — Oh! quel spectacle effrayant! quand je songe que cela eût été ainsi pour Gilbert! *(Elle s'agenouille sur les degrés de l'un des autels.)* — Oh! merci! vous êtes bien le Dieu sauveur! Vous avez sauvé Gilbert! *(Le drap du fond s'entrouvre. La reine paraît; elle s'avance à pas lents vers le devant du théâtre, sans voir Jane, qui se détourne.)* — Dieu! la reine!

SCÈNE II

JANE, LA REINE

Jane se colle avec effroi contre l'autel et attache sur la reine un regard de stupeur et d'épouvante.

LA REINE

Elle se tient quelques instants en silence sur le devant du théâtre, l'œil fixe, pâle, comme absorbée dans une sombre rêverie. Enfin, elle pousse un profond soupir.

Oh! le peuple! *(Elle promène autour d'elle avec inquiétude son regard, qui rencontre Jane.)* — Quelqu'un là! — C'est toi, jeune fille! c'est vous, lady Jane! Je vous fais peur. Allons, ne craignez rien. Le guichetier Eneas nous a trahies, vous savez? Ne craignez donc rien! Enfant, je te l'ai déjà dit, tu n'as rien à craindre de moi, toi. Ce qui faisait ta perte il y a un mois fait ton salut aujourd'hui. Tu aimes Fabiano. Il n'y a que toi et moi sous le ciel qui ayons le cœur fait ainsi, que toi et moi qui l'aimions. Nous sommes sœurs.

JANE

Madame...

LA REINE

Oui, toi et moi, deux femmes, voilà tout ce qu'il a pour lui, cet homme. Contre lui tout le reste! toute une cité, tout un peuple, tout un monde! Lutte inégale de l'amour contre la haine! L'amour pour Fabiano, il est triste, épouvanté, éperdu; il a ton front pâle, il a mes yeux en larmes, il se cache près d'un autel funèbre, il prie par ta bouche, il maudit par la mienne. La haine contre Fabiani, elle est fière, radieuse, triomphante, elle est armée et victorieuse, elle a la cour, elle a le peuple, elle a des masses d'hommes plein les rues, elle mâche à la fois des cris de mort et des cris de joie, elle est superbe, et hautaine, et toute-puissante, elle illumine toute une ville autour d'un échafaud! L'amour, le voici, deux femmes vêtues de deuil dans un tombeau. La haine, la voilà!

Elle tire violemment le drap blanc du fond, qui, en s'écartant, laisse voir un balcon, et, au-delà de ce balcon, à perte de vue, dans une nuit noire, toute la ville de Londres splendidement illuminée[148]*. Ce qu'on voit de la Tour de Londres est illuminé également. Jane fixe des yeux étonnés sur tout ce spectacle éblouissant, dont la réverbération éclaire le théâtre.*

— Oh! ville infâme! ville révoltée! ville maudite! ville monstrueuse qui trempe sa robe de fête dans le sang et qui tient la torche au bourreau! Tu en as peur, Jane, n'est-ce pas ? Est-ce qu'il ne te semble pas comme à moi qu'elle nous nargue lâchement toutes deux, et qu'elle nous regarde avec ses cent mille prunelles flamboyantes, faibles femmes abandonnées que nous sommes, perdues et seules dans ce sépulcre ? Jane, l'entends-tu rire et hurler, l'horrible ville ? Oh! l'Angleterre! l'Angleterre à qui détruira Londres! Oh! que je voudrais pouvoir changer ces flambeaux en brandons, ces lumières en flammes, et cette ville illuminée en une ville qui brûle!

Une immense rumeur éclate au-dehors. Applaudissements, cris confus : — Le voilà ! le voilà ! Fabiani à mort ! — On entend tinter la grosse cloche de la Tour de Londres. A ce bruit, la reine se met à rire d'un rire terrible.

JANE

Grand Dieu! voilà le malheureux qui sort... — Vous riez madame!

LA REINE

Oui, je ris! *(Elle rit.)* — Oui, et tu vas rire aussi! — Mais d'abord il faut que je ferme cette tenture. Il me semble toujours que nous ne sommes pas seules, et que cette affreuse ville nous voit et nous entend. *(Elle ferme le rideau blanc et revient à Jane.)* — Maintenant qu'il est sorti, maintenant qu'il n'y a plus de danger, je puis te dire cela. Mais ris donc, rions toutes deux de cet exécrable peuple qui boit du sang. Oh! c'est charmant! Jane, tu trembles pour Fabiano? sois tranquille, et ris avec moi, te dis-je! Jane, l'homme qu'ils ont, l'homme qui va mourir, l'homme qu'ils prennent pour Fabiano, ce n'est pas Fabiano! *(Elle rit.)*

JANE

Ce n'est pas Fabiano!

LA REINE

Non!

JANE

Qui est-ce donc?

LA REINE

C'est l'autre.

JANE

Qui, l'autre?

LA REINE

Tu sais bien, tu le connais, cet ouvrier, cet homme... — D'ailleurs qu'importe?

JANE, *tremblant de tout son corps.*

Gilbert?

LA REINE

Oui, Gilbert. C'est ce nom-là.

JANE

Madame, oh! non, madame! oh! dites que cela n'est pas, madame? Gilbert! ce serait trop horrible! Il s'est évadé!

LA REINE

Il s'évadait quand on l'a saisi, en effet. On l'a mis à la place de Fabiano sous le voile noir. C'est une exécution de nuit. Le peuple n'y verra rien. Sois tranquille.

JANE, *avec un cri effrayant.*

Ah! madame! celui que j'aime, c'est Gilbert!

LA REINE

Quoi ? que dis-tu ? Perds-tu la raison ? Est-ce que tu me trompais aussi, toi ? Ah! c'est ce Gilbert que tu aimes! Eh bien, que m'importe ?

JANE, *brisée, aux pieds de la reine, sanglotant, se traînant sur les genoux, les mains jointes.*

La grosse cloche tinte pendant toute cette scène.

Madame, par pitié! madame, au nom du ciel! madame, par votre couronne, par votre mère, par les anges [149]! Gilbert! Gilbert! cela me rend folle! Madame, sauvez Gilbert! Cet homme, c'est ma vie; cet homme, c'est mon mari; cet homme... je viens de vous dire qu'il a tout fait pour moi, qu'il m'a élevée, qu'il m'a adoptée, qu'il a remplacé près de mon berceau mon père qui est mort pour votre mère. Madame, vous voyez bien que je ne suis qu'une pauvre misérable et qu'il ne faut pas être sévère pour moi. Ce que vous venez de me dire m'a donné un coup si terrible, que je ne sais vraiment pas comment j'ai la force de vous parler. Je dis ce que je peux, voyez-vous. Mais il faut que vous fassiez suspendre l'exécution. Tout de suite. Suspendre l'exécution. Remettre la chose à demain. Le temps de se reconnaître, voilà tout. Ce peuple peut bien attendre à demain. Nous verrons ce que nous ferons. Non, ne secouez pas la tête. Pas de danger pour votre Fabiano. C'est moi que vous mettrez à la place. Sous le voile noir. La nuit. Qui le saura ? Mais sauvez Gilbert! Qu'est-ce que cela vous fait, lui ou moi ? Enfin! puisque je veux bien mourir, moi! — Oh! mon Dieu! cette cloche, cette affreuse cloche! Chacun des coups de cette cloche est un pas vers l'échafaud. Chacun des coups de cette cloche frappe sur mon cœur. — Faites cela, madame, ayez pitié! Pas de danger pour votre Fabiano. Laissez-moi baiser vos mains. Je vous aime, madame. Je ne vous l'ai pas encore dit, mais je vous aime bien. Vous êtes une grande reine. Voyez comme je baise vos belles mains. Oh! un ordre pour suspendre l'exécution! Il est encore temps. Je vous assure que c'est très possible. Ils vont lentement. Il y a loin de la Tour au Vieux-Marché. L'homme du balcon a dit qu'on passerait par Charing-Cross. Il y a un chemin plus court. Un homme à cheval arriverait encore à temps. Au nom du ciel, madame, ayez pitié! Enfin, mettez-vous à ma place, supposez que je sois la reine et vous la pauvre fille, vous pleureriez comme moi, et je ferais grâce. Faites grâce, madame! Oh! voilà ce que je craignais, que les larmes ne m'empêchassent de parler. Oh! tout de suite. Suspendre l'exécution. Cela n'a pas d'inconvénient, madame. Pas de danger pour Fabiano, je vous jure. Est-ce que vraiment vous ne trouvez pas qu'il faut faire ce que je dis, madame ?

LA REINE, *attendrie et la relevant.*

Je le voudrais, malheureuse. Ah! tu pleures, oui, comme je pleurais, ce que tu éprouves je viens de l'éprouver, mes angoisses me font compatir aux tiennes. Tiens, tu vois que je pleure aussi. C'est bien malheureux, pauvre enfant! Sans doute, il semble bien qu'on aurait pu en prendre un autre, Tyrconnel, par exemple; mais il est trop connu, il fallait un homme obscur. On n'avait que celui-là sous la main. Je t'explique cela pour que tu comprennes, vois-tu. Oh! mon Dieu! Il y a de ces fatalités-là[150]. On se trouve pris. On n'y peut rien.

JANE

Oui, je vous écoute bien, madame. C'est comme moi, j'aurais encore plusieurs choses à vous dire. Mais je voudrais que l'ordre de suspendre l'exécution fût signé et l'homme parti. Ce sera une chose faite, voyez-vous. Nous parlerons mieux après. Oh! cette cloche! toujours cette cloche!

LA REINE

Ce que tu veux est impossible, lady Jane.

JANE

Si, c'est possible. Un homme à cheval. Il y a un chemin très court. Par le quai. J'irais, moi. C'est possible. C'est facile. Vous voyez que je parle avec douceur.

LA REINE

Mais le peuple ne voudrait pas. Mais il reviendrait tout massacrer dans la Tour. Et Fabiano y est encore. Mais comprends donc. Tu trembles, pauvre enfant! moi, je suis comme toi, je tremble aussi. Mets-toi à ma place à ton tour. Enfin, je pourrais bien ne pas prendre la peine de t'expliquer tout cela. Tu vois que je fais ce que je peux. Ne songe plus à ce Gilbert, Jane! C'est fini. Résigne-toi!

JANE

Fini! Non, ce n'est pas fini! non! tant que cette horrible cloche sonnera, ce ne sera pas fini! Me résigner à la mort de Gilbert! Est-ce que vous croyez que je laisserai mourir Gilbert ainsi [151] ? Non, madame. Ah! je perds mes peines! Ah! vous ne m'écoutez pas! Eh bien, si la reine ne m'entend pas, le peuple m'entendra! Ah! ils sont bons, ceux-là, voyez-vous! Le peuple est encore dans cette cour. Vous ferez de moi ensuite ce que vous voudrez. Je vais lui crier qu'on le trompe, et que c'est Gilbert, un ouvrier comme eux, et que ce n'est pas Fabiani.

LA REINE

Arrête, misérable enfant! *(Elle lui saisit le bras et la regarde fixement d'un air formidable.)* — Ah! tu le prends ainsi! Ah! je suis bonne et douce, et je pleure avec toi, et voilà que tu deviens folle et furieuse! Ah! mon amour est aussi grand que le tien, et ma main est plus forte que la tienne. Tu ne bougeras pas. Ah! ton amant! Que m'importe ton amant ? Est-ce que toutes les filles d'Angleterre vont venir me demander compte de leurs amants, maintenant ? Pardieu! je sauve le mien comme je peux et aux dépens de qui se trouve là. Veillez sur les vôtres [152]!

JANE

Laissez-moi! — Oh! je vous maudis, méchante femme!

LA REINE

Silence!

JANE

Non, je ne me tairai pas! Et voulez-vous que je vous dise une pensée que j'ai à présent ? je ne crois pas que celui qui va mourir soit Gilbert.

LA REINE

Que dis-tu ?

JANE

Je ne sais pas. Mais je l'ai vu passer sous ce voile noir. Il me semble que si ç'avait été Gilbert quelque chose se serait soulevé dans mon cœur et m'aurait crié : Gilbert! c'est Gilbert! Je n'ai rien senti, ce n'est pas Gilbert [153]!

LA REINE

Que dis-tu là ? Ah! mon Dieu! Tu es insensée, ce que tu dis là est fou, et cependant cela m'épouvante! Ah! tu viens de remuer une des plus secrètes inquiétudes de mon cœur. Pourquoi cette émeute m'a-t-elle empêché de surveiller tout moi-même ? Pourquoi m'en suis-je remise à d'autres qu'à moi du salut de Fabiano ? Eneas Dulverton est un traître. Simon Renard était peut-être là. Pourvu que je n'aie pas été trahie une deuxième fois par les ennemis de Fabiano! Pourvu que ce ne soit pas Fabiano en effet!... Quelqu'un! vite quelqu'un! quelqu'un! *(Deux geôliers paraissent. — Au premier.)* — Vous, courez. Voici mon anneau royal. Dites qu'on suspende l'exécution. Au Vieux-Marché! au Vieux-Marché! Il y a un chemin plus court, disais-tu, Jane ?

JANE

Par le quai.

LA REINE, *au geôlier.*

Par le quai. Un cheval! Cours vite! *(Le geôlier sort.) — Au deuxième geôlier.* — Vous, allez sur-le-champ à la tourelle d'Edouard le Confesseur. Il y a là les deux cachots des condamnés à mort. Dans l'un de ces cachots il y a un homme. Amenez-le-moi sur-le-champ. *(Le geôlier sort.)* — Ah! je tremble! mes pieds se dérobent sous moi; je n'aurais pas la force d'y aller moi-même. Ah! tu me rends folle comme toi! Ah! misérable fille! tu me rends malheureuse comme toi! Je te maudis comme tu me maudis! Mon Dieu! l'homme aura-t-il le temps d'arriver ? Quelle horrible anxiété! Je ne vois plus rien. Tout est trouble dans mon esprit. Cette cloche, pour qui sonne-t-elle ? Est-ce pour Gilbert ? est-ce pour Fabiano ?

JANE

La cloche s'arrête.

LA REINE

C'est que le cortège est sur la place d'exécution. L'homme n'aura pas eu le temps d'arriver.

On entend un coup de canon éloigné.

JANE

Ciel!

LA REINE

Il monte sur l'échafaud.

Deuxième coup de canon.

— Il s'agenouille.

JANE

C'est horrible!

Troisième coup de canon.

TOUTES DEUX

Ah!

LA REINE

Il n'y en a plus qu'un de vivant. Dans un instant nous saurons lequel. Mon Dieu, celui qui va entrer, faites que ce soit Fabiano!

JANE

Mon Dieu, faites que ce soit Gilbert!

Le rideau du fond s'ouvre. Simon Renard paraît, tenant Gilbert par la main.

Gilbert! — *(Ils se précipitent dans les bras l'un de l'autre.)*

LA REINE

Et Fabiano ?

SIMON RENARD

Mort.

LA REINE

Mort ?.... Mort! Qui a osé ?...

SIMON RENARD

Moi. J'ai sauvé la reine et l'Angleterre [154].

NOTE
DE L'ÉDITION ORIGINALE

L'auteur croit devoir prévenir MM. les directeurs des théâtres de province que Fabiani ne chante que deux couplets au premier acte, et un seulement au second. Pour tous les détails de mise en scène, ils feront bien de se rapprocher le plus possible du théâtre de la Porte-Saint-Martin, où la pièce a été montée avec un soin et un goût extrêmes.

Quant à la manière dont la pièce est jouée par les acteurs de théâtre de la Porte-Saint-Martin, l'auteur est heureux de joindre ici ses applaudissements à ceux du public tout entier. Voici la seconde fois dans la même année qu'il met à l'épreuve le zèle et l'intelligence de cette troupe excellente. Il la félicite et il la remercie.

M. Lockroy, qui avait été tout à la fois si spirituel, si redoutable et si fin dans le don Alphonse de *Lucrèce Borgia*, a prouvé dans Gilbert une rare et merveilleuse souplesse de talent. Il est, selon le besoin du rôle, amoureux et terrible, calme et violent, caressant et jaloux; un ouvrier devant la reine, un artiste aux pieds de Jane. Son jeu, si délicat, dans ses nuances et si bien proportionné dans ses effets, allie la tendresse mélancolique de Roméo à la gravité sombre d'Othello.

Mademoiselle Juliette, quoique atteinte à la première représentation d'une indisposition si grave qu'elle n'a pu continuer de jouer le rôle de Jane les jours suivants, a montré dans ce rôle un talent plein d'avenir, un talent souple, gracieux, vrai, tout à la fois pathétique et charmant, intelligent et naïf. L'auteur croit devoir lui exprimer ici sa reconnaissance, ainsi qu'à mademoiselle Ida, qui l'a remplacée, et qui a déployé dans Jane des qualités remarquables d'énergie et de vivacité.

Quant à mademoiselle George, il n'en faudrait dire qu'un mot : sublime. Le public a retrouvé dans Marie la grande comédienne et la grande tragédienne de *Lucrèce*. Depuis le sourire exquis par lequel elle ouvre le second acte, jusqu'au cri déchirant par lequel elle clôt la pièce, il n'y a pas une des nuances de son talent qu'elle ne mette admirablement en lumière dans tout le cours de son rôle. Elle crée dans la création même du poète quelque chose qui étonne et qui ravit l'auteur lui-même. Elle caresse, elle effraye, elle attendrit ; et c'est un miracle de son talent que la même femme qui vient de vous faire tant frémir vous fasse tant pleurer.

NOTES DE L'EDITION DE 1837

NOTE I

Afin que les lecteurs puissent se rendre compte, une fois pour toutes, du plus ou moins de certitude historique contenue dans les ouvrages de l'auteur, ainsi que de la quantité et de la qualité des recherches faites par lui pour chacun de ses drames, il croit devoir imprimer ici, comme spécimen, la liste des livres et documents qu'il a consultés avant d'écrire *Marie Tudor*. Il pourrait publier un catalogue semblable pour chacune de ses autres pièces.

Historia et Annales Henrici VII, par Franc. Baronum.

Henrici VIII, Eduardi VI et Mariæ, par Franc. Godwin. — Lond., 1676.

Id. auct., par Morganum Godwin. — Londres, 1630.

Traduit en français par le sieur de Loigny. — Paris, 1647.

In-4°. *Annales ou Choses mémorables sous Henri VIII, Edouard VI et Marie*, traduites d'un auteur anonyme par le sieur de Loigny. — Paris, Rocolet, 1647.

Histoire du divorce de Henri VIII et de Catherine d'Aragon, par Joachim Legrand. — Paris, 1688. 3 vol. in-12.

In-4°. *Conclusiones Romœ agitatœ in consistorio coram Clemente VII, in causa matrimoniali inter Henricum VIII et Catharinam*, etc.

In-4°. *Histoire de la Réformation*, par Burnet, deuxième partie, sous Edouard VI, Marie et Elisabeth. — Traduit de Burnet, par Rosemond.

In-4°. *Diverses pièces pour l'histoire d'Angleterre sous Henri VIII, Edouard VI et Marie*. — En anglais, en un paquet.

In-8°. *Histoire du schisme d'Angleterre*, de Sandarus, traduite en français, imprimée en 1587.

In-8°. *Opuscula varia de rebus anglicis, tempore Henrici VIII, Eduardi VI et Mariœ reginœ*. Uno fasciculo.

In-folio. *El Viage de don Felipe II, desde España*, etc., por Juan Christoval Calvete de Estrella. — Anvers, 1552.

In-folio. *Historia de Felipe II*, por Louis Cabrera de Cordova. — Madrid, 1619.

In-4°. *Relaciones de Antonio Perez, secretario de Estado*

de Felipe II, en sus cartas españolas y latinas. — Paris, 1624.

In-8°. *Dichos y Hechos de Felipe II*, por Baltazar Parreno. — Séville, 1639.

Le Livre d'Antoine Perez, secrétaire d'Etat de Philippe II.

Vue sur les monnaies d'Angleterre, depuis les premiers temps jusqu'à présent, avec figures. Snelling. 1 vol. in-folio.

The History of the reigns of Edward VI, Mary and Elizabeth, by Shawn Turner. London, Longman, 1829. 1 vol. in-4°.

Eclaircissements de la biographie et des mœurs de l'Angleterre sous Henri VIII, Edouard VI, Marie, Elisabeth et Jacques Ier, extraits des papiers originaux trouvés dans les manuscrits des nobles familles Howard, Talbot et Cecil, par Edmund Lodge, esq. Londres, B. Nicol., 1791, 3 vol. in-4°, ornés de portraits.

Rerum anglicarum, Henrico VIII, Eduardo VI et Maria regnantibus, annales. Londini, Jean Billins, 1628. 1 vol. in-4°.

Histoire succincte de la succession de la couronne d'Angleterre, depuis le commencement jusqu'à présent. Traduit de l'anglais. 1714. In-12.

The Baronetage of England, by Anth. Collins, Lond., Taylor, 1720.

Etat de la Grande-Bretagne, listes de tous les offices de la couronne, par Jean Chamberlayne, deux parties, Lond., Midwinker 1737. 1 vol. in-8°.

Succession des colonels anglais, depuis l'origine jusqu'à présent, et liste des vaisseaux. Lond., J. Millan, 1742.

Histoire du parlement d'Angleterre, par l'abbé Raynal. Londres, 1748. In-12. — Edit. 1751, meilleure. 2 vol. in-8°.

Panégyrique de Marie, reine d'Angleterre, par Abbadie. Genève, 1695.

Lettre de M. Burnet à M. Thévenot, contenant une courte critique de l'histoire du divorce de Henri VIII, écrite par M. Legrand. Nouv. édit. Paris, veuve Edme Martin, 1688. 1 vol. in-12.

Collections historiques de plusieurs graves écrivains protestants concernant le changement de religion et l'étrange confusion qui s'ensuivit sous Henri VIII, Edouard VI, Marie et Elisabeth, Lond., N. Hiles, 1686. 1 vol. in-12.

Critique du neuvième livre de Varillas, sur la révolution

religieuse d'Angleterre, par Burnet. Traduit en français, Amsterdam, N. Savouret, 1686.

Peerage of England, par M. Kimber. Londres, 1769. 1 vol. in-12.

The english Baronetage. Londres, Th. Wooton, 1741, 5 vol. in-8°.

Nouveaux Eclaircissements sur Marie, fille de Henri VIII, adressés à M. David Hume. Paris, Delatour, 1766. In-12. (Par le P. Griffet.)

Histoire du schisme d'Angleterre de Sanders, traduite par Maucroix. Lyon, 1685; 2 vol. in-12.

Tome deux du *Schisme*, ou les vies des cardinaux Polus et Campege, par Maucroix. Lyon, 1685. In-12.

Histoire du divorce de Henri VIII et de Catherine d'Aragon, par l'abbé Legrand. Amsterdam, 1763. In-12.

Consulter le recueil exact et complet des dépêches de M. de Noailles, ambassadeur de France en Angleterre sous Edouard VI et une partie du règne de Marie.

NOTE II

PREMIÈRE JOURNÉE, SCÈNE I

Les bûchers sont toujours braise et jamais cendre, etc.

Sous le règne si court de Marie, de 1553 à 1558, furent décapités : le duc de Northumberland, Jane Grey, reine dix-huit jours, son mari, le duc de Suffolk, Thomas Gray, Thomas Stafford, Stucklay, Bradford, etc.; furent pendus : Thomas Wyat et cinquante de ses complices, Bret et ses complices, William Fetherston, se disant Edouard VI, Anthony Kingston et ses complices (pour pilleries), Charles, baron de Sturton (avec une corde de soie), et quatre de ses valets avec lui (accusés d'assassinat), etc.; furent brûlés vifs : les évêques John Cooper, de Glocester, Robert Ferrare, de Saint-David, Ridlay, Latimer (Cranmer assiste à leur supplice de sa prison), Cranmer, archevêque de Cantorbéry, qui brûla d'abord sa main droite renégate, les docteurs Roland, Tailor, Laurens Sanders, John Rogers, prébendier théologal et prédicateur ordinaire de Saint-Paul de Londres (celui-ci laissait une femme et dix enfants), John Bradford, en 1556 quatre-vingt-quatre sectaires, etc., etc.

De là ce surnom presque grandiose à force d'horreur, *Marie la Sanglante.*

NOTE III

PREMIÈRE JOURNÉE, SCÈNE II

On pendait ceux qui étaient pour, mais on brûlait ceux qui étaient contre.

Suspenduntur papistæ, comburuntur antipapistæ.

NOTE V

DEUXIÈME JOURNÉE, SCÈNE VIII

Il y a eu le complot de Thomas Wyat, etc.

Avec ses quatre mille révoltés, Wyat fit un moment chanceler Marie, appuyée sur Londres. Il fut défait, pris et pendu, pour avoir perdu du temps à raccommoder un affût de canon.

Texte de la 1re Journée, sc. 4.

GILBERT

Où veux-tu en venir, dis ?

L'HOMME

A ceci. — Gilbert, cette fille que tu as adoptée tout enfant, cette fille que tu as élevée, cette fille pour laquelle tu travailles nuit et jour depuis seize ans, cette fille que tu aimes, cette fille dont tu veux faire ta femme...

GILBERT

Eh bien ?

L'HOMME

Aujourd'hui, cette nuit, à l'heure où je te parle, elle attend un amant!

GILBERT

Juif! tu es un juif! tu es un misérable juif! tu mens!

L'HOMME

Cette nuit même.

GILBERT

Juif! ce que tu viens de me dire, tu vas me le prouver, ou je prendrai ta tête entre mes deux mains, vois-tu, et je te couperai ta langue avec tes dents.

L'HOMME

Ecoute.

GILBERT

Plus un mot. La preuve! la preuve!

L'HOMME

Tu l'auras.

GILBERT

Quand ?

L'HOMME

Tout de suite.

GILBERT

Oh! si cela est faux, sois maudit! Si cela est vrai, sois maudit encore! Tu mens! — Jane! ma Jane bïen-aimée! Comme ils mentent, ces infâmes juifs!

L'HOMME

N'entends-tu pas un bruit de rames sur l'eau ?

GILBERT

Oui.

L'HOMME

Il va au parapet.

C'est lui, c'est l'homme qu'elle attend. Il débarque, il congédie le batelier, il vient à nous.

GILBERT

Oh! je te le jure, ton rapport est la mort de l'un de nous deux; faux, la tienne; vrai, la mienne.

L'HOMME

Cache-toi là dans l'ombre, de manière à nous entendre et à pouvoir me prêter main-forte au besoin.

ANGELO,
TYRAN DE PADOUE

INTRODUCTION

Faut-il voir dans une phrase laconique l'idée première du drame ? Une des *Feuilles paginées*, écrite en 1830, porte la mention suivante : « Sabina Muchental — le même homme aimé par deux filles, une courtisane et une dévote. » De là à la concrétisation précise, l'écart est grand : le schéma permettait bien des développements différents. Pour acquérir la forme qu'il revêtira cinq ans plus tard, des apports d'origines diverses sont venus. Venise constituait un thème cher aux romantiques. La *Venise sauvée*, de Thomas Otway, avait été traduite par l'abbé Prévost (1735), par La Place (1747), figurait dans la série de « Chefs-d'œuvre des théâtres étrangers », que publie Ladvocat (1822), avait été représentée au Grand Théâtre de Bordeaux le 12 avril 1833, dans une traduction en vers due à Edouard Lanet. Byron attirait davantage l'attention sur la ville et la rigueur intransigeante des doges dans *Marino Faliero* (1820) et dans *Les deux Foscari* (1821); Amédée Pichot traduisit ces tragédies dans son édition des *Œuvres complètes* (1820-1824) du célèbre Lord; en outre, Paulin Paris (1830). Admirateur fervent de Shakespeare, Hugo ne pouvait pas ne pas se rappeler que *Othello*, drame de jalousie, se déroule à Venise; que la mort de Roméo est provoquée par la fausse mort de Juliette, à Vérone. Et parmi les contemporains, le *Marino Faliero* (1829), de Casimir Delavigne dont il avait parlé dans *Le Conservateur littéraire* (janvier 1820). Des ouvrages sur l'histoire de l'Italie venaient de l'aider à nourrir l'intrigue de *Lucrèce Borgia;* ils relataient des événements touchant Venise, ceux de Voltaire, Guichardin, Sismonde de Sismondi. De ses contemporains, certaines œuvres pouvaient l'inciter à orienter son drame : Musset venait de faire paraître, dans la *Revue des Deux Mondes*, *André del Sarto :* l'artiste s'y suicide pour que soient heureux son rival et la femme qu'ils aiment.

Les sources immédiates d'information n'ont pas dû être très abondantes : de tous les drames écrits jusqu'alors par Hugo, *Angelo* implique le moins une connaissance de la ville et de son passé : la géographie de Venise se réduit à quelques noms, à quelques détails; celle de Padoue est davantage spécifiée, sans être précise; le passé des deux villes est évoqué par les noms de grandes familles et par quelques faits. Hugo a-t-il consulté, même rapidement, l'ouvrage anonyme *Dell'antico corso dei fiumi in Padova e suoi contorni* (Padoue, 1776), que possède la Bibliothèque nationale ? Même ne lisant pas couramment la langue, il pouvait y découvrir, outre ceux des rivières et des ponts, les noms d'Alberto da Baone, un des principaux seigneurs padouans en 1538, et d'un Homodeus, dont est invoqué le témoignage dans un texte latin. *L'Histoire de la république de Venise* de Daru, publiée en 1819 et rééditée (1821-1826) lui procure à la fois le cadre général pour son action et des renseignements sur les doges et les sénateurs. Comme d'habitude, la *Biographie universelle Michaud* apporte des indications sûres pour les personnages historiques. Reste le livre d'Amelot de la Houssaye, *Histoire du gouvernement de Venise* (Paris, Léchard, 1676), précieux pour les institutions, les costumes, les détails. Le dramaturge alléguera, *a posteriori*, les *Statuts de l'Inquisition d'Etat*, pour se justifier devant la critique; les articles ont été recopiés dans Daru, et Hugo se trompe lorsqu'il affirme qu'ils ont été découverts et ramenés en France par les troupes révolutionnaires françaises.

Les historiens et Byron, entre autres, parlaient de la sévérité inhumaine des doges; Voltaire soulignait l'aspect oligarchique de la république vénitienne. L'amour incite Hugo à projeter sur le drame causé par un pouvoir despotique un drame amoureux. Que l'héroïne véritable d'*Angelo* soit non Catarina mais la Tisbe n'est pas un hasard, ni que ce soit une actrice qui mène le jeu. L'amour pour Juliette Drouet, tel qu'il apparaît dans les lettres qu'elle envoie à son amant, avec des jaillissements de jalousie à l'égard de l'épouse, Adèle, explique que le drame oscille entre deux pôles, l'un de nature politique, l'autre d'essence lyrique. Il fallait le génie de Hugo pour éviter une opposition qui eût provoqué un décentrage et déséquilibré l'œuvre. Cette pression de la passion vécue n'est perceptible que dans l'élimination du tyran et dans l'issue réservée au drame; triomphe l'amour réciproque sur le despotisme de l'autorité suprême, omniprésente pendant les premiers actes et vaincue à la fin; le regard omniscient, qui fouille la vie privée des individus à tous les moments, est pris en défaut à l'instant suprême par le sacrifice que fait d'elle-même l'actrice. Jusqu'au dernier instant le titre, *Padoue en 1549*, mettait l'accent sur le tableau moral d'une ville dans son passé ; le titre définitif efface cette image pour mettre en évidence l'homme qui incarne le pouvoir et qui sort vaincu d'une lutte qu'il doit mener presque malgré lui.

On savait que Hugo préparait un nouveau drame. Le bruit courut même que le sujet en était Madame de Maintenon qui figure dans ses projets *(Madame Louis XIV)*. Le dramaturge écrit rapidement, comme à l'accoutumée : l'acte I fut commencé le 2 février 1834, achevé le 5 ; l'acte II est abordé le même jour. Le rythme de la rédaction devient régulier après le 7. L'œuvre est achevée le 19. Quelques corrections seront complétées par des ajustements faits pendant les répétitions. L'emploi de la prose et, peut-être, la proximité de l'intrigue avec sa situation personnelle avaient fait se relâcher le ressort du dialogue ; voyant et entendant son drame sur la scène, Hugo est amené à condenser, notamment la confession de la Tisbe dans le dernier acte.

Angelo fut représenté au Théâtre-Français sous son premier titre. Pour des raisons bien précises la première partie de la troisième journée fut supprimée : elle mettait en scène Homodei et les bandits, dans la masure, et montrait le meurtre du personnage. Les directeurs de la salle se rappelaient la réaction hostile du public au spectacle de Saltabadil et de Maguelonne dans *Le Roi s'amuse*, ils craignaient sinon un échec, du moins les mouvements hostiles de spectateurs bourgeois épris de bienséances. La rivalité de Mlle Mars et de Marie Dorval gêna quelque peu les répétitions. La première eut lieu le 28 avril 1834, avec la distribution suivante : Angelo (Beauvalet), Catarina (Mlle Dorval), la Tisbe (Mlle Mars), Rodolfo (Geoffroy), Homodei (Provost), Galeofa (Mathien), Reginella (Mme Tousez), Dafne (Mme Thierry-Georgin) ; les rôles du page noir, du guetteur de nuit, de l'huissier, du doyen de Saint-Antoine et de l'archiprêtre étaient tenus respectivement par Mlle Aglaé, MM. Arsène, Faure, Albert, Monlaur. Le succès fut complet jusqu'au moment où le directeur du théâtre, Jouslin, décida de clore la série de représentations, le 20 juillet.

Faut-il attribuer à la relative simplicité et au tour classique de l'organisation du drame l'accueil élogieux de la critique ? Certes, la *Revue des Deux Mondes* laissa passer quelque humeur, en réduisant l'art de Hugo à une formule : « Pourvu qu'il ait à sa disposition une salle gothique et une demi-douzaine de pourpoints brodés, il ramène à tout propos son éternelle antithèse de la passion dans le vide, de la magnanimité dans l'humiliation. » (1835, t. 2). D'autres pointent dans le drame les éléments les plus apparents, les souterrains, le poison, la clé, le manteau (ainsi, *Le Courrier des Théâtres*, avril). Si *Le Monde dramatique* estime que « le tragique ressort plutôt du choc des situations que du développement d'une passion première, c'est le seul drame possible dans une civilisation aussi décrépite que la nôtre » (1835, t. I) ; si la *Revue des Deux Mondes* dénigre l'œuvre au nom de la vérité historique et morale, *Le Monde dramatique* (1835, t. I) loue dans la pièce l'art de ménager la surprise ; la *Revue de Paris* compare Homodei avec Gubetta *(Lucrèce Borgia)* et Simon Renard *(Marie Tudor)*, avec Mephistopheles de Goethe, et met en évidence la manière dont Hugo a su modifier « selon une admirable variété de formes » ce personnage de base : « Accuser après cela M. Hugo de se copier lui-même, c'est distraction, mauvais vouloir, ou bêtise. » *La Quotidienne* a été sensible au style, « une des parties les plus remarquables de l'ouvrage ; il est coloré, plein d'images et de pensées, souvent d'une rare énergie et d'une grande élévation ; à quelques expressions près, il est correct, élégant et noble. » (4 mai.) Le plus bel article vint de Théophile Gautier, dans *Le Monde dramatique* (5 juillet) ; faite par un ami, lucide, délicat et au jugement sûr, l'analyse souligne que le drame doit son succès à l'absence de lyrisme ; tel est le public. Tout en regrettant que Hugo ait abandonné le vers, Gautier a perçu ce que le nouveau drame comportait de sous-jacent et d'implicite ; sa parenté avec le roman noir et avec les forces occultes que véhicule la terreur lui est apparue — une vue très pénétrante, qui situe cet article loin des affirmations élémentaires de bon nombre d'autres journaux.

Dupeuty et Duvert écrivirent *Cornaro, tyran pas doux*, en actes et en vers (Vaudeville, 18 mai) ; la parodie d'A. Jouaud semble n'avoir pas été représentée ; le récit *Angelo, tyran de Padoue*, prononcé par Dumanet, livre des détails sur la mise en scène de 1835. Dumersan et A. d'Artois donnèrent *Les Marsistes et les Dorvalistes* (Variétés, 7 juillet).

Le drame, publié par Renduel, le 8 mai, est conforme au texte de la représentation, donc amputé. La version intégrale fut donnée en 1905 par l'Imprimerie nationale et au public du Théâtre Sarah-Bernhardt, avec Sarah Bernhardt.

PRÉFACE

Dans l'état où sont aujourd'hui toutes ces questions profondes qui touchent aux racines mêmes de la société, il semblait depuis longtemps à l'auteur de ce drame qu'il pourrait y avoir utilité et grandeur à développer sur le théâtre quelque chose de pareil à l'idée que voici.

Mettre en présence, dans une action toute résultante du cœur, deux graves et douloureuses figures, la femme dans la société, la femme hors de la société [1]; c'est-à-dire, en deux types vivants, toutes les femmes, toute la femme. Montrer ces deux femmes, qui résument tout en elles, généreuses souvent, malheureuses toujours. Défendre l'une contre le despotisme, l'autre contre le mépris. Enseigner à quelles épreuves résiste la vertu de l'une, à quelles larmes se lave la souillure de l'autre. Rendre la faute à qui est la faute, c'est-à-dire à l'homme, qui est fort, et au fait social, qui est absurde. Faire vaincre dans ces deux âmes choisies les ressentiments de la femme par la piété de la fille, l'amour d'un amant par l'amour d'une mère, la haine par le dévouement, la passion par le devoir. En regard de ces deux femmes ainsi faites poser deux hommes, le mari et l'amant, le souverain et le proscrit, et résumer en eux par mille développements secondaires toutes les relations régulières et irrégulières que l'homme peut avoir avec la femme d'une part, et la société de l'autre. Et puis, au bas de ce groupe qui jouit, qui possède et qui souffre, tantôt sombre, tantôt rayonnant, ne pas oublier l'envieux, ce témoin fatal, qui est toujours là, que la providence aposte au bas de toutes les sociétés, de toutes les hiérarchies, de toutes les prospérités, de toutes les passions humaines; éternel ennemi de tout ce qui est en haut; changeant de forme selon le temps et le lieu, mais au fond toujours le même; espion à Venise, eunuque à Constantinople, pamphlétaire à Paris [2]. Placer donc comme la providence le place, dans l'ombre, grinçant des dents à tous les sourires, ce misérable intelligent et perdu qui ne peut que nuire, car toutes les portes que son amour trouve fermées, sa vengeance les trouve ouvertes. Enfin, au-dessus de ces trois hommes, entre ces deux femmes, poser comme un lien, comme un symbole, comme un intercesseur, comme un conseiller, le dieu mort sur la croix. Clouer toute cette souffrance humaine au revers du crucifix.

Puis, de tout ceci ainsi posé, faire un drame; pas tout à fait royal, de peur que la possibilité de l'application ne disparût dans la grandeur des proportions; pas tout à fait bourgeois, de peur que la petitesse des personnages ne nuisît à l'ampleur de l'idée; mais princier et domestique; princier, parce qu'il faut que le drame soit grand; domestique, parce qu'il faut que le drame soit vrai. Mêler dans cette œuvre, pour satisfaire ce besoin de l'esprit qui veut toujours sentir le passé dans le présent et le présent dans le passé, à l'élément éternel l'élément humain, à l'élément social un élément historique. Peindre, chemin faisant, à l'occasion de cette idée, non seulement l'homme et la femme, non seulement ces deux femmes et ces trois hommes, mais tout un siècle, tout un climat, toute une civilisation, tout un peuple [3]. Dresser sur cette pensée, d'après les données spéciales de l'histoire, une aventure tellement simple et vraie, si bien vivante, si bien palpitante, si bien réelle, qu'aux yeux de la foule elle pût cacher l'idée elle-même comme la chair cache l'os.

Voilà ce que l'auteur de ce drame a tenté de faire. Il n'a qu'un regret, c'est que cette pensée ne soit pas venue à un meilleur que lui.

Aujourd'hui, en présence d'un succès dû évidemment à cette pensée et qui a dépassé toutes ses espérances, il sent le besoin d'expliquer son idée entière à cette foule sympathique et éclairée qui s'amoncelle chaque soir devant son œuvre avec une curiosité pleine de responsabilité pour lui.

On ne saurait trop le redire, pour quiconque a médité sur les besoins de la société, auxquels doivent toujours correspondre les tentatives de l'art, aujourd'hui plus que jamais le théâtre est un lieu d'enseignement. Le drame, comme l'auteur de cet ouvrage le voudrait faire, et comme le pourrait faire un homme de génie, doit donner à la foule une philosophie, aux idées une formule, à la poésie des muscles, du sang et de la vie, à ceux qui pensent une explication désintéressée, aux âmes altérées un breuvage, aux plaies secrètes un baume, à chacun un conseil, à tous une loi.

Il va sans dire que les conditions de l'art doivent être d'abord et en tout remplies. La curiosité, l'intérêt, l'amusement, le rire, les larmes, l'observation perpétuelle de tout ce qui est nature, l'enveloppe merveilleuse du style, le drame doit avoir tout cela, sans quoi il ne serait pas le drame ; mais, pour être complet, il faut qu'il ait aussi la volonté d'enseigner, en même temps qu'il a la volonté de plaire. Laissez-vous charmer par le drame, mais que la leçon soit dedans, et qu'on puisse toujours l'y retrouver quand on voudra disséquer cette belle chose vivante, si ravissante, si poétique, si passionnée, si magnifiquement vêtue d'or, de soie et de velours. Dans le plus beau drame, il doit toujours y avoir une idée sévère, comme dans la plus belle femme il y a un squelette.

L'auteur ne se dissimule, comme on voit, aucun des devoirs austères du poète dramatique. Il essayera peut-être quelque jour, dans un ouvrage spécial, d'expliquer en détail ce qu'il a voulu faire dans chacun des divers drames qu'il a donnés depuis sept ans. En présence d'une tâche aussi immense que celle du théâtre au dix-neuvième siècle, il sent son insuffisance profonde, mais il n'en persévérera pas moins dans l'œuvre qu'il a commencée. Si peu de chose qu'il soit, comment reculerait-il, encouragé qu'il est par l'adhésion des esprits d'élite [4], par l'applaudissement de la foule, par la loyale sympathie de tout ce qu'il y a aujourd'hui dans la critique d'hommes éminents et écoutés ? Il continuera donc fermement ; et, chaque fois qu'il croira nécessaire de faire bien voir à tous, dans ses moindres détails, une idée utile, une idée sociale, une idée humaine, il posera le théâtre dessus comme un verre grossissant.

Au siècle où nous vivons, l'horizon de l'art est bien élargi. Autrefois le poète disait : le public ; aujourd'hui le poète dit : le peuple.

7 mai 1835.

PERSONNAGES

ANGELO MALIPIERI, podesta [5].
CATARINA BRAGADINI
LA TISBE
RODOLFO
HOMODEI
ANAFESTO GALEOFA
ORDELAFO
ORFEO
GABOARDO
REGINELLA
DAFNE
UN PAGE NOIR
UN GUETTEUR DE NUIT
UN HUISSIER
LE DOYEN DE SAINT-ANTOINE DE PADOUE
L'ARCHIPRÊTRE

PREMIÈRE JOURNÉE [6]

LA CLEF

Un jardin illuminé pour une fête de nuit [7]. A droite, un palais plein de musique et de lumière, avec une porte sur le jardin et une galerie en arcades au rez-de-chaussée, où l'on voit circuler les gens de la fête. Vers la porte, un banc de pierre. A gauche, un autre banc sur lequel on distingue dans l'ombre un homme endormi. Au fond, au-dessus des arbres, la silhouette noire de Padoue au XVIe siècle, sur un ciel clair. Vers la fin de l'acte, le jour paraît.

SCÈNE PREMIÈRE

LA TISBE, *riche costume de fête;* ANGELO MALIPIERI, *la veste ducale, l'étole d'or;* HOMODEI, *endormi, longue robe de laine brune fermée par-devant, haut-de-chausses rouge, une guitare à côté de lui.*

LA TISBE

Oui, vous êtes le maître ici, monseigneur, vous êtes le magnifique podesta [8], vous avez droit de vie et de mort, toute puissance, toute liberté. Vous êtes envoyé de Venise [9], et partout où l'on vous voit il semble qu'on voit la face et la majesté de cette république. Quand vous passez dans une rue, monseigneur, les fenêtres se ferment, les passants s'esquivent, et tout le dedans des maisons tremble. Hélas! ces pauvres padouans n'ont guère l'attitude plus fière et plus rassurée devant vous que s'ils étaient les gens de Constantinople, et vous le Turc [10]. Oui, cela est ainsi. Ah! j'ai été à Brescia [11]. C'est autre chose. Venise n'oserait pas traiter Brescia comme elle traite Padoue. Brescia se défendrait. Quand le bras de Venise frappe, Brescia mord, Padoue lèche. C'est une honte. Eh bien, quoique vous soyez ici le maître de tout le monde, et que vous prétendiez être le mien, écoutez-moi, monseigneur, je vais vous dire la vérité, moi. Pas sur les affaires d'Etat, n'ayez pas peur, mais sur les vôtres. Eh bien, oui, je vous le dis, vous êtes un homme étrange, je ne comprends rien à vous, vous êtes amoureux de moi et vous êtes jaloux de votre femme!

ANGELO

Je suis jaloux aussi de vous, madame.

LA TISBE

Ah, mon Dieu! vous n'avez pas besoin de me le dire. Et pourtant vous n'en avez pas le droit, car je ne vous appartiens pas. Je passe ici pour votre maîtresse, pour votre toute-puissante maîtresse, mais je ne la suis point, vous le savez bien.

ANGELO

Cette fête est magnifique, madame.

LA TISBE

Ah! je ne suis qu'une pauvre comédienne de théâtre, on me permet de donner des fêtes aux sénateurs, je tâche d'amuser votre maître, mais cela ne me réussit guère aujourd'hui. Votre visage est plus sombre que mon masque n'est noir. J'ai beau prodiguer les lampes et les flambeaux, l'ombre reste sur votre front. Ce que je vous donne en musique, vous ne me le rendez pas en gaîté, monseigneur. — Allons, riez donc un peu.

ANGELO

Oui, je ris. — Ne m'avez-vous pas dit que c'était votre frère, ce jeune homme qui est arrivé avec vous à Padoue ?

LA TISBE

Oui. Après ?

ANGELO

Vous lui avez parlé tout à l'heure. Quel est donc cet autre avec qui il était ?

LA TISBE

C'est son ami. Un vicentin [12] nommé Anafesto Galeofa [13].

ANGELO

Et comment s'appelle-t-il votre frère ?

LA TISBE

Rodolfo, monseigneur, Rodolfo. Je vous ai déjà expliqué tout cela vingt fois. Est-ce que vous n'avez rien de plus gracieux à me dire ?

ANGELO

Pardon, Tisbe, je ne vous ferai plus de questions.

Savez-vous que vous avez joué hier la Rosmonda [14] d'une grâce merveilleuse, que cette ville est bien heureuse de vous avoir, et que toute l'Italie qui vous admire, Tisbe, envie ces padouans que vous plaignez tant ? Ah ! toute cette foule qui vous applaudit m'importune. Je meurs de jalousie quand je vous vois si belle pour tant de regards. Ah, Tisbe ! — Qu'est-ce donc que cet homme masqué à qui vous avez parlé ce soir entre deux portes ?

LA TISBE

Pardon, Tisbe, je ne vous ferai plus de questions. — C'est fort bien. Cet homme, monseigneur, c'est Virgilio Tasca [15].

ANGELO

Mon lieutenant ?

LA TISBE

Votre sbire.

ANGELO

Et que lui vouliez-vous ?

LA TISBE

Vous seriez bien attrapé, s'il ne me plaisait pas de vous le dire.

ANGELO

Tisbe !...

LA TISBE

Non, tenez, je suis bonne, voilà l'histoire. Vous savez qui je suis, rien, une fille du peuple, une comédienne [16], une chose que vous caressez aujourd'hui et que vous briserez demain. Toujours en jouant. Eh bien ! si peu que je sois, j'ai eu une mère. Savez-vous ce que c'est que d'avoir une mère ? en avez-vous eu une, vous ? savez-vous ce que c'est que d'être enfant, pauvre enfant, faible, nu, misérable, affamé, seul au monde, et de sentir que vous avez auprès de vous, autour de vous, au-dessus de vous, marchant quand vous marchez, s'arrêtant quand vous vous arrêtez, souriant quand vous pleurez, une femme... — non, on ne sait pas encore que c'est une femme, — un ange qui est là, qui vous regarde, qui vous apprend à parler, qui vous apprend à rire, qui vous apprend à aimer !

qui réchauffe vos doigts dans ses mains, votre corps dans ses genoux, votre âme dans son cœur! qui vous donne son lait quand vous êtes petit, son pain quand vous êtes grand, sa vie toujours! à qui vous dites ma mère! et qui vous dit mon enfant! d'une manière si douce que ces deux mots-là réjouissent Dieu! — Eh bien! j'avais une mère comme cela, moi. C'était une pauvre femme sans mari, qui chantait des chansons morlaques [17] dans les places publiques de Brescia. J'allais avec elle. On nous jetait quelque monnaie. C'est ainsi que j'ai commencé. Ma mère se tenait d'habitude au pied de la statue de Gatta-Melata [18]. Un jour, il paraît que dans la chanson qu'elle chantait sans y rien comprendre il y avait quelque rime offensante pour la seigneurie de Venise, ce qui faisait rire autour de nous les gens d'un ambassadeur. Un sénateur passa. Il regarda, il entendit, et dit au capitaine-grand [19] qui le suivait : A la potence cette femme! Dans l'Etat de Venise, c'est bientôt fait. Ma mère fut saisie sur-le-champ. Elle ne dit rien, à quoi bon ? m'embrassa avec une grosse larme qui tomba sur mon front, prit son crucifix et se laissa garrotter. Je le vois encore, ce crucifix. En cuivre poli. Mon nom, *Tisbe*, est grossièrement écrit au bas avec la pointe d'un stylet. Moi, j'avais seize ans alors, je regardais ces gens lier ma mère, sans pouvoir parler, ni crier, ni pleurer, immobile, glacée, morte, comme dans un rêve. La foule se taisait aussi. Mais il y avait avec le sénateur une jeune fille qu'il tenait par la main, sa fille sans doute, qui s'émut de pitié tout à coup. Une belle jeune fille, monseigneur. La pauvre enfant! elle se jeta aux pieds du sénateur, elle pleura tant, et des larmes si suppliantes et avec de si beaux yeux, qu'elle obtint la grâce de ma mère. Oui, monseigneur. Quand ma mère fut déliée, elle prit son crucifix [20], — ma mère, — et le donna à la belle enfant en lui disant : Madame, gardez ce crucifix, il vous portera bonheur. Depuis ce temps, ma mère est morte, sainte femme; moi je suis devenue riche, et je voudrais revoir cette enfant, cet ange qui a sauvé ma mère. Qui sait ? elle est femme maintenant, et par conséquent malheureuse [21]. Elle a peut-être besoin de moi à son tour. Dans toutes les villes où je vais, je fais venir le sbire, le barigel [22], l'homme de police, je lui conte l'aventure, et à celui qui trouvera la femme que je cherche je donnerai dix mille sequins d'or. Voilà pourquoi j'ai parlé tout à l'heure entre deux portes à votre barigel Virgilio Tasca. Etes-vous content ?

ANGELO

Dix mille sequins [22 bis] d'or! Mais que donnerez-vous à la femme elle-même, quand vous la retrouverez ?

LA TISBE

Ma vie, si elle veut.

ANGELO

Mais à quoi la reconnaîtrez-vous ?

LA TISBE

Au crucifix de ma mère.

ANGELO

Bah! elle l'aura perdu.

LA TISBE

Oh! non! on ne perd pas ce qu'on a gagné ainsi [23].

ANGELO, *apercevant Homodei.*

Madame! madame! il y a un homme là! savez-vous qu'il y a un homme là ? qu'est-ce que c'est que cet homme ?

LA TISBE, *éclatant de rire.*

Hé, mon Dieu! oui, je sais qu'il y a un homme là, et qui dort, encore! et d'un bon sommeil [24]! N'allez-vous pas vous effaroucher aussi de celui-là ? c'est mon pauvre Homodei.

ANGELO

Homodei! qu'est-ce que c'est que cela, Homodei?

LA TISBE

Cela, Homodei, c'est un homme, monseigneur, comme ceci, la Tisbe, c'est une femme. Homodei, monseigneur, c'est un joueur de guitare que monsieur le primicier [25] de Saint-Marc, qui est fort de mes amis, m'a adressé dernièrement avec une lettre, que je vous montrerai, vilain jaloux! et même à la lettre était joint un présent.

ANGELO

Comment ?

LA TISBE

Oh! un vrai présent vénitien. Une boîte qui contient

simplement deux flacons; un blanc, l'autre noir. Dans le blanc, il y a un narcotique très puissant qui endort pour douze heures d'un sommeil pareil à la mort; dans le noir, il y a du poison, de ce terrible poison que Malaspina [26] fit prendre au pape dans une pilule d'aloès, vous savez ? Monsieur le primicier m'écrit que cela peut servir dans l'occasion. Une galanterie, comme vous voyez. Du reste, le révérend primicier me prévient que le pauvre homme, porteur de la lettre et du présent, est idiot [27]. Il est ici, et vous auriez dû le voir, depuis quinze jours, mangeant à l'office, couchant dans le premier coin venu, à sa mode, jouant et chantant en attendant qu'il s'en aille à Vicence. Il vient de Venise. Hélas! ma mère a erré ainsi. Je le garderai tant qu'il voudra. Il a quelque temps égayé la compagnie ce soir. Notre fête ne l'amuse pas, il dort. C'est aussi simple que cela.

ANGELO

Vous me répondez de cet homme ?

LA TISBE

Allons, vous voulez rire! La belle occasion pour prendre cet air effaré! un joueur de guitare, un idiot, un homme qui dort! Ah çà, monsieur le podesta, mais qu'est-ce que vous avez donc ? Vous passez votre vie à faire des questions sur celui-ci, sur celui-là. Vous prenez ombrage de tout. Est-ce jalousie, ou est-ce peur ?

ANGELO

L'une et l'autre.

LA TISBE

Jalousie, je le comprends, vous vous croyez obligé de surveiller deux femmes. Mais peur! vous le maître, vous qui faites peur à tout le monde, au contraire!

ANGELO

Première raison pour trembler [28]. *(Se rapprochant d'elle et parlant bas.)* — Ecoutez, Tisbe. Oui, vous l'avez dit, oui, je puis tout ici; je suis seigneur, despote et souverain de cette ville; je suis le podesta que Venise met sur Padoue, la griffe du tigre sur la brebis. Oui, tout-puissant; mais, tout absolu que je suis, au-dessus de moi, voyez-vous, Tisbe, il y a une chose grande et terrible et pleine de ténèbres; il y a Venise. Et savez-vous ce que c'est que

Venise, pauvre Tisbe ? Venise, je vais vous le dire, c'est l'inquisition d'Etat, c'est le conseil des Dix [29]. Oh! le conseil des Dix! parlons-en bas, Tisbe, car il est peut-être là quelque part qui nous écoute. Des hommes que pas un de nous ne connaît, et qui nous connaissent tous. Des hommes qui ne sont visibles dans aucune cérémonie, et qui sont visibles dans tous les échafauds. Des hommes qui ont dans leurs mains toutes les têtes, la vôtre, la mienne, celle du doge, et qui n'ont ni simarre [30], ni étole [31], ni couronne, rien qui les désigne aux yeux, rien qui puisse vous faire dire : celui-ci en est! un signe mystérieux sous leurs robes, tout au plus; des agents partout, des sbires partout, des bourreaux partout. Des hommes qui ne montrent jamais au peuple de Venise d'autres visages que ces mornes bouches de bronze toujours ouvertes sous les porches de Saint-Marc, bouches fatales que la foule croit muettes et qui parlent cependant d'une façon bien haute et bien terrible, car elles disent à tout passant : dénoncez [32]! — Une fois dénoncé, on est pris. Une fois pris, tout est dit. A Venise, tout se fait secrètement, mystérieusement, sûrement. Condamné, exécuté; rien à voir, rien à dire; pas un cri possible, pas un regard utile; le patient a un bâillon, le bourreau un masque. Que vous parlais-je d'échafaud tout à l'heure ? je me trompais. A Venise, on ne meurt pas sur l'échafaud, on disparaît. Il manque tout à coup un homme dans une famille. Qu'est-il devenu ? les plombs [33], les puits, le canal Orfano [34] le savent. Quelquefois on entend quelque chose tomber dans l'eau la nuit. Passez vite alors! Du reste, bals, festins, flambeaux, musiques, gondoles, théâtres, carnaval de cinq mois, voilà Venise [35]. Vous, Tisbe, ma belle comédienne, vous ne connaissez que ce côté-là; moi, sénateur, je connais l'autre. Voyez-vous, dans tout palais, dans celui du doge, dans le mien, à l'insu de celui qui l'habite, il y a un couloir secret, perpétuel trahisseur de toutes les salles, de toutes les chambres, de toutes les alcôves; un corridor ténébreux dont d'autres que vous connaissent les portes et qu'on sent serpenter autour de soi sans savoir au juste où il est; une sape mystérieuse où vont et viennent sans cesse des hommes inconnus qui font quelque chose. Et les vengeances personnelles qui se mêlent à tout cela et qui cheminent dans cette ombre! Souvent la nuit je me dresse sur mon séant, j'écoute, et j'entends des pas dans mon mur. Voilà sous quelle pression je vis, Tisbe. Je suis sur

Padoue, mais ceci est sur moi [36]. J'ai mission de dompter Padoue. Il m'est ordonné d'être terrible. Je ne suis despote qu'à condition d'être tyran [37]. Ne me demandez jamais la grâce de qui que ce soit, à moi qui ne sais rien vous refuser, vous me perdriez. Tout m'est permis pour punir, rien pour pardonner. Oui, c'est ainsi. Tyran de Padoue, esclave de Venise. Je suis bien surveillé, allez. Oh! le conseil des Dix! Mettez un ouvrier seul dans une cave et faites-lui faire une serrure; avant que la serrure soit finie, le conseil des Dix en a la clef dans sa poche. Madame! madame! le valet qui me sert m'espionne, l'ami qui me salue m'espionne, le prêtre qui me confesse m'espionne, la femme qui me dit : je t'aime, — oui, Tisbe, — m'espionne!

LA TISBE

Ah! monsieur!

ANGELO

Vous ne m'avez jamais dit que vous m'aimiez. Je ne parle pas de vous, Tisbe. Oui, je vous le répète, tout ce qui me regarde est un œil du conseil des Dix, tout ce qui m'écoute est une oreille du conseil des Dix, tout ce qui me touche est une main du conseil des Dix. Main redoutable, qui tâte longtemps d'abord et qui saisit ensuite brusquement! Oh! magnifique podesta que je suis, je ne suis pas sûr de ne pas voir demain apparaître subitement dans ma chambre un misérable sbire qui me dira de le suivre, et qui ne sera qu'un misérable sbire, et que je suivrai! Où? dans quelque lieu profond d'où il ressortira sans moi. Madame, être de Venise, c'est pendre à un fil. C'est une sombre et sévère condition que la mienne, madame, d'être là, penché sur cette fournaise ardente que vous nommez Padoue, le visage toujours couvert d'un masque, faisant ma besogne de tyran, entouré de chances, de précautions, de terreurs, redoutant sans cesse quelque explosion, et tremblant à chaque instant d'être tué roide par mon œuvre comme l'alchimiste par son poison [38]! — Plaignez-moi, et ne me demandez pas pourquoi je tremble, madame!

LA TISBE

Ah! Dieu! affreuse position que la vôtre, en effet.

ANGELO

Oui, je suis l'outil avec lequel un peuple torture un

autre peuple. Ces outils-là s'usent vite et se cassent souvent, Tisbe. Ah! je suis malheureux [39]. Il n'y a pour moi qu'une chose douce au monde, c'est vous. Pourtant je sens bien que vous ne m'aimez pas. Vous n'en aimez pas un autre, au moins ?

LA TISBE

Non, non, calmez-vous.

ANGELO

Vous me dites mal ce non-là.

LA TISBE

Ma foi! je vous le dis comme je peux.

ANGELO

Ah! ne soyez pas à moi, j'y consens; mais ne soyez pas à un autre! Tisbe! Que je n'apprenne jamais qu'un autre...

LA TISBE

Si vous croyez que vous êtes beau quand vous me regardez comme cela!

ANGELO

Ah! Tisbe, quand m'aimerez-vous ?

LA TISBE

Quand tout le monde ici vous aimera.

ANGELO

Hélas! — C'est égal, restez à Padoue. Je ne veux pas que vous quittiez Padoue, entendez-vous ? Si vous vous en alliez, ma vie s'en irait. — Mon Dieu! voici qu'on vient à nous. Il y a longtemps déjà qu'on peut nous voir parler ensemble; cela pourrait donner des soupçons à Venise. Je vous laisse. *(S'arrêtant et montrant Homodei.)* — Vous me répondez de cet homme ?

LA TISBE

Comme d'un enfant qui dormirait là.

ANGELO

C'est votre frère qui vient. Je vous laisse avec lui. *(Il sort.)*

SCÈNE II

LA TISBE; RODOLFO, *vêtu de noir*[40], *sévère, une plume noire au chapeau;* HOMODEI, *toujours endormi.*

LA TISBE

Ah! c'est Rodolfo! ah! c'est Rodolfo! Viens, je t'aime, toi! *(Se tournant vers le côté où Angelo est sorti.)* — Non, tyran imbécile! ce n'est pas mon frère, c'est mon amant! — Viens, Rodolfo, mon brave soldat, mon noble proscrit, mon généreux homme! Regarde-moi bien en face. Tu es beau, je t'aime!

RODOLFO

Tisbe...

LA TISBE

Pourquoi as-tu voulu venir à Padoue? Tu vois bien, nous voilà pris au piège. Nous ne pouvons plus en sortir maintenant. Dans ta position, partout tu es obligé de te faire passer pour mon frère. Ce podesta s'est épris de ta pauvre Tisbe; il nous tient; il ne veut pas nous lâcher. Et puis je tremble sans cesse qu'il ne découvre qui tu es. Ah! quel supplice[41]! Oh! n'importe, il n'aura rien de moi, ce tyran! Tu en es bien sûre, n'est-ce pas, Rodolfo? Je veux pourtant que tu t'inquiètes de cela; je veux que tu sois jaloux de moi, d'abord.

RODOLFO

Vous êtes une noble et charmante femme.

LA TISBE

Oh! c'est que je suis jalouse de toi, moi, vois-tu! mais jalouse! Cet Angelo Malipieri, ce vénitien, qui me parlait de jalousie aussi, lui, qui s'imagine être jaloux, cet homme, et qui mêle toutes sortes d'autres choses à cela. Ah! quand on est jaloux, monseigneur, on ne voit pas Venise, on ne voit pas le conseil des Dix, on ne voit pas les sbires, les espions, le canal Orfano; on n'a qu'une chose devant les yeux, sa jalousie. Moi, Rodolfo, je ne puis te voir parler à d'autres femmes, leur parler seulement, cela me fait mal. Quel droit ont-elles à des paroles de toi?

Oh! une rivale! ne me donne jamais une rivale[42]! je la tuerais. Tiens, je t'aime! Tu es le seul homme que j'aie jamais aimé. Ma vie a été triste longtemps, elle rayonne maintenant. Tu es ma lumière. Ton amour, c'est un soleil qui s'est levé sur moi. Les autres hommes m'avaient glacée. Que ne t'ai-je connu il y a dix ans! Il me semble que toutes les parties de mon cœur qui sont mortes de froid vivraient encore[43]. Quelle joie de pouvoir être seuls un instant et parler! Quelle folie d'être venus à Padoue! Nous vivons dans une telle contrainte! Mon Rodolfo! Oui, pardieu! c'est mon amant! ah bien oui! mon frère! Tiens, je suis folle de joie quand je te parle à mon aise; tu vois bien que je suis folle! M'aimes-tu?

RODOLFO

Qui ne vous aimerait pas, Tisbe?

LA TISBE

Si vous me dites encore vous, je me fâcherai. O mon Dieu! il faut pourtant que j'aille me montrer un peu à mes conviés. Dis-moi, depuis quelque temps je te trouve l'air triste. N'est-ce pas, tu n'es pas triste[44]?

RODOLFO

Non, Tisbe.

LA TISBE

Tu n'est pas souffrant?

RODOLFO

Non.

LA TISBE

Tu n'es pas jaloux?

RODOLFO

Non.

LA TISBE

Si! je veux que tu sois jaloux! Ou bien c'est que tu ne m'aimes pas! Allons, pas de tristesse. Ah çà, au fait, moi je tremble toujours, tu n'es pas inquiet? personne ici ne sait que tu n'es pas mon frère?

RODOLFO

Personne, excepté Anafesto.

LA TISBE

Ton ami. Oh! celui-là est sûr.

Entre Anafesto Galeofa.

— Le voici précisément. Je vais te confier à lui pour quelques instants. *(Riant.)* — Monsieur Anafesto, ayez soin qu'il ne parle à aucune femme.

ANAFESTO, *souriant.*

Soyez tranquille, madame.

La Tisbe sort.

SCÈNE III

RODOLFO, ANAFESTO GALEOFA,
HOMODEI, *toujours endormi.*

ANAFESTO, *la regardant sortir.*

Oh! Charmante! — Rodolfo, tu es heureux; elle t'aime.

RODOLFO

Anafesto, je ne suis pas heureux; je ne l'aime pas.

ANAFESTO

Comment! que dis-tu ?

RODOLFO, *apercevant Homodei.*

Qu'est-ce que c'est que cet homme qui dort là ?

ANAFESTO

Rien; c'est ce pauvre musicien, tu sais ?

RODOLFO

Ah! oui, cet idiot.

ANAFESTO

Tu n'aimes pas la Tisbe! est-il possible ? que viens-tu de me dire ?

RODOLFO

Ah! je t'ai dit cela ? Oublie-le.

ANAFESTO

La Tisbe! adorable femme!

RODOLFO

Adorable en effet. Je ne l'aime pas.

ANASFESTO

Comment!

RODOLFO

Ne m'interroge point.

ANAFESTO

Moi, ton ami!

LA TISBE, *rentrant, et courant à Rodolfo, avec un sourire.*

Je reviens seulement pour te dire un mot : Je t'aime! Maintenant je m'en vais. *(Elle sort en courant.)*

ANAFESTO, *la regardant sortir.*

Pauvre Tisbe!

RODOLFO

Il y a au fond de ma vie un secret qui n'est connu que de moi seul.

ANAFESTO

Quelque jour tu le confieras à ton ami, n'est-ce pas ? Tu es bien sombre aujourd'hui, Rodolfo.

RODOLFO

Oui. Laisse-moi un instant.

Anafesto sort. Rodolfo s'assied sur le banc de pierre près de la porte et laisse tomber sa tête dans ses mains. Quand Anafesto est sorti, Homodei ouvre les yeux[45]*, se lève, puis va à pas lents se placer debout derrière Rodolfo absorbé dans sa rêverie.*

SCÈNE IV

RODOLFO, HOMODEI

Homodei pose la main sur l'épaule de Rodolfo. Rodolfo se retourne et la regarde avec stupeur.

HOMODEI

Vous ne vous appelez pas Rodolfo. Vous vous appelez Ezzelino da Romana [46]. Vous êtes d'une ancienne famille qui a régné à Padoue, et qui en est bannie depuis deux cents ans. Vous errez de ville en ville sous un faux nom, vous hasardant quelquefois dans l'Etat de Venise. Il y a sept ans, à Venise même, vous aviez vingt ans alors, vous vîtes un jour dans une église une jeune fille très belle. Dans l'église de Saint-Georges le Grand [47]. Vous ne la suivîtes pas; à Venise, suivre une femme, c'est chercher un coup de stylet; mais vous revîntes souvent dans l'église. La jeune fille y revint aussi. Vous fûtes pris d'amour pour elle, elle pour vous. Sans savoir son nom, car vous ne l'avez jamais su, et vous ne le savez pas encore, elle ne s'appelle pour vous que Catarina, vous trouvâtes moyen de lui écrire, elle de vous répondre. Vous obtîntes d'elle des rendez-vous chez une femme nommée la béate [48] Cécilia. Ce fut entre elle et vous un amour éperdu, mais elle resta pure. Cette jeune fille était noble. C'est tout ce que vous saviez d'elle. Une noble vénitienne ne peut épouser qu'un noble vénitien ou un roi [49]; vous n'êtes pas vénitien et vous n'êtes plus roi. Banni d'ailleurs, vous n'y pouviez aspirer. Un jour elle manqua au rendez-vous; la béate Cécilia vous apprit qu'on l'avait mariée. Du reste, vous ne pûtes pas plus savoir le nom du mari que vous n'aviez su le nom du père. Vous quittâtes Venise. Depuis ce jour, vous vous êtes enfui par toute l'Italie; mais l'amour vous a suivi. Vous avez jeté votre vie aux plaisirs, aux distractions, aux folies, aux vices. Inutile. Vous avez tâché d'aimer d'autres femmes, vous avez cru même en aimer d'autres, cette comédienne par exemple, la Tisbe. Inutile encore. L'ancien amour a toujours reparu sous les nouveaux [50]. Il y a trois mois, vous êtes venu à Padoue avec la Tisbe, qui vous fait passer pour son frère. Le podesta, monseigneur Angelo Malipieri, s'est épris d'elle; et vous, voici ce qui vous est arrivé. Un soir, le seizième jour de février [51], une femme voilée a passé près de vous sur le pont Molino [52], vous a pris la main, et vous a mené dans la rue Sampiero. Dans cette rue sont les ruines de l'ancien palais Magaruffi, démoli par votre ancêtre Ezzelin III [53]; dans ces ruines il y a une cabane; dans cette cabane vous avez trouvé la femme de Venise que vous aimez et qui vous aime depuis sept ans. A partir de ce jour, vous vous êtes rencontré trois fois par semaine avec elle dans cette cabane. Elle est resté tout à la fois fidèle à son amour et à son honneur, à vous et à son mari [54]. Du reste, cachant toujours son nom. Catarina, rien de plus. Le mois passé, votre bonheur s'est rompu brusquement. Un jour, elle n'a point paru à la cabane. Voilà cinq semaines que vous ne l'avez vue. Cela tient à ce que son mari se défie d'elle et la garde enfermée. — Nous sommes au matin, le jour va paraître. — Vous la cherchez partout, vous ne la trouvez pas, vous ne la trouverez jamais. — Voulez-vous la voir ce soir ?

RODOLFO, *le regardant fixement.*

Qui êtes-vous ?

HOMODEI

Ah! des questions ? Je n'y réponds pas. — Ainsi vous ne voulez pas voir aujourd'hui cette femme ?

RODOLFO

Si! si! la voir! je veux la voir! Au nom du ciel! la revoir un instant et mourir!

HOMODEI

Vous la verrez.

RODOLFO

Où ?

HOMODEI

Chez elle.

RODOLFO

Mais, dites-moi, elle ? qui est-elle ? son nom ?

HOMODEI

Je vous le dirai chez elle.

RODOLFO

Ah! vous venez du ciel!

HOMODEI

Je n'en sais rien. — Ce soir, au lever de la lune, — à minuit, c'est plus simple, — trouvez-vous à l'angle du palais d'Albert de Baon, rue Santo-Urbano [55]. J'y serai. Je vous conduirai. A minuit.

RODOLFO

Merci! Et vous ne voulez pas me dire qui vous êtes ?

HOMODEI

Qui je suis ? Un idiot [56]. *(Il sort.)*

RODOLFO, *resté seul.*

Quel est cet homme ? Ah! qu'importe ? Minuit! à minuit! Qu'il y a loin d'ici minuit! Oh! Catarina! pour l'heure qu'il me promet, je lui aurais donné ma vie!

Entre la Tisbe.

SCÈNE V

RODOLFO, LA TISBE

LA TISBE

C'est encore moi, Rodolfo. Bonjour! Je n'ai pu être plus longtemps sans te voir. Je ne puis me séparer de toi; je te suis partout; je pense et je vis par toi. Je suis l'ombre de ton corps, tu es l'âme du mien.

RODOLFO

Prenez garde, Tisbe, ma famille est une famille fatale [57]. Il y a sur nous une prédiction, une destinée qui s'accomplit presque inévitablement de père en fils. Nous tuons qui nous aime.

LA TISBE

Eh bien, tu me tueras. Après ? Pourvu que tu m'aimes!

RODOLFO

Tisbe...

LA TISBE

Tu me pleureras ensuite. Je n'en veux pas plus.

RODOLFO

Tisbe, vous mériteriez l'amour d'un ange. *(Il lui baise la main et sort lentement.)*

LA TISBE, *seule.*

Eh bien! comme il me quitte! Rodolfo! Il s'en va. Qu'est-ce qu'il a donc ? *(Regardant vers le banc.)* — Ah! Homodei s'est réveillé!

Homodei paraît au fond du théâtre.

SCÈNE VI

LA TISBE, HOMODEI

HOMODEI

Le Rodolfo s'appelle Ezzelino, l'aventurier est un prince, l'idiot est un esprit, l'homme qui dort est un chat qui guette. Œil fermé, oreille ouverte [58].

LA TISBE

Que dit-il ?

HOMODEI, *montrant sa guitare.*

Cette guitare a des fibres qui rendent le son qu'on veut. Le cœur d'un homme, le cœur d'une femme ont aussi des fibres dont on peut jouer.

LA TISBE

Qu'est-ce que cela veut dire ?

HOMODEI

Madame, cela veut dire que si, par hasard, vous perdez aujourd'hui un beau jeune homme qui a une plume noire à son chapeau, je sais l'endroit où vous pourrez le retrouver la nuit prochaine.

LA TISBE

Chez une femme ?

HOMODEI

Blonde.

LA TISBE

Quoi! que veux-tu dire ? qui es-tu ?

HOMODEI

Je n'en sais rien.

LA TISBE

Tu n'es pas ce que je croyais. Malheureuse que je suis [59]! Ah! le podesta s'en doutait, tu es un homme redoutable! Qui es-tu ? oh! qui es-tu ? Rodolfo chez une femme! la nuit prochaine! C'est là ce que tu veux dire! hein ? est-ce là ce que tu veux dire ?

HOMODEI

Je n'en sais rien.

LA TISBE

Ah! tu mens! C'est impossible, Rodolfo m'aime.

HOMODEI

Je n'en sais rien.

LA TISBE

Ah! misérable! ah! tu mens! Comme il ment! Tu es un homme payé. Mon Dieu, j'ai donc des ennemis, moi! Mais Rodolfo m'aime. Va, tu ne parviendras pas à m'alarmer. Je ne te crois pas. Tu dois être bien furieux de voir que ce que tu me dis ne me fait aucun effet.

HOMODEI

Vous avez remarqué sans doute que le podesta, monseigneur Angelo Malipieri, porte à sa chaîne de cou un petit bijou en or artistement travaillé. Ce bijou est une clef. Feignez d'en avoir envie comme d'un bijou. Demandez-la-lui sans lui dire ce que nous en voulons faire.

LA TISBE

Une clef, dis-tu ? Je ne la demanderai pas. Je ne demanderai rien. Cet infâme, qui voudrait me faire soupçonner Rodolfo! Je ne veux pas de cette clef! Va-t'en, je ne t'écoute pas.

HOMODEI

Voici justement le podesta qui vient. Quand vous aurez

la clef, je vous expliquerai comment il faudra vous en servir la nuit prochaine. Je reviendrai dans un quart d'heure.

LA TISBE

Misérable! tu ne m'entends donc pas ? je te dis que je ne veux point de cette clef. J'ai confiance en Rodolfo, moi. Cette clef, je ne m'en occupe point. Je n'en dirai pas un mot au podesta. Et ne reviens pas, c'est inutile! je ne te crois pas.

HOMODEI

Dans un quart d'heure.

Il sort. Entre Angelo.

SCÈNE VII

LA TISBE, ANGELO

LA TISBE

Ah! vous voilà, monseigneur. Vous cherchez quelqu'un ?

ANGELO

Oui, Virgilio Tasca, à qui j'avais un mot à dire.

LA TISBE

Eh bien, êtes-vous toujours jaloux ?

ANGELO

Toujours, madame.

LA TISBE

Vous êtes fou. A quoi bon être jaloux ? Je ne comprends pas qu'on soit jaloux. J'aimerais un homme, moi, que je n'en serais certainement pas jalouse [60].

ANGELO

C'est que vous n'aimez personne.

LA TISBE

Si. J'aime quelqu'un.

ANGELO

Qui ?

LA TISBE

Vous.

ANGELO

Vous m'aimez! est-il possible ? Ne vous jouez pas de moi, mon Dieu! Oh! répétez-moi ce que vous m'avez dit là.

LA TISBE

Je vous aime. *(Il s'approche d'elle avec ravissement. Elle prend la chaîne qu'il porte au cou.)* — Tiens! qu'est-ce donc que ce bijou ? Je ne l'avais pas encore remarqué. C'est joli. Bien travaillé. Oh! mais c'est ciselé par Benvenuto [61]. Charmant! Qu'est-ce que c'est donc ? C'est bon pour une femme, ce bijou-là.

ANGELO

Ah! Tisbe, vous m'avez rempli le cœur de joie avec un mot!

LA TISBE

C'est bon, c'est bon. Mais dites-moi donc ce que c'est que cela.

ANGELO

Cela, c'est une clef.

LA TISBE

Ah! c'est une clef. Tiens, je ne m'en serais jamais doutée. Ah! oui, je vois, c'est avec ceci qu'on ouvre. Ah! c'est une clef.

ANGELO

Oui, ma Tisbe.

LA TISBE

Ah bien, puisque c'est une clef, je n'en veux pas, gardez-la [62].

ANGELO

Quoi! Est-ce que vous en aviez envie, Tisbe ?

LA TISBE

Peut-être. Comme d'un bijou bien ciselé.

ANGELO

Oh! prenez-la. *(Il détache la clef du collier.)*

LA TISBE

Non. Si j'avais su que ce fût une clef, je ne vous en aurais pas parlé. Je n'en veux pas, vous dis-je. Cela vous sert peut-être.

ANGELO

Oh! bien rarement. D'ailleurs, j'en ai une autre. Vous pouvez la prendre, je vous jure.

LA TISBE

Non, je n'en ai plus envie. Est-ce qu'on ouvre des portes avec cette clef-là ? elle est bien petite.

ANGELO

Cela ne fait rien; ces clefs-là sont faites pour des serrures cachées. Celle-ci ouvre plusieurs portes, entre autres celles d'une chambre à coucher.

LA TISBE

Vraiment! Allons! puisque vous l'exigez absolument, je la prends. *(Elle prend la clef.)*

ANGELO

Oh! merci. Quel bonheur! vous avez accepté quelque chose de moi! merci!

LA TISBE

Au fait, je me souviens que l'ambassadeur de France à Venise, M. de Montluc [63], en avait une à peu près pareille. Avez-vous connu M. le maréchal de Montluc ? Un homme de grand esprit, n'est-ce pas ? Ah! vous autres nobles, vous ne pouvez parler aux ambassadeurs. Je n'y songeais pas. C'est égal, il n'était pas tendre aux huguenots, ce M. de Montluc. Si jamais ils lui tombent dans les mains! C'est un fier catholique! — Tenez, monseigneur, je crois que voilà Virgilio Tasca qui vous cherche, là-bas, dans la galerie...

ANGELO

Vous croyez ?

LA TISBE

N'aviez-vous pas à lui parler ?

ANGELO

Oh! maudit soit-il de m'arracher d'auprès de vous!

LA TISBE, *lui montrant la galerie.*

Par là.

ANGELO, *lui baisant la main.*

Ah! Tisbe, vous m'aimez donc!

LA TISBE

Par là, par là. Tasca vous attend.

Angelo sort. Homodei paraît au fond du théâtre. La Tisbe court à lui.

SCÈNE VIII

LA TISBE, HOMODEI

LA TISBE

J'ai la clef!

HOMODEI

Voyons. *(Examinant la clef.)* — Oui, c'est bien cela. — Il y a, dans le palais du podesta, une galerie qui regarde le pont Molino. Cachez-vous-y ce soir. Derrière un meuble, derrière une tapisserie, où vous voudrez. A deux heures après minuit, je viendrai vous y chercher

LA TISBE, *lui donnant sa bourse.*

Je te récompenserai mieux. En attendant, prends cette bourse.

HOMODEI

Comme il vous plaira [64]. Mais laissez-moi finir. A deux heures après minuit, je viendrai vous chercher. Je vous indiquerai la première porte que vous aurez à ouvrir avec cette clef. Après quoi je vous quitterai. Vous pourrez faire le reste sans moi; vous n'aurez qu'à aller devant vous.

LA TISBE

Qu'est-ce que je trouverai après la première porte ?

HOMODEI

Une seconde, que cette clef ouvre également.

LA TISBE

Et après la seconde ?

HOMODEI

Une troisième. Cette clef les ouvre toutes.

LA TISBE

Et après la troisième ?

HOMODEI

Vous verrez.

DEUXIÈME JOURNÉE

LE CRUCIFIX

Une chambre richement tendue d'écarlate rehaussé d'or. Dans un angle, à gauche, un lit magnifique sur une estrade et sous un dais porté par des colonnes torses. Aux quatre coins du dais pendent des rideaux cramoisis qui peuvent se fermer et cacher entièrement le lit [65]. A droite, dans l'angle, une fenêtre ouverte. Du même côté, une porte masquée dans la tenture; auprès, un prie-Dieu, au-dessus duquel pend accroché au mur un crucifix en cuivre poli. Au fond, une grande porte à deux battants. Entre cette porte et le lit une autre porte petite et très ornée. Table, fauteuils, flambeaux, un grand dressoir. Dehors jardins, clochers, clair de lune. Une angélique sur la table.

SCÈNE PREMIÈRE

DAFNE, REGINELLA, *puis* HOMODEI

REGINELLA

Oui, Dafne, c'est certain. C'est Troïlo [66], l'huissier de nuit, qui me l'a conté. La chose s'est passée tout récemment, au dernier voyage que madame a fait à Venise. Un sbire, un infâme sbire! s'est permis d'aimer madame, de lui écrire, Dafne, de chercher à la voir. Cela se conçoit-il ? Madame l'a fait chasser, et a bien fait.

DAFNE, *entrouvrant la porte près du prie-Dieu.*

C'est bien, Reginella. Mais madame attend son livre d'heures, tu sais.

REGINELLA, *rangeant quelques livres sur la table.*

Quant à l'autre aventure, elle est plus terrible, et j'en suis sûre aussi. Pour avoir averti son maître qu'il avait rencontré un espion dans la maison, ce pauvre Palinuro [67] est mort subitement dans la même soirée. Le poison, tu comprends. Je te conseille beaucoup de prudence.

D'abord, il faut prendre garde à ce qu'on dit dans ce palais. Il y a toujours quelqu'un dans le mur qui vous entend.

DAFNE

Allons, dépêche-toi donc, nous causerons une autre fois. Madame attend.

REGINELLA, *rangeant toujours et les yeux fixés sur la table.*

Si tu es si pressée, va devant. Je te suis. *(Dafne sort et referme la porte sans que Reginella s'en aperçoive.)* — Mais, vois-tu, Dafne, je te recommande le silence dans ce maudit palais. Il n'y a que cette chambre où l'on soit en sûreté. Ah! ici, du moins, on est tranquille. On peut dire tout ce qu'on veut. C'est le seul endroit où, quand on parle, on soit sûr de ne pas être écouté.

Pendant qu'elle prononce ces derniers mots, un dressoir adossé au mur à droite tourne sur lui-même, donne passage à Homodei [68] *sans qu'elle s'en aperçoive, et se referme.*

HOMODEI

C'est le seul endroit où, quand on parle, on soit sûr de ne pas être écouté.

REGINELLA, *se retournant.*

Ciel!

HOMODEI

Silence! *(Il entrouvre sa robe et découvre son pourpoint de velours noir, où sont brodées en argent ces trois lettres C.D.X.* [69] *Reginella regarde les lettres et l'homme avec terreur.)* — Lorsqu'on a vu l'un de nous et qu'on laisse deviner à qui que ce soit par un signe quelconque qu'on nous a vus, avant la fin du jour on est mort. — On parle de nous dans le peuple, tu dois savoir que cela se passe ainsi.

REGINELLA

Jésus! Mais par quelle porte est-il entré?

HOMODEI

Par aucune.

REGINELLA

Jésus!

HOMODEI

Réponds à toutes mes questions et ne me trompe sur rien. Il y va de ta vie. Où donne cette porte ? *(Il montre la grande porte du fond.)*

REGINELLA

Dans la chambre de nuit de monseigneur.

HOMODEI, *montrant la petite porte près de la grande.*

Et celle-ci ?

REGINELLA

Dans un escalier secret qui communique avec les galeries du palais. Monseigneur seul en a la clef.

HOMODEI, *désignant la porte près du prie-Dieu.*

Et celle-ci ?

REGINELLA

Dans l'oratoire de madame.

HOMODEI

Y a-t-il une issue à cet oratoire ?

REGINELLA

Non. L'oratoire est dans une tourelle. Il n'y a qu'une fenêtre grillée.

HOMODEI, *allant à la fenêtre.*

Qui est au niveau de celle-ci. C'est bien. Quatre-vingts pieds de mur à pic, et la Brenta [70] au bas. Le grillage est du luxe. — Mais il y a un petit escalier dans cet oratoire. Où monte-t-il ?

REGINELLA

Dans ma chambre, qui est aussi celle de Dafne, monseigneur.

HOMODEI

Y a-t-il une issue à cette chambre ?

REGINELLA

Non, monseigneur. Une fenêtre grillée, et pas d'autre porte que celle qui descend dans l'oratoire.

HOMODEI

Dès que ta maîtresse sera rentrée, tu monteras dans ta chambre, et tu y resteras sans rien écouter et sans rien dire.

REGINELLA

J'obéirai, monseigneur.

HOMODEI

Où est ta maîtresse ?

REGINELLA

Dans l'oratoire. Elle fait sa prière.

HOMODEI

Elle reviendra ici ensuite ?

REGINELLA

Oui, monseigneur.

HOMODEI

Pas avant une demi-heure ?

REGINELLA

Non, monseigneur.

HOMODEI

C'est bien. Va-t'en. — Surtout, silence ! Rien de ce qui va se passer ici ne te regarde. Laisse tout faire sans rien dire. Le chat joue avec la souris, qu'est-ce que cela te fait ? Tu ne m'as pas vu, tu ne sais pas que j'existe. Voilà. Tu comprends ? Si tu hasardes un mot, je l'entendrai ; un clin d'œil, je le verrai ; un geste, un signe, un serrement de main, je le sentirai. Va, maintenant.

REGINELLA

Oh ! mon Dieu ! qui est-ce donc qui va mourir ici ?

HOMODEI

Toi, si tu parles. *(Au signe de Homodei, elle sort par la petite porte près du prie-Dieu. Quand elle est sortie, Homodei s'approche du dressoir, qui tourne de nouveau sur lui-même et laisse voir un couloir obscur.)* — Monseigneur Rodolfo! vous pouvez venir à présent. Neuf marches à monter.

On entend des pas dans l'escalier que masque le dressoir. Rodolfo paraît.

SCÈNE II

HOMODEI, RODOLFO, *enveloppé d'un manteau.*

HOMODEI

Entrez.

RODOLFO

Où suis-je ?

HOMODEI

Où vous êtes ? — Peut-être sur la planche de votre échafaud.

RODOLFO

Que voulez-vous dire ?

HOMODEI

Est-il venu jusqu'à vous, qu'il y a dans Padoue une chambre, chambre redoutable, quoique pleine de fleurs, de parfums [71] et d'amour peut-être, où nul homme ne peut pénétrer, quel qu'il soit, noble ou sujet, jeune ou vieux, car y entrer, en entrouvrir la porte seulement, c'est un crime puni de mort ?

RODOLFO

Oui, la chambre de la femme du podesta.

HOMODEI

Justement.

RODOLFO

Eh bien, cette chambre ?...

HOMODEI

Vous y êtes.

RODOLFO

Chez la femme du podesta!

HOMODEI

Oui.

RODOLFO

Celle que j'aime ?...

HOMODEI

S'appelle Catarina Bragadini, femme d'Angelo Malipieri, podesta de Padoue.

RODOLFO

Est-il possible ? Catarina Bragadini ! la femme du podesta [72] !

HOMODEI

Si vous avez peur, il est temps encore, voici la porte ouverte, allez-vous en.

RODOLFO

Peur pour moi, non ; mais pour elle. Qui est-ce qui me répond de vous ?

HOMODEI

Ce qui vous répond de moi, je vais vous le dire, puisque vous le voulez. Il y a huit jours, à une heure avancée de la nuit, vous passiez sur la place de San-Prodocimo [73]. Vous étiez seul. Vous avez entendu un bruit d'épées et des cris derrière l'église. Vous y avez couru.

RODOLFO

Oui, et j'ai débarrassé de trois assassins qui l'allaient tuer un homme masqué...

HOMODEI

Lequel s'en est allé sans vous dire son nom et sans vous remercier. Cet homme masqué, c'était moi. Depuis cette nuit-là, monseigneur Ezzelino, je vous veux du bien. Vous ne me connaissez pas, mais je vous connais. J'ai cherché à vous rapprocher de la femme que vous aimez. C'est de la reconnaissance. Rien de plus. Vous fiez-vous à moi, maintenant ?

RODOLFO

Oh ! oui ! oh ! merci ! Je craignais quelque trahison pour elle. J'avais un poids sur le cœur, tu me l'ôtes. Ah !

tu es mon ami, mon ami à jamais! Tu fais plus pour moi que je n'ai fait pour toi. Oh! je n'aurais pas vécu plus longtemps sans voir Catarina. Je me serais tué, vois-tu, je me serais damné. Je n'ai sauvé que ta vie; toi, tu sauves mon cœur, tu sauves mon âme!

HOMODEI

Ainsi vous restez?

RODOLFO

Si je reste! si je reste! je me fie à toi, te dis-je! Oh! la revoir! elle! une heure, une minute, la revoir! Tu ne comprends donc pas ce que c'est que cela, la revoir! — Où est-elle?

HOMODEI

Là, dans son oratoire.

RODOLFO

Où la reverrai-je?

HOMODEI

Ici.

RODOLFO

Quand?

HOMODEI

Dans un quart d'heure.

RODOLFO

Oh! mon Dieu!

HOMODEI, *lui montrant toutes les portes l'une après l'autre.*

Faites attention. Là, au fond, est la chambre de nuit du podesta. Il dort en ce moment, et rien ne veille à cette heure dans le palais, hors madame Catarina et nous. Je pense que vous ne risquez rien cette nuit. Quant à l'entrée qui nous a servi, je ne puis vous en communiquer le secret qui n'est connu que de moi seul, mais au matin il vous sera aisé de vous échapper. *(Allant au fond.)* — Cela donc est la porte du mari. Quant à vous, seigneur Rodolfo, qui êtes l'amant *(il montre la fenêtre)*, — je ne vous conseille pas d'user de celle-ci. En aucun cas. Quatre-vingts pieds à pic, et la rivière au fond. A présent, je vous laisse.

RODOLFO

Vous m'avez dit dans un quart d'heure ?

HOMODEI

Oui.

RODOLFO

Viendra-t-elle seule ?

HOMODEI

Peut-être que non. Mettez-vous à l'écart quelques instants.

RODOLFO

Où ?

HOMODEI

Derrière le lit. Ah! tenez! sur le balcon. Vous vous montrerez quand vous le jugerez à propos. Je crois qu'on remue les chaises dans l'oratoire. Madame Catarina va rentrer. Il est temps de nous séparer. Adieu [74].

RODOLFO, *près du balcon.*

Qui que vous soyez, après un tel service, vous pourrez désormais disposer de tout ce qui est à moi, de mon bien, de ma vie! *(Il se place sur le balcon, où il disparaît.)*

HOMODEI, *revenant sur le devant du théâtre. A part.*

Elle n'est plus à vous, monseigneur.

Il regarde si Rodolfo ne le voit plus, puis il tire de sa poitrine une lettre qu'il dépose sur la table. Il sort par l'entrée secrète, qui se referme sur lui. — Entrent par la porte de l'oratoire Catarina et Dafne. Catarina en costume de femme noble vénitienne.

SCÈNE III

CATARINA, DAFNE, RODOLFO, *caché sur le balcon.*

CATARINA

Plus d'un mois! sais-tu qu'il y a plus d'un mois, Dafne ? Oh! c'est donc fini. Encore si je pouvais dormir, je le verrais peut-être en rêve. Mais je ne dors plus. Où est Reginella ?

DAFNE

Elle vient de monter dans sa chambre, où elle s'est mise en prière. Vais-je l'appeler pour qu'elle vienne servir madame ?

CATARINA

Laisse-la servir Dieu. Laisse-la prier. Hélas ! moi, cela ne me fait rien de prier !

DAFNE

Fermerai-je cette fenêtre, madame ?

CATARINA

Cela tient à ce que je souffre trop, vois-tu, ma pauvre Dafne. Il y a pourtant cinq semaines, cinq semaines éternelles que je ne l'ai vu [75] ! — Non, ne ferme pas la fenêtre. Cela me rafraîchit un peu. J'ai la tête brûlante. Touche. — Et je ne le verrai plus ! Je suis enfermée, gardée, en prison. C'est fini. Pénétrer dans cette chambre, c'est un crime de mort. Oh ! je ne voudrais pas même le voir. Le voir ici ! je tremble rien que d'y songer. Hélas, mon Dieu ! cet amour était donc bien coupable, mon Dieu ! Pourquoi est-il revenu à Padoue ? Pourquoi me suis-je laissé reprendre à ce bonheur qui devait durer si peu ? Je le voyais une heure de temps en temps. Cette heure, si étroite et si vite fermée, c'était le seul soupirail par où il entrait un peu d'air et de soleil dans ma vie. Maintenant tout est muré. Je ne verrai plus ce visage d'où le jour me venait. Oh ! Rodolfo ! Dafne, dis-moi la vérité, n'est-ce pas que tu crois bien que je ne le verrai plus ?

DAFNE

Madame...

CATARINA

Et puis, moi, je ne suis pas comme les autres femmes. Les plaisirs, les fêtes, les distractions, tout cela ne me ferait rien. Moi, Dafne, depuis sept ans, je n'ai dans le cœur qu'une pensée, l'amour, qu'un sentiment, l'amour, qu'un nom, Rodolfo. Quand je regarde en moi-même, j'y trouve Rodolfo, toujours Rodolfo, rien que Rodolfo ! Mon âme est faite à son image. Vois-tu, c'est impossible autrement. Voilà sept ans que je l'aime. J'étais toute jeune. Comme on vous marie sans pitié! Par exemple, mon mari, eh bien, je n'ose seulement pas lui parler. Crois-tu que cela fasse une vie bien heureuse ? Quelle position que la mienne! Encore si j'avais ma mère.

DAFNE

Chassez donc toutes ces idées tristes, madame.

CATARINA

Oh! par des soirées pareilles, Dafne, nous avons passé, lui et moi, de bien douces heures. Est-ce que c'est coupable tout ce que je te dis là de lui ? Non, n'est-ce pas ? Allons, mon chagrin t'afflige, je ne veux pas te faire de peine. Va dormir. Va retrouver Reginella.

DAFNE

Est-ce que madame ?...

CATARINA

Oui, je me déferai seule. Dors bien, ma bonne Dafne. Va [76].

DAFNE

Que le ciel vous garde cette nuit, madame!

Elle sort par la porte de l'oratoire.

SCÈNE IV

CATARINA, RODOLFO, *d'abord sur le balcon.*

CATARINA, *seule.*

Il y avait une chanson qu'il chantait. Il la chantait à mes pieds avec une voix si douce! Oh! il y a des moments où je voudrais le voir. Je donnerais mon sang pour cela! Ce couplet surtout qu'il m'adressait. *(Elle prend la guitare.)* — Voici l'air, je crois. *(Elle joue quelques mesures d'une musique mélancolique.)* — Je voudrais me rappeler les paroles. Oh! je vendrais mon âme pour les lui entendre chanter, à lui, encore une fois! sans le voir, de là-bas, d'aussi loin qu'on voudrait. Mais sa voix! entendre sa voix!

RODOLFO, *du balcon où il est caché. Il chante* [77].

Mon âme à ton cœur s'est donnée,
Je n'existe qu'à ton côté;
Car une même destinée
Nous joint d'un lien enchanté;
Toi l'harmonie, et moi la lyre;
Moi l'arbuste, et toi le zéphire;
Moi la lèvre, et toi le sourire;
Moi l'amour, et toi la beauté!

CATARINA, *laissant tomber la guitare.*

Ciel!

RODOLFO, *continuant, toujours caché.*

Tandis que l'heure
S'en va fuyant,
Mon chant qui pleure
Dans l'ombre effleure
Ton front riant.

CATARINA

Rodolfo [78]!

RODOLFO, *paraissant et jetant son manteau sur le balcon derrière lui.*

Catarina! *(Il vient tomber à ses pieds.)*

CATARINA

Vous êtes ici ? Comment! vous êtes ici ? Oh! Dieu! je meurs de joie et d'épouvante! Rodolfo! savez-vous où vous êtes ? Est-ce que vous vous figurez que vous êtes ici dans une chambre comme une autre, malheureux ? Vous risquez votre tête.

RODOLFO

Que m'importe! Je serais mort de ne plus vous voir, j'aime mieux mourir pour vous avoir revue [79].

CATARINA

Tu as bien fait. Eh bien, oui, tu as eu raison de venir. Ma tête aussi est risquée. Je te revois, qu'importe le reste! Une heure avec toi, et ensuite que ce plafond croule, s'il veut!

RODOLFO

D'ailleurs le ciel nous protégera, tout dort dans le palais, il n'y a pas de raison pour que je ne sorte pas comme je suis entré.

CATARINA

Comment as-tu fait ?

RODOLFO

C'est un homme auquel j'ai sauvé la vie... Je vous expliquerai cela. Je suis sûr des moyens que j'ai employés.

CATARINA

N'est-ce pas ? oh! si tu es sûr, cela suffit. Oh! Dieu! mais regarde-moi donc, que je te voie!

RODOLFO

Catarina!

CATARINA

Oh! ne pensons plus qu'à nous, toi à moi, moi à toi. Tu me trouves bien changée, n'est-ce pas ? Je vais t'en dire la raison, c'est que depuis cinq semaines je n'ai fait que pleurer. Et toi, qu'as-tu fait tout ce temps-là ? As-tu été bien triste au moins ? Quel effet cela t'a-t-il fait, cette séparation ? Dis-moi cela. Parle-moi. Je veux que tu me parles.

RODOLFO

O Catarina! être séparé de toi, c'est avoir les ténèbres sur les yeux, le vide au cœur! c'est sentir qu'on meurt un peu chaque jour! c'est être sans lampe dans un cachot, sans étoile dans la nuit! c'est ne plus vivre, ne plus penser, ne plus savoir rien! Ce que j'ai fait, dis-tu ? je l'ignore. Ce que j'ai senti, le voilà.

CATARINA

Eh bien, moi aussi! eh bien, moi aussi! eh bien, moi aussi! Oh! je vois que nos cœurs n'ont pas été séparés. Il faut que je te dise bien des choses. Par où commencer ? On m'a enfermée. Je ne puis plus sortir [80]. J'ai bien souffert. Vois-tu, il ne faut pas s'étonner si je n'ai pas tout de suite sauté à ton cou, c'est que j'ai été saisie. Oh! Dieu! quand j'ai entendu ta voix, je ne puis pas te dire, je ne savais plus où j'étais. Voyons, assieds-toi là, tu sais ? comme autrefois. Parlons bas seulement. Tu resteras jusqu'au matin. Dafne te fera sortir. Oh! quelles heures délicieuses! Eh bien, maintenant, je n'ai plus peur du tout, tu m'as pleinement rassurée. Oh! je suis joyeuse de te voir. Toi ou le paradis, je choisirai toi. Tu demanderas à Dafne comme j'ai pleuré! Elle a bien eu soin de moi, la pauvre fille. Tu la remercieras. Et Reginella aussi. Mais dis-moi, tu as donc découvert mon nom ? Oh! tu n'es embarrassé de rien, toi. Je ne sais pas ce que tu ne ferais pas quand tu veux une chose. Oh! dis, auras-tu moyen de revenir ?

RODOLFO

Oui. Et comment vivrais-je sans cela ? Catarina, je t'écoute avec ravissement. Oh! ne crains rien. Vois comme cette nuit est calme. Tout est amour en nous, tout est repos autour de nous. Deux âmes comme les nôtres qui s'épanchent l'une dans l'autre, Catarina, c'est quelque chose de limpide et de sacré que Dieu ne voudrait pas troubler! Je t'aime, tu m'aimes, et Dieu nous voit! Il n'y a que nous trois d'éveillés à cette heure. Ne crains rien.

CATARINA

Non. Et puis il y a des moments où l'on oublie tout. On est heureux, on est ébloui l'un de l'autre. Vois, Rodolfo : séparés, je ne suis qu'une pauvre femme prisonnière, tu n'es qu'un pauvre homme banni; ensemble, nous ferions envie aux anges! Oh! non, ils ne sont pas tant au ciel que nous. Rodolfo, on ne meurt pas de joie, car je serais morte. Tout est mêlé dans ma tête. Je t'ai fait mille questions tout à l'heure, je ne puis plus me rappeler un mot de ce que je t'ai dit. T'en souviens-tu, toi, seulement ? Quoi! ce n'est pas un rêve ? Vraiment, tu es là, toi!

RODOLFO

Pauvre amie!

CATARINA

Non, tiens, ne me parle pas, laisse-moi rassembler mes idées, laisse-moi te regarder, mon âme! laisse-moi penser que tu es là. Tout à l'heure je te répondrai. On a des moments comme cela, tu sais, où l'on veut regarder l'homme qu'on aime et lui dire : Tais-toi, je te regarde! tais-toi, je t'aime! tais-toi, je suis heureuse! *(Il lui baise la main. Elle se retourne et aperçoit la lettre qui est sur la table.)* — Qu'est-ce que c'est que cela ? O mon Dieu ! Voici un papier qui me réveille ! Une lettre ! Est-ce toi qui as mis cette lettre là ?

RODOLFO

Non. Mais c'est sans doute l'homme qui est venu avec moi.

CATARINA

Il est venu un homme avec toi ! Qui ? Voyons ! Qu'est-ce que c'est que cette lettre ? *(Elle décachette avidement la lettre et lit.)* — « Il y a des gens qui ne s'enivrent que de vin de Chypre. Il y en a d'autres qui ne jouissent que de la vengeance raffinée [81]. Madame, un sbire qui aime est bien petit, un sbire qui se venge est bien grand. » —

RODOLFO

Grand Dieu ! qu'est-ce que cela veut dire ?

CATARINA

Je connais l'écriture. C'est un infâme qui a osé m'aimer, et me le dire, et venir un jour chez moi, à Venise, et que j'ai fait chasser. Cet homme s'appelle Homodei [82].

RODOLFO

En effet.

CATARINA

C'est un espion du conseil des Dix.

RODOLFO

Ciel !

CATARINA

Nous sommes perdus ! Il y a un piège, et nous y sommes pris. *(Elle va au balcon et regarde.)* — Ah ! Dieu !

RODOLFO

Quoi ?

CATARINA

Eteins ce flambeau. Vite !

RODOLFO, *éteignant le flambeau.*

Qu'as-tu ?

CATARINA

La galerie qui donne sur le pont Molino...

RODOLFO

Eh bien ?

CATARINA

Je viens d'y voir paraître et disparaître une lumière.

RODOLFO

Misérable insensé que je suis ! Catarina, la cause de ta perte, c'est moi !

CATARINA

Rodolfo, je serais venue à toi comme tu es venu à moi. *(Prêtant l'oreille à la petite porte du fond.)* — Silence ! Ecoutons. — Je crois entendre du bruit dans le corridor. Oui, on ouvre une porte, on marche ! — Par où es-tu entré ?

RODOLFO

Par une porte masquée, là, que ce démon a refermée.

CATARINA

Que faire ?

RODOLFO

Cette porte ?...

CATARINA

Donne chez mon mari !

RODOLFO

La fenêtre ?...

CATARINA

Un abîme !

RODOLFO

Cette porte-ci ?

CATARINA

C'est mon oratoire, où il n'y a pas d'issue. Aucun moyen de fuir. C'est égal, entres-y. *(Elle ouvre l'oratoire, Rodolfo s'y précipite. Elle referme la porte. Restée seule.)* — Fermons-la à double tour. *(Elle prend la clef qu'elle cache dans sa poitrine*[83]*.)* — Qui sait ce qui va arriver ? Il voudrait peut-être me porter secours. Il sortirait, il se perdrait. *(Elle va à la petite porte du fond.)* — Je n'entends plus rien. Si! on marche. On s'arrête. Pour écouter sans doute. Ah! mon Dieu! feignons toujours de dormir. *(Elle quitte sa robe de surtout*[84] *et se jette sur le lit.)* — Ah! mon Dieu! je tremble. On met une clef dans la serrure. Oh! je ne veux pas voir ce qui va entrer! *(Elle ferme les rideaux du lit. La porte s'ouvre.)*

SCÈNE V

CATARINA, LA TISBE

Entre la Tisbe, pâle, une lampe à la main. Elle avance à pas lents, regardant autour d'elle. Arrivée à la table, elle examine le flambeau qu'on vient d'éteindre.

LA TISBE[85]

Le flambeau fume encore. *(Elle se tourne, aperçoit le lit, y court et tire le rideau.)* — Elle est seule. Elle fait semblant de dormir. *(Elle se met à faire le tour de la chambre, examinant les portes et le mur.)* — Ceci est la porte du mari. *(Heurtant du revers de la main sur la porte de l'oratoire qui est masquée dans la tenture.)* — Il y a ici une porte.

Catarina s'est dressée sur son séant et la regarde faire avec stupeur.

CATARINA

Qu'est-ce que c'est que ceci ?

LA TISBE

Ceci ? ce que c'est ? Tenez, je vais vous le dire. C'est la maîtresse du podesta qui tient dans ses mains la femme du podesta.

CATARINA

Ciel!

LA TISBE

Ce que c'est que ceci, madame ? C'est une comédienne, une fille de théâtre, une baladine, comme vous nous appelez, qui tient dans ses mains, je viens de vous le dire, une grande dame, une femme mariée, une femme respectée, une vertu! qui la tient dans ses mains, dans ses ongles, dans ses dents! qui peut en faire ce qu'elle voudra, de cette grande dame, de cette bonne renommée dorée, et qui va la déchirer, la mettre en pièces, la mettre en lambeaux, la mettre en morceaux! Ah! mesdames les grandes dames[86], je ne sais pas ce qui va arriver, mais ce qui est sûr, c'est que j'en ai une là sous mes pieds, une de vous autres! et que je ne la lâcherai pas! et qu'elle peut être tranquille! et qu'il aurait mieux valu pour elle la foudre sur sa tête que mon visage devant le sien! Dites donc, madame, je vous trouve hardie d'oser lever les yeux sur moi quand vous avez un amant chez vous!

CATARINA

Madame...

LA TISBE

Caché!

CATARINA

Vous vous trompez!

LA TISBE

Ah! tenez, ne niez pas. Il était là! Vos places sont encore marquées par vos fauteuils. Vous auriez dû les déranger au moins. Et que vous disiez-vous ? Mille choses tendres, n'est-ce pas ? mille choses charmantes, n'est-ce pas ? Je t'aime! je t'adore! je suis à toi!... — Ah! ne me touchez pas, madame!

CATARINA

Je ne puis comprendre...

LA TISBE

Et vous ne valez pas mieux que nous, mesdames! Ce que nous disons tout haut à un homme en plein jour, vous le lui balbutiez honteusement la nuit. Il n'y a que les heures de changées! Nous vous prenons vos maris, vous nous prenez nos amants. C'est une lutte. Fort bien. Luttons! Ah! fard, hypocrisie, trahisons, vertus singées, fausses femmes que vous êtes! Non, pardieu! vous ne nous valez pas! Nous ne trompons personne, nous! Vous, vous trompez le monde, vous trompez vos familles, vous trompez vos maris, vous tromperiez le bon Dieu, si vous pouviez! Oh! les vertueuses femmes qui passent voilées dans les rues! Elles vont à l'église, rangez-vous donc! inclinez-vous donc! prosternez-vous donc! Non, ne vous rangez pas, ne vous inclinez pas, ne vous prosternez pas, allez droit à elles, arrachez le voile, derrière le voile il y a un masque, arrachez le masque, derrière le masque il y a une bouche qui ment [87] ! — Oh! cela m'est égal, je suis la maîtresse du podesta, et vous êtes sa femme, et je veux vous perdre [88] !

CATARINA

Grand Dieu! madame...

LA TISBE

Où est-il ?

CATARINA

Qui ?

LA TISBE

Lui!

CATARINA

Je suis seule ici. Vraiment seule. Toute seule. Je ne comprends rien à ce que vous me demandez. Je ne vous connais pas, mais vos paroles me glacent d'épouvante, madame! Je ne sais pas ce que j'ai fait contre vous. Je ne puis croire que vous ayez un intérêt dans tout ceci...

LA TISBE

Si j'ai un intérêt dans ceci! Je le crois bien, que j'en ai un! Vous en doutez, vous! Ces femmes vertueuses sont incroyables! Est-ce que je vous parlerais comme je viens de vous parler, si je n'avais pas la rage au cœur! Qu'est-ce que cela me fait, à moi, tout ce que je vous ai dit ? Qu'est-ce que cela me fait que vous soyez une grande dame et que je sois une comédienne ? Cela m'est bien égal, je suis aussi belle que vous! J'ai la haine dans le cœur, te dis-je, et je t'insulte comme je peux! Où est cet homme ? Le nom de cet homme ? Je veux voir cet homme! Oh! quand je pense qu'elle faisait semblant de dormir! Véritablement, c'est infâme!

CATARINA

Dieu! mon Dieu! qu'est-ce que je vais devenir ? Au nom du ciel, madame! si vous saviez...

LA TISBE

Je sais qu'il y a là une porte! je suis sûre qu'il est là!

CATARINA

C'est mon oratoire, madame. Rien autre chose. Il n'y

a personne, je vous le jure. Si vous saviez! on vous a trompée sur mon compte. Je vis retirée, isolée, cachée à tous les yeux...

LA TISBE

Le voile!

CATARINA

C'est mon oratoire, je vous assure. Il n'y a là que mon prie-Dieu et mon livre d'heures...

LA TISBE

Le masque!

CATARINA

Je vous jure qu'il n'y a personne de caché là, madame!

LA TISBE

La bouche qui ment!

CATARINA

Madame...

LA TISBE

C'est bien cela. Mais êtes-vous folle de me parler ainsi et d'avoir l'air d'une coupable qui a peur! Vous ne niez pas avec assez d'assurance. Allons, redressez-vous, madame, mettez-vous en colère, si vous l'osez, et faites donc la femme innocente! *(Elle aperçoit tout à coup le manteau*[89] *qui est à terre près du balcon, elle y court et le ramasse.)* — Ah! tenez, cela n'est plus possible. Voici le manteau.

CATARINA

Ciel!

LA TISBE

Non, ce n'est pas un manteau, n'est-ce pas? Ce n'est pas un manteau d'homme? Malheureusement, on ne peut reconnaître à qui il appartient, tous ces manteaux-là se ressemblent. Allons, prenez garde à vous, dites-moi le nom de cet homme!

CATARINA

Je ne sais ce que vous voulez dire.

LA TISBE

C'est votre oratoire, cela? Eh bien, ouvrez-le moi.

CATARINA

Pourquoi ?

LA TISBE

Je veux prier Dieu aussi, moi. Ouvrez.

CATARINA

J'en ai perdu la clef.

LA TISBE

Ouvrez donc.

CATARINA

Je ne sais pas qui a la clef.

LA TISBE

Ah! c'est votre mari qui l'a! — Monseigneur Angelo! Angelo! Angelo! *(Elle veut courir à la porte du fond, Catarina se jette devant et la retient.)*

CATARINA

Non! vous n'irez pas à cette porte! Non, vous n'irez pas! Je ne vous ai rien fait. Je ne vois pas du tout ce que vous avez contre moi. Vous ne me perdrez pas, madame. Vous aurez pitié de moi. Arrêtez un instant. Vous allez voir. Je vais vous expliquer. Un instant, seulement [90]. Depuis que vous êtes là, je suis tout étourdie, tout effrayée, et puis vos paroles, tout ce que vous m'avez dit, je suis vraiment troublée, je n'ai pas tout compris, vous m'avez dit que vous étiez une comédienne, que j'étais une grande dame, je ne sais plus. Je vous jure qu'il n'y a personne là. Vous ne m'avez pas parlé de ce sbire, je suis sûre cependant que c'est lui qui est cause de tout. C'est un homme affreux, qui vous trompe. Un espion! On ne croit pas un espion! Oh! écoutez-moi un instant. Entre femmes, on ne se refuse pas un instant. Un homme que je prierais ne serait pas si bon. Mais vous, ayez pitié. Vous êtes trop belle pour être méchante. Je vous disais donc que c'est ce misérable homme, cet espion, ce sbire. Il suffit de s'entendre, vous auriez regret ensuite d'avoir causé ma mort. N'éveillez pas mon mari. Il me ferait mourir. Si vous saviez ma position, vous me plaindriez. Je ne suis pas coupable, pas très coupable, vraiment. J'ai peut-être fait quelque imprudence, mais c'est que je n'ai plus ma mère. Je vous avoue que je n'ai plus ma mère [91]. Oh! ayez pitié de moi, n'allez pas à cette porte, je vous en prie, je vous en prie, je vous en prie!

LA TISBE

C'est fini! Non! je n'écoute plus rien! Monseigneur! monseigneur!

CATARINA

Arrêtez! Ah! Dieu! Ah! arrêtez! Vous ne savez donc pas qu'il va me tuer! Laissez-moi au moins un instant, encore un petit instant, pour prier Dieu! Non, je ne sortirai pas d'ici. Voyez-vous, je vais me mettre à genoux là... *(lui montrant le crucifix de cuivre au-dessus du prie-Dieu)* — devant ce crucifix. *(L'œil de la Tisbe s'attache au crucifix.)* — Oh! tenez, par grâce, priez à côté de moi. Voulez-vous, dites ? Et puis après, si vous voulez toujours ma mort, si le bon Dieu vous laisse cette pensée-là, vous ferez ce que vous voudrez.

LA TISBE

Elle se précipite sur le crucifix et l'arrache du mur.

Qu'est-ce que c'est que ce crucifix ? D'où vous vient-il ? D'où le tenez-vous ? Qui vous l'a donné ?

CATARINA

Quoi ? ce crucifix ? Oh! je suis anéantie. Oh! cela ne vous sert à rien de me faire des questions sur ce crucifix!

LA TISBE

Comment est-il en vos mains ? dites vite!

Le flambeau est resté sur une crédence près du balcon. La Tisbe s'en approche et examine le crucifix. Catarina la suit.

CATARINA

Eh bien, c'est une femme. Vous regardez le nom qui est au bas. C'est un nom que je ne connais pas, *Tisbe*, je crois. C'est une pauvre femme qu'on voulait faire mourir. J'ai demandé sa grâce, moi. Comme c'était mon père, il me l'a accordée. A Brescia. J'étais tout enfant. Oh! ne me perdez pas, ayez pitié de moi, madame! Alors la femme m'a donné ce crucifix, en me disant qu'il me porterait bonheur [92]. Voilà tout. Je vous jure que voilà bien tout. Mais qu'est-ce que cela vous fait ? A quoi bon me faire dire des choses inutiles ? Oh! je suis épuisée!

LA TISBE, *à part.*

Ciel! O ma mère!

La porte du fond s'ouvre. Angelo paraît, vêtu d'une robe de nuit [93].

CATARINA, *revenant sur le devant du théâtre.*

Mon mari! Je suis perdue!

SCÈNE VI

CATARINA, LA TISBE, ANGELO

ANGELO, *sans voir la Tisbe, qui est restée près du balcon.*

Qu'est-ce que cela signifie, madame ? Il me semble que je viens d'entendre du bruit chez vous.

CATARINA

Monsieur...

ANGELO

Comment se fait-il que vous ne soyez pas couchée à cette heure ?

CATARINA

C'est que...

ANGELO

Mon Dieu, vous êtes toute tremblante. Il y a quelqu'un chez vous, madame!

LA TISBE, *s'avançant du fond du théâtre.*

Oui, monseigneur. Moi.

ANGELO

Vous, Tisbe!

LA TISBE

Oui, moi.

ANGELO

Vous ici! au milieu de la nuit! Comment se fait-il que vous soyez ici, que vous y soyez à cette heure, et que madame...

LA TISBE

Soit toute tremblante ? Je vais vous dire cela, monseigneur. Ecoutez-moi. La chose en vaut la peine.

CATARINA, *à part.*

Allons ! c'est fini.

LA TISBE

Voici, en deux mots. Vous deviez être assassiné demain matin [94].

ANGELO

Moi !

LA TISBE

En vous rendant de votre palais au mien. Vous savez que le matin vous sortez ordinairement seul. J'en ai reçu l'avis cette nuit même, et je suis venue en toute hâte avertir madame qu'elle eût à vous empêcher de sortir demain. Voilà pourquoi je suis ici, pourquoi j'y suis au milieu de la nuit, et pourquoi madame est toute tremblante.

CATARINA, *à part.*

Grand Dieu ! qu'est-ce que c'est que cette femme ?

ANGELO

Est-il possible ? Eh bien, cela ne m'étonne pas. Vous voyez que j'avais bien raison quand je vous parlais des dangers qui m'entourent. Qui vous a donné cet avis ?

LA TISBE

Un homme inconnu, qui a commencé par me faire promettre que je le laisserais évader. J'ai tenu ma promesse.

ANGELO

Vous avez eu tort. On promet, mais on fait arrêter. Comment avez-vous pu entrer au palais ?

LA TISBE

L'homme m'y a fait entrer. Il a trouvé moyen d'ouvrir une petite porte qui est sous le pont Molino.

ANGELO

Voyez-vous cela ! Et pour pénétrer jusqu'ici ?

LA TISBE

Eh bien! et cette clef, que vous m'avez donnée vous-même ?

ANGELO

Il me semble que je ne vous avais pas dit qu'elle ouvrît cette chambre.

LA TISBE

Si vraiment. C'est que vous ne vous en souvenez pas.

ANGELO, *apercevant le manteau.*

Qu'est-ce que c'est que ce manteau ?

LA TISBE

C'est un manteau que l'homme m'a prêté pour entrer dans le palais J'avais aussi le chapeau, je ne sais plus ce que j'en ai fait.

ANGELO

Penser que de pareils hommes entrent comme ils veulent chez moi! Quelle vie que la mienne! J'ai toujours un pan de ma robe pris dans quelque piège. Et dites-moi, Tisbe...

LA TISBE

Ah! remettez à demain les autres questions, monseigneur, je vous prie. Pour cette nuit, on vous sauve la vie, vous devez être content. Vous ne nous remerciez seulement pas, madame et moi.

ANGELO

Pardon, Tisbe.

LA TISBE

Ma litière est en bas qui m'attend. Me donnerez-vous la main jusque-là ? Laissons dormir madame à présent.

ANGELO

Je suis à vos ordres, dona Tisbe. Passons par mon appartement, s'il vous plaît, que je prenne mon épée. *(Allant à la grande porte du fond.)* — Holà! des flambeaux!

LA TISBE

Elle prend Catarina à part sur le devant du théâtre.

Faites-le évader, tout de suite. Par où je suis venue. Voici la clef. *(Se tournant vers l'oratoire.)* — Oh! cette porte! Oh! que je souffre! Ne pas même savoir réellement si c'est lui!

ANGELO, *qui revient.*

Je vous attends, madame.

LA TISBE, *à part.*

Oh! si je pouvais seulement le voir passer! Aucun moyen! Il faut s'en aller! Oh!... *(A Angelo.)* — Allons! venez, monseigneur.

CATARINA, *les regardant sortir.*

C'est donc un rêve!

TROISIÈME JOURNÉE

LE BLANC POUR LE NOIR [95]

PREMIÈRE PARTIE

L'intérieur d'une masure [96]. Quelques meubles grossiers. Un panier de jonc à demi tressé dans un coin. Au fond, une porte. Dans l'angle à gauche, une fenêtre à demi fermée par un volet vermoulu. Du même côté, une espèce de longue fenêtre tout à fait fermée. Du côté opposé, une porte, une cheminée haute qui occupe l'angle à droite. A côté de la longue ouverture fermée, des cordes, des claies dressées contre le mur, un tas de grosses pierres.

SCÈNE PREMIÈRE

HOMODEI, ORDELAFO

ORDELAFO

Vois-tu, Homodei, c'est par cette fenêtre. *(Il lui montre la longue ouverture fermée* [97]*.)* La rivière coule dessous. Toutes les fois que le podesta ou la sérénissime seigneurie veulent se défaire de quelqu'un, on apporte ici le quidam, mort ou vif, on l'attache sur une claie, on met quatre bonnes pierres aux quatre coins, et puis on jette le tout par cette fenêtre. Le fleuve se charge du reste. A Venise vous avez le canal Orfano [98], à Padoue nous avons la Brenta. Comment! tu ne connaissais pas cette maison-ci ?

HOMODEI

Je suis assez nouveau venu en cette ville. Je ne connais pas encore tous les usages. Au reste cette masure est fort bien située pour ce que je veux faire. Dans un lieu désert, et sur le chemin que la Reginella suivra en retournant au palais.

ORDELAFO

Qu'est-ce que c'est que la Reginella ?

HOMODEI

C'est bon! c'est bon! réponds seulement. — Qui habite cette maison ?

ORDELAFO

Deux espèces de dogues [99] à face humaine, qu'on appelle l'un Orfeo, l'autre Gaboardo! Tu vas les voir rentrer tout à l'heure.

HOMODEI

Que font-ils ici, ces deux hommes ?

ORDELAFO

Les exécutions de nuit, les disparitions de corps, tout ce courant d'affaires secrètes qui suit les eaux de la Brenta. — Mais reprenons. Tu me disais donc que la chose avait manqué.

HOMODEI

Oui.

ORDELAFO

Aussi quelle folie d'aller t'imaginer qu'il suffisait de lâcher une femme là-dedans!

HOMODEI

Tu ne sais ce que tu dis. Quand on a une idée qui peut tuer quelqu'un, la meilleure lame qu'on y puisse emmancher, c'est la jalousie d'une femme [100]. Ah! d'ordinaire les femmes se vengent. Je ne comprends pas ce qui a passé par la tête de celle-ci. Qu'on ne me parle plus des comédiennes pour savoir donner un coup de couteau. Toute leur tragédie s'en va sur le théâtre.

ORDELAFO

A ta place j'aurais été tout bonnement au podesta, et je lui aurais dit : Votre femme...

HOMODEI

A ma place tu n'aurais pas été tout bonnement au podesta, et tu ne lui aurais pas dit : Votre femme; car tu sais aussi bien que moi que l'illustrissime conseil des Dix nous interdit à tous tant que nous sommes, à moi aussi bien qu'à toi, d'avoir quelque rapport que ce soit avec le podesta, jusqu'au jour où nous sommes chargés de l'arrêter. Tu sais fort bien que je ne peux ni parler au podesta, ni lui écrire, sous peine de la vie, et que je suis surveillé. Qui sait ? c'est peut-être toi qui me surveilles !

ORDELAFO

Homodei, nous sommes amis [101] !

HOMODEI

Raison de plus. Je ne suis pas censé me défier de toi.

ORDELAFO

Oh ! mon bon ami Homodei !

HOMODEI

Mais je m'en défie, vois-tu !

ORDELAFO

Je ne sais pas ce que je t'ai fait.

HOMODEI

Rien. De sottes questions, voilà tout. Et puis je ne suis pas de bonne humeur. Allons, nous sommes amis. Donne-moi ta main.

ORDELAFO

Ainsi tu renonces à ta vengeance ?

HOMODEI

A ma vie plutôt ! Ordelafo, tu n'as jamais aimé une femme, toi, tu ne sais pas ce que c'est que d'aimer une femme, et qu'elle vous chasse, et qu'elle vous humilie, et qu'elle vous soufflette tout haut avec votre nom en vous appelant espion quand vous êtes espion ! Oh ! alors ce qu'on sent pour cette femme, pour cette Catarina, vois-tu, ce n'est pas de l'amour, ce n'est pas de la haine, c'est un amour qui hait [102] ! Passion terrible, ardente, altérée, qui ne boit qu'à une coupe, la vengeance ! Je me vengerai de cette femme, je saisirai cette femme, je traînerai cette femme par les pieds dans le sépulcre, tu verras cela, Ordelafo !

ORDELAFO

Ton plan a manqué. Comment feras-tu ?

HOMODEI

J'ai déjà une autre idée. *(Il va à la fenêtre du fond.)* Tiens, justement, Ordelafo! tu vas m'aider. Approche ici. — Vois-tu une femme en mante rouge, là-bas, qui se dirige vers nous ?

ORDELAFO

Eh bien ?

HOMODEI

Sors. Sans faire semblant de rien. Quand tu seras près de cette femme, tu la laisseras passer, et puis tu la suivras. Tout doucement. Lorsqu'elle sera devant la maison, — tu auras soin de laisser la porte tout contre, — tu pousseras brusquement la femme contre la porte. La porte cédera, et je t'aiderai à faire entrer la femme dans la maison. Le reste me regarde.

ORDELAFO

C'est dit.

HOMODEI

Tout est parfaitement désert. *(Il regarde.)* Non, personne. Si elle crie, elle criera. Va.

Ordelafo sort.

HOMODEI, *resté seul.*

Cette maison est vraiment bien située. On tuerait le pape ici sans être entendu d'un chrétien.

Bruit de pas à la porte. Elle s'ouvre, et laisse voir Reginella, bâillonnée avec un mouchoir, qu'Ordelafo pousse dans la maison.

SCÈNE II

HOMODEI, ORDELAFO, REGINELLA

ORDELAFO

Je l'ai bâillonnée pour plus de précaution.

HOMODEI, *ôtant le bâillon.*

Tu as bien fait.

REGINELLA, *effarée.*

O ciel, messeigneurs !

HOMODEI

Allons, pas de frayeur. Cela m'ennuie. Calme-toi et réponds. Puisque tu me connais, tu ne peux pas avoir peur. Tu sais bien, je t'ai déjà parlé hier. C'est moi. Je ne t'ai pas fait de mal, ainsi ! — Tu t'appelles Reginella. C'est toi qui conduisais le seigneur Rodolfo aux rendez-vous que lui donnait madame Catarina dans le vieux palais Magaruffi. Ce matin, il y a une heure, le Rodolfo t'a rencontrée près du pont Altina, pas loin d'ici. Il t'a remis une lettre pour ta maîtresse.

REGINELLA

Monseigneur...

HOMODEI

Donne-moi cette lettre.

REGINELLA

La voici.

HOMODEI

C'est bien. *(Il décachette la lettre.)*

REGINELLA

Vous brisez le cachet, monseigneur.

HOMODEI

Je ne sais pas pourquoi tu m'appelles monseigneur. Je suis un espion. C'est de la peur bête, qui ne me flatte pas. *(Il lit la lettre.)* Cela suffit. Il n'a pas signé. C'est dommage. Il faudra trouver un moyen de faire savoir le nom au podesta [103].

Bruit d'une clef dans la serrure. Entre un homme vêtu de gris. Cheveux gris, grosses mains, face terreuse. Tout l'homme couleur de cendre.

HOMODEI

Quel est cet homme ?

ORDELAFO

C'est un des deux dogues dont je t'ai parlé. Celui-ci répond au nom d'Orfeo. L'autre ne va pas tarder à rentrer. Comme cela veille la nuit, cela dort le jour.

L'homme s'approche d'Homodei et le regarde d'un air farouche.

— Fais-toi reconnaître de lui.

Homodei entrouvre sa robe. A la vue des trois lettres, l'homme porte la main à son bonnet.

ORDELAFO, *à l'homme.*

Va coucher!

L'homme se retire dans un coin sans dire une parole.

HOMODEI

Y a-t-il une autre sortie à cette maison ?

ORDELAFO

Oui. Par là. Cela donne sur la rue de Scalona[104].

HOMODEI

Sors par là avec cette fille, et promène-la toute la journée.

Sortent Ordelafo et Reginella par la porte indiquée. L'homme est toujours au fond dans l'ombre, assis près d'un panier qu'il tresse.

(A part.) Voici déjà un grand pas de fait. Cette lettre! Mais comment la faire parvenir au Malipieri ? comment lui faire savoir le nom de Rodolfo ? En attendant, il ne faut pas garder cette lettre sur moi. Où pourrais-je la déposer sûrement ? *(Apercevant une table à tiroir.)* Ce tiroir ferme-t-il ? Oui. Bien. *(Il met la lettre dans le tiroir et en prend la clef.)* Orfeo! *(L'homme se lève et s'approche.)* Ne t'appelles-tu pas Orfeo ? Je vais sortir. Veillez bien la nuit prochaine, ton compagnon et toi. Il serait possible qu'on vous apportât quelqu'un à faire disparaître. Une femme.

ORFEO

La Brenta est là. *(Il retourne au fond du théâtre.)*

HOMODEI, *se rasseyant.*

Oh! ne pouvoir écrire au podesta, ni lui parler, quelle gêne! Comme cela simplifierait la chose! *(Il appuie son coude sur la table et la tête sur sa main, comme un homme qui pense profondément.)*

A ce moment on voit paraître le visage de Rodolfo à la croisée du fond.

RODOLFO, *du dehors, regardant dans la masure.*

Il me semble que voilà un homme qui ressemble... *(Il entrouvre un peu plus le volet.)* Je ne me trompe pas. C'est lui. C'est ce misérable Homodei! Ah! il est là! *(Il referme le volet et disparaît.)*

HOMODEI, *se levant.*

Allons, il faut trouver un moyen de prévenir le podesta. — Ah! la clef du tiroir [104 bis]. L'ai-je ? Oui. Bien. *(Il sort par la porte du fond qui se referme sur lui.)*

Bruit de voix au-dehors.

PREMIÈRE VOIX

Défends-toi, misérable!

DEUXIÈME VOIX

Qu'est-ce que c'est ? monsieur!

PREMIÈRE VOIX

Défends-toi, te dis-je!

DEUXIÈME VOIX

Monsieur Rodolfo!...

PREMIÈRE VOIX

Défends-toi donc, infâme! ou je te tue comme un chien!

On entend un choc d'épées.

ORFEO, *qui est resté seul dans la masure, levant un peu la tête.*

Il me paraît qu'on tue quelqu'un par là. *(Il se remet à tresser son panier.)*

DEUXIÈME VOIX

Ah!...

PREMIÈRE VOIX

Homodei! tu me dois ta vie, paie-la-moi!

DEUXIÈME VOIX

Malédiction ! Ah !

Le bruit cesse. Pas qui s'éloignent.

ORFEO, *tressant toujours son panier.*

Il y en a un de mort.

Plusieurs coups violents à la porte.

ORFEO

Qui va là ?

UNE VOIX, *du dehors.*

Moi. Ouvre.

ORFEO

Ah ! c'est toi, Gaboardo.

Il va ouvrir. Entre Gaboardo portant Homodei dont les jambes traînent. Gaboardo est pareil à Orfeo.

SCÈNE III

ORFEO, GABOARDO, HOMODEI.

ORFEO, *examinant Homodei.*

Tiens ! c'est celui de tout à l'heure.

GABOARDO

C'est un jeune gentilhomme qui l'a tué, et qui s'en est allé à grands pas quand je suis arrivé. Un beau jeune homme, ma foi.

ORFEO

Est-il tout à fait mort ?

GABOARDO

Il en a l'air.

ORFEO

Secoue-le donc un peu. — Mais il n'a presque pas coulé de sang de la blessure.

GABOARDO

Elle n'en est pas meilleure.

HOMODEI, *ouvrant les yeux.*

Oh! — Où suis-je ? Ah! j'étouffe! C'est toi, Orfeo! C'est ton compagnon, cela ? — Ah! — Prenez ma bourse, là, dans ma poche. Elle est pour vous.

Orfeo le fouille.

GABOARDO, *à Orfeo.*

Ne te donne pas la peine. Je l'ai déjà prise.

HOMODEI

J'entends que tu l'as déjà prise. C'est bien. Tu parais intelligent. Je vais t'expliquer, à toi, ce qu'il faut faire. Il y a une clef aussi dans ma poche. — Oh! tu me fais mal. — C'est égal, prends-la. Bien. C'est la clef de ce tiroir. Va l'ouvrir. Comment t'appelles-tu ?

GABOARDO

Gaboardo.

HOMODEI

Gaboardo. Bien. Ouvre le tiroir. Il y a un papier. Apporte-le. Bien. Il faudra l'aller porter au podesta, ce papier. Entends-tu ? comprends-tu ? Au podesta. Ce papier. Oh! je suis mort! Quelque chose pour écrire.

ORFEO

Ecrire! qu'est-ce que c'est que cela [105] ?

GABOARDO

Nous n'avons rien.

HOMODEI

Rien pour écrire! Soyez maudits! *(Il retombe, puis se relève.)* Eh bien, écoutez. Ecoute, Gaboardo. Vous irez trouver le podesta, monseigneur Malipieri, avec ce papier, qui est une lettre. Vous entendez ? Il vous donnera cent sequins d'or. Vous entendez ? Vous lui direz, au podesta, que cette lettre est adressée à sa femme, par un amant de sa femme... oh! j'étouffe!... nommé Rodolfo. Qui s'appelle Rodolfo. Dont le nom est Rodolfo. Retenez bien cela. Oh! je vais mourir, mais ma vengeance reste dehors. Oh! si c'est vous qui m'enterrez, vous laisserez mon bras hors de terre [106], droit et levé, pour figurer ma vengeance. Rodolfo! vous comprenez ? Allons! qu'est-ce que vous ai dit ? Répétez-le-moi.

GABOARDO

Vous avez dit qu'on nous donnerait cent sequins d'or.

HOMODEI

Damnation! Ce n'est pas cela. Tenez-moi la tête, que je vous parle encore. Ecoutez bien. Les cent sequins d'or, le podesta ne vous les donnera que si vous lui dites bien... Ah! — Ecoutez. Lui porter la lettre. Au podesta. Sa femme a un amant. Le lui dire. Qui a écrit la lettre. Le lui dire. Qui s'appelle Rodolfo. Le lui dire. Lui dire tout. Allons! je sens que j'étouffe. Le sang est là. Levez-moi encore la tête. O misère! mourir, et ne pouvoir confier sa vengeance qu'à ces imbéciles! Vous entendez? Rod... Rodo... olfo! *(Sa tête retombe.)*

GABOARDO

Mort. Vite chez le podesta. Cent sequins d'or. Diable! J'ai la lettre? Oui. Te souviens-tu bien de tout, Orfeo? Dire au podesta que sa femme a un amant, qui a écrit cette lettre, et qui s'appelle?... Comment a-t-il dit?

ORFEO

Il a dit Roderigo.

GABOARDO

Non, il a dit Pandolfo [107].

DEUXIÈME PARTIE

La chambre de Catarina. Les rideaux de l'estrade qui environne le lit sont fermés.

SCÈNE PREMIÈRE

ANGELO, DEUX PRÊTRES

ANGELO, *au premier des deux prêtres.*

Monsieur le doyen de Saint-Antoine de Padoue [108], faites tendre de noir sur-le-champ la nef, le chœur et le maître-autel de votre église. Dans deux heures, — dans deux heures, — vous y ferez un service solennel pour le repos de l'âme de quelqu'un d'illustre qui mourra en ce moment-là même. Vous assisterez à ce service avec tout le chapitre. Vous ferez découvrir la châsse du saint. Vous allumerez trois cents flambeaux de cire blanche, comme pour les reines. Vous aurez six cents pauvres qui recevront chacun un ducaton d'argent et un sequin d'or [109]. Vous ne mettrez sur la tenture noire d'autre ornement que les armes de Malipieri et les armes de Bragadini. L'écusson de Malipieri est d'or, à la serre d'aigle; l'écusson de Bragadini [109 bis] est coupé d'azur et d'argent, à la croix rouge.

LE DOYEN

Magnifique podesta...

ANGELO

Ah! — Vous allez descendre sur-le-champ avec tout votre clergé, croix et bannière en tête, dans le caveau de ce palais ducal, où sont les tombes des Romana. Une dalle y a été levée. Une fosse y a été creusée. Vous bénirez cette fosse. Ne perdez pas de temps. Vous prierez aussi pour moi.

LE DOYEN

Est-ce que c'est quelqu'un de vos parents, monseigneur?

ANGELO

Allez!

Le doyen [110] s'incline profondément et sort par la porte du fond. L'autre prêtre se dispose à le suivre. Angelo l'arrête.

— Vous, monsieur l'archiprêtre, restez. — Il y a ici à côté, dans cet oratoire, une personne que vous allez confesser tout de suite.

L'ARCHIPRÊTRE

Un homme condamné, monseigneur?

ANGELO

Une femme.

L'ARCHIPRÊTRE

Est-ce qu'il faudra préparer cette femme à la mort?

ANGELO

Oui. — Je vais vous introduire.

UN HUISSIER, *entrant.*

Votre excellence a fait mander dona Tisbe. Elle est là.

ANGELO

Qu'elle entre, et qu'elle m'attende ici un instant.

L'huissier sort. Le podesta ouvre l'oratoire et fait signe à l'archiprêtre d'entrer. Sur le seuil, il l'arrête.

— Monsieur l'archiprêtre, sur votre vie, quand vous sortirez d'ici, ayez soin de ne dire à qui que ce soit au monde le nom de la femme que vous allez voir. *(Il entre dans l'oratoire avec le prêtre.)*

La porte du fond s'ouvre, l'huissier introduit la Tisbe.

LA TISBE, *à l'huissier.*

Savez-vous ce qu'il me veut ?

L'HUISSIER

Non, madame. *(Il sort.)*

SCÈNE II

LA TISBE, *seule.*

Ah! cette chambre! me voilà donc encore dans cette chambre! Que me veut le podesta ? Le palais a un air sinistre ce matin. Que m'importe ? Je donnerais ma vie pour oui ou non! Oh! cette porte! Cela me fait un étrange effet de revoir cette porte le jour! C'est derrière cette porte qu'il était! Qui ? Qui est-ce qui était derrière cette porte ? Suis-je sûre que ce fût lui, seulement ? Je n'ai pas même revu cet espion. Oh! l'incertitude! affreux fantôme qui vous obsède et qui vous regarde d'un œil louche sans rire ni pleurer! Si j'étais sûre que ce fût Rodolfo. — bien sûre, là, de ces preuves!... — Oh! je le perdrais, je le dénoncerais au podesta. Non. Mais je me vengerais de cette femme. Non, je me tuerais. Oh! oui, moi sûre que Rodolfo ne m'aime plus, moi sûre qu'il me trompe, moi sûre qu'il en aime une autre, eh bien, qu'est-ce que j'aurais à faire de la vie ? cela me serait bien égal, je mourrais. Oh! sans me venger donc? Pourquoi pas ? Oh! oui, je dis cela dans ce moment-ci, mais c'est que je suis bien capable aussi de me venger! Puis-je répondre de ce qui se passerait en moi s'il m'était prouvé que l'homme de cette nuit c'est Rodolfo! O mon Dieu! préservez-moi d'un accès de rage! O Rodolfo! Catarina! Oh! si cela était, qu'est-ce que je ferais ? vraiment! qu'est-ce que je ferais ? Qui ferais-je mourir ? eux ou moi ? Je ne sais.

Rentre Angelo.

SCÈNE III

LA TISBE, ANGELO

LA TISBE

Vous m'avez fait appeler, monseigneur ?

ANGELO

Oui, Tisbe. J'ai à vous parler. J'ai tout à fait à vous parler. De choses assez graves. Je vous le disais, dans ma vie, chaque jour un piège, chaque jour une trahison, chaque jour un coup de poignard à recevoir ou un coup de hache à donner. En deux mots, voilà : ma femme a un amant.

LA TISBE

Qui s'appelle ?...

ANGELO

Qui était chez elle cette nuit quand nous y étions.

LA TISBE

Qui s'appelle ?...

ANGELO

Voici comment la chose s'est découverte [111]. Un homme, un espion du conseil des Dix... — Il faut vous dire que les espions du conseil des Dix sont vis-à-vis de nous autres, podestas de terre ferme [112], dans une position singulière. Le conseil leur défend, sur leur tête, de nous écrire, de nous parler, d'avoir avec nous quelque rapport que ce soit jusqu'au jour où ils sont chargés de nous arrêter. Un de ces espions, donc, a été trouvé poignardé ce matin au bord de l'eau, près du pont Altina. Ce sont les deux guetteurs de nuit qui l'ont relevé. Etait-ce un duel ? un guet-apens ? On ne sait. Ce sbire n'a pu prononcer que quelques mots. Il se mourait. Le malheur est qu'il soit mort! Au moment où il a été frappé, il a eu, à ce qu'il paraît, la présence d'esprit de conserver sur lui une lettre qu'il venait sans doute d'intercepter et qu'il a remise pour moi aux guetteurs de nuit. Cette lettre m'a été apportée, en effet, par ces deux hommes. C'est une lettre écrite à ma femme par un amant.

LA TISBE

Qui s'appelle ?...

ANGELO

La lettre n'est pas signée. Vous me demandez le nom de l'amant ? C'est justement ce qui m'embarrasse. L'homme assassiné a bien dit ce nom aux deux guetteurs de nuit. Mais, les imbéciles! ils l'ont oublié. Ils ne peuvent se le rappeler. Ils ne sont d'accord en rien sur ce nom. L'un dit Roderigo, l'autre Pandolfo ?

LA TISBE

Et la lettre, l'avez-vous là ?

ANGELO, *fouillant dans sa poitrine.*

Oui, je l'ai sur moi. C'est justement pour vous la montrer que je vous ai fait venir. Si par hasard vous en connaissiez l'écriture, vous me le diriez. *(Il tire la lettre.)* — La voilà.

LA TISBE

Donnez.

ANGELO, *froissant la lettre dans ses mains.*

Mais je suis dans une anxiété affreuse, Tisbe! Il y a un homme qui a osé! — qui a osé lever les yeux sur la femme d'un Malipieri [113]! Il y a un homme qui a osé faire une tache au livre d'or de Venise, à la plus belle page, à l'endroit où est mon nom! ce nom-là! Malipieri! Il y a un homme qui était cette nuit dans cette chambre, qui a marché à la place où je suis peut-être. Il y a un misérable homme qui a écrit la lettre que voici, et je ne saisirai pas cet homme! et je ne clouerai pas ma vengeance sur mon affront! et cet homme, je ne lui ferai pas verser une mare de sang sur ce plancher-ci, tenez! Oh! pour savoir qui a écrit cette lettre, je donnerais l'épée de mon père, et dix ans de ma vie, et ma main droite, madame!

LA TISBE

Mais montrez-la-moi, cette lettre.

ANGELO, *la lui laissant prendre.*

Voyez.

LA TISBE

(Elle déplie la lettre et y jette un coup d'œil. A part.) — C'est Rodolfo!

ANGELO

Est-ce que vous connaissez cette écriture ?

LA TISBE

Laissez-moi donc lire. *(Elle lit.)* — « Catarina, ma pauvre bien-aimée, tu vois bien que Dieu nous protège. C'est un miracle qui nous a sauvés cette nuit de ton mari et de cette femme... » *(A part.)* — Cette femme! *(Elle continue à lire.)* — « Je t'aime, ma Catarina. Tu es la seule femme que j'aie aimée. Ne crains rien pour moi, je suis en sûreté. »

ANGELO

Eh bien, connaissez-vous l'écriture ?

LA TISBE, *lui rendant la lettre.*

Non, monseigneur.

ANGELO

Non, n'est-ce pas ? Et que dites-vous de la lettre ? Ce ne peut être un homme qui soit depuis peu à Padoue, c'est le langage d'un ancien amour. Oh! je vais fouiller toute la ville! il faudra bien que je trouve cet homme! Que me conseillez-vous, Tisbe ?

LA TISBE

Cherchez.

ANGELO

J'ai donné l'ordre que personne ne pût entrer aujourd'hui librement dans le palais, hors vous, et votre frère, dont vous pourriez avoir besoin. Que tout autre fût arrêté et amené devant moi. J'interrogerai moi-même.

En attendant, j'ai une moitié de ma vengeance sous la main, je vais toujours la prendre.

LA TISBE

Quoi ?

ANGELO

Faire mourir la femme.

LA TISBE

Votre femme!

ANGELO

Tout est prêt. Avant qu'il soit une heure, Catarina Bragadini sera décapitée comme il convient.

LA TISBE

Décapitée!

ANGELO

Dans cette chambre.

LA TISBE

Dans cette chambre!

ANGELO

Ecoutez. Mon lit souillé se change en tombe. Cette femme doit mourir, je l'ai décidé. Je l'ai décidé trop froidement pour qu'il y ait quelque chose à faire à cela. La prière n'aurait aucune colère à éteindre en moi. Mon meilleur ami, si j'avais un ami, intercéderait pour elle, que je prendrais en défiance mon meilleur ami. Voilà tout. Causons-en si vous voulez. D'ailleurs, Tisbe, je la hais, cette femme! Une femme à laquelle je me suis laissé marier pour des raisons de famille [114], parce que mes affaires s'étaient dérangées dans les ambassades, pour complaire à mon oncle l'évêque de Castello, une femme qui a toujours eu le visage triste et l'air opprimé devant moi! qui ne m'a jamais donné d'enfants! Et puis, voyez-vous, la haine, c'est dans notre sang, dans notre famille, dans nos traditions. Il faut toujours qu'un Malipieri haïsse quelqu'un. Le jour où le lion de Saint-Marc s'envolera de sa colonne, la haine ouvrira ses ailes de bronze et s'envolera du cœur des Malipieri [115]. Mon aïeul haïssait le marquis Azzo [116], et il l'a fait noyer la nuit dans les puits de Venise. Mon père haïssait le procurateur Badoër [117], et il l'a fait empoisonner à un régal de la reine

Cornaro [118]. Moi, c'est cette femme que je hais. Je ne lui aurais pas fait de mal. Mais elle est coupable. Tant pis pour elle. Elle sera punie. Je ne vaux pas mieux qu'elle, c'est possible, mais il faut qu'elle meure. C'est une nécessité. Une résolution prise. Je vous dis que cette femme mourra. La grâce de cette femme! les os de ma mère [119] me parleraient pour elle, madame, qu'ils ne l'obtiendraient pas!

LA TISBE

Est-ce que la sérénissime seigneurie de Venise vous permet ?...

ANGELO

Rien pour pardonner. Tout pour punir.

LA TISBE

Mais la famille Bragadini, la famille de votre femme ?...

ANGELO

Me remerciera.

LA TISBE

Votre résolution est prise, dites-vous. Elle mourra. C'est bien. Je vous approuve. Mais, puisque tout est secret encore, puisque aucun nom n'a été prononcé, ne pourriez-vous épargner à elle un supplice, à ce palais une tache de sang, à vous la note publique et le bruit ? Le bourreau est un témoin. Un témoin est de trop.

ANGELO

Oui. Le poison vaudrait mieux. Mais il faudrait un poison rapide, et, vous ne me croirez pas, je n'en ai pas ici.

LA TISBE

J'en ai, moi.

ANGELO

Où ?

LA TISBE

Chez moi.

ANGELO

Quel poison ?

LA TISBE

Le poison Malaspina. Vous savez ? cette boîte que m'a envoyée le primicier de Saint-Marc.

ANGELO

Oui, vous m'en avez déjà parlé. C'est un poison sûr et prompt. Eh bien, vous avez raison. Que tout se passe entre nous, cela vaut mieux. Ecoutez, Tisbe. J'ai toute confiance en vous. Vous comprenez que ce que je suis forcé de faire est légitime. C'est mon honneur que je venge, et tout homme agirait de même à ma place. Eh bien, c'est une chose sombre et difficile que celle où je suis engagé. Je n'ai ici d'autre ami que vous. Je ne puis me fier qu'à vous. La prompte exécution, le secret sont dans l'intérêt de cette femme comme dans le mien. Assistez-moi. J'ai besoin de vous. Je vous le demande. Y consentez-vous ?

LA TISBE

Oui.

ANGELO

Que cette femme disparaisse sans qu'on sache comment, sans qu'on sache pourquoi. Une fosse se creuse, un service se chante, mais personne ne sait pour qui. Je ferai enlever le corps par ces deux mêmes hommes, les guetteurs de nuit, que je garde sous clef. Vous avez raison, mettons de l'ombre sur tout ceci. Envoyez chercher ce poison.

LA TISBE

Je sais seule où il est. J'y vais aller moi-même.

ANGELO

Allez, je vous attends.

Sort la Tisbe.

— Oui, c'est mieux. Il y a eu des ténèbres sur le crime, qu'il y en ait sur le châtiment.

La porte de l'oratoire s'ouvre. L'archiprêtre en sort, les yeux baissés et les bras en croix sur la poitrine. Il traverse lentement la chambre. Au moment où il va sortir par la porte du fond, Angelo se tourne vers lui.

— Est-elle prête ?

L'ARCHIPRÊTRE

Oui, monseigneur.

Il sort. Catarina paraît sur le seuil de l'oratoire.

SCÈNE IV

ANGELO, CATARINA

CATARINA

Prête à quoi ?

ANGELO

A mourir.

CATARINA

Mourir ! C'est donc vrai ? c'est donc possible ? Oh ! je ne puis me faire à cette idée-là ! Mourir ! Non, je ne suis pas prête. Je ne suis pas prête. Je ne suis pas prête du tout, monsieur [120] !

ANGELO

Combien de temps vous faut-il pour vous préparer ?

CATARINA

Oh ! je ne sais pas, beaucoup de temps !

ANGELO

Allez-vous manquer de courage, madame ?

CATARINA

Mourir tout de suite comme cela [121] ! Mais je n'ai rien fait qui mérite la mort, je le sais bien, moi ! Monsieur, monsieur, encore un jour ! Non, pas un jour, je sens que je n'aurais pas plus de courage demain. Mais la vie ! Laissez-moi la vie ! Un cloître ! Là, dites, est-ce que c'est vraiment impossible que vous me laissiez la vie ?

ANGELO

Si. Je puis vous la laisser, je vous l'ai déjà dit, à une condition.

CATARINA

Laquelle ? Je ne m'en souviens plus.

ANGELO

Qui a écrit cette lettre ? dites-le-moi. Nommez-moi l'homme ! Livrez-moi l'homme !

CATARINA, *se tordant les mains.*

Mon Dieu!

ANGELO

Si vous me livrez cet homme, vous vivrez. L'échafaud pour lui, le couvent pour vous, cela suffira. Décidez-vous.

CATARINA

Mon Dieu!

ANGELO

Eh bien, vous ne me répondez pas ?

CATARINA

Si. Je vous réponds : mon Dieu!

ANGELO

Oh! décidez-vous, madame!

CATARINA

J'ai eu froid dans cet oratoire. J'ai bien froid.

ANGELO

Ecoutez. Je veux être bon pour vous, madame. Vous avez devant vous une heure. Une heure qui est encore à vous, pendant laquelle je vais vous laisser seule. Personne n'entrera ici. Employez cette heure à réfléchir. Je mets la lettre sur la table. Ecrivez au bas le nom de l'homme, et vous êtes sauvée. Catarina Bragadini, c'est une bouche de marbre qui vous parle [122], il faut livrer cet homme, ou mourir. Choisissez. Vous avez une heure.

CATARINA

Oh!... un jour.

ANGELO

Une heure.

Il sort.

SCÈNE V

CATARINA, *restée seule.*

Cette porte... *(Elle va à la porte.)* — Oh! je l'entends qui la referme au verrou! *(Elle va à la fenêtre.)* — Cette fenêtre... *(Elle regarde.)* — Oh! que c'est haut! *(Elle tombe sur un fauteuil.)* — Mourir! Oh! mon Dieu[123]! c'est une idée qui est bien terrible quand elle vient vous saisir ainsi tout à coup au moment où l'on ne s'y attend pas! N'avoir plus qu'une heure à vivre et se dire : Je n'ai plus qu'une heure! Oh! il faut que ces choses-là vous arrivent à vous-même pour savoir jusqu'à quel point c'est horrible! J'ai les membres brisés. Je suis mal sur ce fauteuil. *(Elle se lève.)* — Mon lit me reposerait mieux, je crois. Si je pouvais avoir un instant de trêve! *(Elle va à son lit.)* — Un instant de repos! *(Elle tire le rideau et recule avec terreur. A la place du lit il y a un billot couvert d'un drap noir et une hache*[124]*.)* — Ciel! qu'est-ce que je vois là ? Oh! c'est épouvantable! *(Elle referme le rideau avec un mouvement convulsif.)* — Oh! je ne veux plus voir cela! Oh! mon Dieu! c'est pour moi, cela! Oh! mon Dieu! je suis seule avec cela ici! *(Elle se traîne jusqu'au fauteuil.)* — Derrière moi! c'est derrière moi! Oh! je n'ose plus tourner la tête. Grâce! grâce[125]! Ah! vous voyez bien que ce n'est pas un rêve, et que c'est bien réel ce qui se passe ici, puisque voilà des choses là derrière le rideau!

La petite porte du fond s'ouvre. On voit paraître Rodolfo.

SCÈNE VI

CATARINA, RODOLFO[126]

CATARINA, *à part.*

Ciel! Rodolfo!

RODOLFO, *accourant.*

Oui, Catarina, c'est moi. Moi pour un instant. Tu es seule. Quel bonheur!... — Eh bien! tu es toute pâle ? Tu as l'air troublée ?

CATARINA

Je le crois bien. Les imprudences que vous faites. Venir ici en plein jour à présent!

RODOLFO

Ah! c'est que j'étais trop inquiet. Je n'ai pas pu y tenir.

CATARINA

Inquiet de quoi ?

RODOLFO

Je vais vous dire, ma Catarina bien-aimée... — Ah! vraiment, je suis bien heureux de vous trouver ici aussi tranquille!

CATARINA

Comment êtes-vous entré ?

RODOLFO

La clef que tu m'as remise toi-même.

CATARINA

Je sais bien; mais dans le palais ?

RODOLFO

Ah! voilà précisément une des choses qui m'inquiètent. Je suis entré aisément, mais je ne sortirai pas de même.

CATARINA

Comment ?

RODOLFO

Le capitaine-grand m'a prévenu à la porte du palais que personne n'en sortirait avant la nuit.

CATARINA

Personne avant la nuit! *(A part.)* — Pas d'évasion possible! Oh! Dieu!

RODOLFO

Il y a des sbires en travers de tous les passages. Le palais est gardé comme une prison. J'ai réussi à me glisser dans la grande galerie, et je suis venu. Vraiment, tu me jures qu'il ne se passe rien ici ?

CATARINA

Non. Rien. Rien, sois tranquille, mon Rodolfo. Tout est comme à l'ordinaire ici. Regarde. Tu vois bien qu'il n'y a rien de dérangé dans cette chambre. Mais va-t'en vite. Je tremble que le podesta ne rentre.

RODOLFO

Non, Catarina, ne crains rien de ce côté. Le podesta est en ce moment sur le pont Molino, là, en bas. Il interroge des gens qu'on vient d'arrêter. Oh! j'étais inquiet, Catarina! Tout a un air étrange aujourd'hui, la ville comme le palais. Des bandes d'archers et de cernides [127] vénitiens parcourent les rues. L'église Saint-Antoine est tendue de noir, et l'on y chante l'office des morts. Pour qui? On l'ignore. Le savez-vous?

CATARINA

Non.

RODOLFO

Je n'ai pu pénétrer dans l'église. La ville est frappée de stupeur. Tout le monde parle bas. Il se passe à coup sûr une chose terrible quelque part. Où? Je ne sais. Ce n'est pas ici, c'est tout ce qu'il me faut. Pauvre amie, tu ne te doutes pas de tout cela dans ta solitude!

CATARINA

Non.

RODOLFO

Que nous importe, au reste! Dis, es-tu remise de l'émotion de cette nuit? Oh! quel événement! Je n'y comprends rien encore. Catarina, je t'ai délivrée de ce sbire Homodei. Il ne te fera plus de mal.

CATARINA

Tu crois?

RODOLFO

Il est mort. Catarina! tiens, décidément tu as quelque chose, tu as l'air triste. Catarina! tu ne me caches rien? Il ne t'arrive rien, au moins? Oh! c'est qu'on aurait ma vie avant la tienne!

CATARINA

Non, il n'y a rien. Je te jure qu'il n'y a rien. Seulement je te voudrais dehors! Je suis effrayée pour toi.

RODOLFO

Que faisais-tu quand je suis entré?

CATARINA

Ah! mon Dieu! tranquillisez-vous, mon Rodolfo, je n'étais pas triste, bien au contraire. J'essayais de me rappeler cet air que vous chantez si bien. Tenez, vous voyez, j'ai encore là ma guitare [128].

RODOLFO

Je t'ai écrit ce matin. J'ai rencontré Reginella à qui j'ai remis la lettre. La lettre n'a pas été interceptée? Elle t'est bien arrivée ?

CATARINA

La lettre m'est si bien arrivée que la voilà. *(Elle lui présente la lettre.)*

RODOLFO

Ah! tu l'as! C'est bien. On est toujours inquiet quand on écrit.

CATARINA

Oh! toutes les issues de ce palais gardées! personne ne sortira avant la nuit!

RODOLFO

Personne. Je l'ai déjà dit. C'est l'ordre.

CATARINA

Allons! maintenant, vous m'avez parlé, vous m'avez vue, vous êtes rassuré, vous voyez que, si la ville est en rumeur, tout est tranquille ici, partez, mon Rodolfo, au nom du ciel! Si le podesta entrait! Vite, partez. Puisque tu es obligé de rester dans ce palais jusqu'au soir, voyons, je vais te fermer moi-même ton manteau. Comme cela. Ton chapeau sur ta tête. Et puis, devant les sbires, aie l'air naturel, à ton aise, pas d'affectation à les éviter, pas de précaution. La précaution dénonce. Et puis, si l'on voulait te faire écrire quelque chose par hasard, un espion, quelqu'un qui te tendrait un piège, trouve un prétexte, n'écris pas!

RODOLFO

Pourquoi cette recommandation, Catarina ?

CATARINA

Pourquoi ? Je ne veux pas qu'on voie de ton écriture, moi. C'est une idée que j'ai. Mon ami, vous savez bien que les femmes ont des idées. Je te remercie d'être venu, d'être entré, d'être resté, j'ai eu la joie de te voir! Là, tu vois bien que je suis tranquille, gaie, contente, que j'ai ma guitare là et ta lettre, maintenant va-t'en vite. Je veux que tu t'en ailles. — Encore un mot seulement.

RODOLFO

Quoi ?

CATARINA

Rodolfo, vous savez que je ne vous ai jamais rien accordé, tu le sais bien, toi !

RODOLFO

Eh bien ?

CATARINA

Aujourd'hui c'est moi qui vais te demander. Rodolfo ! un baiser !

RODOLFO, *la serrant dans ses bras.*

Oh ! c'est le ciel !

CATARINA

Je le vois qui s'ouvre !

RODOLFO

O bonheur !

CATARINA

Tu es heureux ?

RODOLFO

Oui !

CATARINA

A présent sors, mon Rodolfo !

RODOLFO

Merci !

CATARINA

Adieu ! — Rodolfo !

Rodolfo, qui est à la porte, s'arrête.

— Je t'aime !

Rodolfo sort.

SCÈNE VII

CATARINA, *seule.*

Fuir avec lui ! Oh ! j'y ai songé un moment. Oh ! Dieu ! fuir avec lui ! impossible ! je l'aurais perdu inutilement.

Oh! pourvu qu'il ne lui arrive rien! Pourvu que les sbires ne l'arrêtent pas! Pourvu qu'on le laisse sortir ce soir! Oh! oui, il n'y a pas de raison pour que le soupçon tombe sur lui. Sauvez-le, mon Dieu! *(Elle va écouter à la porte du corridor.)* — J'entends encore son pas. Mon bien-aimé! il s'éloigne. Plus rien. C'est fini. Va en sûreté, mon Rodolfo! *(La grande porte s'ouvre.)* — Ciel!

Entrent Angelo et la Tisbe.

SCÈNE VIII

CATARINA, ANGELO, LA TISBE

CATARINA, *à part.*

Quelle est cette femme ? La femme de la nuit.

ANGELO

Avez-vous fait vos réflexions, madame ?

CATARINA

Oui, monsieur.

ANGELO

Il faut mourir ou me livrer l'homme qui a écrit la lettre. Avez-vous pensé à me livrer cet homme, madame ?

CATARINA

Je n'y ai pas pensé seulement un instant, monsieur.

LA TISBE, *à part.*

Tu es une bonne et courageuse femme, Catarina!

Angelo fait signe à la Tisbe, qui lui remet une fiole d'argent. Il la pose sur la table.

ANGELO

Alors vous allez boire ceci.

CATARINA

C'est du poison ?

ANGELO

Oui, madame [129].

CATARINA

O mon Dieu! vous jugerez un jour cet homme. Je vous demande grâce pour lui!

ANGELO

Madame, le provéditeur Urseolo, un des Bragadini, un de vos pères, a fait périr Marcella Galbaï, sa femme, de la même façon, pour le même crime [130].

CATARINA

Parlons simplement. Tenez, il n'est pas question des Bragadini, vous êtes infâme. Ainsi vous venez froidement là, avec le poison dans les mains! Coupable? Non, je ne le suis pas. Pas comme vous le croyez, du moins. Mais je ne descendrai pas à me justifier. Et puis, comme vous mentez toujours, vous ne me croiriez pas. Tenez, vraiment, je vous méprise! Vous m'avez épousée pour mon argent, parce que j'étais riche, parce que ma famille a un droit sur l'eau des citernes [131] de Venise. Vous avez dit : Cela rapporte cent mille ducats par an, prenons cette fille. Et quelle vie ai-je eue avec vous depuis cinq ans? dites! Vous ne m'aimez pas. Vous êtes jaloux cependant. Vous me tenez en prison. Vous, vous avez des maîtresses, cela vous est permis. Tout est permis aux hommes. Toujours dur, toujours sombre avec moi. Jamais une bonne parole. Parlant sans cesse de vos pères, des doges qui ont été de votre famille; m'humiliant dans la mienne. Si vous croyez que c'est là ce qui rend une femme heureuse [132]! Oh! il faut avoir souffert ce que j'ai souffert pour savoir ce que c'est que le sort des femmes. Eh bien, oui, monsieur, j'ai aimé avant de vous connaître un homme que j'aime encore. Vous me tuez pour cela. Si vous avez ce droit-là, il faut convenir que c'est un horrible temps que le nôtre. Ah! vous êtes bien heureux, n'est-ce pas? d'avoir une lettre, un chiffon de papier, un prétexte! Fort bien. Vous me jugez, vous me condamnez, et vous m'exécutez! Dans l'ombre. En secret. Par le poison. Vous avez la force. — C'est lâche! *(Se tournant vers la Tisbe.)* — Que pensez-vous de cet homme, madame?

ANGELO

Prenez garde!...

CATARINA, *à la Tisbe.*

Et vous, qui êtes-vous? qu'est-ce que vous me voulez?

C'est beau, ce que vous faites là! Vous êtes la maîtresse publique de mon mari, vous avez intérêt à me perdre, vous m'avez fait espionner, vous m'avez prise en faute, et vous me mettez le pied sur la tête. Vous assistez mon mari dans l'abominable chose qu'il fait. Qui sait même, c'est peut-être vous qui fournissez le poison ? *(A Angelo.)* — Que pensez-vous de cette femme, monsieur ?

ANGELO

Madame...

CATARINA

En vérité, nous sommes tous les trois d'un bien exécrable pays! C'est une bien odieuse république que celle où un homme peut marcher impunément sur une malheureuse femme, comme vous faites, monsieur! et où les autres hommes lui disent : Tu fais bien, Foscari a fait mourir sa fille, Loredano sa femme, Bragadini [133]... — Je vous demande un peu si ce n'est pas infâme! Oui, tout Venise est dans cette chambre en ce moment! Tout Venise en vos deux personnes [134]! Rien n'y manque. *(Montrant Angelo.)* — Venise despote, la voilà. *(Montrant la Tisbe.)* — Venise courtisane, la voici. *(A la Tisbe.)* — Si je vais trop loin dans ce que je dis, madame, tant pis pour vous, pourquoi êtes-vous là ?

ANGELO, *lui saisissant le bras.*

Allons, madame, finissons-en [135]!

CATARINA

Elle s'approche de la table où est le flacon.

Allons, je vais accomplir ce que vous voulez *(elle avance la main vers le flacon)*, — puisqu'il le faut... *(Elle recule.)* — Non! c'est affreux! je ne veux pas! je ne pourrai jamais! Mais pensez-y donc encore un peu, tandis qu'il en est temps. Vous qui êtes tout-puissant, réfléchissez. Une femme, une femme qui est seule, abandonnée, qui n'a pas de force, qui est sans défense, qui n'a pas de parents ici, pas de famille, pas d'amis, qui n'a personne! l'assassiner! l'empoisonner misérablement dans un coin de sa maison! — Ma mère! Ma mère! Ma mère!

LA TISBE

Pauvre femme [136]!

CATARINA

Vous avez dit : pauvre femme, madame! Vous l'avez dit! Oh! je l'ai bien entendu! Oh! ne me dites pas que vous ne l'avez pas dit! Vous avez donc pitié, madame? Oh! oui, laissez-vous attendrir! Vous voyez bien qu'on veut m'assassiner! Est-ce que vous en êtes, vous? Oh! ce n'est pas possible. Non, n'est-ce pas [137] ? Tenez, je vais vous expliquer, vous conter la chose, à vous. Vous parlerez au podesta après. Vous lui direz que ce qu'il fait là est horrible. Moi, c'est tout simple que je dise cela. Mais vous, cela fera plus d'effet. Il suffit quelquefois d'un mot dit par une personne étrangère pour ramener un homme à la raison. Si je vous ai offensée tout à l'heure, pardonnez-le-moi. Madame, je n'ai jamais rien fait qui fût mal, vraiment mal. Je suis toujours restée honnête. Vous me comprenez, vous, je le vois bien. Mais je ne puis dire cela à mon mari. Les hommes ne veulent jamais nous croire, vous savez? Cependant nous leur disons quelquefois des choses bien vraies. Madame! ne me dites pas d'avoir du courage, je vous en prie. Est-ce que je suis forcée d'avoir du courage, moi? Je n'ai pas honte de n'être qu'une femme bien faible et dont il faudrait avoir pitié. Je pleure parce que la mort me fait peur. Ce n'est pas ma faute.

ANGELO

Madame, je ne puis attendre plus longtemps.

CATARINA

Ah! vous m'interrompez. *(A la Tisbe.)* — Vous voyez bien qu'il m'interrompt. Ce n'est pas juste. Il a vu que je vous disais des choses qui allaient vous émouvoir. Alors il m'empêche d'achever. Il me coupe la parole. *(A Angelo.)* — Vous êtes un monstre!

ANGELO

C'en est trop. Catarina Bragadini, le crime fait veut un châtiment, la fosse ouverte veut un cercueil, le mari outragé veut une femme morte. Tu perds toutes les paroles qui sortent de ta bouche, j'en jure par Dieu qui est au ciel! *(Montrant le poison.)* — Voulez-vous, madame?

CATARINA

Non!

ANGELO

Non ? — J'en reviens à ma première idée alors. Les épées! les épées! Troïlo! Qu'on aille me chercher... J'y vais!

Il sort violemment par la porte du fond, qu'on l'entend refermer en dehors.

SCÈNE IX

CATARINA, LA TISBE

LA TISBE

Ecoutez! Vite! nous n'avons qu'un instant. Puisque c'est vous qu'il aime, ce n'est plus qu'à vous qu'il faut songer. Faites ce qu'on veut. Ou vous êtes perdue! Je ne puis pas m'expliquer plus clairement. Vous n'êtes pas raisonnable. Tout à l'heure il m'est échappé de dire : pauvre femme! Vous l'avez répété tout haut comme une folle, devant le podesta, à qui cela pouvait donner des soupçons! Si je vous disais la chose, vous êtes dans un état trop violent, vous feriez quelque imprudence, et tout serait perdu. Laissez-vous faire! Buvez! Les épées ne pardonnent pas, voyez-vous. Ne résistez plus. Que voulez-vous que je vous dise ? C'est vous qui êtes aimée, et je veux que quelqu'un m'ait une obligation. Vous ne comprenez pas ce que je vous dis là, eh bien! de vous le dire cela m'arrache le cœur pourtant!

CATARINA

Madame...

LA TISBE

Faites ce qu'on vous dit. Pas de résistance. Pas une parole. Surtout n'ébranlez pas la confiance que votre mari a en moi. Entendez-vous ? Je n'ose vous en dire plus avec votre manie de tout redire. Oui, il y a dans cette chambre une pauvre femme qui doit mourir, mais ce n'est pas vous. Est-ce dit ?

CATARINA

Je ferai ce que vous voulez, madame.

LA TISBE

Bien. Je l'entends qui revient! *(La Tisbe se jette sur la porte du fond au moment où elle s'ouvre.)* — Seul! seul! Entrez seul!

On entrevoit des sbires l'épée nue dans la chambre voisine. Angelo entre. La porte se referme.

SCÈNE X

CATARINA, LA TISBE, ANGELO

LA TISBE

Elle se résigne au poison.

ANGELO, *à Catarina.*

Alors, tout de suite, madame.

CATARINA, *prenant la fiole. — A la Tisbe.*

Je sais que vous êtes la maîtresse de mon mari. Si votre pensée secrète était une pensée de trahison, le besoin de me perdre, l'ambition de prendre ma place que vous auriez tort d'envier, ce serait une action abominable, madame; et, quoiqu'il soit dur de mourir à vingt-deux ans, j'aimerais encore mieux ce que je fais que ce que vous faites. *(Elle boit.)*

LA TISBE, *à part.*

Que de paroles inutiles, mon Dieu!

ANGELO, *allant à la porte du fond qu'il entrouvre.*

Allez-vous-en!

CATARINA

Ah! ce breuvage me glace le sang! *(Regardant fixement la Tisbe.)* — Ah! madame! *(A Angelo.)* — Etes-vous content, monsieur ? Je sens bien que je vais mourir. Je ne vous crains plus. Eh bien, je vous le dis maintenant, à vous qui êtes mon démon, comme je le dirai tout à l'heure à mon Dieu : j'ai aimé un homme, mais je suis pure!

ANGELO

Je ne vous crois pas, madame.

LA TISBE, *à part.*

Je la crois, moi!

CATARINA

Je me sens défaillir... Non. Pas ce fauteuil-là. Ne me touchez point. Je vous l'ai déjà dit, vous êtes un homme infâme! *(Elle se dirige en chancelant vers son oratoire.)* — Je veux mourir à genoux. Devant l'autel qui est là. Mourir seule. En repos. Sans avoir vos deux regards sur moi. *(Arrivée à la porte, elle s'appuie sur le rebord.)* — Je veux mourir en priant Dieu. *(A Angelo.)* — Pour vous, monsieur.

Elle entre dans l'oratoire.

ANGELO

Troïlo!

Entre l'huissier.

— Prends dans mon aumônière la clef de ma salle secrète. Dans cette salle, tu trouveras deux hommes. Amène-les-moi. Sans leur dire un mot. *(L'huissier sort. — A la Tisbe.)* — Il faut maintenant que j'aille interroger les hommes arrêtés. Quand j'aurai parlé aux deux guetteurs de nuit, Tisbe, je vous confierai le soin de veiller sur ce qui reste à faire. Le secret, surtout!

Entrent les deux guetteurs de nuit, introduits par l'huissier qui se retire.

SCÈNE XI

ANGELO, LA TISBE, ORFEO, GABOARDO

ANGELO, *aux guetteurs de nuit.*

Vous avez été souvent employés aux exécutions de nuit dans ce palais. Vous connaissez la cave où sont les tombes ?

GABOARDO

Oui, monseigneur.

ANGELO

Y a-t-il des passages tellement cachés qu'aujourd'hui, par exemple, que ce palais est plein de soldats, vous puissiez descendre dans ce caveau, y entrer et puis sortir du palais sans être vus de personne ?

GABOARDO

Nous entrerons et nous sortirons sans être vus de personne, monseigneur.

ANGELO

C'est bien. *(Il entrouvre la porte de l'oratoire. — Aux deux guetteurs.)* — Il y a là une femme qui est morte. Vous allez descendre cette femme secrètement dans le caveau. Vous trouverez dans ce caveau une dalle du pavé qu'on a déplacée et une fosse qu'on a creusée. Vous mettrez la femme dans la fosse et puis la dalle à sa place. Vous entendez ?

GABOARDO

Oui, monseigneur.

ANGELO

Vous êtes forcés de passer par mon appartement. Je vais en faire sortir tout le monde. *(A la Tisbe.)* — Veillez à ce que tout se fasse en secret. *(Il sort [138].)*

LA TISBE, *tirant une bourse de son aumônière. — Aux deux hommes.*

Deux cents sequins d'or dans cette bourse. Pour vous ! et demain matin le double, si vous faites bien tout ce que je vais vous dire.

GABOARDO, *prenant la bourse.*

Marché conclu, madame. Où faut-il aller ?

LA TISBE

Au caveau d'abord.

TROISIÈME PARTIE

Une chambre de nuit. Au fond, une alcôve à rideaux avec un lit. De chaque côté de l'alcôve, une porte; celle de droite est masquée dans la tenture. Tables, meubles, fauteuils, sur lesquels sont épars des masques, des éventails, des écrins à demi ouverts, des costumes de théâtre [139].

SCÈNE PREMIÈRE

LA TISBE, GABOARDO, ORFEO, UN PAGE NOIR; CATARINA *enveloppée d'un linceul est posée sur le lit. On distingue sur sa poitrine le crucifix de cuivre.*

La Tisbe prend un miroir et découvre le visage pâle de Catarina.

LA TISBE, *au page noir.*

Approche avec ton flambeau. *(Elle place le miroir devant les lèvres de Catarina.)* — Je suis tranquille! *(Elle referme les rideaux de l'alcôve. — Aux deux guetteurs de nuit.)* — Vous êtes sûrs que personne ne vous a vus dans le trajet du palais ici ?

GABOARDO

La nuit est très noire. La ville est déserte à cette heure. Vous savez bien que nous n'avons rencontré personne, madame. Vous nous avez vus mettre le cercueil dans la fosse, et le recouvrir avec la dalle. Ne craignez rien. Nous ne savons pas si cette femme est morte, mais, ce qui est certain, c'est que pour le monde entier elle est scellée dans la tombe. Vous pouvez en faire ce que vous voudrez.

LA TISBE

C'est bien. *(Au page noir.)* — Où sont les habits d'homme que je t'ai dit de tenir prêts ?

LE PAGE NOIR, *montrant un paquet dans l'ombre.*

Les voici, madame.

LA TISBE

Et les deux chevaux que je t'ai demandés, sont-ils dans la cour ?

LE PAGE NOIR

Sellés et bridés.

LA TISBE

De bons chevaux ?

LE PAGE NOIR

J'en réponds, madame.

LA TISBE

C'est bien. *(Aux guetteurs de nuit.)* — Dites-moi, vous, combien faut-il de temps, avec de bons chevaux, pour sortir de l'Etat de Venise ?

GABOARDO

C'est selon. Le plus court, c'est d'aller tout de suite à Montebacco qui est au pape [140]. Il faut trois heures. Beau chemin.

LA TISBE

Cela suffit. Allez maintenant. Le silence sur tout ceci! et revenez demain matin chercher la récompense promise.

Les deux guetteurs de nuit sortent.

(Au page noir.) — Toi, va fermer la porte de la maison. Sous quelque prétexte que ce soit, ne laisse entrer personne.

LE PAGE NOIR

Le seigneur Rodolfo a son entrée particulière, madame. Faut-il la fermer aussi ?

LA TISBE

Non, laisse-la libre. S'il vient, qu'il entre. Mais lui seul, et personne autre. Aie soin que qui que ce soit au monde ne puisse pénétrer ici, surtout si Rodolfo venait. Toi-même, fais attention à n'entrer que si je t'appelle. A présent, laisse-moi.

Sort le page noir.

SCÈNE II

LA TISBE; CATARINA, *dans l'alcôve.*

LA TISBE

Je pense qu'il n'y a plus très longtemps à attendre. — Elle ne voulait pas mourir. Je le comprends. Quand on sait qu'on est aimée! — Mais autrement, plutôt que de vivre sans son amour *(se tournant vers le lit* [141]*)* — oh! tu serais morte avec joie, n'est-ce pas ? — Ma tête brûle. Voilà pourtant trois nuits que je ne dors pas. Avant-hier, cette fête; hier, ce rendez-vous où je les ai surpris; aujourd'hui [142]... — Oh! la nuit prochaine, je dormirai! *(Elle jette un coup d'œil sur les toilettes de théâtre éparses autour d'elle.)* — Oh oui! nous sommes bien heureuses, nous autres! On nous applaudit au théâtre [143]. Que vous avez bien joué la Rosmonda, madame! Les imbéciles! Oui, on nous admire, on nous trouve belles, on nous couvre de fleurs, mais le cœur saigne dessous. Oh! Rodolfo! Rodolfo! Croire à son amour, c'était une idée nécessaire à ma vie! Dans le temps où j'y croyais, j'ai souvent pensé que si je mourais je voudrais mourir près de lui, mourir de telle façon qu'il lui fût impossible d'arracher ensuite mon souvenir de son âme, que mon ombre restât à jamais à côté de lui, entre toutes les autres femmes et lui! Oh! la mort, ce n'est rien. L'oubli, c'est tout. Je ne veux pas qu'il m'oublie. Hélas! voilà donc où j'en suis venue! Voilà où je suis tombée! Voilà ce que le monde a fait pour moi! Voilà ce que l'amour a fait de moi! *(Elle va au lit, écarte les rideaux, fixe quelques instants son regard sur Catarina immobile, et prend le crucifix.)* — Oh! si ce crucifix a porté bonheur à quelqu'un dans ce monde, ce n'est pas à votre fille, ma mère!

Elle pose le crucifix sur la table. La petite porte masquée s'ouvre. Entre Rodolfo.

SCÈNE III

LA TISBE, RODOLFO ; CATARINA,
toujours dans l'alcôve fermée.

LA TISBE

C'est vous, Rodolfo ! Ah ! tant mieux ! j'ai à vous parler, justement. Ecoutez-moi.

RODOLFO

Et moi aussi j'ai à vous parler, et c'est vous qui allez m'écouter, madame !

LA TISBE

Rodolfo !...

RODOLFO

Etes-vous seule, madame ?

LA TISBE

Seule.

RODOLFO

Donnez l'ordre que personne n'entre.

LA TISBE

Il est déjà donné.

RODOLFO

Permettez-moi de fermer ces deux portes. *(Il va fermer les deux portes au verrou.)*

LA TISBE

J'attends ce que vous avez à me dire.

RODOLFO

D'où venez-vous ? De quoi êtes-vous pâle [144] ? Qu'avez-vous fait aujourd'hui, dites ? Qu'est-ce que ces mains-là ont fait, dites ? Où avez-vous passé les exécrables heures de cette journée, dites ? Non, ne le dites pas. Je vais le dire. Ne répondez pas, ne niez pas, n'inventez pas, ne mentez pas. Je sais tout ! Je sais tout, vous dis-je ! Vous voyez bien que je sais tout, madame ! Il y avait là Dafne. A deux pas de vous. Séparée seulement par une porte.

Dans l'oratoire. Il y avait Dafne qui a tout vu, qui a tout entendu, qui était là, à côté, tout près, qui entendait, qui voyait! — Tenez, voilà des paroles que vous avez prononcées. Le podesta disait : Je n'ai pas de poison; vous avez dit : J'en ai, moi! — J'en ai, moi! j'en ai, moi! L'avez-vous dit, oui ou non ? Mentez un peu, voyons! Ah! vous avez du poison, vous! Eh bien, moi j'ai un couteau! *(Il tire un poignard de sa poitrine.)*

LA TISBE

Rodolfo!

RODOLFO

Vous avez un quart d'heure pour vous préparer à la mort, madame!

LA TISBE

Ah! vous me tuez! Ah! c'est la première idée qui vous vient! Vous voulez me tuer, ainsi, vous-même, tout de suite, sans plus attendre, sans être bien sûr ? Vous pouvez prendre une résolution pareille aussi facilement ? Vous ne tenez pas à moi plus que cela ? Vous me tuez pour l'amour d'une autre! O Rodolfo, c'est donc bien vrai, dites-le-moi de votre bouche, vous ne m'avez donc jamais aimée ?

RODOLFO

Jamais!

LA TISBE

Eh bien! c'est ce mot-là qui me tue, malheureux! ton poignard ne fera que m'achever.

RODOLFO

De l'amour pour vous, moi! Non, je n'en ai pas! je n'en ai jamais eu! Je puis m'en vanter, Dieu merci! De la pitié, tout au plus!

LA TISBE

Ingrat! Et, encore un mot, dis-moi; elle! tu l'aimais donc bien ?

RODOLFO

Elle! si je l'aimais! elle! Oh! écoutez cela puisque c'est votre supplice, malheureuse! Si je l'aimais! une chose pure, sainte, chaste, sacrée, une femme qui est un autel, ma vie, mon sang, mon trésor, ma consolation, ma pensée, la lumière de mes yeux, voilà comme je l'aimais [145]!

LA TISBE

Alors, j'ai bien fait.

RODOLFO

Vous avez bien fait ?

LA TISBE

Oui. J'ai bien fait. Es-tu sûr seulement de ce que j'ai fait ?

RODOLFO

Je ne suis pas sûr, dites-vous! Voilà la seconde fois que vous le dites. Mais il y avait là Dafne, je vous répète qu'il y avait là Dafne, et ce qu'elle m'a dit, je l'ai encore dans l'oreille : — Monsieur, monsieur, ils n'étaient qu'eux trois dans cette chambre, elle, le podesta et une autre femme, une horrible femme que le podesta appelait Tisbe. Monsieur, deux grandes heures, deux heures d'agonie et de pitié, monsieur, ils l'ont tenue là, la malheureuse, pleurant, priant, suppliant, demandant grâce, demandant la vie. — Tu demandais la vie, ma Catarina bien-aimée! — à genoux, les mains jointes, se traînant à leurs pieds, et ils disaient non! Et le poison, c'est la femme Tisbe qui l'a été chercher! et c'est elle qui a forcé madame de le boire! Et le pauvre corps mort, monsieur, c'est elle qui l'a emporté, cette femme, ce monstre, la Tisbe! — Où l'avez-vous mis, madame ? — Voilà ce qu'elle a fait, la Tisbe! Si j'en suis sûr! *(Tirant un mouchoir [146] de sa poitrine.)* — Ce mouchoir que j'ai trouvé chez Catarina, à qui est-il ? A vous. *(Montrant le crucifix.)* — Ce crucifix! que je trouve chez vous, à qui est-il ? A elle! — Si j'en suis sûr! Allons, priez, pleurez, criez, demandez grâce, faites promptement ce que vous avez à faire, et finissons!

LA TISBE

Rodolfo!

RODOLFO

Qu'avez-vous à dire pour vous justifier ? Vite. Parlez vite. Tout de suite.

LA TISBE

Rien, Rodolfo. Tout ce qu'on t'a dit est vrai. Crois

tout. Rodolfo, tu arrives à propos, je voulais mourir. Je cherchais un moyen de mourir près de toi, à tes pieds. Mourir de ta main! oh! c'est plus que je n'aurais osé espérer! Mourir de ta main! oh! je tomberai peut-être dans tes bras! Je te rends grâce! Je suis sûre au moins que tu entendras mes dernières paroles. Mon dernier souffle, quoique tu n'en veuilles pas, tu l'auras. Vois-tu, je n'ai pas du tout besoin de vivre, moi. Tu ne m'aimes pas, tue-moi. C'est la seule chose que tu puisses faire à présent pour moi, mon Rodolfo. Ainsi, tu veux bien te charger de moi. C'est dit. Je te rends grâce [147].

RODOLFO

Madame...

LA TISBE

Je vais te dire. Ecoute-moi seulement un instant. J'ai toujours été bien à plaindre, va. Ce ne sont pas là des mots, c'est un pauvre cœur gonflé qui déborde. On n'a pas beaucoup de pitié de nous autres, on a tort. On ne sait pas tout ce que nous avons souvent de vertu et de courage [148]. Crois-tu que je doive tenir beaucoup à la vie ? Songe donc que je mendiais tout enfant, moi. Et puis, à seize ans, je me suis trouvée sans pain. J'ai été ramassée dans la rue par des grands seigneurs. Je suis tombée d'une fange dans l'autre. La faim ou l'orgie! Je sais bien qu'on vous dit : Mourez de faim, mais j'ai bien souffert, va! Oh! oui, toute la pitié est pour les grandes dames nobles. Si elles pleurent, on les console. Si elles font mal, on les excuse. Et puis, elles se plaignent! Mais nous, tout est trop bon pour nous. On nous accable. Va, pauvre femme! marche toujours! de quoi te plains-tu ? Tous sont contre toi. Eh bien! est-ce que tu n'es pas faite pour souffrir, fille de joie ? — Rodolfo, dans ma position, est-ce que tu ne sens pas que j'avais besoin d'un cœur qui comprît le mien ? Si je n'ai pas quelqu'un qui m'aime, qu'est-ce que tu veux que je devienne, là, vraiment ? Je ne dis pas cela pour t'attendrir, à quoi bon ? Il n'y a plus rien de possible maintenant. Mais je t'aime, moi! Oh! Rodolfo! à quel point cette pauvre fille qui te parle t'a aimé, tu ne le sauras qu'après ma mort! quand je n'y serai plus! Tiens, voilà six mois que je te connais, n'est-ce pas ? Six mois que je fais de ton regard ma vie, de ton sourire ma joie, de ton souffle mon âme! Eh bien, juge! depuis six mois je n'ai pas eu un seul instant l'idée, l'idée nécessaire à ma vie, que tu m'aimais. Tu sais que je t'ennuyais toujours de ma jalousie, j'avais mille indices qui me troublaient, maintenant cela m'est expliqué. Je ne t'en veux pas. Ce n'est pas ta faute. Je sais que ta pensée était à cette femme depuis sept ans. Moi, j'étais pour toi une distraction, un passe-temps. C'est tout simple. Je ne t'en veux pas. Mais que veux-tu que je fasse ? Aller devant moi comme cela, vivre sans ton amour, je ne le peux pas. Enfin, il faut bien respirer. Moi, c'est par toi que je respire! Vois, tu ne m'écoutes seulement pas! Est-ce que cela te fatigue que je te parle ? Ah! je suis si malheureuse, vraiment, que je crois que quelqu'un qui me verrait aurait pitié de moi!

RODOLFO

Si j'en suis sûr! Le podesta est allé chercher quatre sbires, et pendant ce temps-là vous avez dit à elle tout bas des choses terribles qui lui ont fait prendre le poison! Madame! est-ce que vous ne voyez pas que ma raison s'égare ? Madame! où est Catarina ? Répondez! Est-ce que c'est vrai, madame, que vous l'avez tuée, que vous l'avez empoisonnée ? Où est-elle ? dites! Où est-elle ? Savez-vous que c'est la seule femme que j'aie jamais aimée, madame! la seule, la seule, entendez-vous, la seule!

LA TISBE

La seule! la seule! Oh! c'est mal de me donner tant de coups de poignard! Par pitié! *(elle lui montre le couteau qu'il tient)* vite le dernier avec ceci!

RODOLFO

Où est Catarina ? la seule que j'aime. Oui, la seule!

LA TISBE

Ah! tu es sans pitié! tu me brises le cœur! Eh bien, oui! je la hais, cette femme! entends-tu, je la hais! Oui, on t'a dit vrai, je me suis vengée, je l'ai empoisonnée, je l'ai tuée!

RODOLFO

Ah! vous le dites donc! Ah! vous voyez bien que c'est vous qui le dites! Par le ciel! je crois que vous vous en vantez, malheureuse [149]!

LA TISBE

Oui, et ce que j'ai fait, je le ferais encore! Frappe!

RODOLFO, *terrible.*

Madame!...

LA TISBE

Je l'ai tuée, te dis-je! Frappe donc!

RODOLFO

Misérable! *(Il la frappe.)*

LA TISBE. *(Elle tombe.)*

Ah! au cœur! Tu m'as frappée au cœur! C'est bien. — Mon Rodolfo! ta main! *(Elle lui prend la main et la baise.)* — Merci! Tu m'as délivrée! Laisse-la-moi, ta main. Je ne veux pas te faire du mal, tu vois bien. Mon Rodolfo bien-aimé, tu ne te voyais pas quand tu es entré, mais de la manière dont tu as dit : vous avez un quart d'heure! en levant ton couteau, je ne pouvais plus vivre après cela. Maintenant que je vais mourir, sois bon, dis-moi un mot de pitié. Je crois que tu feras bien.

RODOLFO

Madame...

LA TISBE

Un mot de pitié! Veux-tu ?

On entend une voix sortir de derrière les rideaux de l'alcôve.

CATARINA

Où suis-je ? Rodolfo!

RODOLFO

Qu'est-ce que j'entends ? Quelle est cette voix ?

Il se retourne et voit la figure blanche de Catarina, qui a entrouvert les rideaux.

CATARINA

Rodolfo!

RODOLFO. *(Il court à elle et l'enlève dans ses bras.)*

Catarina! Grand Dieu! Tu es ici! Vivante! Comment cela se fait-il ? Juste Ciel! *(Se retournant vers la Tisbe.)* — Ah! qu'ai-je fait ?

LA TISBE, *se traînant vers lui avec un sourire.*

Rien. Tu n'as rien fait. C'est moi qui ai fait tout. Je voulais mourir. J'ai poussé ta main.

RODOLFO

Catarina ! tu vis, grand Dieu ! Par qui as-tu été sauvée ?

LA TISBE

Par moi, pour toi !

RODOLFO

Tisbe ! Du secours ! Misérable que je suis !

LA TISBE

Non. Tout secours est inutile. Je le sens bien. Merci. Ah ! livre-toi à la joie comme si je n'étais pas là. Je ne veux pas te gêner. Je sais bien que tu dois être content. J'ai trompé le podesta. J'ai donné un narcotique au lieu d'un poison. Tout le monde l'a crue morte. Elle n'était qu'endormie. Il y a là des chevaux tout prêts. Des habits d'homme pour elle[150]. Partez tout de suite. En trois heures, vous serez hors de l'Etat de Venise. Soyez heureux. Elle est déliée. Morte pour le podesta. Vivante pour toi. Trouves-tu cela bien arrangé ainsi ?

RODOLFO

Catarina !... Tisbe !...

Il tombe à genoux, l'œil fixé sur la Tisbe expirante.

LA TISBE, *d'une voix qui va s'éteignant.*

Je vais mourir, moi. Tu penseras à moi quelquefois, n'est-ce pas ? et tu diras : Eh bien, après tout, c'était une bonne fille, cette pauvre Tisbe. Oh ! cela me fera tressaillir dans mon tombeau ! Adieu ! Madame, permettez-moi de lui dire encore une fois mon Rodolfo ! Adieu, mon Rodolfo ! Partez vite à présent. Je meurs. Vivez. Je te bénis !

Elle meurt.

NOTE DE L'ÉDITION ORIGINALE

La loi d'optique du théâtre, qui oblige souvent à ne présenter que des raccourcis, surtout vers les dénoûments, exige impérieusement que le rideau tombe au mot : *Par moi, pour toi !* La vraie fin de la pièce n'est pourtant pas là, comme on peut s'en convaincre en lisant. Il est évident aussi que, lorsque Angelo Malipieri, à la première scène de la troisième journée, explique aux prêtres le blason des Bragadini, il devrait dire : *la croix de gueules* [151] et non *la croix rouge*. Espérons qu'un jour un seigneur vénitien pourra dire tout bonnement sans péril son blason sur le théâtre. C'est un progrès qui viendra. A l'heure qu'il est, il n'est guère permis à un gentilhomme de se targuer sur le théâtre d'autre chose que d'un champ d'*azur*. *Sinople* ne serait pas compris; *gueules* ferait rire; *azur* est charmant.

Pour tout ce qui regarde la mise en scène, MM. les directeurs de province ne peuvent mieux faire que de se modeler sur le Théâtre-Français, où la pièce a été montée avec un soin extrême. Ajoutons que la pièce est jouée dans ses moindres détails avec un ensemble et une dignité qui rappellent les plus belles époques de la vieille Comédie-Française. M. Provost a reproduit avec une fermeté sculpturale le profil sombre et mystérieux d'Homodei. M. Geffroy réalise avec un talent plein de nerf et de chaleur ce Rodolfo mélancolique et violent, passionné et fatal, frappé comme homme par l'amour, comme prince par l'exil. M. Beauvallet, qui peut mettre une belle voix au service d'une belle intelligence, a posé puissamment la figure haute et sévère de cet Angelo, tyran de la ville, maître de la maison. La création de ce rôle place pour tout le monde M. Beauvallet au rang des meilleurs acteurs qu'il y ait au théâtre en ce moment. Quant à Mlle Mars, si charmante, si spirituelle, si pathétique, si profonde par éclairs, si parfaite toujours; quant à Mme Dorval [152], si vraie, si gracieuse, si pénétrante, si poignante, que pourrions-nous en dire après ce que dit, au milieu des bravos, des acclamations, des applaudissements et des larmes, cette foule immense et émerveillée qu'éblouit chaque soir le choc étincelant des deux sublimes actrices ?

NOTE DE L'ÉDITION DE 1837

L'auteur a dit ailleurs : *confirmer ou réfuter des critiques, c'est la besogne du temps*[153]. C'est pour cela qu'il s'est toujours abstenu et qu'il s'abstiendra toujours de toute réponse aux diverses objections qui accueillent d'ordinaire à leur apparition les ouvrages, d'ailleurs si incomplets, qu'il publie ou qu'il fait représenter. Il ne veut pas cependant qu'on suppose que, s'il se tait, c'est qu'il n'a rien à dire; et, pour prouver, une fois pour toutes, que ce ne sont pas les raisons qui lui manqueraient dans une polémique à laquelle sa dignité se refuse, il répondra ici, par exception et seulement pour donner un exemple, à l'une des critiques les plus radicales, les plus accréditées et les plus fréquemment répétées qu'*Angelo* ait eu à subir. La partie du public qui fait attention à tout se souvient peut-être qu'à l'époque où *Angelo* fut représenté une des principales objections, sinon la principale, qu'éleva contre ce drame la critique parisienne presque unanime, avait pour base l'*invraisemblance* et l'*impossibilité* de ces corridors secrets, de ces couloirs à espions, de ces portes masquées, de ces clefs mystérieuses, moyens absurdes et faux, disait-on, inventés par l'auteur, et non puisés dans les mœurs réelles de Venise, commodes pour faire jaillir de quelques scènes un effet mélodramatique, et non la vraie terreur historique, etc. — Or voici ce qu'on lit dans Amelot : *Histoire du gouvernement de Venise*, t. I, p. 245 :

« Les inquisiteurs d'Etat font des visites nocturnes dans le palais de Saint-Marc, où ils entrent et d'où ils sortent par des endroits secrets dont ils ont la clef; et il est aussi dangereux de les voir que d'en être vu. Ils iraient, s'ils voulaient, jusqu'au lit du doge, entreraient dans son cabinet, ouvriraient ses cassettes, et feraient son inventaire, sans que lui ni toute sa famille osât témoigner de s'en apercevoir. »

Qu'ajouter après cela ?

Observons en passant que cette jalouse et insolente puissance de l'espionnage n'est pas chose nouvelle dans l'histoire. Toutes les tyrannies aboutissent à se ressembler. Un despote vaut une oligarchie. Tibère vaut Venise. *Præcipua miseriarum pars*, dit Tacite, *erat videre et aspici*[154].

L'auteur, appuyé, à défaut de talent, sur des études sérieuses, pourrait démontrer par des preuves non moins concluantes la réalité de tous les autres aspects historiques de ce drame, et ce qu'il dit pour *Angelo*, il pourrait le dire pour toutes ses pièces. Selon lui, les œuvres de théâtre doivent toujours être, par les mœurs, sinon par les événements, des œuvres d'histoire. A ceux qui, non sans quelque étourderie ou sans quelque ignorance, reprochent à ses drames italiens l'usage et, ajoute-t-on communément, l'abus du poison, il pourrait faire lire, par exemple, entre autres choses curieuses, cette page du voyage de Burnet, évêque de Salisbury[155] :

« Une personne de considération m'a dit qu'il y avait à Venise un empoisonneur général, qui avait des gages, lequel était employé par les inquisiteurs pour dépêcher secrètement ceux dont la mort publique aurait pu causer quelque bruit. Il me protesta que c'était la pure vérité, et qu'il la tenait d'une personne dont le frère avait été sollicité de prendre cet emploi. »

M. Daru, qui avait été au fond des documents dans lesquels l'auteur a tâché de ne pas fouiller moins avant que lui, dit, au tome VI de son histoire, page 219 :

« C'était une opinion répandue dans Venise que, lorsque le baile de la république partait pour Constantinople, on lui remettait une cassette et une boîte de poisons. Cet usage s'était perpétué, dit-on, jusqu'à ces derniers temps, non qu'il faille en conclure que l'atrocité des mœurs était la même, mais les formes de la république ne changeaient jamais. »

Enfin, l'auteur ne croit pas inutile de terminer cette longue note par quelques extraits étranges et authentiques de ces célèbres *Statuts de l'inquisition d'Etat*[156], restés secrets jusqu'au jour où la république française, en dissolvant par son seul contact la république vénitienne, a soufflé sur les poudreuses archives du conseil des Dix, et en a éparpillé les mille feuillets au grand jour. C'est ainsi qu'est venu mourir en pleine lumière ce code monstrueux, qui, depuis trois cent cinquante ans, rampait dans les ténèbres. Eclos dans l'ombre à côté du fatal doge Foscari en 1454, il a expiré sous les huées de nos caporaux en 1797. Nous recommandons aux esprits réfléchis ces extraits pleins d'explications et d'enseignements. C'est dans ces sombres *statuts* que l'auteur a puisé son drame; c'est là que Venise puisait sa puissance. *Dominationis arcana*[157].

STATUTS DE L'INQUISITION D'ÉTAT
(16 juin 1454)

....

6° Sia procurado dà noi, e dà nostri successori de haver più numero de racordanti che sia possibile, tanto del ordene nobile quanto de cittadini, e popolari, come anco de religiosi.

....

6° Le tribunal aura le plus grand nombre possible d'observateurs choisis, tant dans l'ordre de la noblesse que parmi les citadins, les populaires et les religieux.

....

12° Per haver questa intratura se puo servire de qualche raccordante religioso o de qualche zudio, che sono persone che facilmente trattano con tutti.

....

12° On fera faire les ouvertures par quelque moine ou par quelque juif, ces sortes de gens s'introduisant partout.

....

16° Se occoresse che per el nostro magistrato se dovesse dar la morte ad alcun, non se faccia mai dimostration pubblica, mà questa secretamente si adempisca, co mandarlo ad annegar in canal Orfano di notte tempo.

....

16° Quand le tribunal aura jugé nécessaire la mort de quelqu'un, l'exécution ne sera jamais publique. Le condamné sera noyé secrètement, la nuit, dans le canal Orfano.

....

28° Se qualche nobile nostro venisse ad avvertirci di esser sta tentado per parte de alcun ambassador, sia procurado che el continua la pratica, tanto che se possa concertar de mandar a retenir la persona in fragrante e quando se possa in quello istante verificar el dito di quel nobile nostro, quella persona sia mandada subito ad annegar, mentre però non sia l'ambassador istesso e anco il suo secretario, perchè ij altri se può finzer de non conoscerli.

....

28° Si quelque noble vénitien révèle au tribunal des propositions qui lui auraient été faites de la part de quelque ambassadeur, il sera autorisé à continuer cette pratique; et, quand on aura acquis la certitude du fait, l'agent intermédiaire de cette intelligence sera enlevé et noyé, pourvu que ce ne soit ni l'ambassadeur lui-même, ni le secrétaire de la légation, mais une personne que l'on puisse feindre de ne pas reconnaître.

....

29° ... E quando non se possa far altro, ij siano fatti ammazar privatamente.

....

29° ... On emploiera tous les moyens pour l'arrêter, et si, enfin, on ne peut faire autrement, on le fera assassiner secrètement.

....

40° Sia procurado dal magistrato nostro di haver raccordanti, non solo in Venetia, mà anco nelle nostre città principali, massime de confin, li quali doi volte l'anno debbano personalmente comparir al tribunal, per riferir se li rettori nostri havessero qualche commercio con i principi confinanti, come anco altri particolari importanti circa i loro portamenti. E quando se intendesse cosa alcuna contro il stato, sia provisto da noi vigorosamente.

....

AGGIONTA FATTA AL CAPITOLARE DELLI INQUISITORI DI STATO.

1° Siano incaricati tutti li racordanti, di qual si voglia condition, ad invigilar à questa sorte di discorsi, e di tutti darne parte al magistrato nostro, e doveremo noi e li successori nostri, in ogni tempo che cio succedà, far chiamar quelli che havessero havuto hardimento di proferir concetti si licentiosi, e farli risoluta ammonition che mai più ardiscano proferir cose simili in pena della vita; e quando pure se facessero tanto licentiosi e disobedienti di rinovar questi discorsi, provata che sia giudiciaramente, o vero estragiudiciaramente la recità, siano con ogni prestezza mandato uno ad annegar per esempio dell'altri, acciò se estirpi a fatto questa arroganza.

....

3° A tra questi che vivono più presenti scelierne uno che habbi conditione di buon zelo verso la patria, di ingegno habile à manneggiare un negocio, e bisogno di migliorare le sue fortune, come sarebbe inquesta consideratione, per esempio un vescovo di titolo. Scetta che sij la persona, fare che con ogni

40° Il y aura des surveillants, non seulement à Venise, mais encore dans les principales villes de l'Etat, et principalement sur les frontières, lesquels devront se présenter en personne deux fois l'an devant le tribunal, pour y déclarer s'il est à leur connaissance que les gouverneurs, ou d'autres personnages marquants, aient quelques intelligences avec les princes voisins, ou qu'ils se conduisent mal. Au moindre avis de quelque désordre nuisible au service public, le tribunal y remédiera avec vigueur.

....

SUPPLÉMENT AUX CAPITULAIRES DES INQUISITEURS D'ÉTAT.

1° Les surveillants de toutes conditions sont chargés d'écouter attentivement et de rapporter au tribunal les discours absurdes qui pourraient mettre le trouble dans la république. Il est arrêté que, dans toute occurrence semblable, ceux qui auraient proféré des paroles si audacieuses seront mandés; on leur intimera l'ordre de ne pas se permettre de pareils discours, sous peine de la vie; et, s'ils étaient assez hardis pour recommencer, et qu'on pût en acquérir la preuve judiciaire ou extra-judiciaire, on en ferait noyer un pour l'exemple.

....

3° Parmi les prélats qui résident plus habituellement à Venise, on en choisira un dont le zèle pour la patrie soit bien connu, l'esprit habile à manier les affaires, et la fortune assez médiocre pour qu'il ait besoin de l'augmenter, comme pourrait être un évêque de titre *(in partibus)*. Le choix fait, un des inqui-

riguardo s'abbochi prima con alcuno di noi inquisitori, e per ultimo con tutti trè; e à questo prelato resti offerito un premio sicuro di cento ducati al meso.

siteurs d'abord, et ensuite tous les trois, s'aboucheront avec ce prélat pour lui offrir un traitement de cent ducats par mois (afin d'en faire un espion).

. . . .

17° Sia anco in avvantaggio scritto all'ambasciador nostro in Spagna, che applichi l'ingegno per contaminare alcun huomo della natione loro; acciò fingendo qualche negotio particolare in Italia, si porti in Venetia, e con lettere di racommandatione di alcun soggetto autorevole di quei contorni, procuri adito e hospitio in casa dell' ambasciadore Spagnuolo residente appresso di noi, ove fermandosi qualche tempo, come forestiere, non dara sospetto alcuno alla corte, e ne meno ad altri che pratticassero nella medesima, col supposto di essere persona sconoscente, e applicato solo a servigio particolare; in tal modo potrebbe questo tale referire tutti li andomenti della corte stessa a chi sara poi apostato da noi.

17° Il sera écrit à l'ambassadeur de la république en Espagne de chercher un homme de cette nation qui, sous le prétexte de ses affaires particulières, fasse un voyage en Italie, et, arrivé à Venise avec des lettres de recommandation de personnes considérables de son pays, se procure un accès facile chez l'ambassadeur espagnol résidant auprès de nous. Cet étranger s'y fixera pendant quelque temps, sans être suspect ni au ministre ni aux autres habitués de la cour, parce qu'il passera pour n'être point au courant des affaires et occupé uniquement des siennes; il pourra par conséquent observer facilement tout ce qui se passe dans le palais de l'ambassadeur, et communiquer ses observations à un agent que nous aurons aposté près de lui.

. . . .

28° Formato il processo, e conosciuto in conscienza che sij reo di morte, s'operi con puntualissimo riguardo che alcun carceriero, mostrando affeto di guadagno, le offerisca modo di romper la carcere, e di notte tempo fugirsi, e il giorno antecedente alla fuga le sij nel cibo dato il veleno, che operi come insensibilmente e non lassi segno di violenza : in tal modo sarà suplito al riguardo publico e al rispetto privato, e sarà uno stesso il fine della giustitia, perchè il viaggio un poco più longo, ma più sicuro.

28° Si l'instruction du procès donne la conviction de la culpabilité du détenu et le fait juger digne de mort, on aura soin que quelque geôlier, feignant d'avoir été gagné pour de l'argent, lui offre les moyens de s'enfuir la nuit, et, la veille du jour où il devra s'évader, on lui fera donner parmi ses aliments un poison qui n'agisse que lentement et ne laisse point de trace; de cette manière on n'offensera pas le regard public et le respect privé, et le but de la justice sera atteint par un chemin un peu plus long, mais plus sûr.

. . . .

RUY BLAS

INTRODUCTION

Après *Angelo* Hugo s'interrompt d'écrire pour le théâtre. Les raisons de ce silence restent secrètes. Elles semblent diverses. Le succès modéré du dernier drame auprès du public, l'acrimonie constante de la critique conservatrice ne sont pas des motifs suffisants. La tiédeur de la direction du Théâtre-Français est évidente : il n'exécute pas la clause du contrat qui le lie à Hugo pour une représentation annuelle de ses drames ; un procès s'ensuit, qui, par deux fois, devant le tribunal de Commerce et en appel, donne raison au dramaturge ; *Hernani* et *Marion de Lorme* sont repris en 1837, ce qui ne résout pas le problème fondamental des relations de Hugo avec la direction. Son ancien désir d'avoir une salle à lui, non pas pour la diriger mais pour se constituer son public et avoir une troupe gagnée au romantisme, se réalise ; un ami, Anténor Joly, obtient l'autorisation de fonder un théâtre subventionné, le théâtre de la Renaissance, à la salle Ventadour, en 1838 ; parmi les acteurs, seul Frédérick Lemaître était à la fois un ami et un grand comédien. Plus intimement, une inquiétude profonde rongeait l'écrivain. Son théâtre avait exploré les images du destin : la vie lui en donne des formes douloureuses. La liaison avec Juliette Drouet n'a plus les ardeurs anciennes. Avec Sainte-Beuve, son ami très cher des années 1830, la rupture, amorcée par sa liaison avec Adèle Hugo, est consommée. Frappe surtout le poète la mort d'Eugène Hugo, son aîné de deux ans, en qui il avait vu briller le génie et qui était interné depuis 1822 à l'asile de Charenton. Deux fois l'Académie française refuse de l'élire. La politique générale de la France l'écœure. La création du Théâtre de la Renaissance constitue une incitation à sortir de ce marasme. Hugo se tourne de nouveau vers la scène.

Quel mouvement de compensation l'amène à s'attacher au grotesque, que la *Préface* de *Cromwell* avait mis en évidence et dont l'importance lui était apparue en 1826-1827 ? Quel sursaut de santé suscite sa fantaisie et le pousse à greffer la comédie au cœur même du drame ? Le rapport du maître au valet, l'interversion des rôles s'en trouveront enrichis. Hugo récupère la tradition picaresque, que ses lectures antérieures lui avaient révélée. Il renoue avec l'élément bouffon qui, de Triboulet à Homodei en passant par Saltabadil, s'était atténué en lui et avait pris des formes grinçantes. Les comédies de Corneille, de Shakespeare, de Beaumarchais surtout lui suggèrent des exemples. Des bribes d'un drame avaient émergé en lui en 1836 : le dramaturge tâtonnait. Le masque était investi d'une fonction tragique dans *Lucrèce Borgia*, ainsi que le malentendu volontaire; ne pouvaient-ils pas être repris à neuf ? Ces éléments étant posés, des centres d'intérêt dramatique existaient. Restait à les harmoniser et à les concrétiser. L'obsession du double — Hugo et son frère Eugène — nourrit un projet, *Les Jumeaux*, qui germe lentement; élément catalyseur, il permet aussi les quiproquos, comiques ou graves.

Que Hugo plonge alors au plus intime de son être, une décision invite à le croire : le choix de l'Espagne comme lieu de l'action pour le nouveau drame. Lieu de son enfance, elle était le pays de la grandeur morale et du faste, exaltés dans *Hernani;* elle était la terre où avait jailli la faconde du roman picaresque. Pour *Ruy Blas*, les sources lointaines sont là, comme le *Romancero general* l'avait été pour *Hernani :* deux visages antithétiques et complémentaires. Don Ruy Gomez concentrait dans sa personne la grandeur d'un passé, de la noblesse dévouée au pouvoir jusqu'au sacrifice; la médiocrité où s'enlise la monarchie de Juillet, après la grandeur napoléonienne, suggère au dramaturge de montrer le déclin d'un royaume où règnent les financiers. Déjà en 1829-1830 ses projets faisaient s'opposer la jeunesse et la vieillesse de Charles Quint, Charles Quint et Philippe II; Hugo connaissait les personnages que son ami Balzac créait, les Rastignac et les Rubempré, avides de conquérir le pouvoir, sinon politique, du moins social, quittes à périr si la force leur manquait.

Pour structurer le drame qui naît, Marivaux lui offre ses substitutions de valets aux maîtres (*L'Ile des esclaves*, surtout, où le domestique est obligé de devenir le supérieur, qui reçoit des leçons du subordonné), *Le Jeu de l'amour et du hasard, La Fausse Suivante, L'Epreuve ;* de Beaumarchais venait l'impulsion à conférer aux hommes du peuple une autorité et une supériorité sur l'aristocrate; même *Les Précieuses ridicules* ont agi comme un ferment et, peut-être, *Amphitryon.*

Pour le fond historique, outre les lectures anciennes,

semblables à celles qui avaient préparé *Marie Tudor* et qui conjointement devaient nourrir des projets, *Philippe II*, *Madame de Maintenon* (un thème important, qui situait le déclin de la monarchie française sous Louis XIV), Hugo peut recourir à des ouvrages récemment découverts : les *Recherches historiques et généalogiques des Grands d'Espagne*, de J. G. Imhof (Amsterdam, 1707); les *Mémoires secrets* du marquis de Louville, publiés par du Route (Paris, 1818), outre les *Mémoires* de Saint-Simon, dont le texte complet vient d'être imprimé en 1829; les *Mémoires de la Cour d'Espagne depuis l'année 1679 jusqu'en 1681*, du marquis de Villars (Paris, 1753); *Les Délices de l'Espagne et du Portugal* d'Alavarez de Colmenar (Leide, 1707); seront plus directement utiles les *Mémoires de la Cour d'Espagne* de Madame d'Aulnoy (Paris, 1690), l'*Etat présent de l'Espagne où l'on voit une géographie historique du pays (...)*, de l'abbé de Vayrac (Paris, 1718). Les *Horas devotas (...)*, anonymes (Paris, 1734; Anvers, 1738) fourniront quelques noms de saints. Ces derniers ouvrages ont été lus en juin 1838.

La rédaction commence le 5 juillet; le texte est interrompu, puis repris à neuf le 8, et l'acte est terminé le 14; le deuxième, entamé le 16, est achevé le 22; le troisième, déjà amorcé le 20, est terminé le 31. Après une lecture devant Juliette Drouet, Hugo aborde le quatrième acte le 1er août et l'achève le 7; l'acte cinq est entrepris le lendemain et terminé le 11 août, au début de la soirée. Pour la représentation, le Théâtre de la Renaissance s'imposait; le drame avait été créé en bonne partie dans la perspective d'une salle nouvelle. Hugo s'occupe personnellement des décors, qu'il a probablement dessinés lui-même. Il suit de près la mise en scène.

La première eut lieu le 8 novembre 1838. La distribution aurait pu faire surgir une difficulté : Juliette Drouet avait échoué dans *Marie Tudor*. Avec beaucoup de diplomatie on parvint à confier le rôle de la reine à une autre actrice. D'autre part, contre Anténor Joly qui voulait innover en supprimant la rampe et recourir à un éclairage par le haut, plus conforme à la réalité, Hugo maintint la formule traditionnelle : le théâtre devait, pour lui, être illusion, non une pseudo-réalité. Assurèrent la série des représentations : Frédérick Lemaître (Ruy Blas), Alexandre Mauzin (don Salluste), Saint-Firmin (don César), Féréol (don Guritan), Montdidier (le comte de

Camporeal), Hiellard (le marquis de Santa-Cruz), Fresne (le marquis del Basto), Gustave (le comte d'Albe), Amable (le marquis de Priego), Hector (don Manuel Arias), Julien (Montazgo), Felgines (don Antonio Ubilla), Alfred (Gudiel), Henry, Beaulieu, Zelger et Adrien pour les rôles du laquais, de l'alcade, de l'huissier, de l'alguazil; Mmes L. Baudoin (la reine), Moutin (la duchesse d'Albuquerque), Mareuil (Casilda), Louis et Courtois (une duègne et un page). Il y eut quarante-neuf représentations, jusqu'au 26 mai.

L'accueil du public fut bon. Quelques velléités de cris, surtout aux actes III et IV, n'aboutirent pas. Les vers 322-323, avec leur rime audacieuse, choquèrent et ils furent, semble-t-il, retranchés à partir de la troisième représentation (cf. la lettre de Balzac à Mme Hanska, le 15 novembre 1838; Balzac juge *Ruy Blas* « une énorme bêtise, une infamie en vers. Jamais l'odieux et l'absurde n'ont dansé de sarabande plus dévergondée »).

Parmi les spectateurs, les deux fils du roi Louis-Philippe et un grand nombre de célébrités parisiennes. Un avant-propos en vers, écrit par le médiocre poète marseillais Joseph Méry, fut applaudi. Le drame connut un grand succès, qui ne se démentit pas lorsque, après les soirées où la part d'invités était notable, il se déroula devant le public habituel. La presse réagit en des sens divers. Les partisans de la tradition sont hostiles; ainsi Gustave Planche (*Revue des Deux Mondes*, déc.) : dans la scène du mouchoir (III, 5), Ruy Blas « se résigne à l'avilissement de la personne humaine » — la formule est d'autant plus piquante qu'elle sera jetée, quarante ans plus tard, à la tête de Zola, admirateur de Hugo mais hostile au romantisme. Même des journaux libéraux témoignent leur dégoût : *Le National* y voit la « canonisation de toutes impuretés et de toutes les laideurs ». Tel autre rappelle que le dramaturge avait déjà donné de Louis XIII et de François Ier une image négative; la scène finale, le laquais bénissant la souveraine à genoux, suscite la colère (*La Gazette de France*, 14 novembre). Le public bourgeois des années 1830, formé dans une société où les barrières étaient nettes entre les groupes sociaux, ne pouvait pas ne pas être choqué par l'ascension d'un laquais, par sa promotion à l'état de ministre et par son amour pour la reine : l'inconvenance du sujet allait de pair avec l'invraisemblance. « Ce Ruy Blas n'est décidément digne ni de pitié ni d'intérêt [...] il n'est ni charmant ni bien poétique et, quoi qu'il dise, il est difficile de voir en lui autre chose qu'un paresseux qui s'est fait laquais, parce que le métier de fripon coûte, sans doute, trop de peine », écrit *La Revue de Paris* (novembre), qui amplifie ainsi, de manière péjorative, le côté sentimental et rêveur du héros et lui prête une inertie assez inattendue. De là à dire qu'il « n'est décidément digne ni de pitié ni d'intérêt », c'est passer à un jugement qui n'engage que l'auteur de l'article et ses opinions politiques; la postérité a corrigé spontanément. On peut laisser Alexandre Viennet et son avis sur le « mélange de prétention et de niaiserie » (*Journal*, inédit).

Reparaissent les condamnations habituelles : l'absence de vérité historique, le manque de moralité. Si on laisse de côté l'avis de Sainte-Beuve, blessé sans doute doublement dans sa conception de l'art et par son hostilité personnelle à Hugo, on voit s'accumuler les paroles dures. « Ce caractère de Ruy Blas, outre le vice original de l'invention, est le plus faux qui puisse se voir. C'est le plus timide et plus audacieux des hommes : faible et énergique, courageux et lâche, fertile en expédients et accablé par la moindre difficulté, il a assez de sottise pour se perdre et pour perdre avec lui la reine, quand il ne s'agit que de vouloir la sauver. » (*La Gazette de France*, art. cit.). Dans *Le Temps* (12 novembre) : « l'auteur de *Hernani* n'a fait aucun progrès; il n'a rien appris et il n'a rien oublié » — allusion à la formule, prise dans un sens inverse, sur les émigrés en 1815. Et dans *Le Courrier français* du 10 novembre : Hugo n'a « produit qu'un frère d'*Hernani*, de *Marion Delorme*, du *Roi s'amuse* [...] dont les aînés ont d'avance absorbé toute la légitime, car si le poète n'a pas changé, le public n'est plus le même » — la « légitime » est la part à laquelle ont droit les héritiers. D'autres tentent de diminuer l'originalité de la pièce en la rapprochant des sources auxquelles Hugo aurait puisé, ne prenant que celles qu'ils connaissaient, *Angelica Kauffman* de Léon de Wailly ou *Léontine* d'Ancelot, récemment représenté, ce dernier surtout où Hugo aurait « suivi pas à pas les modifications que le conte a subies en devenant vaudeville ».

Les arguments politiques n'ont pas manqué. L'apostrophe aux ministres intègres (II) est jugée une « philippique plate et triviale, pouvant servir contre tous les gouvernements, à toutes époques, sous tous les règnes »;

c'était là parler avec justesse; mais l'auteur y voit une tirade démagogique destinée au grand public (*L'Artiste*, 12 novembre). Un écho se retrouve dans *La Quotidienne*, sous la plume de Merle : les « pièces [de Hugo] trouvent plus d'opposition à son système politique qu'à son système dramatique ». Un certain nombre de censeurs incriminent la manière dont est dessiné le portrait de la reine, en partie pour la manière dont l'interprétait Beauvalet, « qui continue à régner le plus bourgeoisement du monde et à naturaliser sur le trône d'Espagne des habitudes d'arrière-boutique » (*La Gazette de France*, 14 novembre), en partie pour les traits que lui confère l'auteur.

Des avis plus positifs, ou franchement favorables, sont émis. *Le Courrier des Théâtres* (9 novembre) reconnaît à Hugo le mérite d'avoir abandonné les ficelles du mélodrame; on trouve un même écho dans *Le Temps* du 12. Granier de Cassagnac (*La Presse*, le 11) se montre tout à fait favorable à Hugo. Deux journaux (*La France littéraire*, le 12, et *L'Europe*, le même jour) ont vu que le drame s'apparente à celui du XVIIe siècle, celui de Corneille et de Cyrano de Bergerac. Jules Janin souffle le chaud et le froid; ses goûts classiques sont rebutés par le quatrième acte : « une tentative si fort en dehors de toutes les idées reçues, il est rempli de personnages hideux, de scènes bouffonnes, de barbarismes créés à plaisir; il y a là-dedans tant de vices, tant de brutales plaisanteries, cela tient si peu au drame qu'on ne saurait apporter trop vite l'eau chaude et les éponges pour en effacer les grossières couleurs » (*Le Journal des Débats*, 10 novembre). — Par ailleurs, Janin n'a épinglé que le détail du drame, les blasons, les coutumes; la force de l'œuvre lui a échappé. Mais intelligent, il souligne, en une formule à la fois fausse et vraie, un aspect essentiel : « C'est toujours la même puissance implacable, fatale, sans regard, sans oreilles, sans entrailles, presque sans voix, que vous retrouverez dans les tragédies de Sophocle, mais au moins justifiée par la croyance religieuse. Seulement, M. Hugo a dépouillé *la nécessité* de tout appareil religieux. » On pouvait lire, dans le même article, à propos de l'apostrophe aux ministres « intègres » : « Cette fois, le grand discours de Charles Quint au tombeau de Charlemagne dans *Hernani* a trouvé son digne pendant [...] Hugo n'est jamais si grand politique que lorsqu'il parle en vers; il n'est jamais si amoureux dans sa prose que dans ses vers. »

L'acte IV a suscité bien du désarroi et de la désapprobation, sinon le dégoût; le grotesque qui s'y déploie et qui jaillit en d'autres scènes a été ressenti vivement par les lettrés de la presse. Janin a manifesté sa répulsion tant pour le langage que pour les situations; des échos analogues se trouvent dans *Le Moniteur universel* le 11, dans *Le Temps*, le 12, dans *Le Commerce*, le 10, dans *La Gazette de France* le 14. *La Presse* (12 novembre) fut un des rares quotidiens à admettre le mélange des genres, se référant à des exemples de drames anciens et modernes. Le cinquième acte fut loué, « un des plus beaux qu'ait jamais écrits M. Hugo », écrit *La Revue de Paris* (novembre). *La Quotidienne* dresse un bilan avec pondération : on pourrait reprocher à l'auteur « une trentaine de vers bizarres, d'expressions de mauvais goût, de plaisanteries hasardées, et s'en prendre, à travers deux mille vers d'une grande beauté de forme et de pensée, à une barbe qui fleurit et à un nez qui trognonne », « lazzis ignobles » (12 novembre). Et *La Populaire royaliste :* « malgré tous les défauts de cet ouvrage, le spectateur est souvent ému [...] il se rencontre à chaque pas des élans d'un merveilleux génie » (17 novembre). *La Quotidienne* commente l'œuvre en fonction du public : les « pièces [de Hugo] trouvent plus d'oppositions à son système politique qu'à son système littéraire; on lui en veut moins de mépriser Aristote que d'insulter les rois » (19 novembre). En fait, les réactions immédiates mêlaient constamment les deux points de vue : le conservatisme littéraire et le politique étaient touchés à vif par des situations dramaturgiques et par un langage que le drame venait de porter à un haut degré d'intensité. En Hugo le besoin de la provocation, le goût du terrorisme au théâtre étaient aussi vifs qu'en 1829.

L'agitation provoquée par ces représentations fit apparaître une parodie : *Ruy Bras* « tourte en cinq boulettes, avec assaisonnement de gros sel, de vers et de couplets », d'un certain Maxime de Redon, fut joué au Théâtre de Monsieur Comte (ou Théâtre Choiseul) le 28 novembre puis repris aux Variétés le 31 décembre dans une revue, *Le Puff*, de Carmouche, Varin et Louis Huart; y tenait le rôle principal un comique alors célèbre, Hyacinthe. Dumanoir et Dennery inventèrent *Don César de Bazan*, un « drame-vaudeville » en cinq actes, qui fut joué au Théâtre de la Porte-Saint-Martin le 30 juillet 1844 et inspira à Massenet un opéra en 1872. La véritable suite de *Ruy Blas*, ce sont les reprises, depuis août 1841 à aujourd'hui. Pendant l'Empire, le drame fut interdit : en 1867, le directeur de l'Odéon put préparer une reprise; un traité fut conclu avec Berton (Ruy Blas), Beauvallet (don Salluste) et Mélingue (don César); le drame fut joué à Bruxelles. Paris put le revoir le 19 février 1872, à l'Odéon; Sarah Bernhardt (la reine), Mélingue (don César), Saint-Firmin (don César), Lafontaine, puis Berton (Ruy Blas), représentation qui fit paraître deux parodies : *Ruy-Black ou les Noirceurs de l'amour*, de Ch. Gabet (un acte, Folies-Bergère), 20 avril 1872, et *Le Ruy Blas d'en face*, bouffonnerie musicale en trois actes, par E. Blavet, H. Chabrillat et A. de Saint-Albin (Théâtre des Folies dramatiques, 13 avril 1872). Face à ces pauvretés, reste une grande œuvre et, parmi les interprètes de talent, un très grand nom, Jean Vilar.

Deux éditions parurent en 1838 à quelques jours d'intervalle : l'une à Leipzig, chez Brockhaus et Avenarius, qui comportait quelques fautes d'impression et trois variantes qui ne figurent pas dans la deuxième, publiée à Paris chez Delloye le 25 novembre. Les deux volumes ont été imprimés par la même maison, mais avec des compositions différentes; le premier était destiné à l'étranger, l'autre à la France. L'on peut considérer l'édition allemande comme l'originale; le volume parisien constitue la première édition, qui figure dans les *Œuvres complètes* de Victor Hugo, tome septième.

PRÉFACE

Trois espèces de spectateurs composent ce qu'on est convenu d'appeler le public : premièrement, les femmes; deuxièmement, les penseurs; troisièmement, la foule proprement dite. Ce que la foule demande presque exclusivement à l'œuvre dramatique, c'est de l'action; ce que les femmes y veulent avant tout, c'est de la passion; ce qu'y cherchent plus spécialement les penseurs, ce sont des caractères. Si l'on étudie attentivement ces trois classes de spectateurs, voici ce qu'on remarque : la foule est tellement amoureuse de l'action, qu'au besoin elle fait bon marché des caractères et des passions*[1]. Les femmes, que l'action intéresse d'ailleurs, sont si absorbées par les développements de la passion, qu'elles se préoccupent peu du dessin des caractères; quant aux penseurs, ils ont un tel goût de voir des caractères, c'est-à-dire des hommes, vivre sur la scène, que, tout en accueillant volontiers la passion comme incident naturel dans l'œuvre dramatique, ils en viennent presque à y être importunés par l'action. Cela tient à ce que la foule demande surtout au théâtre des sensations; la femme, des émotions; le penseur, des méditations. Tous veulent un plaisir; mais ceux-ci, le plaisir des yeux; celles-là, le plaisir du cœur; les derniers, le plaisir de l'esprit. De là, sur notre scène, trois espèces d'œuvres bien distinctes : l'une vulgaire et inférieure, les deux autres illustres et supérieures, mais qui toutes les trois satisfont un besoin : le mélodrame pour la foule; pour les femmes, la tragédie qui analyse la passion; pour les penseurs, la comédie qui peint l'humanité.

Disons-le en passant, nous ne prétendons rien établir ici de rigoureux, et nous prions le lecteur d'introduire de lui-même dans notre pensée les restrictions qu'elle peut contenir. Les généralités admettent toujours les exceptions; nous savons fort bien que la foule est une grande

*. C'est-à-dire du style. Car, si l'action peut, dans beaucoup de cas, s'exprimer par l'action même, les passions et les caractères, à très peu d'exceptions près, ne s'expriment que par la parole. Or, la parole au théâtre, la parole fixée et non flottante, c'est le style. Que le personnage parle comme il doit parler, *sibi constet*, dit Horace. Tout est là.

chose dans laquelle on trouve tout, l'instinct du beau comme le goût du médiocre, l'amour de l'idéal comme l'appétit du commun; nous savons également que tout penseur complet doit être femme par les côtés délicats du cœur; et nous n'ignorons pas que, grâce à cette loi mystérieuse qui lie les sexes l'un à l'autre aussi bien par l'esprit que par le corps, bien souvent dans une femme il y a un penseur. Ceci posé, et après avoir prié de nouveau le lecteur de ne pas attacher un sens trop absolu aux quelques mots qui nous restent à dire, nous reprenons.

Pour tout homme qui fixe un regard sérieux sur les trois sortes de spectateurs dont nous venons de parler, il est évident qu'elles ont toutes les trois raison. Les femmes ont raison de vouloir être émues, les penseurs ont raison de vouloir être enseignés, la foule n'a pas tort de vouloir être amusée. De cette évidence se déduit la loi du drame. En effet, au-delà de cette barrière de feu qu'on appelle la rampe du théâtre, et qui sépare le monde réel du monde idéal, créer et faire vivre, dans les conditions combinées de l'art et de la nature, des caractères, c'est-à-dire, et nous le répétons, des hommes; dans ces hommes, dans ces caractères, jeter des passions qui développent ceux-ci et modifient ceux-là; et enfin, du choc de ces caractères et de ces passions avec les grandes lois providentielles, faire sortir la vie humaine, c'est-à-dire des événements grands, petits, douloureux, comiques, terribles, qui contiennent pour le cœur ce plaisir qu'on appelle l'intérêt, et pour l'esprit cette leçon qu'on appelle la morale : tel est le but du drame. On le voit, le drame tient de la tragédie par la peinture des passions, et de la comédie par la peinture des caractères. Le drame est la troisième grande forme de l'art, comprenant, enserrant, et fécondant les deux premières. Corneille et Molière existeraient indépendamment l'un de l'autre, si Shakespeare n'était entre eux, donnant à Corneille la main gauche, à Molière la main droite [2]. De cette façon, les deux électricités opposées de la comédie et de la tragédie se rencontrent, et l'étincelle qui en jaillit, c'est le drame.

En expliquant, comme il les entend et comme il les a déjà indiqués plusieurs fois, le principe, la loi et le but du drame, l'auteur est loin de se dissimuler l'exiguïté de ses forces et la brièveté de son esprit. Il définit ici, qu'on ne s'y méprenne pas, non ce qu'il a fait, mais ce qu'il a voulu faire. Il montre ce qui a été pour lui le point de départ. Rien de plus.

Nous n'avons en tête de ce livre que peu de lignes à écrire, et l'espace nous manque pour les développements nécessaires. Qu'on nous permette donc de passer, sans nous appesantir autrement sur la transition, des idées générales que nous venons de poser, et qui, selon nous, toutes les conditions de l'idéal étant maintenues du reste, régissent l'art tout entier, à quelques-unes des idées particulières que ce drame, *Ruy Blas*, peut soulever dans les esprits attentifs.

Et premièrement, pour ne prendre qu'un des côtés de la question, au point de vue de la philosophie de l'histoire, quel est le sens de ce drame ? — Expliquons-nous.

Au moment où une monarchie va s'écrouler, plusieurs phénomènes peuvent être observés. Et d'abord la noblesse tend à se dissoudre. En se dissolvant elle se divise, et voici de quelle façon :

Le royaume chancelle, la dynastie s'éteint, la loi tombe en ruine; l'unité politique s'émiette aux tiraillements de l'intrigue; le haut de la société s'abâtardit et dégénère; un mortel affaiblissement se fait sentir à tous au-dehors comme au-dedans; les grandes choses de l'Etat sont tombées, les petites seules sont debout, triste spectacle public; plus de police, plus d'armée, plus de finances; chacun devine que la fin arrive. De là, dans tous les esprits, ennui de la veille, crainte du lendemain, défiance de tout homme, découragement de toute chose, dégoût profond. Comme la maladie de l'Etat est dans la tête, la noblesse, qui y touche, en est la première atteinte. Que devient-elle alors ? Une partie des gentilshommes, la moins honnête et la moins généreuse, reste à la cour. Tout va être englouti, le temps presse, il faut se hâter, il faut s'enrichir, s'agrandir et profiter des circonstances. On ne songe plus qu'à soi. Chacun se fait, sans pitié pour le pays, une petite fortune [3] particulière dans un coin de la grande infortune publique. On est courtisan, on est ministre, on se dépêche d'être heureux et puissant. On a de l'esprit, on se déprave, et l'on réussit. Les ordres de l'Etat, les dignités, les places, l'argent, on prend tout, on veut tout, on pille tout. On ne vit plus que par l'ambition et la cupidité. On cache les désordres secrets que peut engendrer l'infirmité humaine sous beaucoup de gravité extérieure. Et, comme cette vie acharnée aux vanités et aux jouissances de l'orgueil a pour première condition l'oubli de tous les sentiments naturels, on y devient féroce. Quand le jour de la disgrâce arrive, quelque chose de monstrueux se développe dans le courtisan tombé, et l'homme se change en démon.

L'état désespéré du royaume pousse l'autre moitié de la noblesse, la meilleure et la mieux née, dans une autre voie. Elle s'en va chez elle, elle rentre dans ses palais, dans ses châteaux, dans ses seigneuries. Elle a horreur des affaires, elle n'y peut rien, la fin du monde approche; qu'y faire et à quoi bon se désoler ? Il faut s'étourdir, fermer les yeux, vivre, boire, aimer, jouir. Qui sait ? a-t-on même un an devant soi ? Cela dit, ou même simplement senti, le gentilhomme prend la chose au vif, décuple sa livrée, achète des chevaux, enrichit des femmes, ordonne des fêtes, paie des orgies, jette, donne, vend, achète, hypothèque, compromet, dévore, se livre aux usuriers et met le feu aux quatre coins de son bien. Un beau matin, il lui arrive un malheur. C'est que, quoique la monarchie aille grand train, il s'est ruiné avant elle. Tout est fini, tout est brûlé. De toute cette belle vie flamboyante il ne reste pas même de la fumée; elle s'est envolée. De la cendre, rien de plus. Oublié et abandonné de tous, excepté de ses créanciers, le pauvre gentilhomme devient alors ce qu'il peut, un peu aventurier, un peu spadassin, un peu bohémien. Il s'enfonce et disparaît dans la foule, grande masse terne et noire que, jusqu'à ce jour, il a à peine entrevue de loin sous ses pieds. Il s'y plonge, il s'y réfugie. Il n'a plus d'or, mais il lui reste le soleil, cette richesse de ceux qui n'ont rien. Il a d'abord habité le haut de la société, voici maintenant qu'il vient se loger dans le bas, et qu'il s'en accommode; il se moque de son parent l'ambitieux, qui est riche et qui est puissant; il devient philosophe, et il compare les voleurs, aux courtisans. Du reste, bonne, brave, loyale et intelligente nature; mélange du poète, du gueux et du prince; riant de tout; faisant aujourd'hui rosser le guet par ses camarades comme autrefois par ses gens, mais n'y touchant pas; alliant dans sa manière, avec quelque grâce, l'impudence du marquis à l'effronterie du zingaro [4]; souillé au-dehors, sain au-dedans; et n'ayant plus du gentilhomme que son honneur qu'il garde, son nom qu'il cache, et son épée qu'il montre.

Si le double tableau que nous venons de tracer s'offre dans l'histoire de toutes les monarchies à un moment donné, il se présente particulièrement en Espagne d'une façon frappante à la fin du dix-septième siècle. Ainsi, si l'auteur avait réussi à exécuter cette partie de sa pensée, ce qu'il est loin de supposer, dans le drame qu'on va lire, la première moitié de la noblesse espagnole à cette époque se résumerait en don Salluste, et la seconde moitié en don César. Tous deux cousins, comme il convient.

Ici, comme partout, en esquissant ce croquis de la noblesse castillane vers 1695, nous réservons, bien entendu, les rares et vénérables exceptions. — Poursuivons.

En examinant toujours cette monarchie et cette époque, au-dessous de la noblesse ainsi partagée, et qui pourrait, jusqu'à un certain point, être personnifiée dans les deux hommes que nous venons de nommer, on voit remuer dans l'ombre quelque chose de grand, de sombre et d'inconnu. C'est le peuple [5]. Le peuple, qui a l'avenir et qui n'a pas le présent; le peuple, orphelin, pauvre, intelligent et fort; placés très bas, et aspirant très haut; ayant sur le dos les marques de la servitude et dans le cœur les préméditations du génie; le peuple, valet des grands seigneurs, et amoureux, dans sa misère et dans son abjection, de la seule figure qui, au milieu de cette société écroulée, représente pour lui, dans un divin rayonnement, l'autorité, la charité et la fécondité. Le peuple, ce serait Ruy Blas.

Maintenant, au-dessus de ces trois hommes qui, ainsi considérés, feraient vivre et marcher, aux yeux du spectateur, trois faits, et dans ces trois faits, toute la monarchie espagnole au dix-septième siècle; au-dessus de ces trois hommes, disons-nous, il y a une pure et lumineuse créature, une femme, une reine. Malheureuse comme femme, car elle est comme si elle n'avait pas de mari; malheureuse comme reine, car elle est comme si elle n'avait pas de roi; penchée vers ceux qui sont au-dessous d'elle par pitié royale et par instinct de femme aussi peut-être, et regardant en bas pendant que Ruy Blas, le peuple, regarde en haut.

Aux yeux de l'auteur, et sans préjudice de ce que les personnages accessoires peuvent apporter à la vérité de l'ensemble, ces quatre têtes ainsi groupées résumeraient les principales saillies qu'offrait au regard du philosophe historien la monarchie espagnole il y a cent quarante ans. A ces quatre têtes il semble qu'on pourrait en ajouter une cinquième, celle du roi Charles II. Mais, dans l'histoire comme dans le drame, Charles II d'Espagne n'est pas une figure, c'est une ombre.

A présent, hâtons-nous de le dire, ce qu'on vient de

lire n'est point l'explication de *Ruy Blas*. C'en est simplement un des aspects. C'est l'impression particulière que pourrait laisser ce drame, s'il valait la peine d'être étudié, à l'esprit grave et consciencieux qui l'examinerait, par exemple, du point de vue de la philosophie de l'histoire.

Mais, si peu qu'il soit, ce drame, comme toutes les choses de ce monde, a beaucoup d'autres aspects et peut être envisagé de beaucoup d'autres manières. On peut prendre plusieurs vues d'une idée comme d'une montagne. Cela dépend du lieu où l'on se place. Qu'on nous passe, seulement pour rendre claire notre idée, une comparaison infiniment trop ambitieuse : le mont Blanc, vu de la Croix-de-Fléchères, ne ressemble pas au mont Blanc vu de Sallenches [6]. Pourtant c'est toujours le mont Blanc.

De même, pour tomber d'une très grande chose à une très petite, ce drame, dont nous venons d'indiquer le sens historique, offrirait une tout autre figure, si on le considérait d'un point de vue beaucoup plus élevé encore, du point de vue purement humain. Alors don Salluste serait l'égoïsme absolu, le souci sans repos; don César, son contraire, serait le désintéressement et l'insouciance; on verrait dans Ruy Blas le génie et la passion comprimés par la société, et s'élançant d'autant plus haut que la compression est plus violente; la reine enfin, ce serait la vertu minée par l'ennui.

Au point de vue uniquement littéraire, l'aspect de cette pensée telle quelle, intitulée *Ruy Blas*, changerait encore. Les trois formes souveraines de l'art pourraient y paraître personnifiées et résumées. Don Salluste serait le drame, don César la comédie, Ruy Blas la tragédie. Le drame noue l'action, la comédie l'embrouille, la tragédie la tranche.

Tous ces aspects sont justes et vrais, mais aucun d'eux n'est complet. La vérité absolue n'est que dans l'ensemble de l'œuvre. Que chacun y trouve ce qu'il y cherche, et le poète, qui ne s'en flatte pas du reste, aura atteint son but. Le sujet philosophique de *Ruy Blas*, c'est le peuple aspirant aux régions élevées; le sujet humain, c'est un homme qui aime une femme; le sujet dramatique, c'est un laquais qui aime une reine. La foule qui se presse chaque soir devant cette œuvre, parce qu'en France jamais l'attention publique n'a fait défaut aux tentatives de l'esprit, quelles qu'elles soient d'ailleurs, la foule, disons-nous, ne voit dans *Ruy Blas* que ce dernier sujet, le sujet dramatique, le laquais; et elle a raison.

Et ce que nous venons de dire de *Ruy Blas* nous semble évident de tout autre ouvrage. Les œuvres vénérables des maîtres ont même cela de remarquable qu'elles offrent plus de faces à étudier que les autres. Tartuffe fait rire ceux-ci et trembler ceux-là. Tartuffe, c'est le serpent domestique; ou bien c'est l'hypocrite; ou bien c'est l'hypocrisie. C'est tantôt un homme, tantôt une idée. Othello, pour les uns, c'est un Noir qui aime une Blanche; pour les autres, c'est un parvenu qui a épousé une patricienne; pour ceux-là, c'est un jaloux; pour ceux-ci, c'est la jalousie. Et cette diversité d'aspects n'ôte rien à l'unité fondamentale de la composition. Nous l'avons déjà dit ailleurs : mille rameaux et un tronc unique.

Si l'auteur de ce livre a particulièrement insisté sur la signification historique de *Ruy Blas*, c'est que, dans sa pensée, par le sens historique, et, il est vrai, par le sens historique uniquement, *Ruy Blas* se rattache à *Hernani*. Le grand fait de la noblesse se montre, dans *Hernani* comme dans *Ruy Blas*, à côté du grand fait de la royauté. Seulement, dans *Hernani*, comme la royauté absolue n'est pas faite, la noblesse lutte encore contre le roi, ici avec l'orgueil, là avec l'épée; à demi féodale, à demi rebelle. En 1519, le seigneur vit loin de la cour, dans la montagne, en bandit comme Hernani, ou en patriarche comme Ruy Gomez. Deux cents ans plus tard, la question est retournée. Les vassaux sont devenus des courtisans. Et, si le seigneur sent encore d'aventure le besoin de cacher son nom, ce n'est pas pour échapper au roi, c'est pour échapper à ses créanciers. Il ne se fait pas bandit, il se fait bohémien. — On sent que la royauté absolue a passé pendant de longues années sur ces nobles têtes, courbant l'une, brisant l'autre.

Et puis, qu'on nous permette ce dernier mot, entre *Hernani* et *Ruy Blas*, deux siècles de l'Espagne sont encadrés; deux grands siècles, pendant lesquels il a été donné à la descendance de Charles Quint de dominer le monde; deux siècles que la providence, chose remarquable, n'a pas voulu allonger d'une heure, car Charles Quint naît en 1500, et Charles II meurt en 1700. En 1700, Louis XIV héritait de Charles Quint [7], comme en 1800 Napoléon héritait de Louis XIV. Ces grandes apparitions de dynasties qui illuminent par moments l'histoire sont pour l'auteur un beau et mélancolique spectacle sur lequel ses yeux se fixent souvent. Il essaie parfois d'en transporter quelque chose dans ses œuvres. Ainsi il a voulu remplir *Hernani* du rayonnement d'une aurore, et couvrir *Ruy Blas* des ténèbres d'un crépuscule. Dans *Hernani*, le soleil de la maison d'Autriche se lève; dans *Ruy Blas*, il se couche [8].

Paris, 25 novembre 1838.

PERSONNAGES

RUY BLAS [9]
DON SALLUSTE DE BAZAN
DON CÉSAR DE BAZAN
DON GURITAN
LE COMTE DE CAMPOREAL
LE MARQUIS DE SANTA-CRUZ
LE MARQUIS DEL BASTO
LE COMTE D'ALBE
LE MARQUIS DE PRIEGO
DON MANUEL ARIAS
MONTAZGO
DON ANTONIO UBILLA
COVADENGA
GUDIEL
UN LAQUAIS
UN ALCADE
UN HUISSIER
UN ALGUAZIL
UN PAGE

DOÑA MARIA DE NEUBOURG, reine d'Espagne
LA DUCHESSE D'ALBUQUERQUE
CASILDA
UNE DUÈGNE

DAMES, SEIGNEURS, CONSEILLERS PRIVÉS, PAGES, DUÈGNES, ALGUAZILS, GARDES, HUISSIERS DE CHAMBRE ET DE COUR [10].

ACTE PREMIER

DON SALLUSTE [11]

Le salon de Danaé [12] dans le palais du roi, à Madrid. Ameublement magnifique dans le goût demi-flamand [13] du temps de Philippe IV. A gauche, une grande fenêtre à châssis dorés [14] et à petits carreaux. Des deux côtés, sur un pan coupé, une porte basse donnant dans quelque appartement intérieur. Au fond, une grande cloison vitrée à châssis dorés s'ouvrant par une large porte également vitrée sur une longue galerie. Cette galerie, qui traverse tout le théâtre, est masquée par d'immenses rideaux qui tombent du haut en bas de la cloison vitrée. Une table, un fauteuil, et ce qu'il faut pour écrire. Don Salluste entre par la petite porte de gauche, suivi de Ruy Blas et de Gudiel, qui porte une cassette et divers paquets qu'on dirait disposés pour un voyage. Don Salluste est vêtu de velours noir, costume de cour du temps de Charles II. La toison d'or au cou [15]. Pardessus l'habillement noir, un riche manteau de velours vert clair, brodé d'or et doublé de satin noir. Epée à grande coquille [16]. Chapeau à plumes blanches. Gudiel est en noir, épée au côté. Ruy Blas est en livrée. Haut-de-chausses et justaucorps bruns. Surtout [17] galonné, rouge et or. Tête nue. Sans épée.

SCÈNE PREMIÈRE [18]

DON SALLUSTE DE BAZAN, GUDIEL [18 *bis*];
par instants RUY BLAS

DON SALLUSTE

Ruy Blas, fermez la porte, — ouvrez cette fenêtre [19].

Ruy Blas obéit, puis, sur un signe de don Salluste, il sort par la porte du fond. Don Salluste va à la fenêtre.

Ils dorment encor tous ici, — le jour va naître.

Il se tourne brusquement vers Gudiel.

Ah! c'est un coup de foudre!... — oui, mon règne est passé,
Gudiel! — renvoyé, disgracié, chassé [20]! —
Ah! tout perdre en un jour! — L'aventure est secrète
Encor, n'en parle pas. — Oui, pour une amourette,
— Chose, à mon âge, sotte et folle, j'en convien! —
Avec une suivante, une fille de rien!
Séduite, beau malheur! parce que la donzelle
Est à la reine, et vient de Neubourg avec elle [21],
Que cette créature a pleuré contre moi,
Et traîné son enfant dans les chambres du roi;
Ordre de l'épouser. Je refuse. On m'exile.
On m'exile! Et vingt ans d'un labeur difficile [22],
Vingt ans d'ambition, de travaux nuit et jour;
Le président haï des alcades de cour [23].
Dont nul ne prononçait le nom sans épouvante;
Le chef de la maison de Bazan, qui s'en vante;
Mon crédit, mon pouvoir; tout ce que je rêvais,
Tout ce que je faisais et tout ce que j'avais,
Charge, emplois, honneurs, tout en un instant s'écroule [24]
Au milieu des éclats de rire de la foule [25]!

GUDIEL

Nul ne le sait encor, monseigneur.

DON SALLUSTE

Mais demain!
Demain, on le saura [26]! — Nous serons en chemin.
Je ne veux pas tomber, non, je veux disparaître!

Il déboutonne violemment son pourpoint.

— Tu m'agrafes toujours comme on agrafe un prêtre,
Tu serres mon pourpoint, et j'étouffe, mon cher! —

Il s'assied.

Oh! mais je vais construire, et sans en avoir l'air,
Une sape profonde, obscure et souterraine!
— Chassé! —

Il se lève.

GUDIEL

D'où vient le coup, monseigneur?

DON SALLUSTE

De la reine.

Oh! je me vengerai, Gudiel! tu m'entends.
Toi dont je suis l'élève, et qui depuis vingt ans
M'as aidé, m'as servi dans les choses passées,
Tu sais bien jusqu'où vont dans l'ombre mes pensées,
Comme un bon architecte, au coup d'œil exercé,
Connaît la profondeur du puits qu'il a creusé.
Je pars. Je vais aller à Finlas, en Castille [27],
Dans mes états, — et là, songer! — Pour une fille!
Toi, règle le départ, car nous sommes pressés.
Moi, je vais dire un mot au drôle que tu sais.
A tout hasard. Peut-il me servir ? Je l'ignore.
Ici jusqu'à ce soir je suis le maître encore.
Je me vengerai, va! Comment ? je ne sais pas;
Mais je veux que ce soit effrayant! — De ce pas
Va faire nos apprêts, et hâte-toi. — Silence!
Tu pars avec moi. Va.

Gudiel salue et sort. — Don Salluste appelant.

— Ruy Blas!

RUY BLAS, *se présentant à la porte du fond.*

Votre excellence ?

DON SALLUSTE

Comme je ne dois plus coucher dans le palais,
Il faut laisser les clefs et clore les volets.

RUY BLAS, *s'inclinant.*

Monseigneur, il suffit.

DON SALLUSTE

Ecoutez, je vous prie.

La reine va passer, là, dans la galerie,
En allant de la messe à sa chambre d'honneur,
Dans deux heures. Ruy Blas, soyez là.

RUY BLAS

Monseigneur,

J'y serai.

DON SALLUSTE, *à la fenêtre.*

Voyez-vous cet homme dans la place
Qui montre aux gens de garde un papier, et qui passe ?

Faites-lui, sans parler, signe qu'il peut monter.
Par l'escalier étroit.

Ruy Blas obéit. Don Salluste continue en lui montrant la petite porte à droite.

— Avant de nous quitter,
Dans cette chambre où sont les hommes de police,
Voyez donc si les trois alguazils de service [28]
Sont éveillés.

RUY BLAS

Il va à la porte, l'entrouvre et revient.

Seigneur, ils dorment.

DON SALLUSTE

Parlez bas.
J'aurai besoin de vous, ne vous éloignez pas.
Faites le guet afin que les fâcheux nous laissent.

Entre don César de Bazan. Chapeau défoncé. Grande cape déguenillée qui ne laisse voir de sa toilette que des bas mal tirés et des souliers crevés. Epée de spadassin [29].

Au moment où il entre, lui et Ruy Blas se regardent et font en même temps, chacun de son côté, un geste de surprise.

DON SALLUSTE, *les observant, à part.*

Ils se sont regardés! Est-ce qu'ils se connaissent?

Ruy Blas sort.

SCÈNE II

DON SALLUSTE, DON CÉSAR

DON SALLUSTE

Ah! vous voilà, bandit!

DON CÉSAR

Oui, cousin, me voilà.

DON SALLUSTE

C'est grand plaisir de voir un gueux comme cela!

DON CÉSAR, *saluant.*

Je suis charmé...

DON SALLUSTE

Monsieur, on sait de vos histoires.

DON CÉSAR, *gracieusement.*

Qui sont de votre goût ?

DON SALLUSTE

Oui, des plus méritoires.
Don Charles de Mira [30] l'autre nuit fut volé.
On lui prit son épée à fourreau ciselé
Et son buffle [30 bis]. C'était la surveille de Pâques.
Seulement, comme il est chevalier de Saint-Jacques [31],
La bande lui laissa son manteau.

DON CÉSAR

Doux Jésus !
Pourquoi ?

DON SALLUSTE

Parce que l'ordre était brodé dessus.
Eh bien, que dites-vous de l'algarade ?

DON CÉSAR

Ah ! diable !
Je dis que nous vivons dans un siècle effroyable !
Qu'allons-nous devenir, bon Dieu ! si les voleurs
Vont courtiser saint Jacque et le mettre des leurs ?

DON SALLUSTE

Vous en étiez !

DON CÉSAR

Eh bien, — oui ! s'il faut que je parle,
J'étais là. Je n'ai pas touché votre don Charle,
J'ai donné seulement des conseils.

DON SALLUSTE

Mieux encor.
La lune étant couchée, hier, Plaza-Mayor [32],
Toutes sortes de gens, sans coiffe et sans semelle,
Qui hors d'un bouge affreux [33] se ruaient pêle-mêle,
Ont attaqué le guet. — Vous en étiez !

DON CÉSAR

Cousin,
J'ai toujours dédaigné de battre un argousin [34].
J'étais là. Rien de plus. Pendant les estocades,
Je marchais en faisant des vers sous les arcades.
On s'est fort assommé.

DON SALLUSTE

Ce n'est pas tout.

DON CÉSAR

Voyons.

DON SALLUSTE

En France, on vous accuse, entre autres actions,
Avec vos compagnons à toute loi rebelles,
D'avoir ouvert sans clef la caisse des gabelles [35].

DON CÉSAR

Je ne dis pas. — La France est pays ennemi [36].

DON SALLUSTE

En Flandre, rencontrant dom Paul Barthélemy [37],
Lequel portait à Mons [38] le produit d'un vignoble
Qu'il venait de toucher pour le chapitre noble [39],
Vous avez mis la main sur l'argent du clergé.

DON CÉSAR

En Flandre ? — il se peut bien. J'ai beaucoup voyagé.
— Est-ce tout ?

DON SALLUSTE

Don César, la sueur de la honte,
Lorsque je pense à vous, à la face me monte.

DON CÉSAR

Bon. Laissez-la monter.

DON SALLUSTE

Notre famille...

DON CÉSAR

Non.
Car vous seul à Madrid connaissez mon vrai nom.
Ainsi ne parlons pas famille !

DON SALLUSTE

Une marquise
Me disait l'autre jour en sortant de l'église :
— Quel est donc ce brigand qui, là-bas, nez au vent,
Se carre, l'œil au guet et la hanche en avant,
Plus délabré que Job [40] et plus fier que Bragance [41]
Drapant sa gueuserie avec son arrogance,
Et qui, froissant du poing sous sa manche en haillons
L'épée à lourd pommeau qui lui bat les talons,
Promène, d'une mine altière et magistrale,
Sa cape en dents de scie [42] et ses bas en spirale ?

DON CÉSAR, *jetant un coup d'œil sur sa toilette.*

Vous avez répondu : C'est ce cher Zafari [43] !

DON SALLUSTE

Non; j'ai rougi, monsieur.

DON CÉSAR

Eh bien! la dame a ri.
Voilà. J'aime beaucoup faire rire les femmes.

DON SALLUSTE

Vous n'allez fréquentant que spadassins infâmes!

DON CÉSAR

Des clercs! des écoliers doux comme des moutons!

DON SALLUSTE

Partout on vous rencontre avec des Jeannetons [44]!

DON CÉSAR

O Lucindes d'amour! ô douces Isabelles [45]!
Eh bien! sur votre compte on en entend de belles!
Quoi! l'on vous traite ainsi, beautés à l'œil mutin,
A qui je dis le soir mes sonnets du matin!

DON SALLUSTE

Enfin, Matalobos [46], ce voleur de Galice
Qui désole Madrid malgré notre police.
Il est de vos amis!

DON CÉSAR

Raisonnons, s'il vous plaît.
Sans lui j'irais tout nu, ce qui serait fort laid.

Me voyant sans habit, dans la rue, en décembre,
La chose le toucha. — Ce fat parfumé d'ambre,
Le comte d'Albe [47], à qui l'autre mois fut volé
Son beau pourpoint de soie...

DON SALLUSTE

Eh bien ?

DON CÉSAR

C'est moi qui [l'ai.
Matalobos me l'a donné.

DON SALLUSTE

L'habit du comte!
Vous n'êtes pas honteux ?...

DON CÉSAR

Je n'aurai jamais honte
De mettre un bon pourpoint, brodé, passementé [48],
Qui me tient chaud l'hiver et me fait beau l'été.
— Voyez, il est tout neuf. —

Il entrouvre son manteau, qui laisse voir un superbe pourpoint de satin rose brodé d'or.

Les poches en sont pleines
De billets doux au comte adressés par centaines.
Souvent, pauvre, amoureux, n'ayant rien sous la dent,
J'avise une cuisine au soupirail ardent [49]
D'où la vapeur des mets aux narines me monte.
Je m'assieds là. J'y lis les billets doux du comte,
Et, trompant l'estomac et le cœur tout à tour,
J'ai l'odeur du festin et l'ombre de l'amour [50] !

DON SALLUSTE

Don César...

DON CÉSAR

Mon cousin, tenez, trêve aux reproches.
Je suis un grand seigneur, c'est vrai, l'un de vos proches;
Je m'appelle César, comte de Garofa [51];
Mais le sort [52] de folie en naissant me coiffa.
J'étais riche, j'avais des palais, des domaines,
Je pouvais largement renter les Célimènes [53].
Bah! mes vingt ans n'étaient pas encor révolus
Que j'avais mangé tout! il ne me restait plus

De mes prospérités, ou réelles ou fausses,
Qu'un tas de créanciers hurlant après mes chausses [53 bis].
Ma foi, j'ai pris la fuite et j'ai changé de nom.
A présent, je ne suis qu'un joyeux compagnon,
Zafari, que hors vous nul ne peut reconnaître.
Vous ne me donnez pas du tout d'argent, mon maître;
Je m'en passe. Le soir, le front sur un pavé,
Devant l'ancien palais des comtes de Tevé [54],
— C'est là, depuis neuf ans, que la nuit je m'arrête, —
Je vais dormir avec le ciel bleu sur ma tête.
Je suis heureux ainsi. Pardieu, c'est un beau sort!
Tout le monde me croit dans l'Inde [55], au diable, — mort.
La fontaine voisine a de l'eau, j'y vais boire [56],
Et puis je me promène avec un air de gloire.
Mon palais, d'où jadis mon argent s'envola,
Appartient à cette heure au nonce Espinola [57].
C'est bien. Quand par hasard jusque-là je m'enfonce,
Je donne des avis aux ouvriers du nonce
Occupés à sculpter sur la porte un Bacchus [58]. —
Maintenant, pouvez-vous me prêter dix écus?

DON SALLUSTE

Ecoutez-moi...

DON CÉSAR, *croisant les bras.*

Voyons à présent votre style.

DON SALLUSTE

Je vous ai fait venir, c'est pour vous être utile.
César, sans enfants, riche, et de plus votre aîné,
Je vous vois à regret vers l'abîme entraîné;
Je veux vous en tirer. Bravache [59] que vous êtes,
Vous êtes malheureux. Je veux payer vos dettes,
Vous rendre vos palais, vous remettre à la cour,
Et refaire de vous un beau seigneur d'amour.
Que Zafari s'éteigne et que César renaisse.
Je veux qu'à votre gré vous puisiez dans ma caisse,
Sans crainte, à pleines mains, sans soin [59 bis] de l'avenir.
Quand on a des parents il faut les soutenir,
César, et pour les siens se montrer pitoyable...

Pendant que don Salluste parle, le visage de don César prend une expression de plus en plus étonnée, joyeuse et confiante; enfin il éclate.

DON CÉSAR

Vous avez toujours eu de l'esprit comme un diable,
Et c'est fort éloquent ce que vous dites là [60].
— Continuez.

DON SALLUSTE

César, je ne mets à cela
Qu'une condition. — Dans l'instant je m'explique.
Prenez d'abord ma bourse.

DON CÉSAR, *empoignant la bourse, qui est pleine d'or.*

Ah çà ! c'est magnifique !

DON SALLUSTE

Et je vous vais donner cinq cents ducats... [61]

DON CÉSAR, *ébloui.*

Marquis !

DON SALLUSTE, *continuant.*

Dès aujourd'hui.

DON CÉSAR

Pardieu, je vous suis tout acquis.
Quant aux conditions, ordonnez. Foi de brave,
Mon épée est à vous. Je deviens votre esclave,
Et, si cela vous plaît, j'irai croiser le fer
Avec don Spavento, capitan de l'enfer [62].

DON SALLUSTE

Non, je n'accepte pas, don César, et pour cause,
Votre épée.

DON CÉSAR

Alors quoi ? je n'ai guère autre chose.

DON SALLUSTE,
se rapprochant de lui et baissant la voix.

Vous connaissez, — et c'est en ce cas un bonheur, —
Tous les gueux de Madrid ?

DON CÉSAR

Vous me faites honneur.

DON SALLUSTE

Vous en traînez toujours après vous une meute;
Vous pourriez, au besoin, soulever une émeute [63],
Je le sais. Tout cela peut-être servira.

DON CÉSAR, *éclatant de rire.*

D'honneur! vous avez l'air de faire un opéra [64].
Quelle part donnez-vous dans l'œuvre à mon génie?
Sera-ce le poème ou bien la symphonie?
Commandez. Je suis fort pour le charivari.

DON SALLUSTE, *gravement.*

Je parle à don César et non à Zafari.

Baissant la voix de plus en plus.

Ecoute. J'ai besoin, pour un résultat sombre,
De quelqu'un qui travaille à mon côté dans l'ombre [65]
Et qui m'aide à bâtir un grand événement.
Je ne suis pas méchant, mais il est tel moment
Où le plus délicat, quittant toute vergogne,
Doit retrousser sa manche et faire la besogne.
Tu seras riche, mais il faut m'aider sans bruit
A dresser, comme font les oiseleurs la nuit,
Un bon filet caché sous un miroir qui brille,
Un piège d'alouette ou bien de jeune fille.
Il faut, par quelque plan terrible et merveilleux,
— Tu n'es pas, que je pense, un homme scrupuleux, —
Me venger!

DON CÉSAR

Vous venger?

DON SALLUSTE

Oui.

DON CÉSAR

De qui?

DON SALLUSTE

D'une femme.

DON CÉSAR

Il se redresse et regarde fièrement don Salluste.

Ne m'en dites pas plus. Halte-là [66]! — Sur mon âme,
Mon cousin, en ceci voilà mon sentiment.
Celui qui, bassement et tortueusement,

Se venge, ayant le droit de porter une lame,
Noble, par une intrigue, homme, sur une femme,
Et qui, né gentilhomme, agit en alguazil,
Celui-là, — fût-il grand de Castille, fût-il
Suivi de cent clairons sonnant des tintamarres,
Fût-il tout hanarché d'ordres et de chamarres,
Et marquis, et vicomte, et fils des anciens preux, —
N'est pour moi qu'un maraud sinistre et ténébreux
Que je voudrais, pour prix de sa lâcheté vile,
Voir pendre à quatre clous au gibet de la ville!

DON SALLUSTE

César!...

DON CÉSAR

N'ajoutez pas un mot, c'est outrageant.

Il jette la bourse aux pieds de don Salluste.

Gardez votre secret, et gardez votre argent.
Oh! je comprends qu'on vole, et qu'on tue, et qu'on pille,
Que par une nuit noire on force une bastille,
D'assaut, la hache au poing, avec cent flibustiers;
Qu'on égorge estafiers [67], geôliers et guichetiers,
Tous, taillant et hurlant, en bandits que nous sommes,
Œil pour œil, dent pour dent, c'est bien! hommes contre
[hommes!
Mais doucement détruire une femme! et creuser
Sous ses pieds une trappe! et contre elle abuser,
Qui sait ? de son humeur peut-être hasardeuse!
Prendre ce pauvre oiseau dans quelque glu hideuse!
Oh! plutôt qu'arriver jusqu'à ce déshonneur,
Plutôt qu'être, à ce prix, un riche et haut seigneur,
— Et je le dis ici pour Dieu qui voit mon âme, —
J'aimerais mieux, plutôt qu'être à ce point infâme,
Vil, odieux, pervers, misérable et flétri,
Qu'un chien rongeât mon crâne au pied du pilori [68]!

DON SALLUSTE

Cousin...

DON CÉSAR

De vos bienfaits je n'aurai nulle envie,
Tant que je trouverai, vivant ma libre vie,
Aux fontaines de l'eau, dans les champs le grand air,
A la ville un voleur qui m'habille l'hiver,
Dans mon âme l'oubli des prospérités mortes,
Et devant vos palais, monsieur, de larges portes

Où je puis, à midi, sans souci du réveil,
Dormir, la tête à l'ombre et les pieds au soleil!
— Adieu donc. — De nous deux Dieu sait quel est le juste.
Avec les gens de cour, vos pareils, don Salluste,
Je vous laisse, et je reste avec mes chenapans.
Je vis avec les loups, non avec les serpents.

DON SALLUSTE

Un instant...

DON CÉSAR

Tenez, maître, abrégeons la visite.
Si c'est pour m'envoyer en prison, faites vite.

DON SALLUSTE

Allons, je vous croyais, César, plus endurci.
L'épreuve vous est bonne et vous a réussi;
Je suis content de vous. Votre main, je vous prie.

DON CÉSAR

Comment!

DON SALLUSTE

Je n'ai parlé que par plaisanterie.
Tout ce que j'ai dit là, c'est pour vous éprouver.
Rien de plus.

DON CÉSAR

Çà, debout vous me faites rêver.
La femme, le complot, cette vengeance...

DON SALLUSTE

Leurre!
Imagination! chimère!

DON CÉSAR

A la bonne heure!
Et l'offre de payer mes dettes! vision?
Et les cinq cents ducats! imagination?

DON SALLUSTE

Je vais vous les chercher.

Il se dirige vers la porte du fond, et fait signe à Ruy Blas de rentrer.

DON CÉSAR, *à part sur le devant, et regardant don Salluste de travers.*

Hum! visage de traître!
Quand la bouche dit oui, le regard dit peut-être [69].

DON SALLUSTE, *à Ruy Blas.*

Ruy Blas, restez ici.

A don César.

Je reviens.

Il sort par la petite porte de gauche. Sitôt qu'il est sorti, don César et Ruy Blas vont vivement l'un à l'autre.

SCÈNE III

DON CÉSAR, RUY BLAS

DON CÉSAR

Sur ma foi,
Je ne me trompais pas. C'est toi, Ruy Blas!

RUY BLAS

C'est toi,
Zafari! Que fais-tu dans ce palais?

DON CÉSAR

J'y passe.
Mais je m'en vais. Je suis oiseau, j'aime l'espace.
Mais toi? cette livrée? est-ce un déguisement?

RUY BLAS, *avec amertume.*

Non, je suis déguisé quand je suis autrement.

DON CÉSAR

Que dis-tu?

RUY BLAS

Donne-moi ta main que je la serre,
Comme en cet heureux temps de joie et de misère
Où je vivais sans gîte, où le jour j'avais faim,
Où j'avais froid la nuit, où j'étais libre enfin!
— Quand tu me connaissais, j'étais un homme encore.
Tous deux nés dans le peuple, — hélas! c'était l'aurore! —

Nous nous ressemblions au point qu'on nous prenait
Pour frères ; nous chantions dès l'heure où l'aube naît,
Et le soir devant Dieu, notre père et notre hôte,
Sous le ciel étoilé nous dormions côte à côte.
Oui, nous partagions tout. Puis enfin arriva
L'heure triste où chacun de son côté s'en va.
Je te retrouve, après quatre ans, toujours le même,
Joyeux comme un enfant, libre comme un bohème,
Toujours ce Zafari, riche en sa pauvreté,
Qui n'a rien eu jamais et n'a rien souhaité !
Mais moi, quel changement ! Frère, que te dirai-je ?
Orphelin, par pitié nourri dans un collège
De science et d'orgueil, de moi, triste faveur !
Au lieu d'un ouvrier on a fait un rêveur.
Tu sais, tu m'as connu. Je jetais mes pensées
Et mes vœux vers le ciel en strophes insensées.
J'opposais cent raisons à ton rire moqueur.
J'avais je ne sais quelle ambition au cœur.
A quoi bon travailler ? Vers un but invisible
Je marchais, je croyais tout réel, tout possible,
J'espérais tout du sort [70] ! — Et puis je suis de ceux
Qui passent tout un jour, pensifs et paresseux,
Devant quelque palais regorgeant de richesses,
A regarder entrer et sortir des duchesses. —
Si bien qu'un jour, mourant de faim sur le pavé,
J'ai ramassé du pain, frère, où j'en ai trouvé :
Dans la fainéantise et dans l'ignominie.
Oh ! quand j'avais vingt ans, crédule à mon génie,
Je me perdais, marchant pieds nus dans les chemins,
En méditations sur le sort des humains ;
J'avais bâti des plans sur tout, — une montagne
De projets ; — je plaignais le malheur de l'Espagne ;
Je croyais, pauvre esprit, qu'au monde je manquais... —
Ami, le résultat, tu le vois : — un laquais !

DON CÉSAR

Oui, je le sais, la faim est une porte basse :
Et, par nécessité lorsqu'il faut qu'il y passe,
Le plus grand est celui qui se courbe le plus.
Mais le sort a toujours son flux et son reflux.
Espère.

RUY BLAS, *secouant la tête.*

Le marquis de Finlas est mon maître.

DON CÉSAR

Je le connais. — Tu vis dans ce palais, peut-être ?

RUY BLAS

Non, avant ce matin et jusqu'à ce moment
Je n'en avais jamais passé le seuil.

DON CÉSAR

Vraiment ?
Ton maître cependant pour sa charge y demeure.

RUY BLAS

Oui, car la cour le fait demander à toute heure.
Mais il a quelque part un logis inconnu,
Où jamais en plein jour peut-être il n'est venu.
A cent pas du palais. Une maison discrète.
Frère, j'habite là. Par la porte secrète
Dont il a seul la clef, quelquefois, à la nuit,
Le marquis vient, suivi d'hommes qu'il introduit.
Ces hommes sont masqués et parlent à voix basse.
Ils s'enferment, et nul ne sait ce qui se passe[71].
Là, de deux Noirs muets je suis le compagnon.
Je suis pour eux le maître. Ils ignorent mon nom.

DON CÉSAR

Oui, c'est là qu'il reçoit, comme chef des alcades,
Ses espions, c'est là qu'il tend ses embuscades.
C'est un homme profond qui tient tout dans sa main.

RUY BLAS

Hier, il m'a dit : — Il faut être au palais demain.
Avant l'aurore. Entrez par la grille dorée. —
En arrivant il m'a fait mettre la livrée,
Car l'habit odieux sous lequel tu me vois,
Je le porte aujourd'hui pour la première fois.

DON CÉSAR, *lui serrant la main.*

Espère !

RUY BLAS

Espérer ! Mais tu ne sais rien encore.
Vivre sous cet habit qui souille et déshonore,
Avoir perdu la joie et l'orgueil, ce n'est rien.
Etre esclave, être vil, qu'importe ! — Ecoute bien.

Frère! je ne sens pas cette livrée infâme,
Car j'ai dans ma poitrine une hydre aux dents de flamme
Qui me serre le cœur dans ses replis ardents.
Le dehors te fait peur ? si tu voyais dedans [72]!

DON CÉSAR

Que veux-tu dire ?

RUY BLAS

Invente, imagine, suppose.
Fouille dans ton esprit. Cherches-y quelque chose
D'étrange, d'insensé, d'horrible et d'inouï.
Une fatalité dont on soit ébloui!
Oui, compose un poison affreux, creuse un abîme
Plus sourd que la folie et plus noir que le crime,
Tu n'approcheras pas encor de mon secret.
— Tu ne devines pas ? — Hé! qui devinerait ? —
Zafari! dans le gouffre où mon destin m'entraîne
Plonge les yeux! — je suis amoureux de la reine!

DON CÉSAR

Ciel!

RUY BLAS

Sous un dais orné du globe impérial [73],
Il est, dans Aranjuez [74] ou dans l'Escurial,
— Dans ce palais, parfois, — mon frère, il est un homme
Qu'à peine on voit d'en bas, qu'avec terreur on nomme;
Pour qui, comme pour Dieu, nous sommes égaux tous;
Qu'on regarde en tremblant et qu'on sert à genoux;
Devant qui se couvrir est un honneur insigne [75];
Qui peut faire tomber nos deux têtes d'un signe;
Dont chaque fantaisie est un événement;
Qui vit, seul et superbe, enfermé gravement
Dans une majesté redoutable et profonde,
Et dont on sent le poids dans la moitié du monde.
Eh bien! — moi, le laquais, — tu m'entends, eh bien! oui,
Cet homme-là! le roi! je suis jaloux de lui!

DON CÉSAR

Jaloux du roi!

RUY BLAS

Hé! oui, jaloux du roi! sans doute.
Puisque j'aime sa femme!

DON CÉSAR

Oh! malheureux!

RUY BLAS

Ecoute.

Je l'attends tous les jours au passage. Je suis
Comme un fou! Ho! sa vie est un tissu d'ennuis,
A cette pauvre femme! — Oui, chaque nuit j'y songe. —
Vivre dans cette cour de haine et de mensonge,
Mariée à ce roi qui passe tout son temps
A chasser [76]! Imbécile! — un sot! vieux à trente ans!
Moins qu'un homme! à régner comme à vivre inhabile.
— Famille qui s'en va! — Le père était débile
Au point qu'il ne pouvait tenir un parchemin.
— Oh! si belle et si jeune, avoir donné sa main
A ce roi Charles Deux! Elle! Quelle misère!
— Elle va tous les soirs chez les sœurs du Rosaire,
Tu sais ? en remontant la rue Ortaleza [77].
Comment cette démence en mon cœur s'amassa,
Je l'ignore. Mais juge! elle aime une fleur bleue
D'Allemagne [78]... — Je fais chaque jour une lieue,
Jusqu'à Caramanchel [79], pour avoir de ces fleurs.
J'en ai cherché partout sans en trouver ailleurs.
J'en compose un bouquet, je prends les plus jolies...
— Oh! mais je te dis là des choses, des folies! —
Puis à minuit, au parc royal, comme un voleur,
Je me glisse et je vais déposer cette fleur
Sur son banc favori. Même, hier, j'osai mettre
Dans le bouquet, — vraiment, plains-moi, frère! — une [lettre!
La nuit, pour parvenir jusqu'à ce banc, il faut
Franchir les murs du parc, et je rencontre en haut
Ces broussailles de fer [80] qu'on met sur les murailles.
Un jour j'y laisserai ma chair et mes entrailles.
Trouve-t-elle mes fleurs, ma lettre ? je ne sais.
Frère, tu le vois bien, je suis un insensé.

DON CÉSAR

Diable! ton algarade a son danger. Prends garde.
Le comte d'Oñate [81], qui l'aime aussi, la garde
Et comme un majordome [82] et comme un amoureux.
Quelque reître, une nuit, gardien peu langoureux,
Pourrait bien, frère, avant que ton bouquet se fane,
Te le clouer au cœur d'un coup de pertuisane. —
Mais quelle idée! aimer la reine! ah ça, pourquoi ?
Comment diable as-tu fait ?

RUY BLAS, *avec emportement.*

Est-ce que je sais, moi!
— Oh! mon âme au démon! je la vendrais pour être
Un des jeunes seigneurs que, de cette fenêtre,
Je vois en ce moment, comme un vivant affront,
Entrer, la plume au feutre et l'orgueil sur le front!
Oui, je me damnerais pour dépouiller ma chaîne,
Et pour pouvoir comme eux m'approcher de la reine
Avec un vêtement qui ne soit pas honteux!
Mais, ô rage! être ainsi, près d'elle! devant eux!
En livrée! un laquais! être un laquais pour elle!
Ayez pitié de moi, mon Dieu!

Se rapprochant de don César.

Je me rappelle.
Ne demandais-tu pas pourquoi je l'aime ainsi,
Et depuis quand ?... — Un jour... — Mais à quoi bon
C'est vrai, je t'ai toujours connu cette manie! [ceci ?
Par mille questions vous mettre à l'agonie!
Demander où ? comment ? quand ? pourquoi ? Mon sang
Je l'aime follement! je l'aime, voilà tout! [bout!

DON CÉSAR

Là, ne te fâche pas.

RUY BLAS, *tombant épuisé et pâle sur le fauteuil.*

Non. Je souffre. — Pardonne.
Ou plutôt, va, fuis-moi. Va-t'en, frère. Abandonne
Ce misérable fou qui porte avec effroi
Sous l'habit d'un valet les passions d'un roi [83]!

DON CÉSAR, *lui posant la main sur l'épaule.*

Te fuir [84]! — Moi qui n'ai pas souffert, n'aimant personne,
Moi, pauvre grelot vide où manque ce qui sonne,
Gueux, qui vais mendiant l'amour je ne sais où,
A qui de temps en temps le destin jette un sou,
Moi, cœur éteint, dont l'âme, hélas! s'est retirée,
Du spectacle d'hier affiche [85] déchirée,
Vois-tu, pour cet amour dont tes regards sont pleins,
Mon frère, je t'envie autant que je te plains!
— Ruy Blas! —

Moment de silence. Ils se tiennent les mains serrées en se regardant tous les deux avec une expression de tristesse et d'amitié confiante.

Entre don Salluste. Il s'avance à pas lents, fixant un regard d'attention profonde sur don César et Ruy Blas, qui ne le voient pas. Il tient d'une main un chapeau et une épée qu'il apporte en entrant sur un fauteuil, et de l'autre une bourse qu'il dépose sur la table.

DON SALLUSTE, *à don César.*

Voici l'argent.

A la voix de don Salluste, Ruy Blas se lève comme réveillé en sursaut, et se tient debout, les yeux baissés, dans l'attitude du respect.

DON CÉSAR, *à part, regardant don Salluste de travers.*

Hum! le diable m'em-
Cette sombre figure écoutait à la porte. [porte!
Bah! qu'importe, après tout!

Haut à don Salluste.

Don Salluste, merci.

Il ouvre la bourse, la répand sur la table et remue avec joie les ducats, qu'il range en piles sur le tapis de velours. Pendant qu'il les compte, don Salluste va au fond, en regardant derrière lui s'il n'éveille pas l'attention de don César. Il ouvre la petite porte de droite. — A un signe qu'il fait, trois alguazils armés d'épées et vêtus de noir en sortent. Don Salluste leur montre mystérieusement don César. Ruy Blas se tient immobile et debout près de la table comme une statue, sans rien voir ni rien entendre.

DON SALLUSTE, *bas, aux alguazils.*

Vous allez suivre, alors qu'il sortira d'ici,
L'homme qui compte là de l'argent. — En silence
Vous vous emparerez de lui. — Sans violence. —
Vous l'irez embarquer, par le plus court chemin,
A Denia [86]. —

Il leur remet un parchemin scellé.

Voici l'ordre écrit de ma main. —
Enfin, sans écouter sa plainte chimérique,
Vous le vendrez en mer aux corsaires d'Afrique.
Mille piastres [87] pour vous. Faites vite à présent!

Les trois alguazils s'inclinent et sortent.

DON CÉSAR, *achevant de ranger ses ducats.*

Rien n'est plus gracieux et plus divertissant
Que des écus à soi qu'on met en équilibre.

Il fait deux parts égales et se tourne vers Ruy Blas.

Frère, voici ta part. —

RUY BLAS

Comment !

DON CÉSAR, *lui montrant une des deux piles d'or.*

Prends ! viens ! sois libre !

DON SALLUSTE, *qui les observe, à part.*

Diable !

RUY BLAS, *secouant la tête en signe de refus.*

Non. C'est le cœur qu'il faudrait délivrer.
Non, mon sort est ici. Je dois y demeurer.

DON CÉSAR

Bien. Suis ta fantaisie. Es-tu fou ? suis-je sage ?
Dieu le sait [88].

Il ramasse l'argent et le jette dans le sac, qu'il empoche.

DON SALLUSTE,
au fond, à part, et les observant toujours.

A peu près même air, même visage [89].

DON CÉSAR, *à Ruy Blas.*

Adieu.

RUY BLAS

Ta main !

Ils se serrent la main. Don César sort sans voir don Salluste, qui se tient à l'écart.

SCÈNE IV

RUY BLAS, DON SALLUSTE

DON SALLUSTE

Ruy Blas !

RUY BLAS, *se retournant vivement.*

Monseigneur ?

DON SALLUSTE

Ce matin,
Quand vous êtes venu, je ne suis pas certain
S'il faisait jour déjà ?

RUY BLAS

Pas encore, excellence.
J'ai remis au portier votre passe en silence,
Et puis, je suis monté.

DON SALLUSTE

Vous étiez en manteau ?

RUY BLAS

Oui, monseigneur.

DON SALLUSTE

Personne, en ce cas, au château,
Ne vous a vu porter cette livrée encore ?

RUY BLAS

Ni personne à Madrid.

DON SALLUSTE,

désignant du doigt la porte par où est sorti don César.

C'est fort bien. Allez clore
Cette porte. Quittez cet habit.

Ruy Blas dépouille son surtout de livrée et le jette sur un fauteuil.

Vous avez
Une belle écriture, il me semble. — Ecrivez.

Il fait signe à Ruy Blas de s'asseoir à la table où sont les plumes et les écritoires. Ruy Blas obéit.

Vous m'allez aujourd'hui servir de secrétaire.
D'abord un billet doux [90], — je ne veux rien vous taire, —
Pour ma reine d'amour, pour doña Praxedis [91],
Ce démon que je crois venu du paradis.
— Là, je dicte. « Un danger terrible est sur ma tête.
« Ma reine seule peut conjurer la tempête,
« En venant me trouver ce soir dans ma maison.
« Sinon, je suis perdu. Ma vie et ma raison
« Et mon cœur, je mets tout à ses pieds que je baise. »

Il rit et s'interrompt.

Un danger! la tournure, au fait, n'est pas mauvaise
Pour l'attirer chez moi. C'est que, j'y suis expert,
Les femmes aiment fort à sauver qui les perd.
— Ajoutez : — « Par la porte au bas de l'avenue,
« Vous entrerez la nuit sans être reconnue.
« Quelqu'un de dévoué vous ouvrira. » — D'honneur,
C'est parfait. — Ah! signez.

RUY BLAS

Votre nom, monseigneur ?

DON SALLUSTE

Non pas. Signez CÉSAR. C'est mon nom d'aventure.

RUY BLAS, *après avoir obéi.*

La dame ne pourra connaître l'écriture ?

DON SALLUSTE

Bah! le cachet suffit. J'écris souvent ainsi.
Ruy Blas, je pars ce soir, et je vous laisse ici.
J'ai sur vous les projets d'un ami très sincère.
Votre état va changer, mais il est nécessaire
De m'obéir en tout. Comme en vous j'ai trouvé
Un serviteur discret, fidèle et réservé...

RUY BLAS, *s'inclinant.*

Monseigneur!

DON SALLUSTE, *continuant.*

Je vous veux faire un destin plus large.

RUY BLAS, *montrant le billet qu'il vient d'écrire.*

Où faut-il adresser la lettre ?

DON SALLUSTE

Je m'en charge.

S'approchant de Ruy Blas d'un air significatif.

Je veux votre bonheur.

Un silence. Il fait signe à Ruy Blas de se rasseoir à la table.

Ecrivez : — « Moi, Ruy Blas,
« Laquais de monseigneur le marquis de Finlas,
« En toute occasion, ou secrète ou publique,
« M'engage à le servir comme un bon domestique [92]. »

Ruy Blas obéit.

— Signez de votre nom. La date. Bien. Donnez.

Il ploie et serre dans son portefeuille la lettre et le papier que Ruy Blas vient d'écrire.

On vient de m'apporter une épée. Ah ! tenez,
Elle est sur ce fauteuil.

Il désigne le fauteuil sur lequel il a posé l'épée et le chapeau. Il y va et prend l'épée.

L'écharpe est d'une soie
Peinte et brodée au goût le plus nouveau qu'on voie.

Il lui fait admirer la souplesse du tissu.

Touchez. — Que dites-vous, Ruy Blas, de cette fleur ?
La poignée est de Gil, le fameux ciseleur [93],
Celui qui le mieux creuse, au gré des belles filles,
Dans un pommeau d'épée une boîte à pastilles.

Il passe au cou de Ruy Blas l'écharpe, à laquelle est attachée l'épée.

Mettez-la donc. — Je veux en voir sur vous l'effet.
— Mais vous avez ainsi l'air d'un seigneur parfait !

Ecoutant.

On vient... oui. C'est bientôt l'heure où la reine passe. —
— Le marquis del Basto [94] ! —

La porte du fond sur la galerie s'ouvre. Don Salluste détache son manteau et le jette vivement sur les épaules de Ruy Blas, au moment où le marquis del Basto paraît; puis il va droit au marquis, en entraînant avec lui Ruy Blas stupéfait.

SCÈNE V

DON SALLUSTE, RUY BLAS, DON PAMFILO D'AVALOS, MARQUIS DEL BASTO. — *Puis* LE MARQUIS DE SANTA-CRUZ. — *Puis* LE COMTE D'ALBE. — *Puis toute la cour.*

DON SALLUSTE, *au marquis del Basto.*

Souffrez qu'à votre grâce
Je présente, marquis, mon cousin don César,
Comte de Garofa près de Velalcazar [95].

RUY BLAS, *à part.*

Ciel!

DON SALLUSTE, *bas, à Ruy Blas.*

Taisez-vous!

LE MARQUIS DEL BASTO, *saluant Ruy Blas.*

Monsieur... charmé...

Il lui prend la main, que Ruy Blas lui livre avec embarras.

DON SALLUSTE, *bas, à Ruy Blas.*

Laissez-vous
Saluez! [faire.

Ruy Blas salue le marquis.

LE MARQUIS DEL BASTO, *à Ruy Blas.*

J'aimais fort madame votre mère.

Bas, à don Salluste, en lui montrant Ruy Blas.

Bien changé! Je l'aurais à peine reconnu.

DON SALLUSTE, *bas, au marquis.*

Dix ans d'absence!

LE MARQUIS DEL BASTO, *de même.*

Au fait!

DON SALLUSTE, *frappant sur l'épaule de Ruy Blas.*

Le voilà revenu!
Vous souvient-il, marquis? oh! quel enfant prodigue!
Comme il vous répandait les pistoles sans digue!

Tous les soirs danse et fête au vivier d'Apollo [96],
Et cent musiciens faisant rage sur l'eau !
A tous moments, galas, masques, concerts, fredaines,
Eblouissant Madrid de visions soudaines !
— En trois ans, ruiné ! — c'était un vrai lion [97].
— Il arrive de l'Inde avec le galion [98].

RUY BLAS, *avec embarras.*

Seigneur...

DON SALLUSTE, *gaiement.*

Appelez-moi cousin, car nous le sommes.
Les Bazans [99] sont, je crois, d'assez francs gentilshommes.
Nous avons pour ancêtre Iniguez d'Iviza [100].
Son petit-fils, Pedro de Bazan. épousa
Marianne de Gor. Il eut de Marianne
Jean, qui fut général de la mer océane
Sous le roi don Philippe, et Jean eut deux garçons
Qui sur notre arbre antique ont greffé deux blasons.
Moi, je suis le marquis de Finlas ; vous le comte
De Garofa. Tous deux se valent si l'on compte.
Par les femmes, César, notre rang est égal.
Vous êtes Aragon, moi je suis Portugal.
Votre branche n'est pas moins haute que la nôtre.
Je suis le fruit de l'une, et vous la fleur de l'autre.

RUY BLAS, *à part.*

Où donc m'entraîne-t-il ?

Pendant que don Salluste a parlé, le marquis de Santa-Cruz, don Alvar de Bazan y Benavides, vieillard à moustache blanche et à grande perruque, s'est approché d'eux.

LE MARQUIS DE SANTA-CRUZ, *à don Salluste.*

Vous l'expliquez fort bien.
S'il est votre cousin, il est aussi le mien.

DON SALLUSTE

C'est vrai, car nous avons une même origine,
Monsieur de Santa-Cruz [101].

Il lui présente Ruy Blas.

Don César.

LE MARQUIS DE SANTA-CRUZ

J'imagine
Que ce n'est pas celui qu'on croyait mort.

DON SALLUSTE

Si fait.

LE MARQUIS DE SANTA CRUZ

Il est donc revenu ?

DON SALLUSTE

Des Indes.

LE MARQUIS DE SANTA-CRUZ, *examinant Ruy Blas.*

En effet!

DON SALLUSTE

Vous le reconnaissez ?

LE MARQUIS DE SANTA-CRUZ

Pardieu! je l'ai vu naître!

DON SALLUSTE, *bas à Ruy Blas.*

Le bonhomme est aveugle et se défend de l'être.
Il vous a reconnu pour prouver ses bons yeux.

LE MARQUIS DE SANTA-CRUZ, *tendant la main à Ruy Blas.*

Touchez-là, mon cousin.

RUY BLAS, *s'inclinant.*

Seigneur...

LE MARQUIS DE SANTA-CRUZ,
bas à don Salluste et lui montrant Ruy Blas.

On n'est pas mieux!

A Ruy Blas.

Charmé de vous revoir!

DON SALLUSTE, *bas au marquis et le prenant à part.*

Je vais payer ses dettes.
Vous le pouvez servir dans le poste où vous êtes.
Si quelque emploi de cour vaquait en ce moment,
Chez le roi, — chez la reine... —

LE MARQUIS DE SANTA-CRUZ, *bas.*

Un jeune homme charmant!
J'y vais songer. — Et puis, il est de la famille.

DON SALLUSTE, *bas.*

Vous avez tout crédit au conseil de Castille.
Je vous le recommande.

Il quitte le marquis de Santa-Cruz, et va à d'autres seigneurs, auxquels il présente Ruy Blas. Parmi eux le comte d'Albe, très superbement paré.

Don Salluste lui présente Ruy Blas.

Un mien cousin, César,
Comte de Garofa près de Velalcazar.

Les seigneurs échangent gravement des révérences avec Ruy Blas interdit. Don Salluste, au comte de Ribagorza.

Vous n'étiez pas hier au ballet d'Atalante [102] ?
Lindamire a dansé d'une façon galante.

Il s'extasie sur le pourpoint du comte d'Albe.

C'est très beau, comte d'Albe!

LE COMTE D'ALBE

Ah! j'en avais encor
Un plus beau. Satin rose avec des rubans d'or.
Matalobos me l'a volé.

UN HUISSIER DE COUR, *au fond.*

La reine approche.
Prenez vos rangs, messieurs.

Les grands rideaux de la galerie vitrée s'ouvrent. Les seigneurs s'échelonnent près de la porte. Des gardes font la haie. Ruy Blas, haletant, hors de lui, vient sur le devant comme pour s'y réfugier. Don Salluste l'y suit.

DON SALLUSTE, *bas, à Ruy Blas.*

Est-ce que, sans reproche,
Quand votre sort grandit, votre esprit s'amoindrit ?
Réveillez-vous, Ruy Blas. Je vais quitter Madrid [103].
Ma petite maison, près du pont, où vous êtes,
— Je n'en veux rien garder, hormis les clefs secrètes [104], —
Ruy Blas, je vous la donne et les muets aussi.
Vous recevrez bientôt d'autres ordres. Ainsi
Faites ma volonté, je fais votre fortune.
Montez, ne craignez rien, car l'heure est opportune.

La cour est un pays où l'on va sans voir clair[105].
Marchez les yeux bandés ; j'y vois pour vous, mon cher !

De nouveaux gardes paraissent au fond

L'HUISSIER, *à haute voix.*

La reine !

RUY BLAS, *à part.*

La reine ! ah !

La reine, vêtue magnifiquement, paraît, entourée de dames et de pages, sous un dais de velours écarlate porté par quatre gentilshommes de chambre, tête nue. Ruy Blas, effaré, la regarde comme absorbé par cette resplendissante vision. Tous les grands d'Espagne se couvrent, le marquis del Basto, le comte d'Albe, le marquis de Santa-Cruz, don Salluste. Don Salluste va rapidement au fauteuil, et y prend le chapeau, qu'il apporte à Ruy Blas.

DON SALLUSTE *à Ruy Blas, en lui mettant le chapeau sur la tête*[106].

Quel vertige vous gagne ?
Couvrez-vous donc, César. Vous êtes grand d'Espagne.

RUY BLAS, *éperdu, bas à don Salluste.*

Et que m'ordonnez-vous, Seigneur, présentement ?

DON SALLUSTE, *lui montrant la reine, qui traverse lentement la galerie.*

De plaire à cette femme[107] et d'être son amant.

ACTE DEUXIEME

LA REINE D'ESPAGNE

Un salon contigu à la chambre à coucher de la reine. A gauche, une petite porte donnant dans cette chambre. A droite, sur un pan coupé, une autre porte donnant dans les appartements extérieurs. Au fond, de grandes fenêtres ouvertes. C'est l'après-midi d'une belle journée d'été. Grande table. Fauteuils. Une figure de sainte, richement enchâssée, est adossée au mur ; au bas on lit : Santa

Maria Esclava[108]. Au côté opposé est une madone devant laquelle brûle une lampe d'or. Près de la madone, un portrait en pied du roi Charles II.

Au lever du rideau, la reine doña Maria de Neubourg est dans un coin, assise à côté d'une de ses femmes, jeune et jolie fille. La reine est vêtue de blanc, robe de drap d'argent [109]. Elle brode et s'interrompt par moments pour causer. Dans le coin opposé est assise, sur une chaise à dossier, doña Juana de la Cueva [110], duchesse d'Albuquerque, camerera mayor, une tapisserie à la main; vieille femme en noir. Près de la duchesse, à une table, plusieurs duègnes travaillant à des ouvrages de femmes. Au fond, se tient don Guritan [111], comte d'Oñate, majordome, grand, sec, moustaches grises, cinquante-cinq ans environ; mine de vieux militaire, quoique vêtu avec une élégance exagérée et qu'il ait des rubans jusque sur les souliers [112].

SCÈNE PREMIÈRE

LA REINE, LA DUCHESSE D'ALBUQUERQUE, DON GURITAN, CASILDA, DUÈGNES

LA REINE

Il est parti pourtant! Je devrais être à l'aise.
Eh bien, non! ce marquis de Finlas, il me pèse!
Cet homme-là me hait.

CASILDA

Selon votre souhait
N'est-il pas exilé?

LA REINE

Cet homme-là me hait.

CASILDA

Votre majesté...

LA REINE

Vrai! Casilda, c'est étrange,
Ce marquis est pour moi comme le mauvais ange.
L'autre jour, il devait partir le lendemain,
Et, comme à l'ordinaire, il vint au baise-main [113].
Tous les grands s'avançaient vers le trône à la file;
Je leur livrais ma main, j'étais triste et tranquille,

Regardant vaguement, dans le salon obscur,
Une bataille au fond peinte sur un grand mur,
Quand tout à coup, mon œil se baissant vers la table,
Je vis venir à moi cet homme redoutable!
Sitôt que je le vis, je ne vis plus que lui.
Il venait à pas lents, jouant avec l'étui [114]
D'un poignard dont parfois j'entrevoyais la lame,
Grave, et m'éblouissant de son regard de flamme.
Soudain il se courba, souple et comme rampant... —
Je sentis sur ma main sa bouche de serpent!

CASILDA

Il rendait ses devoirs; — rendons-nous pas les nôtres ?

LA REINE

Sa lèvre n'était pas comme celle des autres.
C'est la dernière fois que je l'ai vu. Depuis,
J'y pense très souvent. J'ai bien d'autres ennuis,
C'est égal, je me dis : — L'enfer est dans cette âme [115].
Devant cet homme-là je ne suis qu'une femme. —
Dans mes rêves, la nuit, je rencontre en chemin
Cet effrayant démon qui me baise la main;
Je vois luire son œil d'où rayonne la haine;
Et, comme un noir poison qui va de veine en veine,
Souvent, jusqu'à mon cœur qui semble se glacer,
Je sens en longs frissons courir son froid baiser!
Que dis-tu de cela ?

CASILDA

Purs fantômes, madame.

LA REINE

Au fait, j'ai des soucis bien plus réels dans l'âme.

A part.

Oh! ce qui me tourmente, il faut le leur cacher.

A Casilda.

Dis-moi, ces mendiants qui n'osaient approcher...

CASILDA, *allant à la fenêtre.*

Je sais, madame. Ils sont encor là, dans la place.

LA REINE

Tiens! jette-leur ma bourse.

Casilda prend la bourse et va la jeter par la fenêtre.

CASILDA

Oh! madame, par grâce,
Vous qui faites l'aumône avec tant de bonté,

Montrant à la reine don Guritan, qui, debout et silencieux au fond de la chambre, fixe sur la reine un œil plein d'adoration muette.

Ne jetterez-vous rien au comte d'Oñate ?
Rien qu'un mot ! — Un vieux brave ! amoureux sous l'armure !
D'autant plus tendre au cœur que l'écorce est plus dure !

LA REINE

Il est bien ennuyeux !

CASILDA

J'en conviens. — Parlez-lui !

LA REINE, *se tournant vers don Guritan.*

Bonjour, comte.

Don Guritan s'approche avec trois révérences, et vient baiser en soupirant la main de la reine, qui le laisse faire d'un air indifférent et distrait. Puis il retourne à sa place, à côté du siège de la camerera mayor.

DON GURITAN, *en se retirant, bas à Casilda.*

La reine est charmante aujourd'hui !

CASILDA, *le regardant s'éloigner.*

Oh ! le pauvre héron[116] ! près de l'eau qui le tente
Il se tient. Il attrape, après un jour d'attente,
Un bonjour, un bonsoir, souvent un mot bien sec,
Et s'en va tout joyeux, cette pâture au bec.

LA REINE, *avec un sourire triste.*

Tais-toi !

CASILDA

Pour être heureux, il suffit qu'il vous voie !
Voir la reine, pour lui cela veut dire : — joie !

S'extasiant sur une boîte posée sur le guéridon.

Oh ! la divine boîte !

LA REINE

Ah ! j'en ai la clef là.

CASILDA

Ce bois de calambour [117] est exquis!

LA REINE, *lui présentant la clef.*

Ouvre-le;
Vois : — je l'ai fait emplir de reliques, ma chère;
Puis je vais l'envoyer à Neubourg, à mon père;
Il sera très content!

Elle rêve un instant, puis s'arrache vivement à sa rêverie. part.

Je ne veux pas penser!
Ce que j'ai dans l'esprit, je voudrais le chasser.

A Casilda.

Va chercher dans ma chambre un livre... — Je suis folle!
Pas un livre allemand! tout en langue espagnole!
Le roi chasse [118]. Toujours absent. Ah! quel ennui!
En six mois, j'ai passé douze jours près de lui.

CASILDA

Epousez donc un roi pour vivre de la sorte!

La reine retombe dans sa rêverie, puis en sort de nouveau violemment et comme avec effort.

LA REINE

Je veux sortir!

A ce mot, prononcé impérieusement par la reine, la duchesse d'Albuquerque, qui est jusqu'à ce moment restée immobile sur son siège, lève la tête, puis se dresse debout et fait une profonde révérence à la reine.

LA DUCHESSE D'ALBUQUERQUE, *d'une voix brève et dure.*

Il faut, pour que la reine sorte,
Que chaque porte soit ouverte, — c'est réglé! —
Par un des grands d'Espagne ayant droit à la clé.
Or nul d'eux ne peut être au palais à cette heure [119].

LA REINE

Mais on m'enferme donc! mais on veut que je meure,
Duchesse, enfin!

LA DUCHESSE, *avec une nouvelle révérence.*

Je suis camerera mayor,
Et je remplis ma charge.

Elle se rassied.

LA REINE, *prenant sa tête à deux mains, avec désespoir, à part.*

Allons rêver encor!
Non!

Haut.

— Vite! un lansquenet [120]! à moi, toutes mes [femmes!
Une table, et jouons!

LA DUCHESSE, *aux duègnes.*

Ne bougez pas, mesdames.

Se levant et faisant la révérence à la reine.

Sa majesté ne peut, suivant l'ancienne loi,
Jouer qu'avec des rois ou des parents du roi.

LA REINE, *avec emportement.*

Eh bien! faites venir ces parents.

CASILDA, *à part, regardant la duchesse.*

Oh! la duègne!

LA DUCHESSE, *avec un signe de croix.*

Dieu n'en a pas donné, madame, au roi qui règne.
La reine-mère est morte [121]. Il est seul à présent.

LA REINE

Qu'on me serve à goûter!

CASILDA

Oui, c'est très amusant.

LA REINE

Casilda, je t'invite.

CASILDA, *à part, regardant la camerera.*

Oh! respectable aïeule!

LA DUCHESSE, *avec une révérence.*

Quand le roi n'est pas là, la reine mange seule.

Elle se rassied.

LA REINE, *poussée à bout.*

Ne pouvoir, — ô mon Dieu ! qu'est-ce que je ferai ?
Ni sortir, ni jouer, ni manger à mon gré !
Vraiment, je meurs depuis un an que je suis reine [122].

CASILDA, *à part, la regardant avec compassion.*

Pauvre femme ! passer tous ses jours dans la gêne,
Au fond de cette cour insipide ! et n'avoir
D'autre distraction que le plaisir de voir,
Au bord de ce marais à l'eau dormante et plate [123],

Regardant don Guritan, toujours immobile et debout au fond de la chambre.

Un vieux comte amoureux rêvant sur une patte !

LA REINE, *à Casilda.*

Que faire ? voyons ! cherche une idée.

CASILDA

Ah ! tenez !
En l'absence du roi, c'est vous qui gouvernez.
Faites, pour vous distraire, appeler les ministres !

LA REINE, *haussant les épaules.*

Ce plaisir ! — avoir là huit visages sinistres
Me parlant de la France et de son roi caduc [124],
De Rome, et du portrait de monsieur l'archiduc [125],
Qu'on promène à Burgos, parmi des cavalcades,
Sous un dais de drap d'or porté par quatre alcades !
— Cherche autre chose.

CASILDA

Eh bien, pour vous désennuyer,
Si je faisais monter quelque jeune écuyer [126] ?

LA REINE

Casilda !

CASILDA

Je voudrais regarder un jeune homme,
Madame ! cette cour vénérable m'assomme.

Je crois que la vieillesse arrive par les yeux,
Et qu'on vieillit plus vite à voir toujours des vieux !

LA REINE

Ris, folle ! — Il vient un jour où le cœur se reploie.
Comme on perd le sommeil, enfant, on perd la joie.

Pensive.

Mon bonheur, c'est ce coin du parc où j'ai le droit
D'aller seule.

CASILDA

Oh ! le beau bonheur, l'aimable endroit !
Des pièges sont creusés derrière tous les marbres [127].
On ne voit rien. Les murs sont plus hauts que les arbres.

LA REINE

Oh ! je voudrais sortir parfois !

CASILDA, *bas.*

Sortir ! Eh bien,
Madame, écoutez-moi. Parlons bas. Il n'est rien
De tel qu'une prison bien austère et bien sombre
Pour vous faire chercher et trouver dans son ombre
Ce bijou rayonnant nommé la clef des champs [128].
— Je l'ai ! — Quand vous voudrez, en dépit des méchants
Je vous ferai sortir, la nuit, et par la ville
Nous irons.

LA REINE

Ciel ! jamais ! tais-toi !

CASILDA

C'est très facile !

LA REINE

Paix !

Elle s'éloigne un peu de Casilda et retombe dans sa rêverie.

Que ne suis-je encor, moi qui crains tous ces grands,
Dans ma bonne Allemagne, avec mes bons parents !
Comme, ma sœur et moi, nous courions dans les herbes !
Et puis des paysans passaient, traînant des gerbes [129] ;
Nous leur parlions. C'était charmant. Hélas ! un soir,
Un homme vint, qui dit, — il était tout en noir [130],

Je tenais par la main ma sœur, douce compagne, —
« Madame, vous allez être reine d'Espagne. »
Mon père était joyeux et ma mère pleurait.
Ils pleurent tous les deux à présent. — En secret
Je vais faire envoyer cette boîte à mon père,
Il sera bien content. — Vois, tout me désespère.
Mes oiseaux d'Allemagne, ils sont tous morts.

Casilda fait le signe de tordre le cou à des oiseaux[130], *en regardant de travers la camerera.*

Et puis
On m'empêche d'avoir des fleurs de mon pays.
Jamais à mon oreille un mot d'amour ne vibre.
Aujourd'hui je suis reine. Autrefois j'étais libre!
Comme tu dis, ce parc est bien triste le soir,
Et les murs sont si hauts, qu'ils empêchent de voir.
— Oh! l'ennui!

On entend au-dehors un chant éloigné.

Qu'est ce bruit?

CASILDA

Ce sont les lavandières
Qui passent en chantant, là-bas, dans les bruyères.

Le chant se rapproche. On distingue les paroles. La reine écoute avidement.

VOIX DU DEHORS

A quoi bon entendre[132]
Les oiseaux des bois?
L'oiseau le plus tendre
Chante dans ta voix.

Que Dieu montre ou voile
Les astres des cieux!
La plus pure étoile
Brille dans tes yeux.

Qu'avril renouvelle
Le jardin en fleur!
La fleur la plus belle
Fleurit dans ton cœur.

Cet oiseau de flamme,
Cet astre du jour,
Cette fleur de l'âme,
S'appelle l'amour!

Les voix décroissent et s'éloignent.

LA REINE, *rêveuse.*

L'amour! — oui, celles-là sont heureuses. — Leur voix,
Leur chant me fait du mal et du bien à la fois.

LA DUCHESSE, *aux duègnes.*

Ces femmes dont le chant importune la reine,
Qu'on les chasse!

LA REINE, *vivement.*

Comment! on les entend à peine.
Pauvres femmes! je veux qu'elles passent en paix,
Madame.

A Casilda, en lui montrant une croisée au fond.

Par ici le bois est moins épais,
Cette fenêtre-là donne sur la campagne [133];
Viens, tâchons de les voir.

Elle se dirige vers la fenêtre avec Casilda.

LA DUCHESSE, *se levant, avec une révérence.*

Une reine d'Espagne
Ne doit pas regarder à la fenêtre [134].

LA REINE, *s'arrêtant et revenant sur ses pas.*

Allons!
Le beau soleil couchant qui remplit les vallons,
La poudre d'or du soir qui monte sur la route,
Les lointaines chansons que toute oreille écoute,
N'existent plus pour moi! j'ai dit au monde adieu.
Je ne puis même voir la nature de Dieu!
Je ne puis même voir la liberté des autres!

LA DUCHESSE, *faisant signe aux assistants de sortir.*

Sortez, c'est aujourd'hui le jour des saints apôtres [135].

Casilda fait quelques pas vers la porte. La reine l'arrête.

LA REINE

Tu me quittes?

CASILDA, *montrant la duchesse.*

Madame, on veut que nous sortions.

LA DUCHESSE, *saluant la reine jusqu'à terre.*

Il faut laisser la reine à ses dévotions.

Tous sortent avec de profondes révérences.

SCÈNE II

LA REINE, *seule.*

A ses dévotions ? dis donc à sa pensée!
Où la fuir maintenant ? Seule! ils m'ont tous laissée.
Pauvre esprit sans flambeau dans un chemin obscur!

Rêvant.

Oh! cette main sanglante empreinte sur le mur!
Il s'est donc blessé ? Dieu! — mais aussi c'est sa faute.
Pourquoi vouloir franchir la muraille si haute ?
Pour m'apporter les fleurs qu'on me refuse ici,
Pour cela, pour si peu, s'aventurer ainsi!
C'est aux pointes de fer qu'il s'est blessé sans doute.
Un morceau de dentelle [136] y pendait. Une goutte
De ce sang répandu pour moi vaut tous mes pleurs.

S'enfonçant dans sa rêverie.

Chaque fois qu'à ce banc je vais chercher les fleurs,
Je promets à mon Dieu, dont l'appui me délaisse,
De n'y plus retourner. J'y retourne sans cesse.
— Mais lui! voilà trois jours qu'il n'est pas revenu.
— Blessé! — Qui que tu sois, ô jeune homme inconnu,
Toi qui, me voyant seule et loin de ce qui m'aime,
Sans me rien demander, sans rien espérer même,
Viens à moi, sans compter les périls où tu cours;
Toi qui verses ton sang, toi qui risques tes jours
Pour donner une fleur à la reine d'Espagne;
Qui que tu sois, ami dont l'ombre m'accompagne,
Puisque mon cœur subit une inflexible loi,
Sois aimé par ta mère et sois béni par moi!

Vivement et portant la main à son cœur.

Oh! sa lettre me brûle [137]!

Retombant dans sa rêverie.

Et l'autre! l'implacable
Don Salluste! le sort me protège et m'accable.
En même temps qu'un ange, un spectre affreux me suit [138];
Et, sans les voir, je sens s'agiter dans ma nuit,
Pour m'amener peut-être à quelque instant suprême,
Un homme qui me hait près d'un homme qui m'aime.
L'un me sauvera-t-il de l'autre? Je ne sais.
Hélas! mon destin flotte à deux vents opposés [139].
Que c'est faible, une reine, et que c'est peu de chose!
Prions.

Elle s'agenouille devant la madone.

— Secourez-moi, madame! car je n'ose
Elever mon regard jusqu'à vous!

Elle s'interrompt.

— O mon Dieu!
La dentelle, la fleur, la lettre, c'est du feu!

Elle met la main dans sa poitrine et en arrache une lettre froissée, un bouquet desséché de petites fleurs bleues et un morceau de dentelle taché de sang qu'elle jette sur la table; puis elle retombe à genoux.

Vierge, astre de la mer! Vierge, espoir du martyre!
Aidez-moi! —

S'interrompant.

Cette lettre!

Se tournant à demi vers la table.

Elle est là qui m'attire.

S'agenouillant de nouveau.

Je ne veux plus la lire! — O reine de douceur [140]!
Vous qu'à tout affligé [141] Jésus donne pour sœur!
Venez, je vous appelle! —

Elle se lève, fait quelques pas vers la table, puis s'arrête, puis enfin se précipite sur la lettre, comme cédant à une attraction irrésistible.

Oui, je vais la relire
Une dernière fois! Après, je la déchire!

Avec un sourire triste.

Hélas! depuis un mois je dis toujours cela.

Elle déplie la lettre résolument et lit.

« Madame, sous vos pieds, dans l'ombre, un homme est là
« Qui vous aime, perdu dans la nuit qui le voile;
« Qui souffre, ver de terre amoureux d'une étoile [142];

« Qui pour vous donnera son âme, s'il le faut
« Et qui se meurt en bas quand vous brillez en haut. »

Elle pose la lettre sur la table.

Quand l'âme a soif, il faut qu'elle se désaltère,
Fût-ce dans du poison!

Elle remet la lettre et la dentelle dans sa poitrine.

Je n'ai rien sur la terre.
Mais enfin il faut bien que j'aime quelqu'un, moi!
Oh! s'il avait voulu, j'aurais aimé le roi.
Mais il me laisse ainsi, — seule, — d'amour privée.

La grande porte s'ouvre à deux battants. Entre un huissier de chambre en grand costume.

L'HUISSIER, *à haute voix.*

Une lettre du roi!

LA REINE, *comme réveillée en sursaut, avec un cri de joie.*

Du roi! je suis sauvée!

SCÈNE III

LA REINE, LA DUCHESSE D'ALBUQUERQUE, CASILDA, DON GURITAN, FEMMES DE LA REINE, PAGES, RUY BLAS.

Tous entrent gravement. La duchesse en tête, puis les femmes. Ruy Blas reste au fond de la chambre. Il est magnifiquement vêtu. Son manteau tombe sur son bras gauche et le cache. Deux pages, portant sur un coussin de drap d'or la lettre du roi, viennent s'agenouiller devant la reine, à quelques pas de distance.

RUY BLAS, *au fond, à part.*

Où suis-je ? — Qu'elle est belle! — Oh! pour qui suis-je [ici ?

LA REINE, *à part.*

C'est un secours du ciel!

Haut.

Donnez vite!

Se retournant vers le portrait du roi.

Merci,
Monseigneur!

A la duchesse.

D'où me vient cette lettre ?

LA DUCHESSE

Madame,
D'Aranjuez, où le roi chasse [143].

LA REINE

Du fond de l'âme
Je lui rends grâce. Il a compris qu'en mon ennui
J'avais besoin d'un mot d'amour qui vînt de lui!
— Mais donnez donc.

LA DUCHESSE, *avec une révérence, montrant la lettre.*

L'usage, il faut que je le dise,
Veut que ce soit d'abord moi qui l'ouvre et la lise.

LA REINE

Encore! — Eh bien, lisez!

La duchesse prend la lettre et la déploie lentement.

CASILDA, *à part.*

Voyons le billet doux.

LA DUCHESSE, *lisant.*

« Madame, il fait grand vent et j'ai tué six loups [144]. »
Signé : « Carlos. »

LA REINE, *à part.*

Hélas!

DON GURITAN, *à la duchesse.*

C'est tout ?

LA DUCHESSE

Oui, seigneur comte.

CASILDA, *à part.*

Il a tué six loups! comme cela vous monte
L'imagination! Votre cœur est jaloux,
Tendre, ennuyé, malade ? — Il a tué six loups!

LA DUCHESSE, *à la reine, en lui présentant la lettre.*

Si sa majesté veut ?...

LA REINE, *la repoussant.*

Non.

CASILDA, *à la duchesse.*

C'est bien tout ?

LA DUCHESSE

Sans doute.
Que faut-il donc de plus ? Notre roi chasse; en route
Il écrit ce qu'il tue avec le temps qu'il fait.
C'est fort bien.

Examinant de nouveau la lettre.

Il écrit ? non, il dicte.

LA REINE, *lui arrachant la lettre et l'examinant à son tour.*

En effet,
Ce n'est pas de sa main. Rien que sa signature!

Elle l'examine avec plus d'attention et paraît frappée de stupeur. A part.

Est-ce une illusion ? c'est la même écriture [145]
Que celle de la lettre!

Elle désigne de la main la lettre qu'elle vient de cacher sur son cœur.

Oh! qu'est-ce que cela ?

A la duchesse.

Où donc est le porteur du message ?

LA DUCHESSE, *montrant Ruy Blas.*

Il est là.

LA REINE, *se tournant à demi vers Ruy Blas.*

Ce jeune homme ?

LA DUCHESSE

C'est lui qui l'apporte en personne.
— Un nouvel écuyer que sa majesté donne
A la reine. Un seigneur que, de la part du roi,
Monsieur de Santa-Cruz me recommande, à moi.

LA REINE

Son nom ?

LA DUCHESSE

C'est le seigneur César de Bazan, comte
De Garofa. S'il faut croire ce qu'on raconte,
C'est le plus accompli gentilhomme qui soit.

LA REINE

Bien. Je veux lui parler.

A Ruy Blas.

Monsieur...

RUY BLAS, *à part, tressaillant.*

Elle me voit !
Elle me parle ! Dieu ! je tremble.

LA DUCHESSE, *à Ruy Blas.*

Approchez, comte.

DON GURITAN, *regardant Ruy Blas de travers, à part.*

Ce jeune homme ! écuyer ! ce n'est pas là mon compte.

Ruy Blas, pâle [146] *et troublé, approche à pas lents.*

LA REINE, *à Ruy Blas.*

Vous venez d'Aranjuez ?

RUY BLAS, *s'inclinant.*

Oui, madame.

LA REINE

Le roi
Se porte bien ?

Ruy Blas s'incline, elle montre la lettre royale.

Il a dicté ceci pour moi ?

RUY BLAS

Il était à cheval, il a dicté la lettre...

Il hésite un moment [147].

A l'un des assistants.

LA REINE, *à part, regardant Ruy Blas.*

Son regard me pénètre [148].
Je n'ose demander à qui.

Haut.

C'est bien, allez.

— Ah! —

Ruy Blas, qui avait fait quelques pas pour sortir, revient vers la reine.

Beaucoup de seigneurs étaient là rassemblés ?

A part.

Pourquoi donc suis-je émue en voyant ce jeune homme?

Ruy Blas s'incline, elle reprend.

Lesquels ?

RUY BLAS

Je ne sais point les noms dont on les nomme.
Je n'ai passé là-bas que des instants fort courts.
Voilà trois jours que j'ai quitté Madrid.

LA REINE, *à part.*

Trois jours!

Elle fixe un regard plein de trouble sur Ruy Blas.

RUY BLAS, *à part.*

C'est la femme d'un autre! ô jalousie affreuse!
— Et de qui! — Dans mon cœur un abîme se creuse.

DON GURITAN, *s'approchant de Ruy Blas.*

Vous êtes écuyer de la reine ? Un seul mot.
Vous connaissez quel est votre service ? Il faut
Vous tenir cette nuit dans la chambre prochaine,
Afin d'ouvrir au roi, s'il venait chez la reine.

RUY BLAS, *tressaillant.*

A part.

Ouvrir au roi! moi!

Haut.

Mais... il est absent.

DON GURITAN

Le roi
Peut-il pas arriver à l'improviste ?

RUY BLAS, *à part.*

Quoi!

DON GURITAN, *à part, observant Ruy Blas.*

Qu'a-t-il ?

LA REINE, *qui a tout entendu et dont le regard est resté fixé sur Ruy Blas.*

Comme il pâlit !

Ruy Blas chancelant s'appuie sur le bras d'un fauteuil.

CASILDA, *à la reine.*

Madame, ce jeune homme
Se trouve mal !

RUY BLAS, *se soutenant à peine.*

Moi, non ! mais c'est singulier comme
Le grand air... le soleil... la longueur du chemin...

A part.

— Ouvrir au roi !

Il tombe épuisé sur un fauteuil. Son manteau se dérange et laisse voir sa main gauche enveloppée de linges ensanglantés.

CASILDA

Grand Dieu, madame ! à cette main
Il est blessé !

LA REINE

Blessé !

CASILDA

Mais il perd connaissance !
Mais, vite, faisons-lui respirer quelque essence !

LA REINE, *fouillant dans sa gorgerette.*

Un flacon que j'ai là contient une liqueur...

En ce moment son regard tombe sur la manchette que Ruy Blas porte au bras droit.

A part.

C'est la même dentelle !

Au même instant elle a tiré le flacon de sa poitrine, et, dans son trouble, elle a pris en même temps le morceau de dentelle qui y était caché. Ruy Blas, qui ne la quitte pas des yeux, voit cette dentelle sortir du sein de la reine.

RUY BLAS, *éperdu.*

Oh !

Le regard de la reine et le regard de Ruy Blas se rencontrent. Un silence.

LA REINE, *à part.*

C'est lui !

RUY BLAS, *à part.*

Sur son cœur !

LA REINE, *à part.*

C'est lui !

RUY BLAS, *à part.*

Faites, mon Dieu, qu'en ce moment je meure !

Dans le désordre de toutes les femmes s'empressant autour de Ruy Blas, ce qui se passe entre la reine et lui n'est remarqué de personne.

CASILDA, *faisant respirer le flacon à Ruy Blas.*

Comment vous êtes-vous blessé ? c'est tout à l'heure ?
Non ? cela s'est rouvert en route ? Aussi pourquoi
Vous charger d'apporter le message du roi ?

LA REINE, *à Casilda.*

Vous finirez bientôt vos questions, j'espère.

LA DUCHESSE, *à Casilda.*

Qu'est-ce que cela fait à la reine, ma chère ?

LA REINE

Puisqu'il avait écrit la lettre, il pouvait bien
L'apporter, n'est-ce pas ?

CASILDA

Mais il n'a dit en rien
Qu'il eût écrit la lettre.

LA REINE, *à part.*

Oh !

A Casilda.

Tais-toi !

CASILDA, *à Ruy Blas.*

Votre grâce
Se trouve-t-elle mieux ?

RUY BLAS

Je renais!

LA REINE, *à ses femmes.*

L'heure passe,
Rentrons. — Qu'en son logis le comte soit conduit.

Aux pages, au fond.

Vous savez que le roi ne vient pas cette nuit.
Il passe la saison tout entière à la chasse.

Elle rentre avec sa suite dans ses appartements.

CASILDA, *la regardant sortir.*

La reine a dans l'esprit quelque chose.

Elle sort par la même porte que la reine en emportant la petite cassette aux reliques.

RUY BLAS, *resté seul.*

Il semble écouter encore quelque temps avec une joie profonde les dernières paroles de la reine. Il paraît comme en proie à un rêve. Le morceau de dentelle, que la reine a laissé tomber dans son trouble, est resté à terre sur le tapis. Il le ramasse, le regarde avec amour, et le couvre de baisers. Puis il lève les yeux au ciel.

O Dieu! grâce!
Ne me rendez pas fou!

Regardant le morceau de dentelle.

C'était bien sur son cœur.

Il le cache dans sa poitrine. — Entre don Guritan. Il revient par la porte de la chambre où il a suivi la reine. Il marche à pas lents vers Ruy Blas. Arrivé près de lui sans dire un mot, il tire à demi son épée, et la mesure du regard avec celle de Ruy Blas. Elles sont inégales. Il remet son épée dans le fourreau. Ruy Blas le regarde avec étonnement.

SCÈNE IV

RUY BLAS, DON GURITAN

DON GURITAN,
repoussant son épée dans le fourreau.

J'en apporterai deux de pareille longueur [149].

RUY BLAS

Monsieur, que signifie ?...

DON GURITAN, *avec gravité.*

En mil six cent cinquante [150],
J'étais très amoureux. J'habitais Alicante.
Un jeune homme, bien fait, beau comme les amours,
Regardait de fort près ma maîtresse, et toujours
Passait sous son balcon, devant la cathédrale,
Plus fier qu'un capitan [151] sur la barque amirale.
Il avait nom Vasquez, seigneur, quoique bâtard.
Je le tuai. —

Ruy Blas veut l'interrompre, don Guritan l'arrête du geste, et continue.

Vers l'an soixante-six, plus tard,
Gil, comte d'Iscola [152], cavalier magnifique,
Envoya chez ma belle, appelée Angélique,
Avec un billet doux, qu'elle me présenta,
Un esclave nommé Grifel de Viserta [153].
Je fis tuer l'esclave et je tuai le maître.

RUY BLAS

Monsieur !...

DON GURITAN, *poursuivant.*

Plus tard, vers l'an quatre-vingt, je crus être
Trompé par ma beauté, fille aux tendres façons,
Pour Tirso Gamonal [154], un de ces beaux garçons
Dont le visage altier et charmant s'accommode
D'un panache éclatant. C'est l'époque où la mode
Etait qu'on fît ferrer ses mules en or fin [155].
Je tuai don Tirso Gamonal.

RUY BLAS

Mais enfin
Que veut dire cela, monsieur?

DON GURITAN

Cela veut dire,
Comte, qu'il sort de l'eau du puits quand on en tire;
Que le soleil se lève à quatre heures demain;
Qu'il est un lieu désert et loin de tout chemin,
Commode aux gens de cœur, derrière la chapelle;
Qu'on vous nomme, je crois, César, et qu'on m'appelle
Don Gaspar Guritan Tassis y Guevarra,
Comte d'Oñate.

RUY BLAS, *froidement.*

Bien, monsieur. On y sera.

Depuis quelques instants, Casilda, curieuse, est entrée à pas de loup par la petite porte du fond, et a écouté les dernières paroles des deux interlocuteurs sans être vue d'eux [156].

CASILDA, *à part.*

Un duel! avertissons la reine.

Elle rentre et disparaît par la petite porte.

DON GURITAN, *toujours imperturbable.*

En vos études,
S'il vous plaît de connaître un peu mes habitudes,
Pour votre instruction, monsieur, je vous dirai
Que je n'ai jamais eu qu'un goût fort modéré
Pour ces godelureaux [157], grands friseurs de moustache,
Beaux damerets sur qui l'œil des femmes s'attache,
Qui sont tantôt plaintifs et tantôt radieux,
Et qui dans les maisons, faisant force clins d'yeux,
Prenant sur les fauteuils d'adorables tournures,
Viennent s'évanouir pour des égratignures.

RUY BLAS

Mais — je ne comprends pas.

DON GURITAN

Vous comprenez fort bien.
Nous sommes tous les deux épris du même bien.

L'un de nous est de trop dans ce palais. En somme,
Vous êtes écuyer, moi je suis majordome.
Droits pareils. Au surplus, je suis mal partagé,
La partie entre nous n'est pas égale : j'ai
Le droit du plus ancien, vous le droit du plus jeune.
Donc vous me faites peur. A la table où je jeûne [158]
Voir un jeune affamé s'asseoir avec des dents
Effrayantes, un air vainqueur, des yeux ardents,
Cela me trouble fort. Quant à lutter ensemble
Sur le terrain d'amour, beau champ qui toujours tremble,
De fadaises, mon cher, je sais mal faire assaut,
J'ai la goutte; et d'ailleurs ne suis point assez sot
Pour disputer le cœur d'aucune Pénélope [159]
Contre un jeune gaillard si prompt à la syncope.
C'est pourquoi, vous trouvant fort beau, fort caressant,
Fort gracieux, fort tendre et fort intéressant,
Il faut que je vous tue.

RUY BLAS

Eh bien, essayez.

DON GURITAN

Comte
De Garofa, demain, à l'heure où le jour monte,
A l'endroit indiqué, sans témoin ni valet,
Nous nous égorgerons galamment, s'il vous plaît,
Avec épée et dague, en dignes gentilshommes,
Comme il sied quand on est des maisons dont nous sommes.

Il tend la main à Ruy Blas, qui la lui prend.

RUY BLAS

Pas un mot de ceci, n'est-ce pas ? —

Le comte fait un signe d'adhésion.

A demain.

Ruy Blas sort.

DON GURITAN, *resté seul.*

Non, je n'ai pas du tout senti trembler sa main.
Etre sûr de mourir et faire de la sorte,
C'est d'un brave jeune homme!

Bruit d'une clef à la petite porte de la chambre de la reine. Don Guritan se retourne.

On ouvre cette porte ?

La reine paraît et marche vivement vers don Guritan, surpris et charmé de la voir. Elle tient entre ses mains la petite cassette.

SCÈNE V

DON GURITAN, LA REINE

LA REINE, *avec un sourire.*

C'est vous que je cherchais !

DON GURITAN, *ravi.*

Qui me vaut ce bonheur ?

LA REINE, *posant la cassette sur le guéridon.*

Oh Dieu ! rien, ou du moins peu de chose, seigneur.

Elle rit.

Tout à l'heure on disait, parmi d'autres paroles, —
Casilda, — vous savez que les femmes sont folles,
Casilda soutenait que vous feriez pour moi
Tout ce que je voudrais.

DON GURITAN

Elle a raison !

LA REINE, *riant.*

Ma foi,
J'ai soutenu que non [160].

DON GURITAN

Vous avez tort, madame !

LA REINE

Elle a dit que pour moi vous donneriez votre âme,
Votre sang...

DON GURITAN

Casilda parlait fort bien ainsi.

LA REINE

Et moi, j'ai dit que non.

DON GURITAN

Et moi, je dis que si!
Pour votre majesté, je suis prêt à tout faire.

LA REINE

Tout ?

DON GURITAN

Tout!

LA REINE

Eh bien, voyons, jurez que pour me plaire
Vous ferez à l'instant ce que je vous dirai.

DON GURITAN

Par le saint roi Gaspar, mon patron vénéré,
Je le jure! ordonnez. J'obéis, ou je meure [161]!

LA REINE, *prenant la cassette.*

Bien. Vous allez partir de Madrid tout à l'heure
Pour porter cette boîte en bois de calambour
A mon père monsieur l'électeur de Neubourg.

DON GURITAN, *à part.*

Je suis pris!

Haut.

A Neubourg!

LA REINE

A Neubourg.

DON GURITAN

Six cents lieues!

LA REINE

Cinq cent cinquante. —

Elle montre la housse de soie qui enveloppe la cassette.

Ayez grand soin des franges [bleues.
Cela peut se faner en route.

DON GURITAN

Et quand partir ?

LA REINE

Sur-le-champ [162].

DON GURITAN

Ah! demain!

LA REINE

Je n'y puis consentir.

DON GURITAN, *à part.*

Je suis pris!

Haut.

Mais...

LA REINE

Partez!

DON GURITAN

Quoi ?...

LA REINE

J'ai votre parole.

DON GURITAN

Une affaire...

LA REINE

Impossible.

DON GURITAN

Un objet si frivole...

LA REINE

Vite!

DON GURITAN

Un seul jour!

LA REINE

Néant.

DON GURITAN

Car...

LA REINE

Faites à mon gré.

DON GURITAN

Je...

LA REINE

Non.

DON GURITAN

Mais...

LA REINE

Partez!

DON GURITAN

Si...

LA REINE

Je vous embrasserai!

Elle lui saute au cou et l'embrasse.

DON GURITAN, *fâché et charmé.*

Haut.

Je ne résiste plus. J'obéirai, madame.

A part.

Dieu s'est fait homme; soit. Le diable s'est fait femme [163]!

LA REINE, *montrant la fenêtre.*

Une voiture en bas est là qui vous attend.

DON GURITAN

Elle avait tout prévu!

Il écrit sur un papier quelques mots à la hâte et agite une sonnette. Un page paraît.

Page, porte à l'instant
Au seigneur don César de Bazan cette lettre.

A part.

Ce duel! à mon retour il faut bien le remettre.
Je reviendrai!

Haut.

Je vais contenter de ce pas
Votre majesté.

LA REINE

Bien.

Il prend la cassette, baise la main de la reine, salue profondément et sort. Un moment après, on entend le roulement d'une voiture qui s'éloigne.

LA REINE, *tombant sur un fauteuil.*

Il ne le tuera pas!

ACTE TROISIÈME

RUY BLAS

La salle dite *salle de gouvernement*, dans le palais du roi à Madrid.

Au fond, une grande porte élevée au-dessus de quelques marches. Dans l'angle à gauche, un pan coupé fermé par une tapisserie de haute lice. Dans l'angle opposé, une fenêtre. A droite, une table carrée, revêtue d'un tapis de velours vert, autour de laquelle sont rangés des tabourets pour huit ou dix personnes correspondant à autant de pupitres placés sur la table. Le côté de la table qui fait face au spectateur est occupé par un grand fauteuil recouvert de drap d'or surmonté d'un dais en drap d'or, aux armes d'Espagne, timbrées de la couronne royale. A côté de ce fauteuil, une chaise.

Au moment où le rideau se lève, la junte du *Despacho universal* [164] (conseil privé du roi) est au moment de prendre séance.

SCÈNE PREMIÈRE

DON MANUEL ARIAS [165], président de Castille; DON PEDRO VELEZ DE GUEVARRA, COMTE DE CAMPOREAL, conseiller de cape et d'épée de la contaduria-mayor; DON FERNANDO DE CORDOVA Y AGUILAR, MARQUIS DE PRIEGO, même qualité; ANTONIO UBILLA, écrivain-mayor des rentes; MONTAZGO, conseiller de robe de la chambre des Indes; COVADENGA, secrétaire suprême des îles. Plusieurs autres conseillers. Les conseillers de robe vêtus de noir. Les autres en habit de cour. Camporeal a la croix de Calatrava au manteau [166]. Priego la toison d'or au cou.

Don Manuel Arias, président de Castille, et le comte de Camporeal causent à voix basse, et entre eux, sur le devant. Les autres conseillers font des groupes çà et là dans la salle.

DON MANUEL ARIAS

Cette fortune-là cache quelque mystère.

LE COMTE DE CAMPOREAL

Il a la toison d'or. Le voilà secrétaire
Universel, ministre, et puis duc d'Olmedo!

DON MANUEL ARIAS

En six mois!

LE COMTE DE CAMPOREAL

On le sert derrière le rideau.

DON MANUEL ARIAS, *mystérieusement.*

La reine!

LE COMTE DE CAMPOREAL

Au fait, le roi, malade et fou dans l'âme [167],
Vit avec le tombeau de sa première femme.
Il abdique, enfermé dans son Escurial,
Et la reine fait tout!

DON MANUEL ARIAS

Mon cher Camporeal,
Elle règne sur nous [168], et don César sur elle.

LE COMTE DE CAMPOREAL

Il vit d'une façon qui n'est pas naturelle.
D'abord, quant à la reine, il ne la voit jamais [169].
Ils paraissent se fuir. Vous me direz non, mais
Comme depuis six mois je les guette, et pour cause,
J'en suis sûr. Puis il a le caprice morose
D'habiter, assez près de l'hôtel de Tormez [170],
Un logis aveuglé par des volets fermés,
Avec deux laquais noirs, gardeurs de portes closes,
Qui, s'ils n'étaient muets, diraient beaucoup de choses [171].

DON MANUEL ARIAS

Des muets ?

LE COMTE DE CAMPOREAL

Des muets. — Tous ses autres valets
Restent au logement qu'il a dans le palais.

DON MANUEL ARIAS

C'est singulier.

DON ANTONIO UBILLA, *qui s'est approché d'eux depuis quelques instants.*

Il est de grande race, en somme.

LE COMTE DE CAMPOREAL

L'étrange, c'est qu'il veut faire son honnête homme [172] !

A don Manuel Arias.

— Il est cousin, — aussi Santa-Cruz l'a poussé [173], —
De ce marquis Salluste écroulé l'an passé. —
Jadis, ce don César, aujourd'hui notre maître,
Etait le plus grand fou que la lune [174] eût vu naître.
C'était un drôle, — on sait des gens qui l'ont connu, —
Qui prit un beau matin son fonds pour revenu [175],
Qui changeait tous les jours de femmes, de carrosses,
Et dont la fantaisie avec des dents féroces
Capables de manger en un an le Pérou [175 bis].
Un jour il s'en alla, sans qu'on ait su par où.

DON MANUEL ARIAS

L'âge a du fou joyeux fait un sage fort rude.

LE COMTE DE CAMPOREAL

Toute fille de joie en séchant devient prude.

UBILLA

Je le crois homme probe.

LE COMTE DE CAMPOREAL, *riant.*

Oh ! candide Ubilla !
Qui se laisse éblouir à ces probités-là !

D'un ton significatif.

La maison de la reine, ordinaire et civile [176],

Appuyant sur les chiffres.

Coûte par an six cent soixante-quatre mille
Soixante-six ducats ! — c'est un pactole obscur
Où, certe, on doit jeter le filet à coup sûr.
Eau trouble, pêche claire [177].

LE MARQUIS DE PRIEGO, *survenant.*

Ah çà, ne vous déplaise,
Je vous trouve imprudents et parlant fort à l'aise.
Feu mon grand-père, auprès du comte-duc nourri [178],
Disait : — Mordez le roi, baisez le favori. —
Messieurs, occupons-nous des affaires publiques.

Tous s'asseyent autour de la table; les uns prennent des plumes, les autres feuillettent des papiers. Du reste, oisiveté générale [179]. *Moment de silence.*

MONTAZGO, *bas à Ubilla.*

Je vous ai demandé sur la caisse aux reliques [180]
De quoi payer l'emploi d'alcade à mon neveu.

UBILLA, *bas.*

Vous, vous m'aviez promis de nommer avant peu
Mon cousin Melchior d'Elva [181] bailli de l'Ebre.

MONTAZGO, *se récriant.*

Nous venons de doter votre fille. On célèbre
Encor sa noce. — On est sans relâche assailli...

UBILLA, *bas.*

Vous aurez votre alcade.

MONTAZGO, *bas.*

Et vous votre bailli.

Ils se serrent la main.

COVADENGA, *se levant.*

Messieurs les conseillers de Castille, il importe,
Afin qu'aucun de nous de sa sphère ne sorte,
De bien régler nos droits et de faire nos parts [182].
Le revenu d'Espagne en cent mains est épars.
C'est un malheur public, il y faut mettre un terme.
Les uns n'ont pas assez, les autres trop. La ferme
Du tabac [183] est à vous, Ubilla. L'indigo
Et le musc [184] sont à vous, marquis de Priego.

Camporeal perçoit l'impôt des huit mille hommes[185],
L'almojarifazgo[186], le sel, mille autres sommes,
Le quint du cent de l'or, de l'ambre et du jayet[187].

A Montazgo.

Vous qui me regardez de cet œil inquiet,
Vous avez à vous seul, grâce à votre manège,
L'impôt sur l'arsenic[188] et le droit sur la neige;
Vous avez les ports secs[189], les cartes[190], le laiton,
L'amende des bourgeois qu'on punit du bâton,
La dîme de la mer, le plomb, le bois de rose!... —
Moi, je n'ai rien, messieurs. Rendez-moi quelque
[chose[191] !

LE COMTE DE CAMPOREAL, *éclatant de rire.*

Oh! le vieux diable[192] ! il prend les profits les plus clairs.
Excepté l'Inde[193], il a les îles des deux mers[194].
Quelle envergure! Il tient Mayorque d'une griffe,
Et de l'autre il s'accroche au pic[195] de Ténériffe!

COVADENGA, *s'échauffant.*

Moi, je n'ai rien!

LE MARQUIS DE PRIEGO, *riant.*

Il a les nègres[196] !

Tous se lèvent et parlent à la fois, se querellant[197].

MONTAZGO

Je devrais
Me plaindre bien plutôt. Il me faut les forêts!

COVADENGA, *au marquis de Priego.*

Donnez-moi l'arsenic, je vous cède les nègres!

Depuis quelques instants, Ruy Blas est entré par la porte au fond et assiste à la scène sans être vu des interlocuteurs. Il est vêtu de velours noir, avec un manteau de velours écarlate[198]; il a la plume blanche au chapeau et la toison d'or au cou. Il les écoute d'abord en silence, puis, tout à coup, il s'avance à pas lents et paraît au milieu d'eux au plus fort de la querelle.

SCÈNE II

LES MÊMES, RUY BLAS

RUY BLAS, *survenant.*

Bon appétit, messieurs! —

Tous se retournent. Silence de surprise et d'inquiétude. Ruy Blas se couvre, croise les bras, et poursuit en les regardant en face.

O ministres intègres!
Conseillers vertueux! voilà votre façon
De servir, serviteurs qui pillez [199] la maison!
Donc vous n'avez pas honte et vous choisissez l'heure,
L'heure sombre où l'Espagne agonisante pleure [200]!
Donc vous n'avez ici pas d'autres intérêts
Que remplir votre poche et vous enfuir après!
Soyez flétris, devant votre pays qui tombe,
Fossoyeurs qui venez le voler dans sa tombe!
— Mais voyez, regardez, ayez quelque pudeur.
L'Espagne et sa vertu, l'Espagne et sa grandeur,
Tout s'en va. — Nous avons, depuis Philippe Quatre [201],
Perdu le Portugal, le Brésil, sans combattre;
En Alsace Brisach, Steinfort en Luxembourg;
Et toute la Comté jusqu'au dernier faubourg;
Le Roussillon, Ormuz, Goa, cinq mille lieues
De côte, et Fernambouc, et les Montagnes Bleues!
Mais voyez. — Du ponant [202] jusques à l'orient,
L'Europe, qui vous hait, vous regarde en riant.
Comme si votre roi n'était plus qu'un fantôme,
La Hollande et l'Anglais partagent ce royaume [203];
Rome vous trompe [204]; il faut ne risquer qu'à demi
Une armée en Piémont, quoique pays ami;
La Savoie et son duc sont pleins de précipices [205].
La France pour vous prendre attend des jours propices [206].
L'Autriche aussi vous guette [207]. Et l'infant bavarois
Se meurt [208], vous le savez. — Quant à vos vice-rois,
Médina [209], fou d'amour, emplit Naples d'esclandres,
Vaudémont [210] vend Milan, Legañez [211] perd les Flandres.
Quel remède à cela? — L'Etat est indigent,
L'Etat est épuisé de troupes et d'argent;

Nous avons sur la mer, où Dieu met ses colères,
Perdu trois cents vaisseaux [212], sans compter les galères.
Et vous osez!... — Messieurs, en vingt ans, songez-y,
Le peuple [213], — j'en ai fait le compte, et c'est ainsi! —
Portant sa charge énorme et sous laquelle il ploie,
Pour vous, pour vos plaisirs, pour vos filles de joie,
Le peuple misérable, et qu'on pressure encor,
A sué quatre cent trente millions d'or!
Et ce n'est pas assez! et vous voulez, mes maîtres!... —
Ah! j'ai honte pour vous! — Au dedans, routiers [214],
Vont battant le pays et brûlant la moisson. [reîtres,
L'escopette est braquée au coin de tout buisson.
Comme si c'était peu de la guerre des princes,
Guerre entre les couvents, guerre entre les provinces,
Tous voulant dévorer leur voisin éperdu,
Morsures d'affamés sur un vaisseau perdu!
Notre église en ruine est pleine de couleuvres;
L'herbe y croît. Quant aux grands, des aïeux, mais pas
Tout se fait par intrigue et rien par loyauté. [d'œuvres.
L'Espagne est un égout où vient l'impureté
De toute nation. — Tout seigneur à ses gages
A cent coupe-jarrets qui parlent cent langages.
Génois, sardes, flamands, Babel [215] est dans Madrid.
L'alguazil, dur au pauvre, au riche s'attendrit.
La nuit on assassine, et chacun crie : A l'aide!
— Hier on m'a volé, moi, près du pont de Tolède! —
La moitié de Madrid pille l'autre moitié.
Tous les juges vendus [216]. Pas un soldat payé.
Anciens vainqueurs du monde [217], Espagnols que nous
[sommes,
Quelle armée avons-nous ? A peine six mille hommes [218],
Qui vont pieds nus. Des gueux, des juifs, des monta-
[gnards,
S'habillant d'une loque et s'armant de poignards.
Aussi d'un régiment toute bande se double.
Sitôt que la nuit tombe, il est une heure trouble
Où le soldat douteux se transforme en larron.
Matalobos [219] a plus de troupes qu'un baron.
Un voleur fait chez lui la guerre au roi d'Espagne.
Hélas! les paysans qui sont dans la campagne
Insultent en passant la voiture du roi [220].
Et lui, votre seigneur, plein de deuil et d'effroi,
Seul, dans l'Escurial, avec les morts qu'il foule,
Courbe son front pensif sur qui l'empire croule!
— Voilà! — L'Europe, hélas! écrase du talon

Ce pays qui fut pourpre et n'est plus que haillon.
L'Etat s'est ruiné dans ce siècle funeste,
Et vous vous disputez à qui prendra le reste!
Ce grand peuple espagnol aux membres énervés[221]
Qui s'est couché dans l'ombre et sur qui vous vivez,
Expire dans cet antre où son sort se termine,
Triste comme un lion mangé par la vermine!
— Charles-Quint[222], dans ces temps d'opprobre et de
[terreur,
Que fais-tu dans ta tombe, ô puissant empereur?
Oh! lève-toi! viens voir! — Les bons font place aux pires.
Ce royaume effrayant, fait d'un amas d'empires,
Penche... Il nous faut ton bras! au secours, Charles Quint!
Car l'Espagne se meurt, car l'Espagne s'éteint!
Ton globe, qui brillait dans ta droite profonde,
Soleil éblouissant qui faisait croire au monde
Que le jour désormais se levait à Madrid[223],
Maintenant, astre mort, dans l'ombre s'amoindrit,
Lune aux trois quarts rongée et qui décroît encore,
Et que d'un autre peuple effacera l'aurore!
Hélas! ton héritage est en proie aux vendeurs.
Tes rayons, ils en font des piastres! Tes splendeurs,
On les souille! — O géant! se peut-il que tu dormes? —
On vend ton sceptre au poids! un tas de nains difformes[224]
Se taillent des pourpoints dans ton manteau de roi;
Et l'aigle impérial[225], qui, jadis, sous ta loi,
Couvrait le monde entier de tonnerre et de flamme,
Cuit, pauvre oiseau plumé[226], dans leur marmite infâme!

Les conseillers se taisent consternés. Seuls, le marquis de Priego et le comte de Camporeal redressent la tête et regardent Ruy Blas avec colère. Puis Camporeal, après avoir parlé à Priego, va à la table, écrit quelques mots sur un papier, les signe et les fait signer au marquis.

LE COMTE DE CAMPOREAL, *désignant le marquis de Priego et remettant le papier à Ruy Blas.*

Monsieur le duc, — au nom de tous les deux, — voici
Notre démission de notre emploi.

RUY BLAS, *prenant le papier, froidement.*

Merci.
Vous vous retirerez, avec votre famille.

A Priego.

Vous, en Andalousie, —

A Camporeal.

Et vous, comte, en Castille.

Chacun dans vos Etats. Soyez partis demain[227].

Les deux seigneurs s'inclinent et sortent fièrement, le chapeau sur la tête. Ruy Blas se tourne vers les autres conseillers.

Quiconque ne veut pas marcher dans mon chemin
Peut suivre ces messieurs.

Silence dans les assistants. Ruy Blas s'assied à la table sur une chaise à dossier placée à droite du fauteuil royal, et s'occupe à décacheter une correspondance. Pendant qu'il parcourt les lettres l'une après l'autre Covadenga, Arias et Ubilla échangent quelques paroles à voix basse.

UBILLA, *à Covadenga, montrant Ruy Blas.*

Fils, nous avons un maître.
Cet homme sera grand.

DON MANUEL ARIAS

Oui, s'il a le temps d'être.

COVADENGA

Et s'il ne se perd pas à tout voir de trop près.

UBILLA

Il sera Richelieu!

DON MANUEL ARIAS

S'il n'est Olivarez[228]!

RUY BLAS, *après avoir parcouru vivement une lettre qu'il vient d'ouvrir.*

Un complot! qu'est ceci? messieurs, que vous disais-je?

Lisant.

— ... « Duc d'Olmedo, veillez. Il se prépare un piège
« Pour enlever quelqu'un de très grand de Madrid. »

Examinant la lettre.

— On ne nomme pas qui. Je veillerai. — L'écrit
Est anonyme. —

Entre un huissier de cour qui s'approche de Ruy Blas avec une profonde révérence.

Allons! qu'est-ce?

L'HUISSIER

A votre excellence
J'annonce monseigneur l'ambassadeur de France [229].

RUY BLAS

Ah ! d'Harcourt ! Je ne puis à présent.

L'HUISSIER, *s'inclinant.*

Monseigneur,
Le nonce impérial [230] dans la chambre d'honneur
Attend votre excellence.

RUY BLAS

A cette heure ? impossible.

L'huissier s'incline et sort. Depuis quelques instants, un page est entré, vêtu d'une livrée couleur de feu à galons d'argent, et s'est approché de Ruy Blas.

RUY BLAS, *l'apercevant.*

Mon page ! je ne suis pour personne visible.

LE PAGE, *bas.*

Le comte Guritan, qui revient de Neubourg...

RUY BLAS, *avec un geste de surprise.*

Ah ! — Page, enseigne-lui ma maison du faubourg.
Qu'il m'y vienne trouver demain, si bon lui semble.
Va.

Le page sort. Aux conseillers.

Nous aurons tantôt à travailler ensemble.
Dans deux heures, messieurs. — Revenez.

Tous sortent en saluant profondément Ruy Blas. Ruy Blas, resté seul, fait quelques pas en proie à une rêverie profonde. Tout à coup, à l'angle du salon, la tapisserie s'écarte et la reine apparaît. Elle est vêtue de blanc avec la couronne en tête; elle paraît rayonnante de joie et fixe sur Ruy Blas un regard d'admiration et de respect. Elle soutient d'un bras la tapisserie, derrière laquelle on entrevoit une sorte de cabinet obscur où l'on distingue une petite porte. Ruy Blas, en se retournant, aperçoit la reine, et reste comme pétrifié devant cette apparition.

SCÈNE III

RUY BLAS, LA REINE

LA REINE

Oh! merci!

RUY BLAS

Ciel!

LA REINE

Vous avez bien fait de leur parler ainsi.
Je n'y puis résister, duc, il faut que je serre
Cette loyale main si ferme et si sincère!

Elle marche vivement à lui et lui prend la main, qu'elle presse avant qu'il ait pu s'en défendre.

RUY BLAS

A part.

La fuir depuis six mois et la voir tout à coup!

Haut.

Vous étiez là, madame?...

LA REINE

Oui, duc, j'entendais tout
J'étais là. J'écoutais avec toute mon âme!

RUY BLAS, *montrant la cachette.*

Je ne soupçonnais pas... — Ce cabinet, madame...

LA REINE

Personne ne le sait. C'est un réduit obscur
Que don Philippe Trois fit creuser dans ce mur,
D'où le maître invisible entend tout comme une ombre.
Là j'ai vu bien souvent Charles Deux, morne et sombre,
Assister aux conseils où l'on pillait son bien,
Où l'on vendait l'Etat.

RUY BLAS

Et que disait-il?

LA REINE

Rien [231].

RUY BLAS

Rien ? — Et que faisait-il ?

LA REINE

Il allait à la chasse.
Mais vous ! j'entends encor votre accent qui menace.
Comme vous les traitiez d'une haute façon,
Et comme vous aviez superbement raison !
Je soulevais le bord de la tapisserie,
Je vous voyais [232]. Votre œil, irrité, sans furie,
Les foudroyait d'éclairs, et vous leur disiez tout.
Vous me sembliez seul être resté debout !
Mais où donc avez-vous appris toutes ces choses ?
D'où vient que vous savez les effets et les causes ?
Vous n'ignorez donc rien ? D'où vient que votre voix
Parlait comme devrait parler celle des rois ?
Pourquoi donc étiez-vous, comme eût été Dieu même,
Si terrible et si grand ?

RUY BLAS

Parce que je vous aime !
Parce que je sens bien, moi qu'ils haïssent tous,
Que ce qu'ils font crouler s'écroulera sur vous !
Parce que rien n'effraie une ardeur si profonde,
Et que pour vous sauver je sauverais le monde !
Je suis un malheureux qui vous aime d'amour.
Hélas ! je pense à vous comme l'aveugle au jour.
Madame, écoutez-moi. J'ai des rêves sans nombre.
Je vous aime de loin, d'en bas, du fond de l'ombre ;
Je n'oserais toucher le bout de votre doigt,
Et vous m'éblouissez comme un ange qu'on voit !
— Vraiment, j'ai bien souffert. Si vous saviez, madame !
Je vous parle à présent. Six mois, cachant ma flamme,
J'ai fui. Je vous fuyais et je souffrais beaucoup.
Je ne m'occupe pas de ces hommes du tout,
Je vous aime. — O mon Dieu, j'ose le dire en face
A votre majesté. Que faut-il que je fasse ?
Si vous me disiez : meurs ! je mourrais. J'ai l'effroi
Dans le cœur [233]. Pardonnez !

LA REINE

Oh ! parle ! ravis-moi !
Jamais on ne m'a dit ces choses-là. J'écoute !
Ton âme en me parlant me bouleverse toute.

J'ai besoin de tes yeux, j'ai besoin de ta voix.
Oh! c'est moi qui souffrais! Si tu savais! cent fois,
Cent fois, depuis six mois que ton regard m'évite...
— Mais non, je ne dois pas dire cela si vite.
Je suis bien malheureuse. Oh! je me tais. J'ai peur!

RUY BLAS, *qui l'écoute avec ravissement.*

Oh! madame, achevez! vous m'emplissez le cœur!

LA REINE

Eh bien, écoute donc!

Levant les yeux au ciel.

Oui, je vais tout lui dire [234].
Est-ce un crime ? Tant pis! Quand le cœur se déchire,
Il faut bien laisser voir tout ce qu'on y cachait. —
Tu fuis la reine ? Eh bien, la reine te cherchait.
Tous les jours je viens là, — là, dans cette retraite, —
T'écoutant, recueillant ce que tu dis, muette,
Contemplant ton esprit qui veut, juge et résout,
Et prise par ta voix qui m'intéresse à tout.
Va, tu me sembles bien le vrai roi, le vrai maître.
C'est moi, depuis six mois, tu t'en doutes peut-être,
Qui t'ai fait, par degrés, monter jusqu'au sommet.
Où Dieu t'aurait dû mettre une femme te met.
Oui, tout ce qui me touche a tes soins. Je t'admire.
Autrefois une fleur, à présent un empire!
D'abord je t'ai vu bon, et puis je te vois grand.
Mon Dieu! c'est à cela qu'une femme se prend!
Mon Dieu! si je fais mal, pourquoi, dans cette tombe,
M'enfermer, comme on met en cage une colombe,
Sans espoir, sans amour, sans un rayon doré ?
— Un jour que nous aurons le temps, je te dirai
Tout ce que j'ai souffert. — Toujours seule, oubliée! —
Et puis, à chaque instant, je suis humiliée.
Tiens, juge, hier encor... — Ma chambre me déplaît.
— Tu dois savoir cela, toi qui sais tout, il est
Des chambres où l'on est plus triste que dans d'autres; —
J'en ai voulu changer. Vois quels fers sont les nôtres [235],
On ne l'a pas voulu. Je suis esclave ainsi! —
Duc, il faut, — dans ce but le ciel t'envoie ici, —
Sauver l'Etat qui tremble, et retirer du gouffre
Le peuple qui travaille [236], et m'aimer, moi qui souffre.
Je te dis tout cela sans suite, à ma façon,
Mais tu dois cependant voir que j'ai bien raison.

RUY BLAS, *tombant à genoux.*

Madame...

LA REINE, *gravement.*

Don César, je vous donne mon âme.
Reine pour tous, pour vous je ne suis qu'une femme.
Par l'amour, par le cœur, duc, je vous appartien.
J'ai foi dans votre honneur pour respecter le mien.
Quand vous m'appellerez, je viendrai. Je suis prête.
— O César! un esprit sublime est dans ta tête.
Sois fier, car le génie est ta couronne [237], à toi!

Elle baise Ruy Blas au front.

Adieu [238].

Elle soulève la tapisserie et disparaît.

SCÈNE IV

RUY BLAS, *seul.*

Il est comme absorbé dans une contemplation angélique [239].

Devant mes yeux c'est le ciel que je voi!
De ma vie, ô mon Dieu! cette heure est la première.
Devant moi tout un monde, un monde de lumière,
Comme ces paradis qu'en songe nous voyons,
S'entr'ouvre en m'inondant de vie et de rayons!
Partout en moi, hors moi, joie, extase et mystère,
Et l'ivresse, et l'orgueil, et ce qui sur la terre
Se rapproche le plus de la divinité,
L'amour dans la puissance et dans la majesté!
La reine m'aime! ô Dieu! c'est bien vrai, c'est moi-même!
Je suis plus que le roi puisque la reine m'aime!
Oh! cela m'éblouit. Heureux, aimé, vainqueur!
Duc d'Olmedo, — l'Espagne à mes pieds, — j'ai son cœur!
Cet ange, qu'à genoux je contemple et je nomme,
D'un mot me transfigure et me fait plus qu'un homme.
Donc je marche vivant dans mon rêve étoilé!
Oh! oui, j'en suis bien sûr, elle m'a bien parlé.
C'est bien elle. Elle avait un petit diadème
En dentelle d'argent. Et je regardais même,
Pendant qu'elle parlait, — je crois la voir encor, —
Un aigle [240] ciselé sur son bracelet d'or.

Elle se fie à moi, m'a-t-elle dit. — Pauvre ange!
Oh! s'il est vrai que Dieu, par un prodige étrange,
En nous donnant l'amour, voulut mêler en nous
Ce qui fait l'homme grand à ce qui le fait doux,
Moi, qui ne crains plus rien maintenant qu'elle m'aime,
Moi, qui suis tout-puissant, grâce à son choix suprême,
Moi, dont le cœur gonflé ferait envie aux rois,
Devant Dieu qui m'entend, sans peur, à haute voix,
Je le dis, vous pouvez vous confier, madame,
A mon bras comme reine, à mon cœur comme femme!
Le dévouement se cache au fond de mon amour
Pur et loyal! — Allez, ne craignez rien [241]! —

Depuis quelques instants, un homme est entré par la porte du fond, enveloppé d'un grand manteau, coiffé d'un chapeau galonné d'argent. Il s'est avancé lentement vers Ruy Blas sans être vu, et, au moment où Ruy Blas, ivre d'extase et de bonheur, lève les yeux au ciel, cet homme lui pose brusquement la main sur l'épaule. Ruy Blas se retourne comme réveillé en sursaut; l'homme laisse tomber son manteau, et Ruy Blas reconnaît don Salluste. Don Salluste est vêtu d'une livrée couleur de feu à galons d'argent, pareille à celle du page de Ruy Blas.

SCÈNE V

RUY BLAS, DON SALLUSTE.

DON SALLUSTE, *posant la main sur l'épaule de Ruy Blas.*

Bonjour.

RUY BLAS, *effaré.*

A part.

Grand Dieu! je suis perdu! le marquis!

DON SALLUSTE, *souriant.*

Je parie
Que vous ne pensiez pas à moi.

RUY BLAS

Sa seigneurie,
En effet, me surprend.

A part.

Oh ! mon malheur renaît.
J'étais tourné vers l'ange et le démon venait.

Il court à la tapisserie qui cache le cabinet secret et en ferme la petite porte au verrou ; puis il revient tout tremblant vers don Salluste.

DON SALLUSTE

Eh bien ! comment cela va-t-il ?

RUY BLAS, *l'œil fixé sur don Salluste impassible, et comme pouvant à peine rassembler ses idées.*

Cette livrée ?...

DON SALLUSTE, *souriant toujours.*

Il fallait du palais me procurer l'entrée.
Avec cet habit-là l'on arrive partout.
J'ai pris votre livrée et la trouve à mon goût.

Il se couvre. Ruy Blas reste tête nue.

RUY BLAS

Mais j'ai peur pour vous...

DON SALLUSTE

Peur ! Quel est ce mot risible ?

RUY BLAS

Vous êtes exilé !

DON SALLUSTE

Croyez-vous ? c'est possible.

RUY BLAS

Si l'on vous reconnaît, au palais, en plein jour ?

DON SALLUSTE

Ah bah ! des gens heureux, qui sont des gens de cour,
Iraient perdre leur temps, ce temps qui sitôt passe,
A se ressouvenir d'un visage en disgrâce !
D'ailleurs, regarde-t-on le profil d'un valet ?

Il s'assied dans un fauteuil, et Ruy Blas reste debout [242].

A propos, que dit-on à Madrid, s'il vous plaît ?
Est-il vrai que, brûlant d'un zèle hyperbolique,
Ici, pour les beaux yeux de la caisse publique,
Vous exilez ce cher Priego, l'un des grands ?
Vous avez oublié que vous êtes parents.
Sa mère est Sandoval, la vôtre aussi. Que diable !
Sandoval porte d'or à la bande de sable[243].
Regardez vos blasons, don César. C'est fort clair.
Cela ne se fait pas entre parents, mon cher.
Les loups pour nuire aux loups font-ils les bons apôtres[244] ?
Ouvrez les yeux pour vous, fermez-les pour les autres.
Chacun pour soi.

RUY BLAS, *se rassurant un peu.*

Pourtant, monsieur, permettez-moi,
Monsieur de Priego, comme noble du roi[244 bis],
A grand tort d'aggraver les charges de l'Espagne.
Or, il va falloir mettre une armée en campagne ;
Nous n'avons pas d'argent, et pourtant il le faut.
L'héritier bavarois penche à[245] mourir bientôt.
Hier, le comte d'Harrach, que vous devez connaître,
Me le disait au nom de l'empereur son maître.
Si monsieur l'archiduc veut soutenir son droit[246],
La guerre éclatera...

DON SALLUSTE

L'air me semble un peu froid.
Faites-moi le plaisir de fermer la croisée[247].

Ruy Blas, pâle de honte et de désespoir, hésite un moment ; puis il fait un effort et se dirige lentement vers la fenêtre, la ferme, et revient vers don Salluste, qui, assis dans le fauteuil, le suit des yeux d'un air indifférent.

RUY BLAS, *reprenant et essayant de convaincre don Salluste.*

Daignez voir à quel point la guerre est malaisée.
Que faire sans argent ? Excellence, écoutez.
Le salut de l'Espagne est dans nos probités.
Pour moi, j'ai, comme si notre armée était prête,
Fait dire à l'empereur que je lui tiendrais tête...

DON SALLUSTE, *interrompant Ruy Blas et lui montrant son mouchoir qu'il a laissé tomber en entrant.*

Pardon ! ramassez-moi mon mouchoir.

Ruy Blas, comme à la torture, hésite encore, puis se baisse, ramasse le mouchoir, et le présente à don Salluste. Don Salluste, mettant le mouchoir dans sa poche.

— Vous disiez ?...

RUY BLAS, *avec effort.*

Le salut de l'Espagne ! — oui, l'Espagne à nos pieds,
Et l'intérêt public demandent qu'on s'oublie.
Ah ! toute la nation bénit qui la délie.
Sauvons ce peuple ! Osons être grands, et frappons !
Otons l'ombre à l'intrigue et le masque aux fripons !

DON SALLUSTE, *nonchalamment.*

Et d'abord ce n'est pas de bonne compagnie. —
Cela sent son pédant et son petit génie [248]
Que de faire sur tout un bruit démesuré.
Un méchant million, plus ou moins dévoré,
Voilà-t-il pas de quoi pousser des cris sinistres !
Mon cher, les grands seigneurs ne sont pas de vos cuistres.
Ils vivent largement. Je parle sans phébus [249].
Le bel air que celui d'un redresseur d'abus
Toujours bouffi d'orgueil et rouge de colère !
Mais bah ! vous voulez être un gaillard populaire,
Adoré des bourgeois et des marchands d'esteufs [250].
C'est fort drôle. Ayez donc des caprices plus neufs.
Les intérêts publics ? Songez d'abord aux vôtres [251].
Le salut de l'Espagne est un mot creux que d'autres
Feront sonner, mon cher, tout aussi bien que vous.
La popularité ? c'est la gloire en gros sous.
Rôder, dogue aboyant, tout autour des gabelles ?
Charmant métier ! je sais des postures plus belles.
Vertu ? foi ? probité ? c'est du clinquant déteint.
C'était usé déjà du temps de Charles Quint.
Vous n'êtes pas un sot ; faut-il qu'on vous guérisse
Du pathos ? Vous tétiez encor votre nourrice,
Que nous autres déjà nous avions sans pitié,
Gaîment, à coups d'épingle ou bien à coups de pié,
Crevant votre ballon au milieu des risées,
Fait sortir tout le vent de ces billevesées !

RUY BLAS

Mais pourtant, monseigneur...

DON SALLUSTE, *avec un sourire glacé.*

Vous êtes étonnant.
Occupons-nous d'objets sérieux, maintenant.

D'un ton bref et impérieux.

— Vous m'attendrez demain toute la matinée
Chez vous, dans la maison que je vous ai donnée [252].
La chose que je fais touche à l'événement [253].
Gardez pour nous servir les muets seulement [254].
Ayez dans le jardin, caché sous le feuillage,
Un carrosse attelé, tout prêt pour un voyage.
J'aurai soin des relais. Faites tout à mon gré.
— Il vous faut de l'argent, je vous en enverrai. —

RUY BLAS

Monsieur, j'obéirai. Je consens à tout faire.
Mais jurez-moi d'abord qu'en toute cette affaire
La reine n'est pour rien.

DON SALLUSTE, *qui jouait avec un couteau d'ivoire* [255] *sur la table, se retourne à demi.*

De quoi vous mêlez-vous ?

RUY BLAS, *chancelant et le regardant avec épouvante.*

Oh ! vous êtes un homme effrayant. Mes genoux
Tremblent... Vous m'entraînez vers un gouffre invisible.
Oh ! je sens que je suis dans une main terrible [256] !
Vous avez des projets monstrueux. J'entrevoi
Quelque chose d'horrible... — Ayez pitié de moi !
Il faut que je vous dise, — hélas ! jugez vous-même !
Vous ne le saviez pas ! cette femme, je l'aime !

DON SALLUSTE, *froidement.*

Mais si. Je le savais.

RUY BLAS

Vous le saviez !

DON SALLUSTE

Pardieu !
Qu'est-ce que cela fait ?

RUY BLAS, *s'appuyant au mur pour ne pas tomber, et comme se parlant à lui-même.*

Donc il s'est fait un jeu,
Le lâche, d'essayer sur moi cette torture!
Mais c'est que ce serait une affreuse aventure!

Il lève les yeux au ciel.

Seigneur Dieu tout-puissant [257]! mon Dieu qui m'éprou-
[vez,
Epargnez-moi, Seigneur!

DON SALLUSTE

Ah çà, mais — vous rêvez!
Vraiment! vous vous prenez au sérieux, mon maître.
C'est bouffon. Vers un but que seul je dois connaître,
But plus heureux pour vous que vous ne le pensez,
J'avance. Tenez-vous tranquille. Obéissez.
Je vous l'ai déjà dit et je vous le répète,
Je veux votre bonheur. Marchez, la chose est faite.
Puis, grand'chose après tout que des chagrins d'amour!
Nous passons tous par là. C'est l'affaire d'un jour.
Savez-vous qu'il s'agit du destin d'un empire?
Qu'est le vôtre à côté [258]? Je veux bien tout vous dire,
Mais ayez le bon sens de comprendre aussi, vous.
Soyez de votre état. Je suis très bon, très doux,
Mais, que diable! un laquais, d'argile humble ou choisie,
N'est qu'un vase [259] où je veux verser ma fantaisie.
De vous autres, mon cher, on fait tout ce qu'on veut.
Votre maître, selon le dessein qui l'émeut,
A son gré vous déguise, à son gré vous démasque.
Je vous ai fait seigneur. C'est un rôle fantasque,
— Pour l'instant. — Vous avez l'habillement complet.
Mais, ne l'oubliez pas, vous êtes mon valet.
Vous courtisez la reine ici par aventure,
Comme vous monteriez derrière ma voiture.
Soyez donc raisonnable.

RUY BLAS, *qui l'a écouté avec égarement, et comme ne pouvant en croire ses oreilles.*

O mon Dieu! — Dieu clément!
Dieu juste! de quel crime est-ce le châtiment [260]?
Qu'est-ce donc que j'ai fait? Vous êtes notre père,
Et vous ne voulez pas qu'un homme désespère!
Voilà donc où j'en suis! — Et, volontairement,
Et sans tort de ma part, — pour voir, — uniquement

Pour voir agoniser une pauvre victime,
Monseigneur, vous m'avez plongé dans cet abîme!
Tordre un malheureux cœur plein d'amour et de foi,
Afin d'en exprimer la vengeance pour soi!

Se parlant à lui-même.

Car c'est une vengeance! oui, la chose est certaine!
Et je devine bien que c'est contre la reine!
Qu'est-ce que je vais faire? Aller lui dire tout?
Ciel! devenir pour elle un objet de dégoût
Et d'horreur! un Crispin [261], un fourbe à double face!
Un effronté coquin qu'on bâtonne et qu'on chasse!
Jamais! — Je deviens fou, ma raison se confond!

Une pause. Il rêve.

O mon Dieu! voilà donc les choses qui se font!
Bâtir une machine effroyable [262] dans l'ombre,
L'armer hideusement de rouages sans nombre,
Puis, sous la meule, afin de voir comment elle est,
Jeter une livrée, une chose, un valet,
Puis la faire mouvoir, et soudain sous la roue
Voir sortir des lambeaux teints de sang et de boue,
Une tête brisée, un cœur tiède et fumant,
Et ne pas frissonner alors qu'en ce moment
On reconnaît, malgré le mot dont on le nomme,
Que ce laquais était l'enveloppe d'un homme!

Se tournant vers don Salluste.

Mais il est temps encore! oh monseigneur, vraiment,
L'horrible roue encor n'est pas en mouvement!

Il se jette à ses pieds.

Ayez pitié de moi! grâce! ayez pitié d'elle!
Vous savez que je suis un serviteur fidèle.
Vous l'avez dit souvent. Voyez! je me soumets!
Grâce!

DON SALLUSTE

Cet homme-là ne comprendra jamais.
C'est impatientant!

RUY BLAS, *se traînant à ses pieds.*

Grâce!

DON SALLUSTE

Abrégeons, mon maître.

Il se tourne vers la fenêtre.

Gageons que vous avez mal fermé la fenêtre.
Il vient un froid par là !

Il va à la croisée et la ferme[263].

RUY BLAS, *se relevant.*

Ho ! c'est trop ! A présent
Je suis duc d'Omeldo, ministre tout-puissant !
Je relève le front sous le pied qui m'écrase.

DON SALLUSTE

Comment dit-il cela ? Répétez donc la phrase.
Ruy Blas duc d'Omeldo ? Vos yeux ont un bandeau.
Ce n'est que sur Bazan qu'on a mis Olmedo.

RUY BLAS

Je vous fais arrêter.

DON SALLUSTE

Je dirai qui vous êtes.

RUY BLAS, *exaspéré.*

Mais...

DON SALLUSTE

Vous m'accuserez ? J'ai risqué nos deux têtes.
C'est prévu. Vous prenez trop tôt l'air triomphant.

RUY BLAS

Je nierai tout !

DON SALLUSTE

Allons ! vous êtes un enfant.

RUY BLAS

Vous n'avez pas de preuve !

DON SALLUSTE

Et vous pas de mémoire.
Je fais ce que je dis, et vous pouvez m'en croire.
Vous n'êtes que le gant, et moi je suis la main.

Bas et se rapprochant de Ruy Blas.

Si tu n'obéis pas, si tu n'es pas demain
Chez toi, pour préparer ce qu'il faut que je fasse,
Si tu dis un seul mot de tout ce qui se passe,

Si tes yeux, si ton geste en laissent rien percer,
Celle pour qui tu crains, d'abord, pour commencer,
Par ta folle aventure, en cent lieux répandue,
Sera publiquement diffamée et perdue.
Puis elle recevra, ceci n'a rien d'obscur,
Sous un cachet, un papier, que je garde en lieu sûr,
Ecrit, te souvient-il avec quelle écriture ?
Signé, tu dois savoir de quelle signature ?
Voici ce que ses yeux y liront : « Moi, Ruy Blas,
« Laquais de monseigneur le marquis de Finlas,
« En toute occasion, ou secrète ou publique,
« M'engage à le servir comme un bon domestique. »

RUY BLAS, *brisé et d'une voix éteinte.*

Il suffit. — Je ferai, monsieur, ce qu'il vous plaît.

La porte du fond s'ouvre. On voit rentrer les conseillers du conseil privé. Don Salluste s'enveloppe vivement de son manteau.

DON SALLUSTE, *bas.*

On vient.

Il salue profondément Ruy Blas. Haut.

Monsieur le duc, je suis votre valet.

Il sort.

ACTE QUATRIÈME

DON CÉSAR

Une petite chambre somptueuse et sombre. Lambris et meubles de vieille forme et de vieille dorure. Murs couverts d'anciennes tentures de velours cramoisi, écrasé et miroitant par places et derrière le dos des fauteuils, avec de larges galons d'or qui le divisent en bandes verticales. Au fond, une porte à deux battants. A gauche, sur un pan coupé, une grande cheminée sculptée du temps de Philippe II, avec écusson de fer battu dans l'intérieur. Du côté opposé, sur un pan coupé, une petite porte basse donnant dans un cabinet obscur. Une seule fenêtre à gauche, placée très haut et garnie de barreaux et d'un auvent inférieur comme les croisées des prisons. Sur le mur, quelques vieux portraits enfumés et à demi effacés. Coffre de garde-robe avec miroir de

Venise. Grands fauteuils du temps de Philippe III [264]. Une armoire très ornée adossée au mur. Une table carrée avec ce qu'il faut pour écrire. Un petit guéridon de forme ronde à pieds dorés dans un coin. C'est le matin.

Au lever du rideau, Ruy Blas, vêtu de noir [265], sans manteau et sans la toison, vivement agité, se promène à grands pas dans la chambre. Au fond, se tient son page, immobile et comme attendant ses ordres.

SCÈNE PREMIÈRE

RUY BLAS, LE PAGE

RUY BLAS, *à part, et se parlant à lui-même.*

Que faire ? — Elle d'abord ! elle avant tout ! — rien qu'elle !
Dût-on voir sur un mur rejaillir ma cervelle,
Dût le gibet me prendre ou l'enfer me saisir !
Il faut que je la sauve ! — Oui ! mais y réussir ?
Comment faire ? Donner mon sang, mon cœur, mon âme,
Ce n'est rien, c'est aisé. Mais rompre cette trame !
Deviner... — deviner ! car il faut deviner ! —
Ce que cet homme a pu construire et combiner !
Il sort soudain de l'ombre et puis il s'y replonge,
Et là, seul dans sa nuit, que fait-il ? — Quand j'y songe,
Dans le premier moment je l'ai prié pour moi !
Je suis un lâche, et puis c'est stupide ! — Eh bien, quoi !
C'est un homme méchant. — Mais que je m'imagine
— La chose a sans nul doute une ancienne origine, —
Que lorsqu'il tient sa proie et la mâche à moitié [266],
Ce démon va lâcher la reine, par pitié
Pour son valet ! Peut-on fléchir les bêtes fauves ?
— Mais, misérable ! il faut pourtant que tu la sauves !
C'est toi qui l'as perdue ! à tout prix il le faut !
— C'est fini. Me voilà retombé ! De si haut !
Si bas ! J'ai donc rêvé ! — Oh ! je veux qu'elle échappe !
Mais lui ! par quelle porte, ô Dieu, par quelle trappe,
Par où va-t-il venir, l'homme de trahison ?
Dans ma vie et dans moi, comme en cette maison,
Il est maître. Il en peut arracher les dorures.
Il a toutes les clefs de toutes les serrures.
Il peut entrer, sortir, dans l'ombre s'approcher,
Et marcher sur mon cœur comme sur ce plancher.

— Oui, c'est que je rêvais ! le sort trouble nos têtes
Dans la rapidité des choses sitôt faites.
Je suis fou. Je n'ai plus une idée en son lieu.
Ma raison, dont j'étais si vain, mon Dieu ! mon Dieu !
Prise en un tourbillon d'épouvante et de rage,
N'est plus qu'un pauvre jonc tordu par un orage !
Que faire ? Pensons bien. D'abord empêchons-la
De sortir du palais [267]. — Oh ! oui, le piège est là
Sans doute. Autour de moi, tout est nuit, tout est gouffre.
Je sens le piège, mais je ne vois pas. — Je souffre !
C'est dit. Empêchons-la de sortir du palais.
Faisons-la prévenir sûrement, sans délais. —
Par qui ? — je n'ai personne !

Il rêve avec accablement. Puis, tout à coup, comme frappé d'une idée subite et d'une lueur d'espoir, il relève la tête.

Oui, don Guritan l'aime !
C'est un homme loyal ! oui !

Faisant signe au page de s'approcher. Bas.

— Page, à l'instant même,
Va chez don Guritan, et fais-lui de ma part
Mes excuses ; et puis dis-lui que sans retard
Il aille chez la reine et qu'il la prie en grâce, [fasse,
En mon nom comme au sien, quoi qu'on dise ou qu'on
De ne point s'absenter du palais de trois jours.
Quoi qu'il puisse arriver. De ne point sortir. Cours !

Rappelant le page.

Ah !

Il tire de son garde-notes une feuille et un crayon.

Qu'il donne ce mot à la reine, — et qu'il veille !

Il écrit rapidement sur son genou.

— « Croyez don Guritan, faites ce qu'il conseille ! »

Il ploie le papier et le remet au page.

Quant à ce duel, dis-lui que j'ai tort, que je suis
A ses pieds, qu'il me plaigne et que j'ai des ennuis,
Qu'il porte chez la reine à l'instant mes suppliques,
Et que je lui ferai des excuses publiques.
Qu'elle est en grand péril. Qu'elle ne sorte point.
Quoi qu'il arrive. Au moins trois jours ! — De point
[en point
Fais tout. Va, sois discret, ne laisse rien paraître.

LE PAGE

Je vous suis dévoué. Vous êtes un bon maître [268].

RUY BLAS

Cours, mon bon petit page. As-tu bien tout compris ?

LE PAGE

Oui, monseigneur ; soyez tranquille.

Il sort.

RUY BLAS, *resté seul, tombant sur un fauteuil.*

Mes esprits
Se calment. Cependant, comme dans la folie,
Je sens confusément des choses que j'oublie.
Oui, le moyen est sûr. — Don Guritan !... — Mais moi ?
Faut-il attendre ici don Salluste ? Pourquoi ?
Non. Ne l'attendons pas. Cela le paralyse
Tout un grand jour. Allons prier dans quelque église.
Sortons. J'ai besoin d'aide, et Dieu m'inspirera [269] !

Il prend son chapeau sur une crédence [270], et secoue une sonnette posée sur la table. Deux nègres, vêtus de velours vert clair et de brocart d'or, jaquettes plissées à grandes basques, paraissent à la porte du fond.

Je sors. Dans un instant un homme ici viendra.
— Par une entrée à lui. — Dans la maison, peut-être,
Vous le verrez agir comme s'il était maître.
Laissez-le faire. Et si d'autres viennent...

Après avoir hésité un moment.

Ma foi,
Vous laisserez entrer !

Il congédie du geste les Noirs, qui s'inclinent en signe d'obéissance et qui sortent.

Allons !

Il sort.

Au moment où la porte se referme sur Ruy Blas, on entend un grand bruit dans la cheminée, par laquelle on voit tomber tout à coup un homme, enveloppé d'un manteau déguenillé, qui se précipite dans la chambre. C'est don César [271].

SCÈNE II

DON CÉSAR

Effaré, essoufflé, décoiffé, étourdi, avec une expression joyeuse et inquiète en même temps.

Tant pis! c'est moi [272]!

Il se relève en se frottant la jambe sur laquelle il est tombé, et s'avance dans la chambre avec force révérences et chapeau bas.

Pardon! ne faites pas attention, je passe [273].
Vous parliez entre vous. Continuez, de grâce.
J'entre un peu brusquement, messieurs, j'en suis fâché!

Il s'arrête au milieu de la chambre et s'aperçoit qu'il est seul.

— Personne! — Sur le toit tout à l'heure perché,
J'ai cru pourtant ouïr un bruit de voix. — Personne!

S'asseyant dans un fauteuil.

Fort bien. Recueillons-nous. La solitude est bonne.
— Ouf! que d'événements! — J'en suis émerveillé
Comme l'eau qu'il secoue aveugle un chien mouillé [273 bis].
Primo, ces alguazils qui m'ont pris dans leurs serres;
Puis cet embarquement absurde; ces corsaires;
Et cette grosse ville où l'on m'a tant battu;
Et les tentations faites sur ma vertu
Par cette femme jaune; et mon départ du bagne;
Mes voyages; enfin, mon retour en Espagne!
Puis, quel roman! le jour où j'arrive, c'est fort,
Ces mêmes alguazils rencontrés tout d'abord!
Leur poursuite enragée et ma fuite éperdue;
Je saute un mur; j'avise une maison perdue
Dans les arbres, j'y cours; personne ne me voit;
Je grimpe allégrement du hangar sur le toit;
Enfin, je m'introduis dans le sein des familles
Par une cheminée où je mets en guenilles
Mon manteau le plus neuf qui sur mes chausses pend!...
— Pardieu! monsieur Salluste est un grand sacripant [274]!

Se regardant dans une petite glace de Venise posée sur le grand coffre à tiroirs sculptés.

— Mon pourpoint m'a suivi dans mes malheurs. Il lutte.

Il ôte son manteau et mire dans la glace son pourpoint de satin rose usé, déchiré et rapiécé; puis il porte vivement la main à sa jambe avec un coup d'œil vers la cheminée.

Mais ma jambe a souffert diablement dans ma chute!

Il ouvre les tiroirs du coffre. Dans l'un d'entre eux il trouve un manteau de velours vert clair, brodé d'or, le manteau donné par don Salluste à Ruy Blas. Il examine le manteau et le compare au sien.

— Ce manteau me paraît plus décent que le mien.

Il jette le manteau vert sur ses épaules et met le sien à la place dans le coffre, après l'avoir soigneusement plié; il y ajoute son chapeau qu'il enfonce sous le manteau d'un coup de poing; puis il referme le tiroir. Il se promène fièrement, drapé dans le beau manteau brodé d'or [275].

C'est égal, me voilà revenu. Tout va bien.
Ah! mon très cher cousin, vous voulez que j'émigre
Dans cette Afrique où l'homme est la souris du tigre!
Mais je vais me venger de vous, cousin damné,
Epouvantablement, quand j'aurai déjeuné.
J'irai, sous mon vrai nom [276], chez vous, traînant ma queue
D'affreux vauriens sentant le gibet d'une lieue,
Et je vous livrerai vivant aux appétits
De tous mes créanciers — suivis de leurs petits.

Il aperçoit dans un coin une magnifique paire de bottines à canons de dentelles [277]. *Il jette lestement ses vieux souliers, et chausse sans façon les bottines neuves.*

Voyons d'abord où m'ont jeté ses perfidies.

Après avoir examiné la chambre de tous côtés.

Maison mystérieuse et propre aux tragédies.
Portes closes, volets barrés, un vrai cachot [278].
Dans ce charmant logis on entre par en haut,
Juste comme le vin entre dans les bouteilles.

Avec un soupir.

— C'est bien bon, du bon vin! —

Il aperçoit la petite porte à droite, l'ouvre, s'introduit vivement dans le cabinet avec lequel elle communique, puis rentre avec des gestes d'étonnement.

Merveille des
[merveilles!
Cabinet sans issue où tout est clos aussi!

Il va à la porte du fond, l'entr'ouvre, et regarde au-dehors; puis il la laisse retomber et revient sur le devant.

Personne! — Où diable suis-je ? — Au fait j'ai réussi
A fuir les alguazils. Que m'importe le reste ?
Vais-je pas m'effarer et prendre un air funeste
Pour n'avoir jamais vu de maison faite ainsi ?

Il se rassied sur le fauteuil, bâille, puis se relève presque aussitôt.

Ah çà, mais — je m'ennuie horriblement ici!

Avisant une petite armoire dans le mur, à gauche, qui fait le coin en pan coupé.

Voyons, ceci m'a l'air d'une bibliothèque.

Il y va et l'ouvre. C'est un garde-manger bien garni.

Justement. — Un pâté, du vin, une pastèque [279].
C'est un en-cas complet. Six flacons bien rangés!
Diable! sur ce logis j'avais des préjugés.

Examinant les flacons l'un après l'autre.

C'est d'un bon choix. — Allons! l'armoire est honorable.

Il va chercher dans un coin la petite table ronde, l'apporte sur le devant et la charge joyeusement de tout ce que contient le garde-manger, bouteilles, plats, etc.; il ajoute un verre, une assiette, une fourchette, etc. — Puis il prend une des bouteilles.

Lisons d'abord ceci.

Il emplit le verre, et boit d'un trait.

C'est une œuvre admirable
De ce fameux poète appelé le soleil!
Xérès-des-Chevaliers [280] n'a rien de plus vermeil.

Il s'assied, se verse un second verre et boit.

Quel livre vaut cela ? Trouvez-moi quelque chose
De plus spiritueux [281]!

Il boit.

Ah Dieu, cela repose!
Mangeons.

Il entame le pâté.

Chiens d'alguazils! je les ai déroutés.
Ils ont perdu ma trace.

Il mange.

Oh! le roi des pâtés!
Quant au maître du lieu, s'il survient... —

Il va au buffet et en rapporte un verre et un couvert qu'il pose sur la table.

je l'invite.
— Pourvu qu'il n'aille pas me chasser! Mangeons vite.

Il met les morceaux doubles [282].

Mon dîner fait, j'irai visiter la maison.
Mais qui peut l'habiter ? peut-être un bon garçon.
Ceci peut ne cacher qu'une intrigue de femme.
Bah! quel mal fais-je ici ? qu'est-ce que je réclame ?
Rien, — l'hospitalité de ce digne mortel,
A la manière antique,

Il s'agenouille à demi et entoure la table de ses bras.

en embrassant l'autel [283].

Il boit.

D'abord, ceci n'est point le vin d'un méchant homme.
Et puis, c'est convenu, si l'on vient, je me nomme.
Ah! vous endiablerez [284], mon vieux cousin maudit!
Quoi, ce bohémien ? ce galeux ? ce bandit ?
Ce Zafari ? ce gueux ? ce va-nu-pieds ?... — Tout juste!
Don César de Bazan, cousin de don Salluste!
Oh! la bonne surprise! et dans Madrid quel bruit!
Quand est-il revenu ? ce matin ? cette nuit ?
Quel tumulte partout en voyant cette bombe,
Ce grand nom oublié qui tout à coup retombe [285]!
Don César de Bazan! oui, messieurs, s'il vous plaît.
Personne n'y pensait, personne n'en parlait,
Il n'était donc pas mort ? il vit, messieurs, mesdames!
Les hommes diront : Diable! — Oui-dà! diront les [femmes.
Doux bruit qui vous reçoit rentrant dans vos foyers,
Mêlé de l'aboiement de trois cents créanciers!
Quel beau rôle à jouer! — Hélas! l'argent me manque.

Bruit à la porte.

On vient! — Sans doute on va comme un vil saltimbanque
M'expulser. — C'est égal, ne fais rien à demi,
César!

Il s'enveloppe de son manteau jusqu'aux yeux. La porte du fond s'ouvre. Entre un laquais en livrée portant sur son dos une grosse sacoche.

SCÈNE III

DON CÉSAR, UN LAQUAIS

DON CÉSAR, *toisant le laquais de la tête aux pieds.*

Qui venez-vous chercher céans, l'ami ?

A part.

Il faut beaucoup d'aplomb, le péril est extrême.

LE LAQUAIS

Don César de Bazan.

DON CÉSAR, *dégageant son visage du manteau.*

Don César! c'est moi-même!

A part.

Voilà du merveilleux!

LE LAQUAIS

Vous êtes le seigneur
Don César de Bazan ?

DON CÉSAR

Pardieu! j'ai cet honneur.
César! le vrai César! le seul César! le comte
De Garo...

LE LAQUAIS, *posant sur le fauteuil la sacoche.*

Daignez voir si c'est là votre compte [286].

DON CÉSAR, *comme ébloui.*

A part.

De l'argent! c'est trop fort!

Haut.

Mon cher...

LE LAQUAIS

Daignez comp-
C'est la somme que j'ai l'ordre de vous porter. [ter.

DON CÉSAR, *gravement.*

Ah! fort bien! je comprends.

A part.

Je veux bien que le [diable... —
Çà, ne dérangeons pas cette histoire admirable.
Ceci vient fort à point.

Haut.

Vous faut-il des reçus ?

LE LAQUAIS

Non, monseigneur.

DON CÉSAR, *lui montrant la table.*

Mettez cet argent là-dessus.

Le laquais obéit.

De quelle part ?

LE LAQUAIS

Monsieur le sait bien.

DON CÉSAR

Sans nul doute.
Mais...

LE LAQUAIS

Cet argent, — voilà ce qu'il faut que j'ajoute, —
Vient de qui vous savez pour ce que vous savez.

DON CÉSAR, *satisfait de l'explication.*

Ah !

LE LAQUAIS

Nous devons, tous deux, être fort réservés.
Chut !

DON CÉSAR

Chut !!! — Cet argent vient... — La phrase est [magnifique !
Redites-la-moi donc.

LE LAQUAIS

Cet argent...

DON CÉSAR

Tout s'explique !
Me vient de qui je sais...

LE LAQUAIS

Pour ce que vous savez.
Nous devons...

DON CÉSAR

Tous les deux!!!

LE LAQUAIS

Etre fort réservés.

DON CÉSAR

C'est parfaitement clair.

LE LAQUAIS

Moi, j'obéis; du reste
Je ne comprends pas.

DON CÉSAR

Bah!

LE LAQUAIS

Mais vous comprenez!

DON CÉSAR

Peste!

LE LAQUAIS

Il suffit.

DON CÉSAR

Je comprends et je prends, mon très cher.
De l'argent qu'on reçoit, d'abord, c'est toujours clair.

LE LAQUAIS

Chut!

DON CÉSAR

Chut!!! ne faisons pas d'indiscrétion. Diantre!

LE LAQUAIS

Comptez, seigneur!

DON CÉSAR

Pour qui me prends-tu?
Admirant la rondeur du sac posé sur la table.
Le beau
[ventre!

LE LAQUAIS, *insistant.*

Mais...

DON CÉSAR

Je me fie à toi.

LE LAQUAIS

L'or est en souverains.
Bons quadruples pesant sept gros trente-six grains,
Ou bons doublons au marc. L'argent, en croix-maries [287].

Don César ouvre la sacoche et en tire plusieurs sacs pleins d'or et d'argent, qu'il ouvre et vide sur la table avec admiration; puis il se met à puiser à pleines poignées dans les sacs d'or, et remplit ses poches de quadruples et de doublons [288].

DON CÉSAR, *s'interrompant, avec majesté.*

A part.

Voici que mon roman, couronnant ses féeries,
Meurt amoureusement sur un gros million [289].

Il se met à remplir ses poches.

O délices! je mords à même un galion!

Une poche pleine, il passe à l'autre. Il se cherche des poches partout, et semble avoir oublié le laquais.

LE LAQUAIS, *qui le regarde avec impassibilité.*

Et maintenant, j'attends vos ordres.

DON CÉSAR, *se retournant.*

Pour quoi faire ?

LE LAQUAIS

Afin d'exécuter, vite et sans qu'on diffère,
Ce que je ne sais pas et ce que vous savez.
De très grands intérêts...

DON CÉSAR, *l'interrompant d'un air d'intelligence.*

Oui, publics et privés!!!

LE LAQUAIS

Veulent que tout cela se fasse à l'instant même.
Je dis ce qu'on m'a dit de dire.

DON CÉSAR, *lui frappant sur l'épaule.*

Et je t'en aime,
Fidèle serviteur!

LE LAQUAIS

Pour ne rien retarder,
Mon maître à vous me donne afin de vous aider [290].

DON CÉSAR

C'est agir congrûment. Faisons ce qu'il désire.

A part.

Je veux être pendu si je sais que lui dire.

Haut.

Approche, galion, et d'abord —

Il remplit de vin l'autre verre.

bois-moi ça!

LE LAQUAIS

Quoi, seigneur?...

DON CÉSAR

Bois-moi ça!

Le laquais boit. Don César lui remplit son verre.

Du vin d'Oropesa [291]!

Il fait asseoir le laquais, le fait boire, et lui verse de nouveau vin.

Causons.

A part.

Il a déjà la prunelle allumée.

Haut et s'étendant sur sa chaise.

L'homme, mon cher ami, n'est que de la fumée,
Noire, et qui sort du feu des passions. Voilà.

Il lui verse à boire.

C'est bête comme tout, ce que je te dis là.
Et d'abord la fumée, au ciel bleu ramenée,
Se comporte autrement dans une cheminée.
Elle monte gaîment, et nous dégringolons.

Il se frotte la jambe.

L'homme n'est qu'un plomb vil.

Il remplit les deux verres.

Buvons. Tous tes dou-
[blons
Ne valent pas le chant d'un ivrogne qui passe.

Se rapprochant d'un air mystérieux.

Vois-tu, soyons prudents. Trop chargé, l'essieu casse.
Le mur sans fondement s'écroule subito [292].
Mon cher, raccroche-moi le col de mon manteau.

LE LAQUAIS, *fièrement.*

Seigneur, je ne suis pas valet de chambre.

Avant que don César ait pu l'en empêcher, il secoue la sonnette posée sur la table.

DON CÉSAR, *à part, effrayé.*

Il sonne!
Le maître va peut-être arriver en personne.
Je suis pris!

Entre un des Noirs. Don César, en proie à la plus vive anxiété, se retourne du côté opposé, comme ne sachant que devenir.

LE LAQUAIS, *au nègre.*

Remettez l'agrafe à monseigneur.

Le nègre s'approche gravement de don César, qui le regarde faire d'un air stupéfait, puis il rattache l'agrafe du manteau, salue, et sort, laissant don César pétrifié.

DON CÉSAR, *se levant de table.*

A part.

Je suis chez Belzébuth [293], ma parole d'honneur!

Il vient sur le devant et se promène à grands pas.

Ma foi, laissons-nous faire, et prenons ce qui s'offre.
Donc je vais remuer les écus à plein coffre.
J'ai de l'argent! que vais-je en faire?

Se retournant vers le laquais attablé, qui continue à boire et qui commence à chanceler sur sa chaise.

Attends, pardon!

Rêvant, à part.

Voyons, — si je payais mes créanciers ? — fi donc!
— Du moins, pour les calmer, âmes à s'aigrir promptes,
Si je les arrosais avec quelques acomptes ?
— A quoi bon arroser ces vilaines fleurs-là ?
Où diable mon esprit va-t-il chercher cela [294] ?
Rien n'est tel que l'argent pour vous corrompre un [homme [295],
Et, fût-il descendant d'Annibal qui prit Rome [296],
L'emplir jusqu'au goulot de sentiments bourgeois!
Que dirait-on ? me voir payer ce que je dois!
Ah!

LE LAQUAIS, *vidant son verre.*

Que m'ordonnez-vous ?

DON CÉSAR

Laisse-moi, je médite.
Bois en m'attendant.

Le laquais se remet à boire. Lui continue de rêver, et tout à coup se frappe le front comme ayant trouvé une idée.

Oui!

Au laquais.

Lève-toi tout de suite.
Voici ce qu'il faut faire. Emplis tes poches d'or.

Le laquais se lève en trébuchant, et emplit d'or les poches de son justaucorps. Don César l'y aide, tout en continuant.

Dans la ruelle, au bout de la Place Mayor,
Entre au numéro neuf. Une maison étroite.
Beau logis, si ce n'est que la fenêtre à droite
A sur le cristallin une taie en papier [297].

LE LAQUAIS

Maison borgne ?

DON CÉSAR

Non, louche. On peut s'estropier
En montant l'escalier. Prends-y garde.

LE LAQUAIS

Une échelle ?

Don César

A peu près. C'est plus roide. — En haut loge une belle
Facile à reconnaître, un bonnet de six sous
Avec de gros cheveux ébouriffés dessous, [mante[298] !
Un peu courte, un peu rousse... — une femme char-
Sois très respectueux, mon cher, c'est mon amante.
Lucinda, qui jadis, blonde à l'œil indigo,
Chez le pape, le soir, dansait le fandango[299].
Compte-lui cent ducats en mon nom. — Dans un bouge
A côté, tu verras un gros diable au nez rouge,
Coiffé jusqu'aux sourcils d'un vieux feutre fané
Où pend tragiquement un plumeau consterné,
La rapière à l'échine et la loque à l'épaule.
Donne de notre part six piastres à ce drôle. —
Plus loin, tu trouveras un trou noir comme un four,
Un cabaret qui chante au coin d'un carrefour.
Sur le seuil boit et fume un vivant qui le hante.
C'est un homme fort doux et de vie élégante,
Un seigneur dont jamais un juron ne tomba,
Et mon ami de cœur, nommé Goulatromba[300].
— Trente écus ! — Et dis-lui, pour toutes patenôtres,
Qu'il les boive bien vite et qu'il en aura d'autres.
Donne à tous ces faquins ton argent le plus rond,
Et ne t'ébahis pas des yeux qu'ils ouvriront.

Le laquais

Après ?

Don César

Garde le reste. Et pour dernier chapitre...

Le laquais

Qu'ordonne monseigneur ?

Don César

Va te soûler, bélître[301] !
Casse beaucoup de pots et fais beaucoup de bruit,
Et ne rentre chez toi que demain — dans la nuit.

Le laquais

Suffit, mon prince[302].

Il se dirige vers la porte en faisant des zigzags.

DON CÉSAR, *le regardant marcher.*

A part.

Il est effroyablement ivre!

Le rappelant. L'autre se rapproche.

Ah!... — Quand tu sortiras, les oisifs vont te suivre.
Fais par ta contenance honneur à la boisson.
Sache te comporter d'une noble façon.
S'il tombe par hasard des écus de tes chausses,
Laisse tomber, — et si des essayeurs de sauces,
Des clercs, des écoliers, des gueux qu'on voit passer,
Les ramassent, — mon cher, laisse-les ramasser.
Ne sois pas un mortel de trop farouche approche.
Si même ils en prenaient quelques-uns dans ta poche,
Sois indulgent. Ce sont des hommes comme nous.
Et puis il faut, vois-tu, c'est une loi pour tous,
Dans ce monde, rempli de sombres aventures,
Donner parfois un peu de joie aux créatures [303].

Avec mélancolie.

Tous ces gens-là seront peut-être un jour pendus!
Ayons donc les égards pour eux qui leur sont dus!
— Va-t'en.

Le laquais sort. Resté seul, don César se rassied, s'accoude sur la table, et paraît plongé dans de profondes réflexions.

C'est le devoir du chrétien et du sage,
Quand il a de l'argent, d'en faire un bon usage.
J'ai de quoi vivre au moins huit jours! Je les vivrai.
Et, s'il me reste un peu d'argent, je l'emploierai
A des fondations pieuses [304]. Mais je n'ose
M'y fier, car on va me reprendre la chose.
C'est méprise sans doute, et ce mal-adressé
Aura mal entendu, j'aurai mal prononcé...

La porte du fond se rouvre. Entre une duègne, vieille, cheveux gris; basquine [305] et mantille noires, éventail.

SCÈNE IV

DON CÉSAR, UNE DUÈGNE

LA DUÈGNE, *sur le seuil de la porte.*

Don César de Bazan?

Don César, absorbé dans ses méditations, relève brusquement la tête.

DON CÉSAR

Pour le coup!

A part.

Oh! femelle!

Pendant que la duègne accomplit une profonde révérence au fond, il vient stupéfait sur le devant.

Mais il faut que le diable ou Salluste s'en mêle[306]!
Gageons que je vais voir arriver mon cousin.
Une duègne!

Haut.

C'est moi, don César. — Quel dessein ?...

A part.

D'ordinaire une vieille en annonce une jeune.

LA DUÈGNE *(Révérence avec un signe de croix.)*

Seigneur, je vous salue, aujourd'hui jour de jeûne,
En Jésus Dieu le fils, sur qui rien ne prévaut.

DON CÉSAR, *à part.*

A galant dénouement commencement dévot.

Haut.

Ainsi soit-il! Bonjour.

LA DUÈGNE

Dieu vous maintienne en joie!

Mystérieusement.

Avez-vous à quelqu'un, qui jusqu'à vous m'envoie,
Donné pour cette nuit un rendez-vous secret ?

DON CÉSAR

Mais j'en suis fort capable.

LA DUÈGNE

Elle tire de son garde-infante[307] un billet plié et le lui présente, mais sans le lui laisser prendre.

Ainsi, mon beau discret,
C'est bien vous qui venez, et pour cette nuit même,
D'adresser ce message à quelqu'un qui vous aime,
Et que vous savez bien ?

DON CÉSAR

Ce doit être moi.

LA DUÈGNE

Bon.
La dame, mariée à quelque vieux barbon,
A des ménagements sans doute est obligée,
Et de me renseigner céans on m'a chargée.
Je ne la connais pas, mais vous la connaissez.
La soubrette m'a dit les choses. C'est assez,
Sans les noms [308].

DON CÉSAR

Hors le mien.

LA DUÈGNE

C'est tout simple. Une dame
Reçoit un rendez-vous de l'ami de son âme,
Mais on craint de tomber dans quelque piège, mais
Trop de précautions ne gâtent rien jamais.
Bref, ici l'on m'envoie avoir de votre bouche
La confirmation...

DON CÉSAR

Oh! la vieille farouche!
Vrai Dieu! quelle broussaille autour d'un billet doux!
Oui, c'est moi, moi, te dis-je!

LA DUÈGNE

Elle pose sur la table le billet plié, que don César examine avec curiosité.

En ce cas, si c'est vous,
Vous écrirez : *Venez*, au dos de cette lettre.
Mais pas de votre main, pour ne rien compromettre.

DON CÉSAR

Peste! au fait, de ma main!

A part.

Message bien rempli!

Il tend la main pour prendre la lettre; mais elle est recachetée, et la duègne ne la lui laisse pas toucher.

LA DUÈGNE

N'ouvrez pas. Vous devez reconnaître le pli.

DON CÉSAR

Pardieu!

A part.

Moi qui brûlais de voir!... jouons mon rôle!

Il agite la sonnette. Entre un des Noirs.

Tu sais écrire ?

Le Noir fait un signe de tête affirmatif. Etonnement de don César.

A part.

Un signe!

Haut.

Es-tu muet, mon drôle ?

Le Noir fait un nouveau signe d'affirmation. Nouvelle stupéfaction de don César.

A part.

Fort bien! continuez! des muets à présent!

Au muet, en lui montrant la lettre, que la vieille tient appliquée sur la table.

— Ecris-moi là : *Venez.*

Le muet écrit[309]. *Don César fait signe à la duègne de reprendre la lettre, et au muet de sortir. Le muet sort.*

A part.

Il est obéissant!

LA DUÈGNE, *remettant d'un air mystérieux le billet dans son garde-infante, et se rapprochant de don César.*

Vous la verrez ce soir. Est-elle bien jolie ?

DON CÉSAR

Charmante!

LA DUÈGNE

La suivante est d'abord accomplie.
Elle m'a pris à part au milieu du sermon.
Mais belle! un profil d'ange avec l'œil d'un démon.
Puis aux choses d'amour elle paraît savante.

DON CÉSAR, *à part.*

Je me contenterais fort bien de la servante.

LA DUÈGNE

Nous jugeons, — car toujours le beau fait peur au laid, —
La sultane à l'esclave et le maître au valet.
La vôtre est, à coup sûr, fort belle.

DON CÉSAR

Je m'en flatte!

LA DUÈGNE, *faisant une révérence pour se retirer.*

Je vous baise la main.

DON CÉSAR, *lui donnant une poignée de doublons.*

Je te graisse la patte.
Tiens, vieille!

LA DUÈGNE, *empochant.*

La jeunesse est gaie aujourd'hui!

DON CÉSAR, *la congédiant.*

Va.

LA DUÈGNE *(Révérences).*

Si vous aviez besoin... J'ai nom dame Oliva.
Couvent San-Isidro [310]. —

Elle sort. Puis la porte se rouvre, et l'on voit sa tête reparaître.

Toujours à droite assise
Au troisième pilier en entrant dans l'église.

Don César se retourne avec impatience. La porte retombe; puis elle se rouvre encore, et la vieille reparaît.

Vous la verrez ce soir! monsieur, pensez à moi
Dans vos prières.

DON CÉSAR, *la chassant avec colère.*

Ah!

La duègne disparaît. La porte se referme.

DON CÉSAR, *seul.*

Je me résous, ma foi,
A ne plus m'étonner. J'habite dans la lune [311].
Me voici maintenant une bonne fortune;
Et je vais contenter mon cœur après ma faim.

Rêvant.

Tout cela me paraît bien beau. — Gare la fin.

La porte du fond se rouvre. Paraît don Guritan avec deux longues épées nues sous le bras.

SCÈNE V

DON CÉSAR, DON GURITAN

DON GURITAN, *du fond.*

Don César de Bazan ?

DON CÉSAR

Il se retourne et aperçoit don Guritan et les deux épées [312].

Enfin! à la bonne heure!
L'aventure était bonne, elle devient meilleure.
Bon dîner, de l'argent, un rendez-vous, — un duel!
Je redeviens César à l'état naturel!

Il aborde gaiement, avec force salutations empressées, don Guritan, qui fixe sur lui un œil inquiétant et s'avance d'un pas roide sur le devant.

C'est ici, cher seigneur. Veuillez prendre la peine

Il lui présente un fauteuil. Don Guritan reste debout.

D'entrer, de vous asseoir. — Comme chez vous, — sans gêne.
Enchanté de vous voir. Çà, causons un moment.
Que fait-on à Madrid ? Ah! quel séjour charmant!
Moi, je ne sais plus rien; je pense qu'on admire [313]
Toujours Matalobos et toujours Lindamire.
Pour moi, je craindrais plus, comme péril urgent,
La voleuse de cœurs que le voleur d'argent.
Oh! les femmes, monsieur! Cette engeance endiablée
Me tient, et j'ai la tête à leur endroit fêlée.
Parlez, remettez-moi l'esprit en bon chemin.
Je ne suis plus vivant, je n'ai plus rien d'humain,
Je suis un être absurde [314], un mort qui se réveille,
Un bœuf, un hidalgo de la Castille-Vieille.
On m'a volé ma plume et j'ai perdu mes gants.
J'arrive des pays les plus extravagants.

DON GURITAN

Vous arrivez, mon cher monsieur ? Eh bien, j'arrive
Encor bien plus que vous !

DON CÉSAR, *épanoui.*

De quelle illustre rive ?

DON GURITAN

De là-bas, dans le nord.

DON CÉSAR

Et moi, de tout là-bas,
Dans le midi.

DON GURITAN

Je suis furieux !

DON CÉSAR

N'est-ce pas ?
Moi, je suis enragé !

DON GURITAN

J'ai fait douze cents lieues [315] !

DON CÉSAR

Moi, deux mille ! J'ai vu des femmes jaunes, bleues,
Noires, vertes. J'ai vu des lieux du ciel bénis,
Alger, la ville heureuse, et l'aimable Tunis,
Où l'on voit, tant ces Turcs ont des façons accortes,
Force gens empalés [316] accrochés sur les portes.

DON GURITAN

On m'a joué, monsieur !

DON CÉSAR

Et moi l'on m'a vendu !

DON GURITAN

L'on m'a presque exilé !

DON CÉSAR

L'on m'a presque pendu !

DON GURITAN

On m'envoie à Neubourg, d'une manière adroite,
Porter ces quatre mots écrits dans une boîte :
« Gardez le plus longtemps possible ce vieux fou. »

DON CÉSAR, *éclatant de rire.*

Parfait ! qui donc cela ?

DON GURITAN

Mais je tordrai le cou
A César de Bazan !

DON CÉSAR, *gravement.*

Ah !

DON GURITAN

Pour comble d'audace,
Tout à l'heure il m'envoie un laquais à sa place.
Pour l'excuser ! dit-il. Un dresseur de buffet !
Je n'ai point voulu voir le valet. Je l'ai fait
Chez moi mettre en prison, et je viens chez le maître.
Ce César de Bazan ! cet impudent ! ce traître !
Voyons, que je le tue ! Où donc est-il ?

DON CÉSAR, *toujours avec gravité.*

C'est moi.

DON GURITAN

Vous ! — Raillez-vous, monsieur ?

DON CÉSAR

Je suis don César.

DON GURITAN

Quoi !
Encor !

DON CÉSAR

Sans doute, encor !

DON GURITAN

Mon cher, quittez ce rôle [317].
Vous m'ennuyez beaucoup si vous vous croyez drôle.

DON CÉSAR

Vous, vous m'amusez fort et vous m'avez tout l'air
D'un jaloux. Je vous plains énormément, mon cher.
Car le mal qui nous vient des vices qui sont nôtres
Est pire que le mal que nous font ceux des autres.
J'aimerais mieux encore, et je le dis à vous,
Etre pauvre qu'avare et cocu que jaloux.
Vous êtes l'un et l'autre, au reste. Sur mon âme,
J'attends encor ce soir madame votre femme.

DON GURITAN

Ma femme!

DON CÉSAR

Oui, votre femme!

DON GURITAN

Allons! je ne suis pas
Marié.

DON CÉSAR

Vous venez faire cet embarras!
Point marié! Monsieur prend depuis un quart d'heure
L'air d'un mari qui hurle ou d'un tigre qui pleure [318],
Si bien que je lui donne, avec simplicité,
Un tas de bons conseils en cette qualité!
Mais, si vous n'êtes pas marié, par Hercule!
De quel droit êtes-vous à ce point ridicule?

DON GURITAN

Savez-vous bien, monsieur, que vous m'exaspérez?

DON CÉSAR

Bah!

DON GURITAN

Que c'est trop fort!

DON CÉSAR

Vrai?

DON GURITAN

Que vous me le paierez!

DON CÉSAR

Il examine d'un air goguenard les souliers de don Guritan, qui disparaissent sous des flots de rubans, selon la nouvelle mode.

Jadis on se mettait des rubans sur la tête.
Aujourd'hui, je le vois, c'est une mode honnête,
On en met sur sa botte, on se coiffe les pieds.
C'est charmant!

DON GURITAN

Nous allons nous battre!

DON CÉSAR, *impassible.*

Vous croyez?

DON GURITAN

Vous n'êtes pas César, la chose me regarde :
Mais je vais commencer par vous.

DON CÉSAR

Bon. Prenez garde.
De finir par moi.

DON GURITAN

Il lui présente une des deux épées.

Fat! Sur-le-champ!

DON CÉSAR, *prenant l'épée.*

De ce pas.
Quand je tiens un bon duel, je ne le lâche pas!

DON GURITAN

Où?

DON CÉSAR

Derrière le mur. Cette rue est déserte [319].

DON GURITAN, *essayant la pointe de l'épée sur le parquet.*

Pour César, je le tue ensuite!

DON CÉSAR

Vraiment?

DON GURITAN

Certe!

DON CÉSAR, *faisant aussi ployer son épée.*

Bah! l'un de nous deux mort, je vous défie après
De tuer don César.

DON GURITAN

Sortons!

Ils sortent. On entend le bruit de leurs pas qui s'éloignent. Une petite porte masquée s'ouvre à droite dans le mur, et donne passage à don Salluste[320].

SCÈNE VI

DON SALLUSTE, *vêtu d'un habit vert sombre, presque noir.*

Il paraît soucieux et préoccupé. Il regarde et écoute avec inquiétude.

Aucuns apprêts!

Apercevant la table chargée de mets.

Que veut dire ceci?

Ecoutant le bruit des pas de César et de Guritan.

Quel est donc ce tapage?

Il se promène rêveur.

Gudiel ce matin a vu sortir le page,
Et l'a suivi. — Le page allait chez Guritan. —
Je ne vois pas Ruy Blas. — Et ce page... — Satan!
C'est quelque contre-mine[321]! oui, quelque avis fidèle
Dont il aura chargé don Guritan pour elle!
— On ne peut rien savoir des muets! — C'est cela!
Je n'avais pas prévu ce don Guritan-là!

Rentre don César. Il tient à la main l'épée nue, qu'il jette en entrant sur un fauteuil.

SCÈNE VII

DON SALLUSTE, DON CÉSAR

DON CÉSAR, *du seuil de la porte.*

Ah! j'en étais bien sûr! nous voilà donc, vieux diable!

DON SALLUSTE, *se retournant, pétrifié.*

Don César!

DON CÉSAR, *croisant les bras avec un grand éclat de rire.*

Vous tramez quelque histoire effroyable!
Mais je dérange tout, pas vrai, dans ce moment ?
Je viens au beau milieu m'épater lourdement!

DON SALLUSTE, *à part.*

Tout est perdu!

DON CÉSAR, *riant.*

Depuis toute la matinée,
Je patauge à travers vos toiles d'araignée [322].
Aucun de vos projets ne doit être debout.
Je m'y vautre au hasard. Je vous démolis tout.
C'est très réjouissant.

DON SALLUSTE, *à part.*

Démon! qu'a-t-il pu faire ?

DON CÉSAR, *riant de plus en plus fort.*

Votre homme au sac d'argent, — qui venait pour l'affaire!
— Pour ce que vous savez! — qui vous savez! —

Il rit.

Parfait!

DON SALLUSTE

Eh bien ?

DON CÉSAR

Je l'ai soûlé.

DON SALLUSTE

Mais l'argent qu'il avait ?

DON CÉSAR, *majestueusement.*

J'en ai fait des cadeaux à diverses personnes.
Dame! on a des amis.

DON SALLUSTE

A tort tu me soupçonnes...
Je...

DON CÉSAR, *faisant sonner ses grègues.*

J'ai d'abord rempli mes poches, vous pensez.

Il se remet à rire.

Vous savez bien ? la dame!...

DON SALLUSTE

Oh!

DON CÉSAR, *qui remarque son anxiété.*

Que vous connaissez, —

Don Salluste écoute avec un redoublement d'angoisse. Don César poursuit en riant.

Qui m'envoie une duègne, affreuse compagnonne [323],
Dont la barbe fleurit et dont le nez trognonne...

DON SALLUSTE

Pourquoi ?

DON CÉSAR

Pour demander, par prudence et sans bruit,
Si c'est bien don César qui l'attend cette nuit...

DON SALLUSTE

A part.

Ciel!

Haut.

Qu'as-tu répondu ?

DON CÉSAR

J'ai dit que oui, mon maître!
Que je l'attendais [324]!

DON SALLUSTE, *à part.*

Tout n'est pas perdu peut-être!

DON CÉSAR

Enfin, votre tueur, votre grand capitan [325],
Qui m'a dit sur le pré s'appeler — Guritan,

Mouvement de don Salluste.

Qui ce matin n'a pas voulu voir, l'homme sage,
Un laquais de César lui portant un message,
Et qui venait céans m'en demander raison...

DON SALLUSTE

Eh bien, qu'en as-tu fait ?

DON CÉSAR

J'ai tué cet oison [326].

DON SALLUSTE

Vrai ?

DON CÉSAR

Vrai. Là, sous le mur, à cette heure il expire.

DON SALLUSTE

Es-tu sûr qu'il soit mort ?

DON CÉSAR

J'en ai peur.

DON SALLUSTE, *à part.*

Je respire !
Allons ! bonté du ciel ! il n'a rien dérangé !
Au contraire. Pourtant donnons-lui son congé.
Débarrassons-nous-en ! Quel rude auxiliaire !
Pour l'argent, ce n'est rien.

Haut.

L'histoire est singulière.
Et vous n'avez pas vu d'autres personnes ?

DON CÉSAR

Non.
Mais j'en verrai. Je veux continuer. Mon nom,
Je compte en faire éclat tout à travers la ville.
Je vais faire un scandale affreux. Soyez tranquille.

DON SALLUSTE

A part.

Diable !

Vivement et se rapprochant de don César.

Garde l'argent, mais quitte la maison.

DON CÉSAR

Oui ! Vous me feriez suivre ! on sait votre façon.
Puis je retournerais, aimable destinée,
Contempler ton azur, ô Méditerranée [327] !
Point.

DON SALLUSTE

Crois-moi.

DON CÉSAR

Non. D'ailleurs, dans ce palais-prison,
Je sens quelqu'un en proie à votre trahison.
Toute intrigue de cour est une échelle double.
D'un côté, bras liés, morne et le regard trouble,
Monte le patient; de l'autre, le bourreau [328].
— Or vous êtes bourreau — nécessairement.

DON SALLUSTE

Oh!

DON CÉSAR

Moi! je tire l'échelle, et patatras!

DON SALLUSTE

Je jure...

DON CÉSAR

Je veux, pour tout gâter, rester dans l'aventure.
Je vous sais assez fort, cousin, assez subtil,
Pour pendre deux ou trois pantins au même fil.
Tiens, j'en suis un! Je reste!

DON SALLUSTE

Ecoute...

DON CÉSAR

Rhétorique!
Ah! vous me faites vendre aux pirates d'Afrique!
Ah! vous me fabriquez ici des faux César [329]!
Ah! vous compromettez mon nom!

DON SALLUSTE

Hasard!

DON CÉSAR

Hasard?
Mets que font les fripons pour les sots qui le mangent.
Point de hasard! Tant pis si vos plans se dérangent!
Mais je prétends sauver ceux qu'ici vous perdez.
Je vais crier mon nom sur les toits [330].

Il monte sur l'appui de la fenêtre et regarde au-dehors.

Attendez!
Juste! des alguazils passent sous la fenêtre.

Il passe son bras à travers les barreaux, et l'agite en criant.

Holà!

DON SALLUSTE, *effaré, sur le devant du théâtre.*

A part.

Tout est perdu s'il se fait reconnaître!

Entrent les alguazils précédés d'un alcade. Don Salluste paraît en proie à une vive perplexité. Don César va vers l'alcade d'un air de triomphe.

SCÈNE VIII

LES MÊMES, UN ALCADE, DES ALGUAZILS

DON CÉSAR, *à l'alcade.*

Vous allez consigner dans vos procès-verbaux...

DON SALLUSTE, *montrant don César à l'alcade.*

Que voici le fameux voleur Matalobos!

DON CÉSAR, *stupéfait.*

Comment!

DON SALLUSTE, *à part.*

Je gagne tout en gagnant vingt-quatre heures.

A l'alcade.

Cet homme ose en plein jour entrer dans les demeures.
Saisissez ce voleur.

Les alguazils saisissent don César au collet.

DON CÉSAR, *furieux, à don Salluste.*

Je suis votre valet,
Vous mentez hardiment!

L'ALCADE

Qui donc nous appelait?

DON SALLUSTE

C'est moi.

DON CÉSAR

Pardieu! c'est fort!

L'ALCADE

Paix! je crois qu'il rai-[sonne.

DON CÉSAR

Mais je suis don César de Bazan en personne!

DON SALLUSTE

Don César ? — Regardez son manteau, s'il vous plaît.
Vous trouverez SALLUSTE écrit sous le collet.
C'est un manteau qu'il vient de me voler.

Les alguazils arrachent le manteau, l'alcade l'examine.

L'ALCADE

C'est juste.

DON SALLUSTE

Et le pourpoint qu'il porte...

DON CÉSAR, *à part.*

Oh! le damné Salluste!

DON SALLUSTE, *continuant.*

Il est au comte d'Albe, auquel il fut volé... —

Montrant un écusson brodé sur le parement de la manche gauche.

Dont voici le blason!

DON CÉSAR, *à part.*

Il est ensorcelé!

L'ALCADE, *examinant le blason.*

Oui, les deux châteaux d'or...

DON SALLUSTE

Et puis, les deux chau-[dières [331].

Enriquez et Gusman.

En se débattant, don César fait tomber quelques doublons de ses poches. Don Salluste montre à l'alcade la façon dont elles sont remplies.

Sont-ce là les manières
Dont les honnête gens portent l'argent qu'ils ont ?

L'ALCADE, *hochant la tête.*

Hum!

DON CÉSAR, *à part.*

Je suis pris!

Les alguazils le fouillent et lui prennent son argent.

UN ALGUAZIL, *fouillant.*

Voilà des papiers.

DON CÉSAR, *à part.*

Ils y sont!
Oh! pauvres billets doux sauvés dans mes traverses!

L'ALCADE, *examinant les papiers.*

Des lettres... qu'est cela ? — d'écritures diverses ?...

DON SALLUSTE, *lui faisant remarquer les suscriptions.*

Toutes au comte d'Albe!

L'ALCADE

Oui.

DON CÉSAR

Mais...

LES ALGUAZILS, *lui liant les mains.*

Pris! quel bonheur!

UN ALGUAZIL, *entrant, à l'alcade.*

Un homme est là qu'on vient d'assassiner, seigneur.

L'ALCADE

Quel est l'assassin ?

DON SALLUSTE, *montrant don César.*

Lui!

DON CÉSAR, *à part.*

Ce duel! quelle équipée!

DON SALLUSTE

En entrant, il tenait à la main une épée.
La voilà.

L'ALCADE, *examinant l'épée.*

Du sang. — Bien.

A don César.

Allons, marche avec eux!

DON SALLUSTE,

à don César, que les alguazils emmènent.

Bonsoir, Matalobos.

DON CÉSAR,

faisant un pas vers lui et le regardant fixement.

Vous êtes un fier gueux [332]!

ACTE CINQUIÈME

LE TIGRE ET LE LION [333]

Même chambre. C'est la nuit. Une lampe est posée sur la table. Au lever du rideau, Ruy Blas est seul. Une sorte de longue robe noire cache ses vêtements.

SCÈNE PREMIÈRE

RUY BLAS, *seul.*

C'est fini. Rêve éteint! Visions disparues!
Jusqu'au soir au hasard j'ai marché dans les rues.
J'espère en ce moment. Je suis calme. La nuit,
On pense mieux, la tête est moins pleine de bruit.
Rien de trop effrayant sur ces murailles noires;
Les meubles sont rangés; les clefs sont aux armoires;
Les muets sont là-haut qui dorment; la maison
Est vraiment bien tranquille. Oh! oui, pas de raison

D'alarme. Tout va bien. Mon page est très fidèle.
Don Guritan est sûr alors qu'il s'agit d'elle [334].
O mon Dieu! n'est-ce pas que je puis vous bénir,
Que vous avez laissé l'avis lui parvenir,
Que vous m'avez aidé, vous, Dieu bon, vous, Dieu juste,
A protéger cet ange, à déjouer Salluste,
Qu'elle n'a rien à craindre, hélas, rien à souffrir,
Et qu'elle est bien sauvée, — et que je puis mourir ?

Il tire de sa poitrine une fiole [335] qu'il pose sur la table.

Oui, meurs maintenant, lâche! et tombe dans l'abîme!
Meurs comme on doit mourir quand on expie un crime!
Meurs dans cette maison, vil, misérable et seul!

Il écarte sa robe noire, sous laquelle on entrevoit la livrée qu'il portait au premier acte.

Meurs avec ta livrée enfin sous ton linceul!
— Dieu! si ce démon vient voir sa victime morte,

Il pousse un meuble de façon à barricader la porte secrète.

Qu'il n'entre pas du moins par cette horrible porte!

Il revient vers la table.

— Oh! le page a trouvé Guritan, c'est certain,
Il n'était pas encor huit heures du matin.

Il fixe son regard sur la fiole.

— Pour moi, j'ai prononcé mon arrêt, et j'apprête
Mon supplice, et je vais moi-même sur ma tête
Faire choir du tombeau le couvercle pesant.
J'ai du moins le plaisir de penser qu'à présent
Personne n'y peut rien. Ma chute est sans remède [336].

Tombant sur le fauteuil.

Elle m'aimait pourtant! — Que Dieu me soit en aide!
Je n'ai pas de courage!

Il pleure.

Oh! l'on aurait bien dû
Nous laisser en paix!

Il cache sa tête dans ses mains et pleure à sanglots.

Dieu!

Relevant la tête et comme égaré, regardant la fiole.

L'homme, qui m'a vendu
Ceci, me demandait quel jour du mois nous sommes.
Je ne sais pas. J'ai mal dans la tête. Les hommes

Sont méchants. Vous mourez, personne ne s'émeut.
Je souffre! — Elle m'aimait! — Et dire qu'on ne peut
Jamais rien ressaisir d'une chose passée! —
Je ne la verrai plus! — Sa main que j'ai pressée,
Sa bouche qui toucha mon front... — Ange adoré!
Pauvre ange! — Il faut mourir, mourir désespéré!
Sa robe où tous les plis contenaient de la grâce,
Son pied qui fait trembler mon âme quand il passe,
Son œil où s'enivraient mes yeux irrésolus,
Son sourire, sa voix... — Je ne la verrai plus!
Je ne l'entendrai plus! — Enfin c'est donc possible ?
Jamais!

Il avance avec angoisse sa main vers la fiole; au moment où il la saisit convulsivement, la porte du fond s'ouvre. La reine paraît, vêtue de blanc, avec une mante de couleur sombre [337]*, dont le capuchon, rejeté sur ses épaules, laisse voir sa tête pâle. Elle tient une lanterne sourde à la main, elle la pose à terre, et marche rapidement vers Ruy Blas.*

SCÈNE II

RUY BLAS, LA REINE

LA REINE, *entrant.*

Don César!

RUY BLAS, *se retournant avec un mouvement d'épouvante, et fermant précipitamment la robe qui cache sa livrée.*

Dieu! c'est elle! — Au piège horrible
Elle est prise!

Haut.

Madame!...

LA REINE

Eh bien! quel cri d'effroi!
César...

RUY BLAS

Qui vous a dit de venir ici ?

LA REINE

Toi.

RUY BLAS

Moi ? — Comment ?

LA REINE

J'ai reçu de vous...

RUY BLAS, *haletant.*

Parlez donc vite!

LA REINE

Une lettre.

RUY BLAS

De moi!

LA REINE

De votre main écrite.

RUY BLAS

Mais c'est à se briser le front contre le mur!
Mais je n'ai pas écrit, pardieu, j'en suis bien sûr!

LA REINE,
tirant de sa poitrine un billet qu'elle lui présente.

Lisez donc.

Ruy Blas prend la lettre [338] *avec emportement, et se penche vers la lampe et lit.*

RUY BLAS, *lisant.*

« Un danger terrible est sur ma tête.
« Ma reine seule peut conjurer la tempête...

Il regarde la lettre avec stupeur, comme ne pouvant aller plus loin

LA REINE, *continuant,*
et lui montrant du doigt la ligne qu'elle lit.

« En venant me trouver ce soir dans ma maison.
« Sinon, je suis perdu. »

RUY BLAS, *d'une voix éteinte.*

Ho! quelle trahison!
Ce billet!

LA REINE, *continuant de lire.*

« Par la porte au bas de l'avenue,
« Vous entrerez la nuit sans être reconnue.
« Quelqu'un de dévoué vous ouvrira. »

RUY BLAS, *à part.*

J'avais
Oublié ce billet.

A la reine, d'une voix terrible.

Allez-vous-en!

LA REINE

Je vais
M'en aller, don César. O mon Dieu! que vous êtes
Méchant! qu'ai-je donc fait ?

RUY BLAS

O ciel! ce que vous faites ?
Vous vous perdez!

LA REINE

Comment ?

RUY BLAS

Je ne puis l'expliquer.
Fuyez vite.

LA REINE

J'ai même, et pour ne rien manquer,
Eu le soin d'envoyer ce matin une duègne...

RUY BLAS

Dieu! — mais, à chaque instant, comme d'un cœur qui saigne,
Je sens que votre vie à flots coule et s'en va.
Partez [339]!

LA REINE, *comme frappée d'une idée subite.*

Le dévouement que mon amour rêva
M'inspire. Vous touchez à quelque instant funeste.
Vous voulez m'écarter de vos dangers! — Je reste.

RUY BLAS

Ah! Voilà, par exemple, une idée [340]! O mon Dieu!
Rester à pareille heure et dans un pareil lieu!

LA REINE

La lettre est bien de vous. Ainsi...

RUY BLAS, *levant les bras au ciel de désespoir.*

Bonté divine!

LA REINE

Vous voulez m'éloigner.

RUY BLAS, *lui prenant les mains.*

Comprenez!

LA REINE

Je devine.
Dans le premier moment vous m'écrivez, et puis...

RUY BLAS

Je ne t'ai pas écrit. Je suis un démon. Fuis!
Mais c'est toi, pauvre enfant, qui te prends dans un piège!
Mais c'est vrai! mais l'enfer de tous côtés t'assiège!
Pour te persuader je ne trouve donc rien ?
Ecoute, comprends donc, je t'aime, tu sais bien.
Pour sauver ton esprit de ce qu'il imagine,
Je voudrais arracher mon cœur de ma poitrine!
Oh! je t'aime. Va-t'en!

LA REINE

Don César...

RUY BLAS

Oh! va-t'en!
— Mais, j'y songe, on a dû t'ouvrir ?

LA REINE

Mais oui.

RUY BLAS

Satan [341]!
Qui ?

LA REINE

Quelqu'un de masqué, caché par la muraille.

RUY BLAS

Masqué! Qu'a dit cet homme ? est-il de haute taille ?
Cet homme, quel est-il ? Mais parle donc! j'attends!

Un homme en noir et masqué à la porte du fond [342].

L'HOMME MASQUÉ

C'est moi!

Il ôte son masque. C'est don Salluste. La reine et Ruy Blas le reconnaissent avec terreur.

SCÈNE III

LES MÊMES, DON SALLUSTE.

RUY BLAS

Grand Dieu! fuyez, madame!

DON SALLUSTE

Il n'est plus [temps.
Madame de Neubourg n'est plus reine d'Espagne.

LA REINE, *avec horreur.*

Don Salluste!

DON SALLUSTE, *montrant Ruy Blas.*

A jamais vous êtes la compagne
De cet homme.

LA REINE

Grand Dieu! c'est un piège, en effet!
Et don César...

RUY BLAS, *désespéré.*

Madame, hélas! qu'avez-vous fait?

DON SALLUSTE, *s'avançant à pas lents vers la reine.*

Je vous tiens. — Mais je vais parler, sans lui déplaire,
A votre majesté, car je suis sans colère.
Je vous trouve, — écoutez, ne faisons pas de bruit, —
Seule avec don César, dans sa chambre, à minuit.
Ce fait, — pour une reine, — étant public, — en somme,
Suffit pour annuler le mariage à Rome.
Le saint-père en serait informé promptement.
Mais on supplée au fait par le consentement.
Tout peut rester secret.

Il tire de sa poche un parchemin qu'il déroule et qu'il présente à la reine.

Signez-moi cette lettre
Au seigneur notre roi. Je la ferai remettre
Par le grand écuyer au notaire mayor [343].
Ensuite, — une voiture, où j'ai mis beaucoup d'or,

Désignant le dehors.

Est là. — Partez tous deux sur-le-champ. Je vous aide.
Sans être inquiétés, vous pourrez par Tolède
Et par Alcantara gagner le Portugal.
Allez où vous voudrez, cela nous est égal.
Nous fermerons les yeux. — Obéissez. Je jure
Que seul en ce moment je connais l'aventure [344];
Mais, si vous refusez, Madrid sait tout demain.
Ne nous emportons pas. Vous êtes dans ma main [345].

Montrant la table, sur laquelle il y a une écritoire.

Voilà tout ce qu'il faut pour écrire, madame.

LA REINE, *atterrée, tombant sur le fauteuil.*

Je suis en son pouvoir!

DON SALLUSTE

De vous je ne réclame
Que ce consentement pour le porter au roi.

Bas à Ruy Blas, qui écoute tout, immobile et comme frappé de la foudre.

Laisse-moi faire, ami, je travaille pour toi.

A la reine.

Signez.

LA REINE, *tremblante, à part.*

Que faire ?

DON SALLUSTE, *se penchant à son oreille et lui présentant une plume.*

Allons! qu'est-ce qu'une couronne ?
Vous gagnez le bonheur, si vous perdez le trône.
Tous mes gens sont restés dehors [346]. On ne sait rien
De ceci. Tout se passe entre nous trois.

Essayant de lui mettre la plume entre les doigts sans qu'elle la repousse ni la prenne.

Eh bien ?

La reine, indécise et égarée, le regarde avec angoisse.

Si vous ne signez point, vous vous frappez vous-même.
Le scandale et le cloître!

LA REINE, *accablée.*

O Dieu!

DON SALLUSTE, *montrant Ruy Blas.*

César vous aime.
Il est digne de vous. Il est, sur mon honneur,
De fort grande maison [347]. Presque un prince. Un seigneur
Ayant donjon sur roche [348] et fief dans la campagne.
Il est duc d'Olmedo, Bazan, et grand d'Espagne...

Il pousse sur le parchemin la main de la reine éperdue et tremblante, et qui semble prête à signer.

RUY BLAS, *comme se réveillant tout à coup.*

Je m'appelle Ruy Blas, et je suis un laquais [349] !

Arrachant des mains de la reine la plume, et le parchemin qu'il déchire.

Ne signez pas, madame ! — Enfin ! — Je suffoquais !

LA REINE

Que dit-il ? don César !

RUY BLAS, *laissant tomber sa robe et se montrant vêtu de la livrée ; sans épée.*

Je dis que je me nomme
Ruy Blas, et que je suis le valet de cet homme !

Se retournant vers don Salluste.

Je dis que c'est assez de trahison ainsi,
Et que je ne veux pas de mon bonheur ! — Merci !
— Ah ! vous avez eu beau me parler à l'oreille ! —
Je dis qu'il est bien temps qu'enfin je me réveille,
Quoique tout garrotté dans vos complots hideux,
Et que je n'irai pas plus loin, et qu'à nous deux,
Monseigneur, nous faisons un assemblage infâme.
J'ai l'habit d'un laquais, et vous en avez l'âme !

DON SALLUSTE, *à la reine, froidement.*

Cet homme est en effet mon valet.

A Ruy Blas avec autorité.

Plus un mot.

LA REINE, *laissant enfin échapper un cri de désespoir et se tordant les mains.*

Juste ciel !

DON SALLUSTE, *poursuivant.*

Seulement il a parlé trop tôt.

Il croise les bras et se redresse, avec une voix tonnante.

Eh bien, oui ! maintenant disons tout. Il n'importe [350] !
Ma vengeance est assez complète de la sorte.

A la reine.

Qu'en pensez-vous ? — Madrid va rire, sur ma foi !
Ah ! vous m'avez cassé ! je vous détrône, moi.
Ah ! vous m'avez banni ! je vous chasse, et m'en vante !
Ah ! vous m'avez pour femme offert votre suivante !

Il éclate de rire.

Moi, je vous ai donné mon laquais [351] pour amant.
Vous pourrez l'épouser aussi ! certainement.
Le roi s'en va ! — Son cœur sera votre richesse,

Il rit.

Et vous l'aurez fait duc afin d'être duchesse !

Grinçant des dents.

Ah ! vous m'avez brisé, flétri, mis sous vos pieds,
Et vous dormiez en paix, folle que vous étiez [352] !

Pendant qu'il a parlé, Ruy Blas est allé à la porte du fond et en a poussé le verrou, puis il s'est approché de lui sans qu'il s'en soit aperçu, par-derrière, à pas lents. Au moment où don Salluste achève, fixant des yeux pleins de haine et de triomphe sur la reine anéantie, Ruy Blas saisit l'épée du marquis par la poignée et la tire vivement.

RUY BLAS, *terrible, l'épée de don Salluste à la main* [353].

Je crois que vous venez d'insulter votre reine !

Don Salluste se précipite vers la porte. Ruy Blas la lui barre.

— Oh ! n'allez point par là, ce n'en est pas la peine,
J'ai poussé le verrou depuis longtemps déjà. —
Marquis [354], jusqu'à ce jour Satan te protégea [355],
Mais s'il veut t'arracher de mes mains, qu'il se montre.
— A mon tour ! — On écrase un serpent qu'on rencontre.
— Personne n'entrera, ni tes gens, ni l'enfer !
Je te tiens écumant sous mon talon de fer !
— Cet homme vous parlait insolemment, madame ?
Je vais vous expliquer. Cet homme n'a point d'âme,
C'est un monstre. En riant hier il m'étouffait.
Il m'a broyé le cœur à plaisir. Il m'a fait
Fermer une fenêtre, et j'étais au martyre [356] !
Je priais ! je pleurais ! je ne peux pas vous dire.

Au marquis.

Vous contiez vos griefs dans ces derniers moments.
Je ne répondrai pas à vos raisonnements,
Et d'ailleurs — je n'ai pas compris. — Ah! misérable!
Vous osez, — votre reine, une femme adorable!
Vous osez l'outrager quand je suis là! — Tenez,
Pour un homme d'esprit, vraiment, vous m'étonnez [357]!
Et vous vous figurez que je vous verrai faire
Sans rien dire! — Ecoutez, quelle que soit sa sphère,
Monseigneur, lorsqu'un traître, un fourbe tortueux,
Commet de certains faits rares et monstrueux [358],
Noble ou manant, tout homme a droit, sur son passage,
De venir lui cracher sa sentence au visage,
Et de prendre une épée, une hache, un couteau!... —
Pardieu! j'étais laquais! quand je serais bourreau [359]?

LA REINE

Vous n'allez pas frapper cet homme?

RUY BLAS

Je me blâme
D'accomplir devant vous ma fonction, madame,
Mais il faut étouffer cette affaire en ce lieu.

Il pousse don Salluste vers le cabinet.

— C'est dit, monsieur! allez là dedans prier Dieu!

DON SALLUSTE

C'est un assassinat [360]!

RUY BLAS

Crois-tu?

DON SALLUSTE

désarmé, et jetant un regard plein de rage autour de lui.

Sur ces murailles
Rien! pas d'arme!

A Ruy Blas.

Une épée au moins!

RUY BLAS

Marquis! tu [railles!
Maître! est-ce que je suis un gentilhomme, moi?
Un duel! fi donc! je suis un de tes gens à toi,
Valetaille de rouge et de galons vêtue,
Un maraud qu'on châtie et qu'on fouette, — et qui tue!

Oui, je vais te tuer, monseigneur, vois-tu bien ?
Comme un infâme ! comme un lâche ! comme un chien [361] !

LA REINE

Grâce pour lui !

RUY BLAS, *à la reine, saisissant le marquis.*

Madame, ici chacun se venge.
Le démon ne peut plus être sauvé par l'ange !

LA REINE, *à genoux.*

Grâce [362] !

DON SALLUSTE, *appelant.*

Au meurtre ! au secours !

RUY BLAS, *levant l'épée.*

As-tu bientôt fini ?

DON SALLUSTE, *se jetant sur lui en criant.*

Je meurs assassiné ! Démon !

RUY BLAS, *le poussant dans le cabinet.*

Tu meurs puni !

Ils disparaissent dans le cabinet, dont la porte se referme sur eux.

LA REINE, *restée seule, tombant demi-morte sur le fauteuil.*

Ciel !

Un moment de silence. Rentre Ruy Blas, pâle, sans épée.

SCÈNE IV

LA REINE, RUY BLAS

Ruy Blas fait quelques pas en chancelant vers la reine immobile et glacée, puis il tombe à deux genoux [363], l'œil fixé à terre, comme s'il n'osait lever les yeux jusqu'à elle.

RUY BLAS, *d'une voix grave et basse.*

Maintenant, madame, il faut que je vous dise.
— Je n'approcherai pas. — Je parle avec franchise.

Je ne suis point coupable autant que vous croyez.
Je sens, ma trahison, comme vous la voyez,
Doit vous paraître horrible. Oh! ce n'est pas facile
A raconter. Pourtant je n'ai pas l'âme vile,
Je suis honnête au fond. — Cet amour m'a perdu. —
Je ne me défends pas; je sais bien, j'aurais dû
Trouver quelque moyen. La faute est consommée!
— C'est égal, voyez-vous, je vous ai bien aimée.

LA REINE

Monsieur...

RUY BLAS, *toujours à genoux.*

N'ayez pas peur. Je n'approcherai point.
A votre majesté je vais de point en point
Tout dire. Oh! croyez-moi, je n'ai pas l'âme vile! —
Aujourd'hui tout le jour j'ai couru par la ville
Comme un fou [364]. Bien souvent même on m'a regardé.
Auprès de l'hôpital que vous avez fondé [365],
J'ai senti vaguement, à travers mon délire,
Une femme du peuple essuyer sans rien dire
Les gouttes de sueur qui tombaient de mon front [366].
Ayez pitié de moi, mon Dieu! mon cœur se rompt!

LA REINE

Que voulez-vous ?

RUY BLAS, *joignant les mains.*

Que vous me pardonniez, madame!

LA REINE

Jamais.

RUY BLAS

Jamais!

Il se lève et marche lentement vers la table.

Bien sûr ?

LA REINE

Non, jamais [367]!

RUY BLAS

Il prend la fiole posée sur la table, la porte à ses lèvres et la vide d'un trait.

Triste flamme,
Eteins-toi [368]!

LA REINE, *se levant et courant à lui.*

Que fait-il ?

RUY BLAS, *posant la fiole.*

Rien. Mes maux sont finis.
Rien. Vous me maudissez, et moi je vous bénis [369].
Voilà tout.

LA REINE, *éperdue.*

Don César !

RUY BLAS

Quand je pense, pauvre ange,
Que vous m'avez aimé !

LA REINE

Quel est ce philtre étrange ?
Qu'avez-vous fait ? Dis-moi ! réponds-moi ! parle-moi !
César ! je te pardonne et t'aime, et je te croi !

RUY BLAS

Je m'appelle Ruy Blas.

LA REINE, *l'entourant de ses bras.*

Ruy Blas, je vous pardonne !
Mais qu'avez-vous fait là ? Parle, je te l'ordonne !
Ce n'est pas du poison, cette affreuse liqueur ?
Dis ?

RUY BLAS

Si ! c'est du poison. Mais j'ai la joie au cœur.

Tenant la reine embrassée et levant les yeux au ciel.

Permettez, ô mon Dieu, justice souveraine [370],
Que ce pauvre laquais bénisse cette reine,
Car elle a consolé mon cœur crucifié,
Vivant, par son amour, mourant, par sa pitié !

LA REINE

Du poison ! Dieu ! c'est moi qui l'ai tué ! — Je t'aime [371] !
Si j'avais pardonné ?...

RUY BLAS, *défaillant.*

J'aurais agi de même.

Sa voix s'éteint. La reine le soutient dans ses bras.

Je ne pouvais plus vivre. Adieu!

Montrant la porte.

Fuyez d'ici!

— Tout restera secret. — Je meurs.

Il tombe.

LA REINE, *se jetant sur son corps.*

Ruy Blas!

RUY BLAS, *qui allait mourir,*
se réveille à son nom prononcé par la reine.

Merci[372]!

NOTE

Il est arrivé à l'auteur de voir représenter en province *Angelo, tyran de Padoue*, par des acteurs qui prononçaient *Tisbe*, *Dafne*, fort satisfaisants, du reste, sous d'autres rapports. Il lui paraît donc utile d'indiquer ici, pour ceux qui pourraient l'ignorer, que, dans les noms espagnols et italiens, les *e* doivent se prononcer *é*. Quand on lit *Teve*, *Camporeal*, *Oñate*, il faut dire *Tévé*, *Camporéal*, *Ognâté*. Après cette observation, qui s'adresse particulièrement aux régisseurs de théâtres de province où l'on pourrait monter *Ruy Blas*, l'auteur croit à propos d'expliquer, pour le lecteur, deux ou trois mots spéciaux employés dans ce drame. Ainsi *almojarifazgo* [a] est le mot arabe par lequel on désignait, dans l'ancienne monarchie espagnole, le tribut de cinq pour cent [b] que payaient au roi toutes les marchandises qui allaient d'Espagne aux Indes; ainsi l'impôt des *ports secs* signifie le droit de douane des villes frontières. Du reste, et cela va sans dire, il n'y a pas dans *Ruy Blas* un détail de vie privée ou publique, d'intérieur, d'ameublement, de blason, d'étiquette, de biographie, de chiffre, ou de topographie, qui ne soit scrupuleusement exact. Ainsi, quand le comte de Camporeal dit : *La maison de la reine, ordinaire et civile, coûte par an six cent soixante-quatre mille soixante-six ducats*, on peut consulter *Solo Madrid es corte*, on y trouvera cette somme pour le règne de Charles II, sans un maravédis [c] de plus ou de moins. Quand don Salluste dit : *Sandoval porte d'or à la bande de sable*, on n'a qu'à recourir au registre de la grandesse pour s'assurer que don Salluste ne change rien au blason de Sandoval. Quand le laquais du quatrième acte dit : *L'or est en souverains, bons quadruples pesant sept gros trente-six grains, ou bons doublons au marc*, on peut ouvrir le livre des monnaies publié sous Philippe IV, *en la imprenta real* [d]. De même pour le reste. L'auteur pourrait multiplier à l'infini ce genre d'observations, mais on comprendra qu'il s'arrête ici. Toutes ses pièces pourraient être escortées d'un volume de notes dont il se dispense et dont il dispense le lecteur. Il l'a déjà dit ailleurs, et il espère qu'on s'en souvient peut-être, *à défaut de talent, il a la conscience* [e]. Et cette conscience, il veut la porter en tout, dans les petites choses comme dans les grandes, dans la citation d'un chiffre comme dans la peinture des cœurs et des âmes, dans le dessin d'un blason comme dans l'analyse des caractères et des passions. Seulement il croit devoir maintenir rigoureusement chaque chose dans sa proportion, et ne jamais souffrir que le petit détail sorte de sa place. Les petits détails d'histoire et de vie domestique doivent être scrupuleusement étudiés et reproduits par le poète, mais uniquement comme des moyens d'accroître la réalité de l'ensemble, et de faire pénétrer jusque dans les coins les plus obscurs de l'œuvre cette vie générale et puissante au milieu de laquelle les personnages sont plus vrais et les catastrophes, par conséquent, plus poignantes. Tout doit être subordonné à ce but. L'homme sur le premier plan, le reste au fond.

Pour en finir avec les observations minutieuses, notons encore en passant que Ruy Blas, au théâtre, dit (IIIe acte) : Monsieur de Priego, *comme sujet du roi*, etc., et que dans le livre il dit : *comme noble du roi*. Le livre donne l'expression juste. En Espagne, il y avait deux espèces de nobles, les *nobles du royaume*, c'est-à-dire tous les gentilshommes, et les *nobles du roi*, c'est-à-dire les grands d'Espagne. Or M. de Priego est grand d'Espagne, et, par conséquent, noble du roi. Mais l'expression aurait pu paraître obscure à quelques spectateurs peu lettrés ; et, comme au théâtre deux ou trois personnes qui ne comprennent pas se croient parfois le droit de troubler deux mille personnes qui comprennent, l'auteur a fait dire à Ruy Blas *sujet du roi* pour *noble du roi*, comme il avait déjà fait dire à Angelo Malipieri la *croix rouge* au lieu de la *croix de gueules*. Il en offre ici toutes ses excuses aux spectateurs intelligents.

Maintenant, qu'on lui permette d'accomplir un devoir qui est pour lui un plaisir, c'est-à-dire d'adresser un remerciement public à cette troupe excellente qui vient de se révéler tout à coup par *Ruy Blas* au public parisien dans la belle salle Ventadour, et qui a tout à la fois l'éclat des troupes neuves et l'ensemble des troupes anciennes. Il n'est pas un personnage de cette pièce, si petit qu'il soit, qui ne soit remarquablement bien représenté, et plusieurs des rôles secondaires laissent entrevoir aux connaisseurs, par des ouvertures trop étroites à la vérité, des talents fort distingués. Grâce, en grande partie, à cette troupe si intelligente et si bien faite, de hautes destinées attendent, nous n'en doutons pas, ce magnifique théâtre, déjà aussi royal qu'aucun des théâtres royaux, et plus utile aux lettres qu'aucun des théâtres subventionnés.

Quant à nous, pour nous borner aux rôles principaux, félicitons M. Féréol de cette science d'excellent comédien avec laquelle il a reproduit la figure chevaleresque et gravement bouffonne de don Guritan. Au dix-septième siècle, il restait encore en Espagne quelques don-Quichottes malgré Cervantes. M. Féréol s'en est spirituellement souvenu.

M. Alexandre Mauzin a supérieurement compris et composé don Salluste. Don Salluste, c'est Satan, mais c'est Satan grand d'Espagne de première classe ; c'est l'orgueil du démon sous la fierté du marquis ; du bronze sous de l'or ; un personnage poli, sérieux, contenu, sobrement railleur, froid, lettré, homme du monde, avec des éclairs infernaux. Il faut à l'acteur qui aborde ce rôle, et c'est ce que tous les connaisseurs ont trouvé dans M. Alexandre, une manière tranquille, sinistre et grande, avec deux explosions terribles, l'une au commencement, l'autre à la fin.

Le rôle de don César a naturellement eu beaucoup d'aventures dont les journaux et les tribunaux ont entretenu le public. En somme, le résultat a été le plus heureux du monde. Don César a fort cavalièrement pris au boulevard et fort légitimement donné à la comédie un bien qui lui appartenait, c'est-à-dire le talent vrai, fin, souple, charmant, irrésistiblement gai et singulièrement littéraire de M. Saint-Firmin.

La reine est un ange, et la reine est une femme. Le double aspect de cette chaste figure a été reproduit par mademoiselle Louise Baudouin avec une intelligence rare et exquise. Au cinquième acte, Marie de Neubourg repousse le laquais et s'attendrit sur le mourant ; reine, devant la faute, elle redevient femme devant l'expiation. Aucune de ces nuances n'a échappé à mademoiselle Baudouin, qui s'est élevée très haut dans ce rôle. Elle a eu la pureté, la dignité et le pathétique.

Quant à M. Frédérick Lemaître, qu'en dire ? Les acclamations enthousiastes de la foule le saisissent à son entrée en scène et le suivent jusqu'après le dénouement. Rêveur et profond au premier acte, mélancolique au deuxième, grand, passionné et sublime au troisième, il s'élève au cinquième acte à l'un de ces prodigieux effet tragiques du haut desquels l'acteur rayonnant domine tous les souvenirs de son art. Pour les vieillards, c'est Lekain[1] et Garrick mêlés dans un seul homme; pour nous, contemporains, c'est l'action de Kean combinée avec l'émotion de Talma. Et puis, partout, à travers les éclairs éblouissants de son jeu, M. Frédérick a des larmes, de ces vraies larmes qui font pleurer les autres, de ces larmes dont parle Horace : *Si vis me flere, dolendum est primum ipse tibi*[g]. Dans *Ruy Blas*, M. Frédérick réalise pour nous l'idéal du grand acteur. Il est certain que toute sa vie de théâtre, le passé comme l'avenir, sera illuminée par cette création radieuse. Pour M. Frédérick, la soirée du 8 novembre 1838 n'a pas été une représentation, mais une transfiguration.

NOTES ET VARIANTES

LUCRÈCE BORGIA

1. Premier titre : *Un souper à Ferrare.* Le dramaturge semble avoir souvent voulu mettre d'abord en évidence une situation : *Un duel sous Richelieu, La Jeunesse de Charles Quint, Le Roi s'ennuie* ou *Le Roi s'amuse;* il s'est ravisé, et a souligné par le titre son personnage principal. Sauf une fois, pour *Le Roi :* il lui était difficile de retenir comme titre *François Ier*, le héros dramatique étant le bouffon; et *Triboulet* convenait mal, son nom étant moins bien connu du grand public; et il fallait souligner la culpabilité du roi.

2. *Le Roi s'amuse,* représenté le 22 novembre 1832, interdit aussitôt par l'autorité légale. Le volume avait paru chez Renduel le même mois de novembre.

3. Le ministère Soult, qui succéda en 1832 à celui de Casimir Périer.

4. L'intention politique pouvait être douteuse pour *Le Roi s'amuse.* Maintenant, Hugo s'oppose à la monarchie de Louis-Philippe.

5. Les deux projets peuvent avoir été conçus en même temps. Jusqu'à quel point celui de *Lucrèce Borgia* avait-il été précisé ? Hugo peut très bien avoir modifié son plan, voire le sens et le ton du drame sous l'effet de la réaction hostile de la commission de censure. Ce long paragraphe montre la position de l'écrivain après qu'il vient de terminer son œuvre; le sens lui apparaît *a posteriori.* Il n'en subsiste pas moins un fait : la création des deux drames, successive, est jumelle, conformément au mouvement de son esprit : la monstruosité passe du physique au moral, de l'homme à la femme, du bouffon à la princesse. Subsiste le thème de la paternité ou de la maternité, et celui de la vie de cour, à la Renaissance — même si Hugo estime que le XVe siècle italien relève du Moyen Age. Enfin, la malédiction proférée par Saint-Vallier sur le roi et sur le bouffon pour la profanation de sa fille trouve ici son équivalent, intériorisé, dans l'hérédité mauvaise des Borgia.

6. « [les livrets] ont leur destin ». L'expression, attribuée à Terentius Maurus (Ier s. après J.-C.), est devenue proverbiale.

7. La tradition était célèbre qui faisait du « masque de fer » le frère de Louis XIV. Hugo avait songé à consacrer un drame à ce personnage vers 1829. *Les Jumeaux* (1839) en sont la réalisation partielle.

8. Dans un projet de drame, datant de 1826-1827, dont subsistent des ébauches et quelques fragments, sur *Pierre Corneille,* le génie

créateur et indépendant est opposé à la critique académique et vétilleuse. Des échos en sont passés dans *Marion de Lorme* (II, 1). La *Préface* de *Cromwell* atteste que Hugo avait lu attentivement des passages de Scudéry et de Chapelain, qui prétendaient étriller *Le Cid*.

9. La citation latine et la suivante, reprises à Tacite (*Annales*, IV, 10 et 11), offrent un exemple remarquable d' « intertextualité » chez Hugo. Apparemment ornementales, leur rapport avec le drame est profond. Séjan avait projeté de tuer Drusus; par un calcul machiavélique il fit croire que c'était Tibère qui allait être empoisonné et qu'il devait éviter la première coupe. Dans le texte qui suit sont reproduits en italiques les deux passages retenus par Hugo; ils n'ont de sens que par rapport à l'ensemble : « je ne saurais omettre un bruit qui courut à l'époque et trouva tant de crédit qu'il ne s'est pas encore évanoui. Après avoir séduit Livie pour la rendre criminelle, Séjan se serait par d'infâmes complaisances attaché l'eunuque Lygdus, parce que celui-ci, cher à son maître par sa jeunesse et sa beauté, avait dans son domestique un des premiers emplois; puis, quand les complices eurent arrêté entre eux le lieu et le jour de l'empoisonnement, il aurait eu l'audace de donner le change : accusant en termes couverts Drusus de vouloir empoisonner son père, il aurait averti Tibère d'éviter la première coupe qui lui serait offerte à la table de son fils; le vieillard se serait laissé prendre à cette ruse, et après avoir pris place au banquet, il aurait passé à Drusus la coupe qui lui était offerte; et, comme celui-ci *dans son ignorance et avec l'ardeur de son âge la vidait d'un seul trait*, cet acte aurait fortifié les soupçons : on se disait que, dans son effroi et sa honte, il se condamnait lui-même à la mort qu'il avait machinée pour son père [...]. Mais comme Séjan passait dans l'opinion pour être capable d'inventer tous les crimes, que Tibère lui témoignait une affection excessive et que tous deux étaient unanimement haïs, ces dispositions *accréditaient les fables les plus monstrueuses, d'autant que, pour la renommée, la mort des princes est toujours prise au tragique* » (traduction de Henri Goelzer. Paris, Les Belles Lettres, 1938, 181-182). L'antiquité romaine offrait à Hugo un précédent remarquable pour l'aventure des Borgia et pour les légendes qui se forment. L'histoire du XVe siècle répétait celle du Ier siècle.

10. Cf. notre introduction.

11. Cf. les réactions de la presse, dans l'introduction.

12. La littérature devient une forme d'action pour Hugo.

13. *Cinna*, II, 4.

14. « Mourir, dormir. » *Hamlet*, III, 1.

15. Reparaît ici un lieu commun qui remonte au Moyen Age, celui de l' « affectation de modestie », dont parle E. R. Curtius dans *L'Europe littéraire et le Moyen Age latin*. Hugo pare en même temps aux objections que susciteraient les contrastes spectaculaires qui jalonnent son drame.

16. « Souviens-toi que tu es poussière / (et que tu retourneras en poussière). » Cette phrase de la liturgie catholique, prononcée jadis en latin lors de la cérémonie du Mercredi des Cendres, Hugo l'avait entendue souvent dans sa jeunesse. Sa connaissance de la liturgie catholique est précise et nette.

17. Lucrèce Bortia est morte en 1519. Hugo ayant inventé Gennaro et la mort de Lucrèce par meurtre, la date est laissée dans le vague. Cf. aussi n. 114.

18. Voici la composition de la famille Borgia, telle qu'on pouvait la connaître dans les années 1830, d'après des sources qui ne concordent pas sur tous les points. D'origine espagnole, Roderigo Lenzolio a reçu le nom espagnol de Borgia; après avoir épousé Cate-

rina ou Rosa Vanozza, une Romaine dont la réputation était douteuse, il a été élu pape sous le nom d'Alexandre VI, en 1492 — élection simoniaque, selon Sismondi. Sont issus de son mariage : Giovanni (Jean), duc de Gandie (14??-14??); César (1476-1507), qui recevra le titre de duc de Valentinois (en Dauphiné); Lucrèce (1480-1519); Geoffroy (ou Jaufré ou Giuffrè) (1481-1517). — Le premier mari de Lucrèce aurait été écarté par Alexandre VI parce que son origine le rendait indigne de la situation sociale à laquelle s'était élevée la famille Borgia (la *Biographie universelle Michaud*, dit simplement que, mariée et divorcée, elle épousa Jean Sforce; *art.* César Borgia). Un second mariage, avec Jean Sforza, seigneur de Pesaro, en 1493, fut annulé sous prétexte d'impuissance. Lucrèce aurait épousé ensuite Alphonse d'Aragon (1498) (Guichardin avance un autre nom), qui fut assassiné à Rome en 1500, peut-être sur l'ordre de César Borgia; de cette union était né un fils Rodrigo — certaines sources parlent d'un enfant adultérin. Elle s'unit ensuite à Alphonse d'Este, duc de Ferrare, le 30 décembre 1501. Depuis lors, Lucrèce vécut à Ferrare. L'existence de son fils permettait à Hugo de créer le personnage de Gennaro.

19. Des doges de Venise ont porté ce nom, cité par Guichardin.

20. D'emblée le cadre souligne le contraste entre l'ombre et la lumière, la musique joyeuse et les sonorités funèbres; la mort est présente au sein du carnaval; ainsi, la fin est annoncée depuis le début. Le drame est constitué sous une forme circulaire.

21. Ces noms viennent de familles qui ont mené une vie active dans la politique et dans les guerres de l'Italie à la fin du XVe siècle : soit dans les conflits entre les villes ou les Etats, soit dans leurs démêlés avec le roi de France et ses guerres d'Italie. Hugo les tire surtout de la *Biographie universelle Michaud* et de Guichardin. Tomasi francise certains noms.

22. Les traducteurs de Tomasi varient : Carvaïale ou Carriale. Le cardinal était sujet de la maison d'Aragon, qui régnait à Naples, mais créature des Borgia. L'opposition entre lui et son homologue italien constitue une microstructure, peut-être inconsciente.

23. Les Riario possédaient Imola, Forli, Césène. César les en a dépouillés. Tomasi signale l'opposition du cardinal Riario avec Carriale, qui avait appuyé le projet d'une guerre contre Charles VIII désireux de conquérir le royaume de Naples. Riario courait le risque de s'attirer l'hostilité du pape.

24. Le caractère de Gennaro est créé en fonction de réminiscences qui viennent de Didier *(Marion de Lorme)*. Tous deux sont de naissance inconnue; mais Didier était pauvre; son vêtement trahissait une origine modeste. Gennaro est gentilhomme; il s'inquiète de sa famille et non de l'amour; Didier ne connaissait que la passion idéale, qui l'a révélé à lui-même. Hugo se souvient peut-être de Carlos, fils de roi, dans *Don Sanche d'Aragon*, de Corneille.

24 *bis*. Le nom avait été noté par Hugo sur un feuillet. Peut-être inventé à partir de « janvier » (« gennaio »), ce qui marquerait l'absence de passé. Gennaro n'a pas de nom de famille, pas plus que son contraire Gubetta.

25. Cette fonction sera rappelée plus tard (Acte II, 1re p., sc. 5). Ce soldat louait ses services à des princes; cela impliquerait l'absence d'opinions; Gennaro est un mercenaire, il vit — on peut le supposer — dans un monde interlope. Ses valeurs morales l'en isolent.

26. L'astrologie a tenu une grande place dans la vie, au XVIe siècle, surtout dans les cours princières. *Amy Robsart* mettait en scène Demetrius Alasco Doboobius, alchimiste et astrologue, directement emprunté à Walter Scott. Didier *(Marion de Lorme)* sent qu'il est né

sous une mauvaise étoile. Une mention très brève est faite de Corneille Agrippa et de Trithème dans *Hernani* (IV, 1); mais elle paraît dans la longue et importante méditation du futur Charles Quint sur le pouvoir des rois. Cette constance s'explique par le sentiment profond qu'a du destin le dramaturge. Pourquoi Maffio évoquerait-il, sinon, les « fatalités souvent héréditaires », deux phrases plus loin ?

27. Ces détails précis sont tous repris à Tomasi : le lieu, le moment, les mouvements des personnages; il donne le nom du batelier et la nature de sa marchandise. Hugo a hispanisé le nom de l'église, Santo Girolamo.

28. Le pseudonyme de Gubetta comporte une vengeance de Hugo : il utilise celui d'un de ses condisciples espagnols qui avait blessé son frère Eugène au Collège des Nobles à Madrid.

29. Gennaro serait le fils de Jean ou de César. Né en 1497, il aurait vingt-deux ans si l'on se tient à la date réelle de la mort de Lucrèce.

30. Un cardinal Borgia, légat apostolique, a été empoisonné par César parce qu'il avait préféré son frère le duc de Gandie (Tomasi). Des fils de Guifry Tomasi ne parle pas.

31. Dans Tomasi.

32. Cf. n. 18.

33. C'est César qui avait pris la ville sur Pandolfo Malatesta (*Biographie universelle Michaud*, art. *César Borgia*).

34. Guichardin et Sismondi citent ce nom d'un commandant de la flotte vénitienne en 1495. — Un Laurent Tiepolo a été doge au XIIIe siècle; il a été le premier à être élu selon un double système de tirage au sort et d'élection, qui est resté en vigueur.

35. L'amitié indissoluble qui unit Maffio et Gennaro sera la cause de la mort de celui-ci. La fin du drame est impliquée dans le début.

36. Le monologue obéit à une gradation, qui place le pape au-dessus du diable.

37. Jean Sforza ayant reçu l'investiture du comté de Pontecorvo, Hugo se livre à un jeu de mots en tirant « pont carré » de « pont courbe ». — La première scène a mis en évidence le mystère qui plane sur l'identité de Gennaro. Un seul homme la connaît : Gubetta, qui vient de parler et d'entrouvrir, pour le spectateur, un coin du voile. La deuxième scène fait paraître le masque de la mère coupable.

38. Les habitants de la Romagne. César Borgia était duc de cette province.

39. Lucrèce est le point de mire du pays tout entier; elle l'est parce qu'elle est la seule femme de sa famille et la plus coupable d'inceste et de meurtre; soit par conviction profonde, soit pour un mobile tactique elle attribue le mal qui est en elle non à sa nature mais à son milieu. Ceci l'oppose à François Ier, coupable de légèreté. Triboulet est devenu mauvais par la double expérience de sa difformité et du monde aristocratique dans lequel il a été plongé.

40. Lucrèce avait été nommée gouvernante de Spolète. Cf. *Biographie universelle Michaud*, art. *Alexandre VI*.

41. Dans Tomasi. Ancienne famille florentine citée par Guichardin.

42. L'attrait pour l'hyperbole apparaît ici, comme celui de la profanation ou du sacrilège. La communion étant obligatoire lors de la période de Pâques, Lucrèce est certaine que Spadacappa sera tué. L'opposition de Pâques au carnaval, de la fête à la mort est fortement accentuée.

43. Tomasi parle de Louis Capra, évêque de Pezare.

44. Les célèbres « caves du Vatican », dont il sera encore question plus loin.

45. Nouvelle gradation dans le discours.

46. Ms. : « N'as-tu pas peur de mourir de trois ou quatre assassinats rentrés ? Ecoute, Gubetta, tu [...]. » La première phrase a été supprimée parce qu'elle était trop familière dans la bouche de Lucrèce.

47. La distinction établie par Gubetta est subtile : il écoute Lucrèce et travaille pour elle. Ceci prépare la confession de Lucrèce un peu plus loin.

48. Hugo avait d'abord écrit, dans le Ms. : « comme un chien à aller nu-tête », une image conforme au parler fleuri de Gubetta.

49. La franchise de Lucrèce est ici relative; elle n'ira pas jusqu'à dévoiler toute la vérité. Elle dit qu'elle ne parlera pas de ses amants; reste la place à une hypothèse : son fils. La réplique de Gubetta peut être entendue dans un double sens : on ne peut aimer que ses parents, ses frères, son mari, ses amants; mais, dans la fausse naïveté du personnage n'y a-t-il pas une allusion à l'inceste (Lucrèce n'a pas parlé de sa mère, ni de « ses » frères) et aux divers mariages (elle n'a parlé que de « son » mari) ? Le doute sera levé pour le spectateur lors de la longue tirade de Lucrèce : là se révèle le fond de son cœur; elle veut laver son âme et sa réputation.

50. Dans sa brièveté, la remarque de Gubetta est triviale; conformément à sa théorie du mélange des tons et des genres, Hugo fait jaillir une expression vulgaire face à un élan profond de l'être. Gubetta déforme la locution « marcher sur une mauvaise herbe » (être de mauvaise humeur); la substitution d' « ermite » à « herbe » souligne la piété inattendue de Lucrèce, comme s'il s'agissait d'un mouvement passager. En fait, la mère veut se racheter pour son fils, comme Marion voulait l'être devant Didier, lui aussi ignorant le passé, ancien et récent, de sa maîtresse.

51. L'image, apparemment simpliste, est reprise à la tradition catholique, apprise par Hugo sinon dans sa famille, au moins au Collège : l'âme du croyant est le lieu d'un affrontement permanent entre le bon et le mauvais ange.

52. « Nous te louons, Dieu, mon âme glorifie le Seigneur ! » Empruntées à la liturgie catholique, reprises à deux contextes différents et qui n'ont rien de commun (la prière d'action de grâces et la Messe de la Visitation, 2 juillet), ces deux prières, qui étaient chantées souvent, sont unies délibérément par Hugo; Italien de la Renaissance, Gubetta connaît les prières usuelles; il les emploie ici à des fins parodiques et ne peut s'empêcher d'ironiser sur la conversion inattendue de Lucrèce; d'où l'emploi du latin et des formules de l'Eglise.

53. La récapitulation des événements récents permet au dramaturge de résumer le comportement de Lucrèce depuis un mois, le moment où elle a retrouvé la trace de Gennaro.

54. Mot espagnol : réunions de famille et d'amis.

55. La mutation de Lucrèce apparaît à un seul témoin, alors que le carnaval impose à tous le masque; Lucrèce prend également celui-ci, mais dans une intention diamétralement opposée, pour aller du crime vers la vertu, de la passion mauvaise vers le sentiment authentique et vers la pureté de l'être. Sans en déceler les raisons profondes, Gubetta a perçu cette opposition. De là vient la formule familière qu'il énonce un peu plus loin : Gennaro « dormirait debout s'il avait été en tiers dans la conversation ». Le langage du faux Espagnol Gubetta s'apparente à celui de Sancho Pança.

56. Ms. « Me voici devant vous plus ébahi, plus empêché, plus étourdi, plus stupéfait, émerveillé et déconcerté de votre vertu qu'un chat des ailes d'un oiseau. » Quoique cette repartie fût dans le style du personnage, elle a été éliminée, sans doute pour sa redondance.

57. L'image « les yeux miroirs de l'âme » est ici mêlée à celle, courante, du mur aveugle. La locution ainsi constituée s'insère parfai-

tement dans le thème du secret et du dévoilement, pris ici d'une manière négative.

58. Le nom a sans doute été emprunté à Boccace, *Elégie de Madonna Fiametta* (1348).

59. Les larmes font que Lucrèce doit dévoiler son visage et qu'elle montre le fond de son cœur; le sentiment maternel révèle sa nature. Elle vient d'invoquer un Dieu que toute sa conduite a jusqu'alors nié. Elle se trahit devant deux témoins, mais ils sont invisibles et se trompent sur la nature de son sentiment, le comprenant selon tout son passé.

60. De cette locution, dont le sens est clair (« connaître les tenants et les aboutissants »), on n'a pas trouvé d'exemple dont Hugo l'ait tirée.

61. Alain Chartier (v. 1386-v. 1452), auteur du *Quadrilog(u)e invectif*, était le poète, célèbre dans l'Europe lettrée, de la *Belle Dame sans mercy*. Selon une légende la reine d'Ecosse, Marguerite, qui allait épouser le futur Louis XI, vit dans une salle le poète endormi et le baisa sur la bouche, malgré sa laideur, pour l'excellence de ses poèmes. Cette histoire a été rapportée par Jean Bouchet (*Annales d'Aquitaine*, 1524, plusieurs fois rééditées jusqu'en 1644), Gilles Corrozet (*Divers propos mémorables*, 1557), Etienne Pasquier (*Recherches sur la France*, 1569, rééditées fréquemment).

62. Plusieurs doges ont porté ce nom, Marc et son frère Augustin (fin du XVe siècle), Nicolas, Jean-François. — Le palais Labbia existe encore à Venise.

63. L'image du réseau qui enveloppe la victime, fréquente chez Hugo, est liée chez lui à la création littéraire; la sienne procède moins par juxtaposition ou par une manière ponctuelle que par association. De là les figures de la pieuvre *(Les Travailleurs de la mer)*, de la toile, du filet, de la toile d'araignée.

64. Une situation analogue se trouve dans *Don Sanche d'Aragon :* Carlos ignore sa naissance; sa mère pressent leur parenté.

65. La mère est absente dans *Amy Robsart*, dans *Hernani*, dans *Marion de Lorme*. Le sentiment paternel de Triboulet *(Le Roi s'amuse)* justifie l'évocation de l'épouse qui a aimé le bouffon (II, 3). L'expression de ce sentiment croît dans le théâtre de Hugo; ici le fils aime la mère inconnue avec autant de passion que celle-ci aime un fils qu'elle n'a pas élevé ni revu depuis qu'il a été écarté d'elle.

66. Cette forme archaïque, pour « être enclin à », « avoir un penchant pour » se trouve chez Corneille, Molière, entre autres. Hugo se souvient de ses lectures classiques.

67. Issue peut-être d'un appel du sang, l'intuition guide Gennaro d'une manière d'autant plus étonnante et plus sûre qu'il a vécu sans famille et est devenu homme d'action, guerrier. Dans les drames antérieurs, Hugo n'avait fait aucune place à l'intuition : les personnages ne devinent guère les liens profonds d'amour ou de haine qui les lient à autrui.

68. Voir encore *Don Sanche d'Aragon*, Actes IV et V.

69. Casque léger porté par le chevalier quand il n'était pas armé pour le combat. Le mot apparaît évidemment dans *Don Quichotte*.

70. Le messager apparaît comme un spectre. Son évocation, dans la conversation de Gennaro, constitue une prémonition des pénitents, dans la dernière scène du drame; il apportait un signe de vie, ils porteront la mort. La vie vient de la mère, la mort est donnée par le substitut du père.

71. Ms. :

DONA LUCREZIA

Il paraît que c'est une idée qu'il est naturel d'avoir quand on aime.

J'ai aussi des lettres qui me sont bien chères, Gennaro, et je les porte comme toi sur mon cœur.

GENNARO

Vous faites bien.

Ces deux répliques ont-elles été écartées parce qu'elles contenaient une confidence qui eût pu éclairer Gennaro ?

72. Le dramaturge projetterait-il ici certaines obsessions de son enfance, liées aux conflits qui séparaient ses parents et qui les ont menés au divorce ?

73. Gennaro utilise le langage des chevaliers médiévaux; don Quichotte tragique, il veut servir une cause, celle de sa mère, substitut de la dame. De là la référence à saint Michel, l'archange armé, patron des chevaliers; de là l'image de l'épée loyale. Ce texte prend le relais de celui qui, un peu plus haut, évoquait le moment où Gennaro a été armé chevalier.

74. Sens ancien : téméraire.

75. Gennaro parle en chevalier : il respecte la femme et le mystère. Son idéalisme implique la volonté, donc le refus de la fatalité et même le refus du réel.

76. L'énumération groupe les noms de ceux qui, parfois alliés à César, parfois ses ennemis, l'ont vu se tourner contre eux et qui ont conspiré contre lui. Hugo leur invente des parents proches pour assurer l'existence de vengeurs posthumes. Tomasi cite les noms d'Ascanio Petrucci, de Francisco Gazella, d'Oloferno Vitelli.

77. Est reprise ici toute la tradition concernant Lucrèce, telle qu'elle a été transmise depuis le XVIe siècle par les historiens, avec plus ou moins de certitude.

78. Le déplacement de l'action vers Ferrare est essentiel : Lucrèce s'y trouve dans les terres de son mari, à la fois chez elle et chez autrui; elle peut commander, mais elle doit aussi obéir.

79. Le langage imagé de Gubetta est constant. Il parle comme un homme du peuple selon une certaine tradition littéraire; il est aussi le domestique confident, qui joue le jeu de son maître.

80. La nature et l'anti-nature. Chez Lucrèce et son acolyte, le monde est renversé : l'anti-nature est devenue naturelle. Chez Hugo l'être ne peut rejeter son identité : Triboulet le bouffon ne peut se muer en meurtrier, Ruy Blas ne peut être aristocrate.

81. Titre des officiers qui avaient pour mission de garder la chape, insigne important du pouvoir des rois et des princes.

82. Gubetta prolonge l'expression qu'il avait utilisée peu auparavant, « tirer le diable par la queue ». Contrairement aux valets de comédie, il n'est pas initié aux secrets les plus intimes de sa maîtresse. De là vient sa réaction : il croit que Lucrèce mène une intrigue amoureuse après d'autres. Dès lors, son attitude est d'un observateur, non d'un être agissant. Il préserve son identité; par là, il échappera à la fatalité.

83. Cf. n. 18.

84. Hugo avait d'abord écrit une réflexion de Gennaro : « Je ne sais pourquoi je me figure que les crimes de cette femme sont pour quelque chose dans les malheurs de ma mère. » L'intuition se mue en un pressentiment plus vague.

85. Le fameux poison « cantarella » dont parle Voltaire (*Essai sur les mœurs*, ch. CXI), une poudre blanche comme du sucre.

86. Appelé aussi Djem. Frère et rival du sultan de Constantinople Bajazet II qui, avec l'aide du pape et du roi de France, le tenait hors de ses Etats, il aurait été la victime d'un complot pour lequel

Bajazet aurait offert deux cent mille ducats au pape (Sismondi). Zizimi serait mort à Capoue, près de Naples, en 1495. Voltaire évoque ce personnage (*Essai sur les mœurs*, CVII); les circonstances de son décès restaient obscures aux XVIIIe et XIXe siècles.

87. Sismondi relate la mort de Jean Galéas, tué par Ludovic le More à Ferrare, avec un poison aux effets très lents. Hugo dramatise ce récit et transfère sur le pape et sur César une pratique qui était celle d'un ancêtre direct d'Alphonse d'Este.

88. Guidobaldo de Montefeltro avait été l'allié du pape contre les Orsini. César était devenu son ennemi (Tomasi et *Biographie universelle Michaud*).

89. Echo des propos rapportés par Jean Burchard, d'une manière très vague, affirmés par d'autres d'une manière plus péremptoire. Les *Annales* de Tacite confirment Hugo dans son sentiment d'une continuité dans l'histoire.

90. Le nom de cette famille est cité par Burchard.

91. Que Gubetta surgisse de l'ombre est significatif : il est invité au souper, mais à part. Le souhait qu'il profère immédiatement après est ironique : il sait ce qu'implique le souper.

92. En 1492. Les interférences entre l'Espagne et l'Italie ont leur logique dans leur drame : les Borgia sont d'origine espagnole, mais ils sont princes italiens. Gubetta, italien, se cache sous un nom espagnol, qui lui confère une sorte de pureté apparente.

93. Ces paroles sont marquées par l'équivoque sur le sentiment qu'éprouve Lucrèce pour Gennaro, comme sur le sens du masque qu'elle portait.

94. La lacération de l'écharpe brodée par Lucrèce à ses armes constitue une anticipation inconsciente du geste qu'accomplira Gennaro, l'outrage au blason, et d'un autre geste, le meurtre de sa mère.

95. La pièce de trois ducats d'or portait l'effigie d'Alexandre VI.

96. La scène est capitale : Gennaro proclame sa haine pour Lucrèce, mais elle n'est plus là pour l'entendre. L'image qu'il se fait d'elle grandit jusqu'à devenir un spectre qui domine toute l'Italie. L'amour éprouvé par Lucrèce engendre chez lui la haine et le dégoût. Le geste de Gennaro est peut-être inspiré de Byron. Dans *Marino Faliero*, Michel Steno a inscrit sur le fauteuil du doge une formule injurieuse à l'égard de la femme du doge; tout Venise a pu la lire.

97. La torture.

98. La fin de la scène IV a été modifiée par Hugo pour la representation en 1833; le texte figure dans l'édition originale, en annexe :

NOTE DE L'ÉDITION ORIGINALE DE 1833

A peine les gentilshommes ont-ils disparu, qu'on voit la tête de Rustighello passer derrière l'angle de la maison de Gennaro. Il regarde si tous sont bien éloignés, puis avance avec précaution et fait un signe derrière lui. Plusieurs hommes armés paraissent. Rustighello, sans dire une parole, les place, en leur recommandant le silence par gestes, l'un en embuscade à droite de la porte de Gennaro, l'autre à gauche, l'autre dans l'angle du mur, les deux derniers derrière les piliers du balcon ducal. Au moment où il a fini ces dispositions, Astolfo paraît dans la place et aperçoit Rustighello sans voir les soldats embusqués.

SCÈNE III

RUSTIGHELLO, ASTOLFO

ASTOLFO

Que diable fais-tu là, Rustighello ?

RUSTIGHELLO

J'attends que tu t'en ailles, Astolfo.

ASTOLFO

En vérité !

RUSTIGHELLO

Et toi, que fais-tu là, Astolfo ?

ASTOLFO

J'attends que tu t'en ailles, Rustighello.

RUSTIGHELLO

A qui donc as-tu affaire, Astolfo ?

ASTOLFO

A l'homme qui demeure dans cette maison. — Et toi, à qui en veux-tu ?

RUSTIGHELLO

Au même.

ASTOLFO

Diable !

RUSTIGHELLO

Qu'est-ce que tu en veux faire ?

ASTOLFO

Je veux le mener chez la duchesse. — Et toi ?

RUSTIGHELLO

Je veux le mener chez le duc.

ASTOLFO

Diable !

RUFTIGHELLO

Qu'est-ce qui l'attend chez la duchesse ?

ASTOLFO

L'amour, sans doute. — Et chez le duc ?

RUSTIGHELLO

Probablement la potence.

ASTOLFO

Comment faire ? il ne peut pas être à la fois chez le duc et chez la duchesse, amant heureux et pendu.

RUSTIGHELLO

A-t-il de l'esprit, cet Astolfo !

Il fait un signe, les deux sbires cachés sous le balcon ducal s'avancent et saisissent au collet Astolfo.

RUSTIGHELLO

Saisissez cet homme. — Vous avez entendu ce qu'il a dit. Vous en témoignerez. — Silence, Astolfo !

Aux autres sbires.

Enfants, à l'œuvre, à présent ! Enfoncez-moi cette porte.

En 1882, Hugo publie une autre forme de cette scène :

ACTE I

DEUXIÈME PARTIE

SCÈNE IV

RUSTIGHELLO, ASTOLFO

Les voilà bien ! Il y a toujours un tas de gens inutiles qui viennent vous déranger dans vos opérations, et qui ne savent que fourrer le nez aux choses secrètes que vous pouvez faire. Et puis, après cela, quand on veut les tuer, ils font les étonnés et ont l'air de ne pas s'être attendus à cela. C'est cependant bien naturel. Il me faut le secret, je tue les curieux. C'est le moyen connu. Il n'y en a pas d'autre.

ASTOLFO

Rustighello, je t'en conjure...

RUSTIGHELLO

Je vous demande un peu ce que deviendraient les gouvernements si les gens pouvaient regarder dans les choses et en parler à leur fantaisie ! Tu t'es mis dans un mauvais cas, Astolfo !

ASTOLFO

Rustighello, je te laisse l'homme. Fais-en ce qu'il te plaira. Mais laisse-moi partir d'ici. Tu ne voudras pas ma mort, à moi ! J'ai épousé ta sœur, nous sommes frères.

RUSTIGHELLO

Qu'est-ce que cela fait ? On voit bien que tu n'entends rien à la politique.

ASTOLFO

Rustighello !

RUSTIGHELLO

Allons, va-t'en, pleureur ! Tu n'entends rien aux affaires, je te dis. Tu me fais manquer à mon devoir. Mais n'y reviens pas une autre fois. Et surtout pas un mot de tout ceci à madame Lucrèce.

ASTOLFO

Sois tranquille ! Adieu, mon bon Rustighello ! Que le ciel et ses anges, soient avec toi !

RUSTIGHELLO

Va-t'en au diable !

Astolfo sort.

99. La scène IV est construite selon un principe binaire : les parallélismes des situations et du langage contiennent une antithèse entre le duc et la duchesse; ainsi est préparée la grande scène de l'affrontement entre les époux à l'Acte II. L'issue est prévue par les sbires, mais d'après le hasard : Gennaro mourra non pas pendu mais empoisonné. Le hasard ne se trompe pas ni ne trompe qui le consulte; il est la forme du destin. Les deux hommes en noir figurent celui-ci.

100. Ancienne forme de pile ou face. Le revers de la pièce portait des piliers, l'avers, une croix.

101. Envolé, sorti du nid.

102. Attentif au moindre détail de la mise en scène, le dramaturge précise la nature du cuir : épais, non rasé. Dominent les teintes brune, rouge et or.

103. Hugo avait consulté soit un traité d'héraldique, soit un ouvrage où étaient reproduits les blasons des familles d'Este et des Borgia; il les a dessinés avec leur légende, sur un feuillet.

104. Le choix du nom révèle l'intention constante, chez Hugo, d'associer l'aventure des Borgia à l'Antiquité. D'où l'insistance sur le prénom d'Hercule d'Este; et un autre exemple à l'acte III, sc. 1, n. 156.

105. Alphonse était le fils d'Hercule Ier d'Este.

106. Serpent ou couleuvre (hérald.); il figure dans les armoiries de la famille Visconti, qui a dirigé Milan pendant deux siècles.

107. Ludovic Sforza, dit le Maure (1452-1508), a pris le duché de Milan après avoir fait assassiner son neveu Jean-Galéas (cf. n. 88).

108. Un vin quelconque.

109. La vengeance d'Alphonse est soigneusement calculée; toutes les hypothèses sont envisagées.

110. L'être qui aime provoque la mort de l'être aimé. Tel était le cas de Saverny qui, par deux fois, dénonçait involontairement son ami Didier *(Marion de Lorme)*. Le malentendu est une des formes du destin.

111. La parole de Lucrèce est prémonitoire : Lucrèce mourra poignardée.

112. Le long discours de Lucrèce, avec ses différents arguments, se justifie au point de vue dramaturgique : elle fournit immédiatement toutes les raisons qu'elle a d'accuser le coupable; il lui sera impossible de revenir en arrière. Elle fait le jeu de son mari, sans le savoir.

113. La rose d'or, voir Tomasi; béni par le pape, cet objet, marque de distinction, était donné annuellement. Alexandre VI l'accorda à César en 1500. — La dot de Lucrèce : outre cent mille ducats, des fiefs ecclésiastiques en Romagne et la protection du pape pour la maison d'Este (Sismondi).

114. César Borgia est mort en 1507, en Espagne. Sa présence en Italie n'est possible, au plus tard, qu'en 1506. L'anachronisme délibéré constitue une autre raison pour Hugo de laisser dans le vague la date de l'action.

115. La vengeance passionnée de Lucrèce fait qu'elle s'enferre de plus en plus à son insu.

116. La pertuisane diffère de la hallebarde : son fer est plus long, plus large et plus tranchant.

117. La norme de Gennaro : la vérité. Elle s'oppose à la conduite des Borgia, qui agissent dans le secret et par des moyens occultes, le poison surtout.

118. Eprouvés, dont la naissance est attestée.

119. Ms. : « Et de l'oublier comme un vieux manteau chez l'usurier. » Cette phrase a été supprimée : son style convenait mieux à

Gubetta qu'au duc. Et le ton de la discussion n'a pas encore monté.

120. Au moment crucial du drame, Lucrèce se montre sous un jour nouveau; nous la connaissions mère aimante, mais contrainte au secret; la voici emportée, violente, puis calculatrice, enjôleuse, implorante.

121. Tomasi fournit quelques détails précis; Hugo les complète et les amplifie. Ce mariage à Rome, qui suivait une même cérémonie à Ferrare, avait été contesté : le sacrement ne peut être conféré deux fois aux mêmes époux.

122. La fable du lion et du moucheron a été écrite par Esope. Il n'y a nul anachronisme dans cette référence littéraire.

123. Cf. n. 86. — César Borgia, otage de Charles VIII, s'est enfui, « sous un déguisement ignoble » (celui d'un valet d'écurie) (*Biographie universelle Michaud*, art. *Alexandre VI*) au mépris de la parole donnée. Le roi de France avait 25 ans.

124. Les mensonges politiques, les embuscades, les faux serments seraient la politique des princes. Hugo discrédite le pouvoir despotique.

125. Le mot est pris au sens médiéval de « remplaçant, substitut ». Le pape est encore désigné au XXe siècle comme le « vicaire » du Christ; « baron » est pris au sens large : la noblesse pourvue de terres.

126. A son tour le duc révèle sa haine et son mépris pour les Borgia, comme Lucrèce le disait des Ferrarais. Ainsi est amené le rappel des origines de la famille Borgia. Cf. n. 18.

127. L'incertitude sur le nom exact inspire à Hugo cet argument.

128. Dans Tomasi : des taches rouges sur la peau.

129. Certains historiens situaient à Valence les origines de la femme du pape. Les autres la disent Romaine.

130. Le rouge est la couleur de Richelieu, celle des duellistes condamnés à la décapitation *(Marion de Lorme)*.

131. Ni les historiens; Hugo exploite à des fins dramaturgiques cette ignorance. Pour les autres maris, voir n. 18.

132. Frédéric, roi de Naples, avait vendu pour 14 000 ducats ses armes qui en valaient 50 000, entreposées à Ischia, au pape et à César Borgia (Tomasi). — La scène est construite avec une science très sûre; y alternent la tactique et la passion : d'abord la feinte, chacun des adversaires tâtant les forces de l'autre, puis le conseil, l'imprécation, l'imploration et la menace. Le commandement de l'action passe rapidement de la femme au mari. Un malentendu subsiste : le duc croit que Gennaro est l'amant de sa femme.

133. L'interjection : « par ma mère », dans ce contexte, a un sens tout particulier. Le duc veut-il éviter le serment par Dieu ? Il ment.

134. L'île de Crète. Reparaît ici l'image du chevalier, au service de la chrétienté et menant le combat contre les musulmans.

135. Hugo utilise avec art ses connaissances du droit militaire ancien : l'aubaine est constituée par tout objet trouvé; est épave tout objet, de terre ou de mer qui a été égaré.

136. Gennaro reste fidèle au serment qui le lie à son souverain. Son être l'oppose au monde corrompu et sans vérité des Borgia. Il se montrera, immédiatement après, désintéressé et bon à l'égard de ses subordonnés. C'est la première apparition, dans le théâtre de Hugo, de l'aristocrate généreux et humain à l'égard de ses inférieurs. Mais Gennaro a été élevé parmi les humbles et il ignore ses origines. Les « fatalités héréditaires » ne jouent pas en lui.

137. Arbalétriers à cheval, qui se servaient d'un petit cric (cranequin). Gennaro combattait donc dans les troupes du duc d'Este contre César Borgia. Le hasard l'avait fait s'opposer à la famille qui est la sienne sans qu'il le sache et qu'il hait. C'est là une forme du destin.

138. Cette monnaie avait cours dans les pays du Levant et dans le nord de l'Afrique. Par Venise elle s'était répandue en Italie. Il est normal de payer un « capitaine-aventurier » dans de telles espèces, alors que chaque Etat frappait sa monnaie propre.

139. Le souvenir que Gennaro vient de rappeler à Alphonse devrait inciter celui-ci à la clémence. La soif de vengeance est la plus forte. Jusqu'alors, Alphonse d'Este était un mari bafoué. L'hypocrisie le marque maintenant. Moralement, il appartient au même monde que les Borgia.

140. Ceci ferait situer l'action plutôt en 1517. Cf. n. 29.

141. Le doute jeté sur Lucrèce atteint ici son point extrême : Gennaro suspecte tout ce qui vient d'elle, qui veut le sauver pour des raisons qu'il ignore. Mais Lucrèce veut éviter à tout prix le moment de la vérité, car ce serait celui du démasquage.

142. Dans le Ms. :

Ne vous appelez-vous pas Lucrèce Borgia ? — Je vous ai offensée, vous avez à vous venger de moi.

LUCRÈCE BORGIA

Me venger de toi, Gennaro ! Il faudrait donner toute ma vie.

La réputation qui entoure les grands et leurs crimes rend tout possible; voir la citation de Tacite, dans la préface.

143. Dans le Ms., après « mère », Lucrèce dit simplement : « Gennaro! » Et Gennaro continue : « C'est que ma mère n'est pas une femme comme vous, au moins savez-vous cela, Madame Lucrèce ? Oh! Je ne la connais pas, mais je la sens dans mon cœur. » Hugo a introduit une faible tentative de justification par Lucrèce, avec un argument maladroit, mais explicable. Et il a écarté de la réponse de Gennaro la formulation un peu prosaïque.

144. Deux reparties ont été ébauchées. La première contient un jeu du regard, qui pourrait impliquer que Gennaro se doute de l'identité de Lucrèce ou qu'il doute un instant de sa mère :

— ... je ne la connais pas. *(Il la regarde fixement, elle baisse les yeux.)* Ce que je pourrais lui dire m'étouffe et m'ôte toute pensée!

— Ah ! Gennaro, croyez-moi, au nom du ciel! Vous êtes mort si vous ne me croyez pas. Ce breuvage seul peut vous sauver.

GENNARO

Je ne veux pas de votre poison. Je veux me conserver pour ma mère. O ma pauvre mère, ma mère bien-aimée! Il me semble qu'en présence d'une femme semblable, ton image me revient, plus douce et plus consolante! Hélas! Malheureuse femme!

Dans l'autre version, Gennaro devine que Lucrèce connaît sa mère; le regard fixe de la première version s'explicite en une adjuration. Et Gennaro se sent « fatal », comme Hernani, Didier, Triboulet :

— ... je ne la connais pas.

GENNARO

Si! Vous la connaissez, vous dis-je! Eh bien! madame, s'il y a encore quelque chose d'une femme en vous, ayez pitié d'elle et de moi. Cessez de nous persécuter comme vous l'avez fait depuis le jour fatal de ma naissance. Hélas! ma malheureuse mère! On m'a arraché tout enfant de tes bras, tout nouveau-né! Voyez-vous, madame ? Comprenez-vous cela, madame ? Est-ce que cela ne vous fait pas frémir, madame ? Moi, ton unique enfant! Oh! infortunée qui n'aimait que moi au monde! Je suis son unique enfant, madame, elle me l'a dit dans sa lettre! Les autres mères entendent le premier bégaiement de leur enfant, elles soutiennent ses premiers pas, elles sont la première chose qu'ils aiment, elles essuient la sueur de leur jeune front pendant qu'il dort sur leur sein, les joies maternelles font tressaillir leurs entrailles à chaque croissance de leur enfant. Elles sont bien heureuses les autres mères! La mienne, hélas, madame, ayez pitié d'elle! La mienne n'a rien eu de tout cela. Elle n'a pas le souvenir de mon enfance pour rayonner à toute heure sur elle. Oh oui! elle a bien souffert, cette misérable créature de Dieu!

DONA LUCREZIA

Ce qu'il dit me suffoque et m'ôte toute pensée!
Gennaro!

GENNARO

Ayez pitié de ma mère, madame! — Mais devant qui est-ce que je parle ainsi ? qu'est-ce que cela vous fait à vous, Lucrèce Borgia ?...

La version définitivement retenue dénie à Lucrèce le pouvoir moral et le droit d'être mère. Les paroles de Gennaro sont les plus dures qu'elle puisse entendre. La scène constitue un parallèle en contraste avec la scène IV où s'affrontaient le mari et l'épouse.

145. Référence à la Bible (*Genèse*, ch. 15). Sur l'ordre de Dieu, Sodome a été détruite par le feu à cause de sa débauche. Aux justes qui avaient été avertis pour qu'ils pussent fuir, l'ange avait interdit de se retourner. La femme de Loth désobéit pour voir la ville embrasée; elle fut changée en statue de sel. Dans la bouche de Lucrèce, la comparaison de la ville avec Ferrare et de Gennaro avec les justes prend un sens tout particulier. A l'expression de l'amour maternel se joint une condamnation du monde dans lequel elle a vécu. La séparation qu'elle envisage est définitive puisqu'elle implique que, dans l'au-delà, il sera sauvé et elle damnée. La fin de la scène marque un moment d'apaisement et de relative confiance, résignée, de la part de Gennaro; d'où vient le serment qu'il demande et que Lucrèce ne peut prêter. Le malentendu subsiste : Gennaro croit qu'elle a tué sa mère.

146. La formule affectueuse reste équivoque.

147. Une autre fin avait d'abord été prévue : elle implique de menues modifications dans le texte précédent, met en évidence le caractère « fatal » qu'éprouve Gennaro, la prescience que son destin et celui de sa mère sont liés et amorce la scène du souper chez la Negroni. Hugo a éliminé cette fin, qui anticipe trop rapidement sur la suite, et il a préféré terminer sur le parallèle dense : « maudite » — « béni ».

DONA LUCREZIA

... Je ne puis vous jurer cela.

GENNARO

Je ne puis vous pardonner ceci. Laissez-moi. — C'est vous probablement qui avez fait ma destinée ce qu'elle est, cette mystérieuse et fatale destinée à laquelle je ne comprends rien moi-même. La fatalité qui est en moi, que je sens à toute heure et qui me pousse, tenez, je crois qu'elle vient de vous, madame. Eh bien, écoutez. Ce chancelant édifice de ma destinée que vous avez construit pour vos desseins dans les ténèbres, sur quelle tête s'écroulera-t-il, je l'ignore. Mais prenez garde. Il y a en moi un pressentiment qui me dit qu'il s'écroulera sur la vôtre!

Il la repousse, elle tombe anéantie sur le fauteuil. Au moment où il va sortir elle se relève et va à lui.

DONA LUCREZIA

Voici la seconde prière que j'avais à vous faire, Gennaro. Prenez cette fiole et portez-la toujours sur vous. Dans des temps comme ceux où nous vivons, le poison est de tous les repas. Vous surtout, vous êtes exposé.

GENNARO, *prenant la fiole.*

Merci, madame.

DONA LUCREZIA

Adieu, à jamais adieu, mon Gennaro.

Il sort. Elle tombe sur le fauteuil.

SCÈNE VII

DONA LUCREZIA, *presque évanouie sur le fauteuil;*
GENNARO, *dans l'escalier;*
JEPPO, MAFFIO, OLOFERNO, ASCANIO, APOSTOLO, *dehors.*

VOIX AU DEHORS

Par ici, Maffio! dépêche-toi. Les lampes sont déjà allumées chez la princesse Negroni.

GENNARO

Qui passe là ?

Il regarde par la fenêtre.

VOIX AU DEHORS

Hé! voilà Gennaro!

AUTRE VOIX

Es-tu des nôtres, Gennaro ?

AUTRE VOIX

Frère Gennaro, viens-tu souper avec nous chez la princesse Negroni ?

GENNARO, *à part.*

C'est la voix de Maffio. Il arrivera ce qui pourra. Après une journée pareille, j'ai besoin de serrer des mains loyales et de voir des visages amis.

Haut.

Attendez-moi, messieurs, je vais avec vous.

148. L'image que se fait du serviteur don Alphonse est ambiguë; juste dans son énoncé, elle implique la complicité absolue. La formule « le Gennaro », un peu plus loin, est très familière en français; elle l'est moins en italien.

149. Magistrat.

150. Le célèbre auteur du traité *Du Prince* (1513) avait été en contact diplomatique avec un bon nombre de potentats des différentes principautés. Son portrait du prince de la Renaissance s'inspire en partie de César Borgia.

151. Les deux amis éprouvent un pressentiment qui s'avérera correct. Leur amitié les perdra, mais elle les incite à rester ensemble parce qu'elle est stimulée par les bruits qui courent à propos des Borgia et surtout de Lucrèce; nouvelle image de la fraternité masculine qui apparaissait dans *Marion de Lorme.*

152. Ms. : « Nous sommes des hommes et non des enfants. Par

Hercule, tu viendras souper, ou je consens à épouser Lucrèce Borgia en cinquième noces. » Cette parole fait écho au rappel des mariages, p. 101. Plus confiant, Maffio est le seul à croire que les bruits qui circulent ne sont que légendes.

153. Le jeu de mots est sinistre.

154. La dimension de la porte est spécifiée, ni petite, ni grande. Les pages portent les couleurs noir et or — Hugo voyait-il un sens au chiffre sept, pour les convives ?

155. Nouveau rappel de l'Espagne : le vin de Xerès s'oppose à celui de Syracuse.

156. Ce nom, latin, a-t-il été suggéré par celui de la quatrième femme de César ? Elle tenta d'empêcher celui-ci de se rendre au Sénat, où il allait être assassiné. Ce nom peut être revêtu d'un sens prémonitoire : Calpurnia avait vu en songe des signes funestes.

157. Juron italien : Corbacco (corpo di Bacco).

158. La Negroni est le seul personnage féminin, dans la pièce, qui soit porteur de valeurs positives : la bonté, la compréhension, l'intérêt à autrui. Veuve, elle ne s'adonne pas au libertinage. Maffio incarne l'amitié fidèle. Qu'ils parlent tous deux, à ce moment, en toute franchise, c'est là une structure symbolique.

159. Dans le Ms. les prénoms étaient plus nombreux encore : « Fernan-Maria-de-los-Siete-Selures-Guzman, sixième marquis de Sardonia et troisième comte de Belverana. » Cette fantaisie est bien dans le style verbal de Gubetta, elle introduit une note bouffonne au moment où le drame va se jouer définitivement, autre forme de grotesque auquel Hugo attache du prix. Les noms contiennent un sens : Siete-Selures est formé d'après un composé espagnol qu'on trouve dans un nom d'oiseau (Sietecolores) ou de lieu (Sieteiglesias). Par quelle association, délibérée ou inconsciente, le nombre sept reparaît-il ici ? Quant à Sardonia, le titre de noblesse est équivoque : la « sardonie » est une plante banale, mais très vénéneuse; même la plaisanterie contient donc une allusion précise, qui confirme, d'une manière secrète — sauf pour qui comprend l'espagnol — le cynisme avec lequel Gubetta promettait à Maffio un âge avancé. Pour quelle raison ce fragment de texte a-t-il été écarté ? Hugo a-t-il estimé qu'il abusait du jeu avec le langage ? ou que l'allusion au poison ne serait pas comprise ?

160. Le mot « litanie » anticipe sur les textes liturgiques qui seront chantés par les pénitents.

161. Gubetta rappelle sa pauvreté, cf. p. 77-78.

162. L'altercation entre le poète et Gubetta, entre l'Italien et le faux Espagnol, introduit une note burlesque dans la scène. Elle est inspirée de Mathurin Régnier, *Le Souper ridicule. Satire X*, et de Boileau, *Satire III*. « Bélître » est emprunté à la langue du XVIIe siècle.

163. Cet épisode, d'une manière binaire, oppose le vin et la bière, le Sud et le Nord. Hugo se moque des Flamands immédiatement après (p. 127); de même, ici, s'enivrer et se « soûler ».

164. Les dictons et les proverbes jouent un rôle dans les drames de Hugo, dès *Le Roi s'amuse*. Celui-ci serait mieux à sa place dans la bouche de Gubetta.

165. Léger anachronisme : le tabac apparaît en Europe une trentaine d'années plus tard.

166. Ms. : « Est-ce que tu songes à Lucrèce Borgia, avec qui tu as décidément quelque amourette puisque tu venais de chez elle tout à l'heure quand nous t'avons rencontré ? » Le texte définitif est plus resserré.

167. La parole de Maffio, au moment même de boire, a un double

sens involontaire, que rend plus fort le contexte de l'orgie et de la dispute.

168. Hugo a publié en 1833 une autre version de cet épisode. Gubetta incite Maffio à chanter, et c'est l'ami de Gennaro qui, innocemment, insiste sur la brièveté de la vie. Texte de 1833 tel que le présente Hugo :

Dans le troisième acte, la scène de l'orgie, à partir de la page 128 jusqu'à la page 131, doit être jouée comme il suit :

GUBETTA

Une chanson à boire, messieurs! il nous faut une chanson à boire qui vaille mieux que le sonnet du marquis Oloferno. Ce n'est pas moi qui vous en chanterai une, je jure par le bon vieux crâne de mon père que je ne sais pas de chansons, attendu que je ne suis pas poète et que je n'ai point l'esprit assez galant pour faire se becqueter deux rimes au bout d'une idée. Mais vous, seigneur Maffio, qui êtes de belle humeur, vous devez savoir quelque chanson de table. Que diable! chantez-nous-la, amusons-nous!

MAFFIO

Je veux bien, emplissez les verres.

Il chante.

Amis, vive l'orgie!
J'aime la folle nuit
Et la nappe rougie
Et les chants et le bruit,

Les dames peu sévères,
Les cavaliers joyeux,
Le vin dans tous les verres,
L'amour dans tous les yeux!

La tombe est noire,
Les ans sont courts,
Il faut, sans croire
Aux sots discours,
Très souvent boire,
Aimer toujours!

TOUS EN CHŒUR

La tombe est noire, etc.

Ils choquent leurs verres en riant aux éclats. Tout à coup on entend des voix éloignées qui chantent au-dehors sur un ton lugubre.

VOIX AU-DEHORS

Sanctum et terribile nomen ejus. Initium sapientiœ timor Domini.

JEPPO

Ecoutez, messieurs! Corbacque! Pendant que nous chantons à boire, l'écho chante vêpres.

TOUS

Ecoutons!

VOIX AU-DEHORS, *un peu plus rapprochées.*

Nisi Dominus custodierit civitatem, frustra vigilat qui custodit eam.

JEPPO, *riant.*

Du plain-chant tout pur.

MAFFIO

Quelque procession qui passe.

GENNARO

A minuit! C'est un peu tard.

JEPPO

Bah! continuons.

VOIX AU-DEHORS, *qui se rapprochent de plus en plus.*

Oculos habent, et non videbunt. Nares habent, et non odorabunt. Aures habent, et non audient.

JEPPO

Sont-ils braillards, ces moines!

MAFFIO

Regarde donc, Gennaro. Les lampes s'éteignent ici. Nous voici tout à l'heure dans l'obscurité.

VOIX AU-DEHORS, *très près.*

Manus habent, et non palpabunt. Pedes habent et non ambulabunt. Non clamabunt in gutture suo.

GENNARO

Il me semble que les voix se rapprochent.

JEPPO

La procession me fait l'effet d'être en ce moment sous nos fenêtres.

MAFFIO

Ce sont les prières des morts.

ASCANIO

C'est quelque enterrement.

JEPPO

Buvons à la santé de celui qu'on va enterrer.

GUBETTA

Savez-vous s'il n'y en a pas plusieurs?

JEPPO

Eh bien, à la santé de tous!

Ils choquent leurs verres.

APOSTOLO

Bravo! Et continuons de notre côté notre chanson à boire.

TOUS EN CHŒUR

La tombe est noire,
Les ans sont courts,
Il faut sans croire
Aux sots discours,
Très souvent boire,
Aimer toujours!

VOIX AU-DEHORS

Non mortui laudabunt te, Domine, neque omnes qui descendunt in infernum. (Les morts ne te loueront pas, Seigneur, ni tous ceux qui descendent en enfer.)

MAFFIO

Dans la douce Italie,
Qu'éclaire un si doux ciel,
Tout est joie et folie,
Tout est nectar et miel.
Ayons donc à nos fêtes
Les fleurs et les beautés,
La rose sur nos têtes,
La femme à nos côtés!

TOUS

La tombe est noire, etc.

La grande porte du fond s'ouvre.

169. La chanson de Gubetta intègre l'image populaire selon laquelle saint Pierre, au seuil du Paradis, accueille les âmes des justes ou des pécheurs qui se sont repentis et rejette à l'enfer celles des coupables impénitents. Les paroles reproduisent le schéma des chansons bachiques, où figurent parfois des mots latins. Le contraste est d'autant plus fort avec les psalmodies qu'on entend immédiatement après.

170. « Saint et redoutable est son nom » (Ps. 110). « La crainte du Seigneur est le commencement de la sagesse » (Ps. 110). Ces textes et ceux qui suivent sont empruntés à l'Office des Vêpres du dimanche. Hugo les avait récités très probablement au Collège des Nobles ou en France. Son travail de dramaturge consiste à choisir les textes dont la valeur est uniquement négative; sont écartées les implorations à la clémence divine, telles qu'on les lit dans l'Office des défunts. Les pénitents ne prient pas pour le salut de ceux qui vont mourir; ils les vouent à la crainte et à la damnation. Détournée de son sens, la liturgie catholique est utilisée selon l'esprit des Borgia et selon les intentions homicides du duc de Ferrare, qui, à ce moment, s'identifie à la famille de sa femme.

171. Cf. n. 157.

172. Les prières du soir.

173. « Si le Seigneur n'a pas gardé la ville, il veille en vain celui qui la garde » (Ps. 126, 1).

174. Le chant latin, à l'unisson, de l'Eglise.

175. « Ils ont des yeux et ne verront pas. Ils ont des narines et ils ne sentiront pas. Ils ont des oreilles et ils n'entendront pas. » (Ps. 113, 5 et 6.)

176. Dans le Ms. :

GUBETTA

Braillard, pillard et paillard, voilà le moine.

Le jeu avec le langage se fait d'autant plus aisément que Gubetta s'est gardé de boire.

177. « Ils ont des mains et ils ne tâteront pas. Ils ont des pieds et ils ne marcheront pas. Ils crieront dans leur gorge. » (Ps. 113, 7.)

178. Ce ne sont pas les prières des morts. Cf. n. 170.

179. Les phrases de Gubetta ont un sens second : ceux auxquels il s'adresse se présenteront bientôt aux portes de saint Pierre. Cf. n. 169.

180. « Des profondeurs de l'abîme j'ai crié vers toi, Seigneur. » (Ps. 129.) La procession des pénitents peut être un souvenir de celle de Burgos. Du catholicisme Hugo retient ici un aspect de terreur, qui était effectivement souligné dans la tradition chrétienne et qui convient exactement à la situation dramatique. D'où la « face livide » que voit Jeppo.

181. « Il fracassera la tête d'un grand nombre sur la terre. » (Ps. 109.)

182. La couleur du vêtement est significative. Cette dernière apparition et la révélation de l'identité indiquent qu'elle est restée elle-même, conforme à la famille à laquelle elle appartient. D'où vient la récapitulation des noms de ceux qui ont conspiré contre les Borgia. Lucrèce reprend à son compte les vengeances de César (qui vit encore à ce moment de l'action). Cf. n. 114.

183. Le parallélisme antithétique des deux villes et des deux types de fêtes apparaît en clair. L'unité de la pièce s'en trouve soulignée.

184. Est-ce une réminiscence de la Bible ? « Je me suis réservé la vengeance », dit Jéhovah.

185. Cf. n. 31 : le rappel de la retraite faite par Lucrèce longtemps auparavant, pour des raisons mystérieuses, ajoute un autre élément d'unité au drame.

186. Un nouveau malentendu, comportant un effet de stupéfaction pour Lucrèce, surgit ici : Gennaro devrait être loin de Ferrare. Cette absence permettait à Lucrèce de se montrer sous son vrai jour : la mère profondément aimante se double d'une criminelle, marquée d'une forme de sadisme. Il y a cinq cercueils : Gubetta doit échapper à la mort.

187. « Si le Seigneur n'a pas bâti la maison, ils travaillent en vain ceux qui l'édifient. » (Ps. 126.)

188. Le salut pour tous dépend d'un petit objet : la fiole et son contenu. Les objets sont plus que des instruments de l'action dramaturgique; ils sont des signes. On aura noté que la clarté des lampes est mourante.

189. Echo de l'« escalier dérobé » qui, lors de la représentation d'*Hernani*, suscita, dès la première scène, du tumulte dans le public, parce que le vers contenait un enjambement proscrit par les classiques.

190. Reparaissent dans l'ultime scène les deux instruments de mort qui ont jalonné tout le drame : le poison et le poignard.

191. Dans le Ms. : « C'est un rêve! Est-ce que je suis folle de faire ces rêves-là ? » La version définitive met en évidence le nom de Gennaro, qui a un sens différent pour les deux protagonistes.

192. Pour sauver son fils, Lucrèce est acculée, par toute la machination qu'elle a montée, à dire ce qu'elle a voulu taire à travers tout le drame : les noms du père et de la mère, livrés en deux fois parce qu'elle veut retarder l'aveu le plus douloureux. Les « fatalités héréditaires » (cf. la première scène, p. 54) deviennent une évidence pour Gennaro, bien qu'il ne soit pas criminel; il se sent « fatal ».

193. Le malentendu persiste jusqu'à la fin : l'honnêteté foncière de Gennaro ne lui permet pas de concevoir l'impensable, l'inceste. — L'infortunée duchesse de Gandia : la femme de Jean Borgia (cf. n. 18).

194. Rappel des Atrides : la légende grecque se joint à l'histoire latine (Tibère) et se retrouve à la Renaissance italienne. L'histoire offre des normes constantes.

195. Dernière interférence du monde espagnol avec l'univers italien. Hugo se réfère au *Romancero general*, qu'il avait lu et dont son frère Abel avait publié des extraits; *Hernani* était fondé sur un bon nombre d'éléments tirés de ce recueil. Ici, allusion à la légende des sept infants de Lara, qu'on situe au IXe siècle : ces sept jeunes gens ayant été tués dans une embuscade par leur oncle, ennemi de leur père, ils ont été vengés par Mudarra, un fils que le père avait eu de la fille d'Almanzor, qui le gardait captif. Devenu grand, Mudarra tua l'oncle. Gennaro s'identifie au neveu vengeur dans un conflit familial.

196. Dans le Ms. : « une femme qui t'a toujours aimé ». L'argument n'avait aucune efficacité; il était préférable de toucher le sentiment chevaleresque de Gennaro. Un peu après, celui-ci se laisse ébranler.

197. Dans le Ms. : « Oh! si je dois mourir de ta main, je ne veux pas mourir méprisée de toi. Ce que je vais te dire, je l'ai depuis longtemps sur le cœur. Oh! Gennaro! C'est vrai, j'ai commis bien des actions mauvaises, je suis une grande criminelle et j'ai pourtant besoin que tu ne me méprises pas. »

198. L'appel de Maffio est l'expression de la justice et du destin. La fraternité d'armes et l'amitié font que Gennaro vaincra la voix du sang, dont il vient de prendre conscience. Maffio est un autre Gennaro. Sur cette hantise du double, voir *Les Jumeaux*.

199. En 1882, Hugo publie une autre version de la dernière scène. Gennaro s'y montre brutal; les lettres que porte sur elle Lucrèce apparaissent sous ses yeux, traversées par le poignard. Et Lucrèce justifie son long silence par la peur qu'elle a éprouvée à l'égard de son frère César. Gennaro jette délibérément le contre-poison. La tendresse maternelle s'exprime, ainsi que le sentiment filial. Hugo penchait pour une conclusion où passerait un accent fulgurant de bonheur et de tendresse lyrique, au sein de la mort.

ACTE III

SCÈNE DERNIÈRE

GENNARO, DONA LUCREZIA

Elle s'enfuit. Il la poursuit. Ils parlent tous deux à la fois sans s'entendre.

DONA LUCREZIA

Grâce! grâce! pardon!

GENNARO

Point de pardon!

DONA LUCREZIA

Mon Gennaro!

GENNARO

Je ne suis pas ton Gennaro!

Il la saisit aux cheveux.

DONA LUCREZIA

Au nom du ciel!

GENNARO

Non!

Il la frappe.

DONA LUCREZIA

Ah!...

Elle tombe à la renverse sur un fauteuil, les yeux fermés, comme morte.

GENNARO, *laissant échapper le couteau.*

O mon Dieu! quel cri elle a poussé! Ce cri, il me semble qu'il m'a réveillé d'un rêve! — Qu'est-ce que j'ai fait là? Je viens de tuer une femme! C'est horrible à un homme de tuer une femme! c'est lâche! — Un assassinat! il y a un assassinat sur moi à présent! J'ai les mains couvertes de sang! Mais c'est un crime affreux que j'ai commis là! — Du secours! du secours! il faut secourir cette malheureuse! — Personne! Je suis donc seul dans ce palais! Mes amis sont là, dans la chambre voisine, mais peut-être à cette heure n'y a-t-il plus que des morts. — Oh! mais elle va expirer. Est-il déjà trop tard ? De l'air! donnons-lui de l'air! — O mon Dieu! qu'est-ce que j'ai fait là ?

Il ramasse le couteau et coupe les lacets de dona Lucrezia. Au moment où il lui découvre la poitrine il en tombe un paquet de lettres tout ensanglantées.

Qu'est-ce que c'est que ces papiers ? Des lettres!

Il les examine.

Mon écriture! Mon Dieu! C'est vraiment mon écriture!

Il feuillette et lit :

« Ma mère!... Ma mère!... Ma bonne mère! » — Partout ma mère! — Ce sont mes lettres à ma mère! — Saints du ciel! comment se trouvent-elles ici ? sur le cœur de cette femme que je viens de poignarder ? — Oh! voilà qu'il me vient une lumière affreuse! Est-ce que je me serais mépris d'une si épouvantable façon ? L'amour que cette femme avait pour moi, la tendresse inexplicable de ses paroles, son regard toujours attaché à tous mes pas, son pardon continuel de toutes mes duretés... O mon Dieu! qu'est-ce que j'entrevois ?

Se jetant sur le corps de dona Lucrezia.

Madame!... madame!... O ciel! est-ce qu'elle est déjà expirée ? Madame!... — Ah! Dieu soit béni, elle a fait un mouvement! son œil se rouvre! Dieu! comme sa blessure saigne! — Madame! répondez-moi, madame!

DONA LUCREZIA, *entrouvrant les paupières.*

Mon Gennaro! que me veux-tu ?

GENNARO

Est-ce que vous seriez ma mère ?

DONA LUCREZIA, *se dressant comme par une secousse galvanique.*

Que dis-tu là ?

GENNARO

Etes-vous ma mère ?

DONA LUCREZIA

Non! sois tranquille, mon Gennaro! je ne suis pas ta mère!

GENNARO

Si! vous l'êtes!

DONA LUCREZIA

Ciel! qu'est-ce donc qui t'a dit cela ?

GENNARO

Ces lettres!

DONA LUCREZIA

Tes lettres!

GENNARO

Et puis, je viens de le voir dans vos yeux!

DONA LUCREZIA, *revenant à elle.*

Hélas! hélas! je voulais te le cacher; je voulais, pour le repos de ta vie, emporter mon secret en mourant. Mais tu sais tout! oui, tu es mon fils, mon fils! mon enfant adoré! — Ah! laisse-moi t'appeler mon fils! depuis vingt ans j'ai soif de t'appeler mon fils!

GENNARO, *tombant à ses pieds, étouffé de sanglots.*

Ma mère!

DONA LUCREZIA

Tes lettres bien-aimées! donne-les-moi que je les voie encore et que je les baise! — Je faisais comme toi, je les mettais sur mon cœur. — Vois, le poignard les a traversées. — La cuirasse est moins bonne que tu ne croyais, Gennaro!

GENNARO

Oh! c'est vraiment bien affreux! Comment! vous qui m'avez porté dans votre sein, vous dont la pensée est mon seul bonheur depuis que je me connais, vous qui avez tant souffert pour moi, vous qui m'aimiez d'un amour si adorable et si angélique, vous qui êtes ma mère! c'est comme cela que je vous retrouve! — et l'on dit qu'il y a un Dieu dans le ciel! — je vous retrouve couverte de votre sang, je vous retrouve avec un couteau dans la poitrine, je vous retrouve tuée, ma mère! tuée! et par qui? par moi! Oh! je suis un misérable! Oh! dire que c'est moi qui ai fait cela, moi qui vis, moi qui parle, moi qui respire en ce moment! dire que ce n'est pas un rêve, que ce couteau est un couteau, que ce sang est du sang, que cette mourante est ma mère!

DONA LUCREZIA, *d'un air sombre.*

Gennaro! ne pleure pas tant Lucrèce Borgia!

GENNARO

Lucrèce Borgia? Vous appelez-vous Lucrèce Borgia? est-ce que je sais si vous vous appelez Lucrèce Borgia? Ma mère est ma mère! voilà tout! — Pourquoi ne m'avez-vous pas dit plus tôt que vous étiez ma mère?

DONA LUCREZIA

Le Valentinois ne t'aurait pas laissé une heure de vie. Et puis je craignais d'exposer ta tendresse filiale au choc redoutable de mon nom.

GENNARO

Pourquoi ne me l'avoir pas dit au moins tout à l'heure?

DONA LUCREZIA

Avant le coup, j'ai essayé, tu n'as pas compris. Après le coup, je ne devais plus rien dire.

GENNARO

Ma mère! ma mère! Maudissez-moi!

DONA LUCREZIA

Je te pardonne, mon fils! je te pardonne! mon pauvre enfant, ne te crois pas plus coupable que tu ne l'es. Qui est-ce qui est juge de cela si ce n'est moi? Je voudrais bien que quelqu'un osât te blâmer, quand je ne me plains pas, moi! — O mon Gennaro, je fais plus que te pardonner, je te remercie! quelle plus heureuse mort pouvais-je avoir? — Là! mets ta tête sur mes genoux, et calme-toi, mon enfant! — Il faut bien toujours finir par mourir, eh bien, je meurs près de toi. Tu m'as blessée au cœur, mais tu m'aimes. Mon sang coule, mais tes larmes s'y mêlent. Oh! je dirai à Dieu, s'il m'est donné de le voir, que tu es un bon fils!

GENNARO

Vous me pardonnez! Ah! vous êtes bonne! Oh! il faut que vous viviez! Laissez-moi appeler du secours. Vous guérirez, ma mère bien-aimée! Vous vivrez, vous serez heureuse!

DONA LUCREZIA

Vivre, non. Heureuse, je le suis. Tu sais que je suis ta mère, et je ne te fais pas reculer d'horreur, et tu m'aimes, et tu pleures avec moi. Je serais bien difficile, te dis-je, si je n'étais pas heureuse!

GENNARO

Il faut vivre, ma mère!

DONA LUCREZIA

Il faut mourir. — Ma poitrine se remplit, je le sens. Mon fils, mon fils adoré!... — oh! comprends-tu la joie que j'ai à te dire tout haut et à toi-même : mon fils! — mon fils, embrasse-moi!

Il l'embrasse. Elle jette un cri.

Oh!... ma blessure!... — Quelle misère! Ce que je souhaitais le plus au monde, un tendre embrassement de mon fils, sa poitrine serrée contre ma poitrine, cela m'a fait du mal! — C'est égal! embrasse-moi, mon fils! la joie passe encore la douleur!

GENNARO

Oh! mon Dieu! tout n'est pas désespéré peut-être. Le ciel ne serait pas juste de ne nous réunir que pour nous séparer plus cruellement, et de vous reprendre tout de suite. Ma mère, un peu de secours vous sauverait. Laissez-moi courir...

DONA LUCREZIA

Ne me quitte pas. Ne gâte pas mes derniers instants. Restons seuls. Devant les autres, je ne pourrais pas t'appeler mon fils. — Comment peux-tu croire qu'aucun secours humain me sauverait? Est-ce que tu ne t'aperçois pas que ma voix baisse? Tiens, ma main est déjà froide. Touche-la. — Gennaro! mon fils! je veux mourir dans tes bras. Je suis contente ainsi. Ne pleure pas, je ne souffre presque plus. Presque plus, je t'assure. Tiens, vois-tu, je souris. — Oh! j'ai été si à plaindre! ce moment où nous sommes, cette heure qui te semble à toi si affreuse et si lugubre, juge, mon enfant, c'est l'heure la plus heureuse de ma vie!

GENNARO, *avec désespoir.*

Ma mère! — Oh! mon Dieu! mon Dieu! conservez-moi ma mère!

DONA LUCREZIA, *sanglotant tout à coup et le serrant dans ses bras.*

Ah! c'est vrai pourtant! hélas! hélas! tu vas perdre ta mère, mon pauvre enfant! Que je te plains, mon fils, de perdre ta mère! Qu'est-ce que tu deviendras quand tu ne l'auras plus? O mon Dieu, je voudrais que toutes les femmes fussent là pour te recommander à elles. Cet horrible duc de Valentinois! qui est-ce qui veillera sur mon enfant quand je serai morte? Est-il donc bien vrai que je vais mourir et te quitter pour jamais, mon Gennaro? Tout à l'heure, vois-tu, j'avais l'air résignée, mais je ne l'étais pas. Je ne voulais pas te briser tout à fait. Maintenant c'est plus fort que moi. Mon cœur éclate quand je songe que tu vas rester seul. C'est bien affreux de mourir quand on laisse son enfant après soi! Gennaro! mon Gennaro! je te connais, tu as besoin d'amour, toi! Quand ma poitrine ne battra plus, qui est-ce qui t'aimera d'un cœur désintéressé, pour toi-même, pour toi seul, et sans autre pensée que celle de t'aimer ? Hélas ! on a beau dire, vous autres hommes, la femme qui vous aime le mieux dans cette vie, c'est toujours votre mère ! Est-ce que tu crois vraiment aux autres espèces d'amour, mon Gennaro ? — Tu pleures, tu ne peux plus parler, mon pauvre enfant ! — Adieu ! Je sens que cela monte et que je vais m'éteindre. — Oh ! un peu d'air ! un peu d'air ! — Ta main ! ta main ! — Oh ! j'étouffe ! — Viens, approche-toi. Tout près.

GENNARO

Me voici, ma mère.

DONA LUCREZIA

Soulève-moi. — Il me semble que tout est expié maintenant et que je puis me hasarder à lever les yeux au ciel.

Elle étend la main sur lui.

O mon Dieu ! si une femme comme moi a encore le droit de bénir quelqu'un, je bénis l'enfant innocent de mes entrailles, mon Gennaro ! — Adieu ! adieu, mon fils ! vis longtemps et sois heureux ! — Ah ! que viens-tu de jeter et de briser à terre ?

GENNARO

Le contre-poison.

Dans une autre version, le sentiment du parricide est davantage développé, ainsi que celui de la fatalité qui apparente Gennaro à Caïn et à tous les meurtriers des contes de fées (dont Hugo a perçu le caractère sanguinaire sous les apparences bénignes). Le drame a commencé comme une version moderne du mythe d'Œdipe : l'affection portée par Lucrèce à son fils a les accents de la passion amoureuse. Mais dans les trois formes données à la conclusion, la mère est tuée par le fils. Survivent au drame Alphonse d'Este, le faux rival de Gennaro, image du père ennemi et, sans doute, César.

GENNARO

Je n'écoute plus rien. Finissons-en.

Il la saisit par les cheveux et la frappe.

DONA LUCREZIA

Gennaro ! — Je suis ta mère !

GENNARO, *tremblant et laissant échapper le couteau.*

Ma mère ! oh ! vous raillez !

DONA LUCREZIA

Ta mère et tu m'as tuée !

GENNARO

Oh ! non, cela n'est pas ! est-ce que cela se peut ? Vous, ma mère ! Par pitié, dites-moi que vous n'êtes pas ma mère !

DONA LUCREZIA, *tirant de sa poitrine un paquet de lettres ensanglantées.*

Il y avait là sur mon cœur des lettres. Les voici. Prends-les, Gennaro. Mon sang n'a peut-être pas tout effacé. — Reconnais-tu cette écriture ?

GENNARO, *y jetant un regard.*

Mes lettres !

DONA LUCREZIA

Le poignard a passé au travers. La cuirasse est moins bonne que tu ne croyais, Gennaro.

GENNARO

Oh oui! ô mon Dieu! vous êtes bien ma mère! Oh! je n'avais pas songé à l'inceste! Dieu du ciel! pourquoi ne me l'avoir pas dit plus tôt?

DONA LUCREZIA

J'avais honte. Pour me faire dire tout, mon fils, il a fallu la pointe de ton couteau. Mon secret m'a jailli du cœur avec mon sang. — Te l'avouerai-je? il m'était doux d'être du moins aimée par toi d'un côté, pendant que tu me haïssais de l'autre. Tu aimais ta mère, Gennaro, aurais-tu aimé Lucrèce Borgia?

GENNARO

Vous, ma mère!

DONA LUCREZIA

Et puis le Valentinois était là, le Valentinois qui a tué ton père! Une fois mon secret connu, ne fût-ce que de toi, tu n'aurais pas vécu un jour. Hélas! dans l'obscurité même où je t'avais caché, il me semblait par moment que le tigre rôdait autour de toi, et je tremblais, malheureuse mère, qu'il ne te flairât de sa famille!

GENNARO

J'ai tué ma mère! vous êtes ma mère! Oh! que de crimes mis à nu par ce seul mot!

DONA LUCREZIA

Une mère incestueuse!

GENNARO

Un fils parricide!

DONA LUCREZIA

Gennaro!

GENNARO

Oui, je suis parricide! Oui, c'est bien moi qui ai fait cela, moi qui suis là, moi qui parle! Mon Dieu! que cela est étrange d'être parricide!

DONA LUCREZIA

Mon fils, reviens à toi!

GENNARO

Parricide! Oh! est-ce que ces murailles me souffriront ici sans m'écraser? On m'avait dit que les parricides étaient des êtres tellement monstrueux que les plafonds de marbre se précipitaient d'eux-mêmes sur leurs têtes. Et moi, je marche, je respire, je vis, je suis! Maudissez-moi, ma mère! étendez votre bras sur moi! le bras d'une mère levé pour maudire son fils doit faire crouler le ciel!

DONA LUCREZIA

Mon fils, ce meurtre n'est pas ton crime, c'est ma faute!

GENNARO

Est-ce que je n'ai pas quelque chose de changé dans le visage? Cela se voit-il, dites-moi, quand on est parricide? Regardez-moi bien, ma mère! est-ce que je ressemble encore aux autres hommes? Il est impossible que je n'aie pas un signe sur le front! comment est-il fait, ce signe? — Oh! n'est-ce pas? on se rangera devant moi désormais, on se détournera, on ne me fera pas de mal, on me laissera passer comme une chose sacrée, comme la proie vivante de la fatalité, les toits où j'aurai dormi s'écrouleront, la trace de mes pas ne pourra s'imprimer dans la neige, ni sur le sable, tout ce que j'aurai touché s'évanouira, les mères frapperont leurs enfants sur mon passage pour qu'ils se souviennent toute leur vie de m'avoir vu. N'est-ce pas que c'est terrible ? Cela se fera pour moi. Cela s'est bien fait pour Caïn. Je vais devenir un homme comme il y en a dans les contes. Tenez, vous voyez bien que ce sang que j'ai sur les mains ne veut pas s'effacer! Regardez-moi bien.

Montrant son front.

Je vous dis qu'il est impossible que je n'aie pas quelque chose là.

DONA LUCREZIA

Tu n'as rien! ta tête se perd, mon Gennaro!

GENNARO

Il y a un mot, vous dis-je, qui est écrit là, et que je sens bien, moi!

DONA LUCREZIA

Non. Quel mot ?

GENNARO

Quel mot ? Parricide!

200. Né en 1800, mort en 1875, Antoine Prosper Lemaître s'est signalé comme acteur dans *L'Auberge des Adrets ou la pauvre Marie*, le mélodrame de B. Antier, A. Lacoste et A. Chapponier, qu'il rendit célèbre en juillet 1825, au Théâtre de l'Ambigu-Comique (voir le film de Carné *Les Enfants du paradis*). Il assura aussi le succès de *Trente ans ou la vie d'un joueur*, en 1827, de Ducange, Boudin et P.-P. Goubaux (et, peut-être Alexandre Dumas). Il excella également dans le drame. *Lucrèce Borgia* marque le début de sa collaboration avec Hugo.

201. Sous le nom de Mlle George, Marguerite Weimer (1787-1867) se voua à la tragédie classique, qu'elle défendit avec beaucoup de talent sous l'Empire et la Restauration. Gagnée à la cause romantique, elle devint une des grandes interprètes du nouveau théâtre.

202. Joseph-Philippe Simon, dit Lockroy (1803-1891), fit une carrière dramatique, seul ou en collaboration (celle d'A. Dumas, entre autres). Il fut avant tout un excellent acteur. Il est le père d'Edouard Lockroy, l'homme politique qui, après 1870, épousa Mme Charles Hugo et devint le beau-père de Georges et Jeanne que le poète a chantés dans *L'Art d'être grand-père*.

203. Que, même par une simple mention, Hugo se réfère au personnage d'Euripide, ce n'est pas le résultat du hasard ou une simple référence culturelle. Hécube est reine, vieille et captive; elle a vu détruire sa ville, mourir ses fils, égorger son époux, enlever sa fille. Cette tragédie de la douleur et de la vengeance est le premier grand jalon du drame de la mère, dont *Lucrèce Borgia* est une forme.

204. L'héroïne d'*Othello* de Shakespeare, victime de la calomnie de Iago et de la fureur jalouse de son mari, comme Lucrèce l'est de celle de son époux. Mais Desdémone est pure.

MARIE TUDOR

1. Les idées de Hugo sur les relations entre le théâtre et le public se précisent. Ses expériences récentes l'amènent à insister sur ce dernier considéré comme une « foule ». *Notre-Dame de Paris*, publié en 1832, est un roman pour les lettrés et pour la collectivité.

2. L'admiration du dramaturge pour Corneille, Molière et Shakespeare ne se dément pas. Au tragique français il avait voulu consacrer une pièce, dont subsistent des fragments, en vers. La *Préface* de *Cromwell* rappelle cette ferveur. La découverte de Shakespeare date des années 1826-1827 : ses drames ont été présentés à Paris, au Théâtre de l'Odéon, par des acteurs anglais, dans la langue originale et selon la tradition anglaise; ils ont contribué à placer le public, plus spécialement les jeunes romantiques, devant une dramaturgie qui contrastait fortement avec les habitudes des troupes françaises et les œuvres qui en étaient inspirées. Au nom de Molière il faut joindre celui de Beaumarchais : ils incarnent la forme vivante de la comédie.

3. S'ébauchent ici les parallèles qui, en 1864, paraissent, amplifiés dans *William Shakespeare*, qui joindra aux noms des dramaturges essentiels ceux de Michel-Ange et des génies mères de l'humanité.

4. Voir la *Préface* de *Cromwell*.

5. L'éloge de Racine est assorti d'une petite réserve : « abstrait ».

6. Hugo accentue le côté révolutionnaire des deux comédies de Beaumarchais.

7. Le rire n'aura guère de place dans *Marie Tudor;* Hugo rêve ici son drame idéal.

8. *Le Roi s'amuse*, acte IV. — La pitié de Didier pour Marion de Lorme ne s'est manifestée que dans la version ultime du drame, au moment de la représentation. Dans le texte originel, Didier allait à la mort en condamnant la femme coupable.

9. Voir l'article publié par Hugo dans *L'Europe littéraire* du 25 mai 1833, repris dans *Littérature et Philosophie mêlées*, où est définie « la forme actuelle de ses opinions sur la société et l'art ». Ecrite en mars 1834, la *Préface* précède des réflexions qui portent sur quatorze années.

10. Le drame est divisé, pour la première fois chez Hugo, en « journées », conformément à la tradition du théâtre espagnol de la Renaissance, telle qu'il a pu la trouver chez Lope de Vega, Calderon de la Barca. Cette décision s'explique-t-elle par la nécessité de diviser l'acte III en deux parties, qui n'eussent pas pu constituer un seul acte ? Ou par la volonté de montrer que sa forme du théâtre remontait aux origines de la dramaturgie moderne ? Ou par la fin heureuse qui justifiait mal la catégorie « drame » ? Hugo avait d'abord utilisé la formule traditionnelle des actes.

11. Un premier acte avait été écrit; Hugo l'a abandonné, en intégrant des éléments dans son texte définitif.

ACTE PREMIER

Une des plates-formes intérieures qui flanquent la tour de Londres. A droite, un grand mur percé d'une porte. A gauche, le pied de la tour de laquelle on ne voit pas le sommet. Au fond, une porte large exhaussée sur quelques degrés et s'ouvrant sur un long corridor. A côté de cette porte, une galerie transversale à arcades ogives, à travers desquelles on aperçoit les toits et les clochers de Londres. Le haut de la galerie est praticable et communique avec la plate-forme par un escalier en spirale. Le pied de la tour est percé d'une poterne. Auprès de cette poterne, on remarque, entre deux des jambes-étrières[a] *de l'édifice, une espèce de petite loge en maçonnerie pouvant servir de cellule à un guichetier*[b]. *De temps en temps on voit un petit enfant jouer sur le seuil de cette logette.*

SCÈNE PREMIÈRE

GILBERT, JANE, JOSHUA FARNABY

GILBERT

Ce que c'est que d'avoir des amis puissants! Grâce à toi, mon maître Joshua Farnaby, nous voici, ma Jane et moi, au beau milieu de la Tour de Londres, comme de vrais prisonniers d'état. Ne trouvez-vous pas, Jane, que c'est charmant ?

JANE

Charmant, quand on n'y est que pour deux heures comme nous!

GILBERT

Savez-vous bien, Jane, qu'il n'est pas facile d'entrer ici ?

JOSHUA

Et moins facile encore d'en sortir.

JANE

Monsieur Joshua, est-ce que nous verrons bien le cortège d'ici ?

JOSHUA

D'abord, quel cortège voulez-vous voir ? Il y en a deux. Un blanc et un noir. La reine qui vient de White-Hall et un homme condamné à mort qu'on mène à Tyburn. La reine arrive à midi. L'homme part à deux heures. A la rigueur on peut voir les deux spectacles.

JANE

Je ne veux pas voir l'homme condamné à mort.

GILBERT

Elle veut voir la reine.

JANE

Oui, la reine! je n'ai jamais vu de reine. Je veux voir quel effet cela me fera de voir une reine.

JOSHUA

En ce cas, vous ne pouvez être mieux qu'ici. Elle doit traverser cette plate-forme où une partie de la cour viendra l'attendre tout à l'heure.

JANE

Oh! la cour! la cour! de beaux seigneurs, de beaux habits de cérémonie! Quel bonheur de voir tout cela! — Et le pauvre homme condamné à mort, est-ce qu'on ne lui fera pas grâce ?

JOSHUA

Non. La reine le hait.

JANE

Pourquoi ?

JOSHUA

Parce qu'elle l'a aimé.

GILBERT

Je comprends.

JANE

Qu'est-ce donc que la reine vient faire à la Tour ?

JOSHUA

C'est aujourd'hui le premier jour de l'année. Il est d'usage que ce jour-là les rois ou les reines fassent une visite à la Tour de Londres.

GILBERT

Mais Jane a raison, autrefois c'était pour exercer le droit de grâce.

JOSHUA

On exécute aujourd'hui lord Clanbrassil.

JANE

Au fait, c'est aujourd'hui le premier jour de l'année. Et vous ne nous avez rien souhaité à Gilbert et à moi, monsieur Joshua, vous, notre vieil ami ?

GILBERT

Que veux-tu qu'il nous souhaite, Jane ? Peut-il souhaiter plus de beauté à la fiancée et plus d'amour au fiancé ? ne sommes-nous pas bien heureux ?

JANE

Oui, Gilbert, et bien pauvres.

GILBERT, *à part.*

Hélas! elle a toujours cette pensée!

Il va au fond du théâtre et s'accoude, pensif, sur la balustrade de la galerie comme s'il regardait au-dehors. Jane et Joshua restent seuls sur le devant du théâtre.

JOSHUA, *à Gilbert.*

A propos, à quand la noce ?

GILBERT, *sans se détourner.*

Dans trois mois; je veux laisser à Jane le temps de réfléchir.

JOSHUA

Voilà un homme qui vous aime, Jane!

JANE

Oui, et je l'aime aussi. — Mais nous sommes bien pauvres.

JOSHUA

Jane! savez-vous ce que c'est que cet homme qui vous aime ?

JANE

Belle question! c'est Gilbert le ciseleur, Gilbert mon fiancé, Gilbert mon cousin.

JOSHUA

C'est votre fiancé, Jane, mais ce n'est pas votre cousin.

JANE

Que voulez-vous dire ?

JOSHUA

Ecoutez. Pendant qu'il est là tout pensif et tout triste, probablement de quelque parole que vous lui avez dite étourdiment, je vais vous conter une chose secrète. Ecoutez-moi bien. Il y a seize ans, dans la même nuit où lord Sackville, comte de Derset [c], fut décapité aux flambeaux pour fait de rébellion, ses partisans furent taillés en pièces dans les rues de Londres par les soldats du roi Henri VIII. Un de ces gens de Sackville, grièvement blessé de plusieurs coups d'arquebusade, poursuivi de rue en rue, exténué, désarmé, mourant, se hasarda dans sa fuite à frapper à la petite porte d'une échoppe près du pont de la Cité. Une maison du bord de l'eau.

JANE

Comme celle que nous habitons.

JOSHUA

Précisément. Dans tout Londres, il n'y avait peut-être plus que cette échoppe où il y eût une lumière, quoique le couvre-feu ne fût pas encore sonné. Cela est toujours ainsi dans les nuits de guerre civile, Jane. Le premier coup de mousquet tiré éteint à la fois toutes les chandelles des bourgeois. Pour revenir au pauvre homme, les pertuisanes du roi reluisaient déjà sur le pont, si la porte ne se fût pas ouverte, il était mort. La porte s'ouvrit. Celui qui ouvrit cette porte, Jane, c'était un tout jeune ouvrier qui était là, seul, travaillant la nuit dans son échoppe, sans s'inquiéter de la guerre, faisant le bien pendant que nous faisions le mal. Le blessé était à peine entré, la porte à peine refermée, les soldats à peine éloignés, qu'on frappa de nouveau sur le volet de l'échoppe; on entendait les cris d'un petit enfant dans la rue. L'artisan ouvrit. Cette fois, un homme entra. Il portait dans ses bras un enfant au maillot, fort effrayé et qui pleurait. L'homme déposa l'enfant sur la table et dit : Voici une créature qui n'a plus ni père ni mère. Puis il sortit lentement et referma la porte sur lui. Jane, l'ouvrier donna asile au blessé, Jane, l'ouvrier donna asile à l'enfant. Ecoutez, l'ouvrier pansa le blessé, le soigna nuit et jour comme un frère son frère, le cacha trois grands mois chez lui, le guérit et le sauva, et quand les blessures furent cicatrisées, quand le blessé put sortir, l'ouvrier l'habilla de ses pauvres habits dans lesquels il eut soin d'oublier quelque argent, et le jour où le blessé, tout à fait rétabli, le quitta, Jane, c'est alors seulement que l'ouvrier songea à lui demander son nom. Ecoutez, l'ouvrier prit l'enfant, le veilla, le nourrit, l'éleva, comme une mère son fils, se donna tout entier à cette pauvre petite créature que Dieu lui envoyait, oublia tout pour elle, sa jeunesse, ses amourettes, ses plaisirs, fit de cet enfant l'objet unique de son travail, de ses affections, de sa vie, et voilà seize ans que cela dure. Jane, ce blessé était du parti proscrit de Sackville, l'enfant était emmailloté des couleurs proscrites de Sackville, de jaune et de noir, il y avait peine de mort pour quiconque donnerait asile à un individu de la faction de Sackville, quel qu'il fût, homme, femme ou enfant. Jane, l'ouvrier, c'était Gilbert, votre fiancé; le blessé, c'était moi; l'enfant, c'était vous.

JANE

Est-il possible ? est-ce que tout ce que vous me dites là est vrai, Joshua ? Gilbert n'est pas mon cousin! Gilbert a fait tout cela pour moi! je ne suis qu'une pauvre fille sans parents et il m'a tenu lieu de tout! O Joshua, comment m'acquitter envers lui!

JOSHUA

Je ne suis, moi, qu'un misérable porte-clefs de prison et il n'aura jamais besoin de Joshua; mais il a besoin de vous, Jane. Vous seule pouvez payer votre dette et la mienne.

JANE

Et comment ? dites vite!

JOSHUA

En l'aimant. — Vous avez été longtemps sa fille, Jane, vous allez devenir sa femme. Rendez-le heureux. Surtout, ne lui dites jamais que je vous ai confié le secret de ce qu'il a fait si généreusement pour vous. Il m'a défendu de vous en parler. Il veut que vous l'aimiez pour lui, et non pour les services qu'il a pu vous rendre. Il ne veut pas de reconnaissance, Jane, il veut de l'amour.

JANE

Pauvre Gilbert!

JOSHUA

Voilà ce qu'il a fait pour moi, voilà ce qu'il a fait pour vous, Jane. Aussi n'est-il pas vrai que nous devons l'aimer tous les deux, moi comme un frère, vous... — pas comme une sœur.

JANE

Non. Comme une femme. Je vous comprends, Joshua.

JOSHUA

Il a tant besoin d'être aimé de vous. Il vous aime tant. Vous êtes toute sa vie. Il n'y a que vous dans son cœur, savez-vous cela ?

JANE

Et il n'y a que lui dans le mien, Joshua.

JOSHUA

Le voici qui revient à nous, silence sur ce que je vous ai dit.

JANE, *courant à Gilbert.*

Mon Gilbert!

GILBERT

Vous êtes bien jeune et bien belle, Jane, et vous seriez digne de l'amour d'un roi.

JANE

Que faisiez-vous là tout seul dans votre coin, monsieur ? vous paraissez triste. A quoi pensiez-vous donc ?

GILBERT

Je pensais, Jane, que je ne suis qu'un malheureux ouvrier ciseleur, que je ne gagne pas au-delà de six shellings par semaine, et que je ne suis pas riche.

JANE

Si! vous êtes riche.

GILBERT

Je pensais, Jane, que le travail et les veilles ont ridé mon front et brûlé mes yeux, et que je ne suis pas beau.

JANE

Si! vous êtes beau.

GILBERT

Je pensais, Jane, que j'ai trente-quatre ans, tandis que vous en avez dix-sept, que l'autre jour vous m'avez arraché en riant un cheveu gris, et que je ne suis pas jeune.

JANE

Si! vous êtes jeune.

GILBERT

Jane, ne vous raillez pas de moi.

JANE

Vous êtes jeune, vous dis-je, vous êtes beau, vous êtes riche.

GILBERT

Comment cela ?

JANE

Parce que je vous aime.

GILBERT

Jane! vous m'aimez! Mon Dieu! cela est-il bien vrai ? Dites-vous bien ce que vous pensez ?

JANE

Je vous aime, Gilbert.

GILBERT, *la serrant dans ses bras.*

Eh bien! enfant! que Dieu soit béni, car tu me remplis le cœur de ravissement!

SCÈNE II

LES MÊMES, FABIANO CARASCOSA [d] *très élégamment vêtu. Il n'a qu'un seul gant. Puis* SIMON RENARD, *tout simple, en noir.* SABACTANI [e], *et successivement les principaux personnages de la cour de Marie.*

FABIANO, *entrant, à Joshua au fond du théâtre.*

Monsieur le guichetier, pousseriez-vous la bonté jusqu'à me dire l'heure précise de l'arrivée de la reine à la Tour ?

JOSHUA

Midi.

FABIANO

Je vous rends mille grâces, monsieur le guichetier.

Il s'éloigne.

JOSHUA, *le contrefaisant, à part.*

Je vous rends mille grâces, monsieur le guichetier. — Voilà un jeune gentilhomme qui a son chemin à faire. Tiens! pourquoi n'a-t-il qu'un gant ? *(Revenant à Gilbert et à Jane.)* — Attention! puisque vous êtes venus pour voir, regardez. Les gens de la cour arrivent. La reine ne tardera pas.

JANE, *appuyée au bras de Gilbert, bas et en souriant.*

Je t'aime, mon Gilbert!

GILBERT

Jane! Jane! ô mon Dieu! je suis jaloux, je suis fou. Voici les beaux jeunes seigneurs chamarrés d'or qui vont venir. Je songerai à tout moment que tu me compares à eux dans ta pensée, moi le pauvre homme du peuple, gauche et mal vêtu. Par pitié, ne les regarde pas trop.

JANE

Soyez donc raisonnable, monsieur. On vous dit qu'on vous aime. On regardera tout le monde, mais on ne verra que vous.

GILBERT

Vous êtes toujours un enfant et toujours un ange!

La galerie supérieure se peuple de gentilshommes en costume de cour. On pose des gardes aux portes de la plate-forme. Une certaine quantité de peuple y pénètre. Elle est contenue par les hallebardiers. Entrent par la porte d'en bas Simon Renard et Sabactani qui paraissent absorbés dans une conversation très confidentielle.

JOSHUA, *posant la main sur l'épaule de Gilbert.*

Il y a en ce moment à la Tour de Londres les trois hommes qui depuis six mois font ce que bon leur semble de cette pauvre vieille Angleterre; lord Clanbrassil, à qui on coupe la tête aujourd'hui, lord Paget à qui on ne la coupe pas encore *(il désigne du doigt un personnage fort entouré sur la galerie supérieure, puis il désigne Simon Renard)* et Simon Renard, qui la fait couper aux autres.

GILBERT

Qu'est-ce que c'est que ce Simon Renard ?

JOSHUA

Comment ne sais-tu pas cela ? C'est le bras droit de l'Empereur à Londres. La reine doit épouser le prince d'Espagne, dont Simon Renard est le légat près d'elle. La reine le hait, ce Simon Renard, mais elle le craint, et ne peut rien contre lui. Il a déjà détruit deux ou trois favoris. C'est son instinct de détruire les favoris. Il nettoie le palais de temps en temps. Un homme subtil et très malicieux qui sait tout ce qui se passe et qui creuse toujours deux ou trois étages d'intrigues souterraines sous tous les événements. Quant à lord Paget, — ne m'as-tu pas demandé aussi ce que c'était que lord Paget ? — c'est un gentilhomme délié qui a été dans les affaires sous Henri VIII. Il est membre du conseil étroit. Un tel ascendant que les autres ministres n'osent pas souffler devant lui. Excepté le chancelier cependant, mylord Gardiner, qui le déteste. Un homme violent, ce Gardiner, et très bien né. Quant à Paget, ce n'est rien du tout. Le fils d'un savetier. Il va être fait baron Paget de Beaudesert en Stafford.

GILBERT

Comme il vous débite couramment toutes ces choses-là, ce Joshua!

JOSHUA

Pardine[f]! à force d'entendre causer les prisonniers d'état.

Simon Renard paraît au fond du théâtre.

— Voyez-vous, Gilbert, l'homme qui sait le mieux l'histoire de ce temps-ci, c'est le guichetier de la Tour de Londres.

SIMON RENARD, *qui a entendu les dernières paroles, s'approchant.*

Vous vous trompez, mon maître, c'est le bourreau.

JOSHUA, *saluant, bas à Jane et à Gilbert.*

Reculons-nous un peu.

Simon Renard s'éloigne lentement.

SABACTANI, *bas à Simon Renard, lui montrant Jane.*

Regardez-la sans faire semblant de rien, monsieur le bailli. La jeune fille en corset rouge. Vous voyez que j'étais bien informé et qu'on ne m'avait pas trompé en me prévenant qu'elle serait ici aujourd'hui.

SIMON RENARD, *bas.*

Cela se trouve bien. — Très belle d'ailleurs. — Tant mieux! — Sabactini!

SABACTANI

Quoi ? monsieur le bailli.

SIMON RENARD

Je crois décidément qu'il sera bien difficile d'empêcher ce Fabiano d'arriver. Voilà huit jours qu'il se met exprès sur le passage de la reine et que la reine le remarque. La reine le trouve très beau, ce qui fait qu'il est impossible de songer à la grâce de Clanbrassil. Ce Fabiano sera favori. Oh! cela dérange tous mes projets. Et quand je songe que c'est moi qui ai fait venir cet aventurier d'Espagne et qui l'ai mené avec moi à la cour. Heureusement la reine ne sait pas encore son nom et combien c'est peu de chose. La maigre qualité du personnage l'en dégoûtera peut-être. Ecoute ceci, Sabactani. Hier, quelle pitié! la reine était sur le balcon royal de White-Hall. Le peuple a jeté des pierres à la reine. Fabiano a jeté son gant au peuple. Misérable fanfaronnade espagnole! la reine a trouvé cela héroïque. Bonne femme! — Tiens, l'intrigant! il était ici avant nous! le voilà sur la galerie.

SABACTANI

Il n'a qu'un gant, monsieur le bailli.

SIMON RENARD

Cet homme est médiocre. Mais il a de l'instinct.

SABACTANI

Comme il salue tout le monde!

SIMON RENARD

Il n'est ici que depuis quinze jours et il sait déjà que Paget et Gardiner se haïssent. Regarde. Il a profité d'un moment où Gardiner tournait le dos pour saluer Paget, et maintenant que Paget regarde par ici, voilà le Fabiano qui fait la révérence à Gardiner. Il a de l'instinct.

SABACTANI

Il arrivera, monsieur le bailli.

SIMON RENARD

Hé sans doute, et ce n'est pas lui que je voulais à cette place. Qui eût prévu cela ? mais qu'importe, il ne durera pas trois mois. Dès aujourd'hui je déposerai dans sa fortune le germe de sa ruine. Sabactani, tu auras peut-être deux intrigues à mener de front. Ma foi, je ne connais pas d'autre mot, cela s'appelle des intrigues.

SABACTANI

Vous avez du génie, monseigneur.

SIMON RENARD

Sabactani, quand une femme règne, le caprice règne. Alors la politique n'est plus chose de calcul, mais de hasard. Les affaires ne se jouent plus aux échecs, mais aux cartes. — Ah! don Fabiano [g]! don Fabiano! je tiens dans ma main tous les fils de votre destinée, tous, y compris la corde pour vous pendre!

FABIANO, *l'abordant.*

Dieu vous garde longues années, monsieur le bailli!

SIMON RENARD

Hé, bonjour, seigneur Fabiano. Je ne vous voyais pas.

FABIANO

Vous êtes le seul ami que j'aie ici, monsieur le bailli.

SIMON RENARD

Un seul suffit, quand il est bon.

FABIANO

Vous êtes comme moi sujet du sérénissime empereur. C'est vous qui m'avez produit à cette cour. Je vous dois tout.

SIMON RENARD

Je ne m'occupe que de vous depuis huit jours.

FABIANO

Merci, monsieur le bailli, et moi, de mon côté, allez, je ne vous oublierai pas.

SIMON RENARD, *à part.*

Je crois que le fat me protège déjà!

La porte du fond s'ouvre à deux battants. Un huissier paraît et crie :

La reine!

Tous les assistants se rangent et se découvrent. La reine, entourée de ses pages, de ses femmes et de ses gardes, paraît au-dessus du degré. Le constable de la Tour, accompagné de ses massiers, vient lui présenter, un genou en terre, les clefs de la prison sur un coussin de velours cramoisi. On devine de loin à ses gestes qu'il harangue la reine. — Fanfare.

SIMON RENARD, *montrant alternativement à Fabiano la reine et Jane.*

Voyez-vous ces deux femmes ?

FABIANO

Oui.

SIMON RENARD

Qu'en dites-vous ?

FABIANO

Elles sont bien belles toutes deux.

SIMON RENARD

Je puis vous donner l'une ou l'autre.

FABIANO

Vraiment.

SIMON RENARD

Laquelle préférez-vous ?

FABIANO

La reine.

SIMON RENARD

Vous l'aurez.

FABIANO

La reine est la reine. Celle-ci n'est qu'une fille du peuple.

SIMON RENARD

Qui sait ?

FABIANO

Que voulez-vous dire ?

SIMON RENARD

Dans des temps de proscriptions comme ceux où nous vivons, il y a dans l'ombre bien des existences déchues qui peuvent se relever. La reine est d'une mauvaise santé. Sa vie tient à une fièvre, sa faveur à une fantaisie. Une pairesse, par exemple, dont on serait le mari vaut mieux qu'une reine dont on ne serait que l'amant.

FABIANO

Est-ce que cette jeune fille serait ?...

SIMON RENARD

Rien. Elle n'est rien. Qu'une fille d'artisan. Point de conjectures. Sachez seulement que depuis dix ans que je suis dans ce pays pas un homme dépositaire d'un secret d'état n'est descendu dans la tombe avant de me l'avoir confié. Je sais bien des choses dont j'use dans l'occasion. J'aurais voulu dans votre existence quelque chose de plus stable que le caprice d'une reine capricieuse. Je suis votre ami.

FABIANO

Je crois vous comprendre.

SIMON RENARD, *bas à Sabactani.*

Le voilà déjà tout pensif.

La harangue du constable est terminée. Simon Renard marche à la rencontre de la reine.

LA REINE

Voilà un beau soleil, messieurs. — Monsieur le lieutenant d'Amont[h], ce premier jour de l'année est bien joyeux.

SIMON RENARD

Il est bien sombre, madame, pour un pauvre misérable dont il est le dernier jour.

LA REINE

Qui donc ?

SIMON RENARD

Lord Clanbrassil.

LA REINE

Je défends qu'on me parle de cet homme.

SIMON RENARD

Pardon, madame.

LA REINE

Monsieur le bailli d'Amont, quel est le nom de ce jeune homme à qui vous parliez tout à l'heure ?

SIMON RENARD

Oh! rien du tout, madame. Un aventurier espagnol.

LA REINE

Mais encore!

SIMON RENARD

C'est un nommé Fabiano Carascosa, qui se donne pour un cadet de la grande famille de Peñalver. La vérité est qu'il est né au village de Peñalver et qu'il est fils d'un chaussetier.

LA REINE

Vous n'avez pas l'air de l'aimer ?

SIMON RENARD

Moi, je lui suis tout dévoué. Je le connais depuis l'enfance. C'est le fils d'un chaussetier.

LA REINE

Amenez-le moi.

SIMON RENARD, *bas à Fabiano.*

Je viens de parler de vous à la reine. Elle vous demande.

FABIANO, *bas.*

Vous êtes ma providence.

Simon Renard prend Fabiano par la main et le mène à la reine que Fabiano salue profondément.

FABIANO

Madame...

LA REINE

Ne tremblez pas, jeune homme. *(Se tournant vers la cour.)* — Mylords, il me plaît d'introduire parmi vous un des plus nobles gentilshommes de notre oncle l'Empereur, don Fabiano Carascosa des comtes de Peñalver. — Pourquoi n'avez-vous qu'un gant, jeune homme ?

FABIANO

Madame...

LA REINE

C'est que l'étiquette d'Espagne ordonne de n'offrir aux reines que la main nue, n'est-ce pas ? et vous aviez prévu que vous donneriez la main à la reine aujourd'hui. Vous êtes hardi, monsieur. Savez-vous qu'il faut être lord anglais pour me donner la main ?

FABIANO

Madame...

LA REINE, *souriant.*

Allons, donnez-moi la main, mylord.

FABIANO

Mylord!...

LA REINE

Oui, mylord! c'est dit. Vous êtes un brave jeune homme. Demain vous assisterez à notre lever, et l'huissier de notre chambre annoncera Fabiano Carascosa, comte de Shelbourne et de Dinasmonddy.

FABIANO

Madame, les paroles me manquent. Ma vie est aux pieds de votre majesté.

LA REINE

J'y compte, Fabiano. — Votre main jusqu'à cette porte. Vous nous remettrez au constable de la Tour, auquel nous appartenons ici.

A sa suite.

— Venez, mylords.

SABACTANI, *bas à Simon Renard.*

La reine fait vite un favori.

SIMON RENARD

Elle le défait plus vite encore.

Tous sortent à la suite de la reine, excepté Simon Renard et Sabactani qui reprennent leur entretien à voix basse dans un coin du théâtre et Joshua dans l'autre coin.

SCÈNE III

SIMON RENARD, SABACTANI, JOSHUA

JOSHUA

Ma foi, c'est le premier jour de l'an. Des étrennes pour tout le monde. La reine se donne un favori, je vais donner une poupée à mon enfant. Nous verrons lequel des deux aura le plus vite cassé son joujou. *(Il entre dans la logette et en ressort avec une poupée. Il appelle :)* — Gilchrist!

Un petit enfant paraît sur le seuil. Il lui donne la poupée.

L'ENFANT

Merci, père!

L'enfant sort.

JOSHUA

Oh! que la Providence est grande! Elle donne à chacun son jouet, la poupée à l'enfant, l'enfant à l'homme, l'homme à la femme et la femme au diable!

Entre Fabiano.

SIMON RENARD

Eh bien ?

FABIANO

Ah! mon cher bailli!

SIMON RENARD

Qui prenez-vous de mes deux femmes ?

FABIANO

J'en ai déjà une. Je veux l'autre.

SIMON RENARD

Je songeais à vous la donner.

FABIANO

Je vous devrai donc toujours tout.

SIMON RENARD

Venez chez moi demain matin. Je vous dirai un secret. Adieu, mylord.

Il sort avec Sabactani.

FABIANO

Mylord! je suis lord! Je me touche. C'est bien moi. Toute cette matinée est un rêve. Je suis le plus heureux des hommes.

On entend le son d'une grosse cloche.

— Qu'est-ce que c'est que ce bruit ? c'est une cloche.

A Joshua qui est resté là et qui l'observe.

— Hé, l'ami, que veut dire cette cloche ?

JOSHUA, *à part.*

L'ami! déjà insolent! le chemin est fait.

FABIANO

Répondras-tu ? qu'est-ce que cette cloche ?

JOSHUA

Ce n'est rien.

FABIANO

Comment! rien.

JOSHUA

C'est un usage.

FABIANO

Quel usage ?

JOSHUA

On a l'habitude de sonner cette cloche chaqne fois qu'un condamné sort de la Tour de Londres pour aller à Tyburn.

FABIANO

Tyburn! qu'est-ce que c'est que Tyburn ?

JOSHUA

Tyburn ?

FABIANO

Oui, Tyburn.

JOSHUA

Avez-vous été à Paris ?

FABIANO

J'en viens.

JOSHUA

Hé bien! à Paris, Tyburn, cela s'appelle la place de Grève.

FABIANO

Est-ce qu'on décapite un homme aujourd'hui ?

JOSHUA

Oui.

FABIANO

Comment s'appelle cet homme ?

JOSHUA

Mylord Shelbourne, il s'appelle lord Clanbrassil.

FABIANO

Et qu'était ce lord Clanbrassil ?

JOSHUA

Ce qu'il était ?

FABIANO

Oui, dis-moi ce qu'il était.

JOSHUA

Favori de la reine.

a. Piliers qui se trouvent à la tête d'un mur mitoyen.
b. Le portier du cachot, valet du geôlier.
c. Dans Chamberlayne, Lord Sackville est grand chambellan du roi Guillaume III.
d. Hugo a-t-il voulu jouer sur les mots « cara » et « cosa », « chère chose » ? Le nom ainsi forgé pouvait être espagnol ou italien. Il préférera Fabiani, italien sans aucun doute.
e. Le nom reproduit le cri lancé par le Christ, sur la croix, au moment de mourir : « Eli, Eli, Lama sabactani », « Seigneur, Seigneur, pourquoi m'as-tu abandonné ? »
f. Forme de « pardieu » (XVIIe s.).
g. Fabiano est donc considéré comme espagnol, par le « don ».
h. Tel est le titre de Simon Renard, cf. n. 13.

12. Les éléments du décor sont tous signifiants. Au bord de la Tamise sont situés les lieux essentiels non seulement de l'action mais de son sens : la maison de l'ouvrier, la prison (Tour de Londres), le palais (Westminster). La statuette de la Vierge indique d'entrée de jeu que l'Angleterre est un royaume catholique; dès son accession au pouvoir, la reine avait restauré le « culte des images », aboli et prohibé par son père (*Biographie universelle Michaud*, art. *Marie Ire Tudor*).

13. Simon Renard (v. 1500-1575), lieutenant général du bailliage (ou bailli) d'Amont (en Franche-Comté), ambassadeur impérial de Charles Quint auprès de Marie Tudor; il devait négocier le mariage de celle-ci avec son fils Philippe; cette union allait être célébrée en 1554 et le futur Philippe II devait être roi de fait, non de droit, d'Angleterre. Les autres personnages ont été repérés dans Kimber et le P. Griffet. Ils étaient catholiques.

14. Ou Pole (1500-1568), archevêque de Canterbury. Exilé sous Henri VIII, il venait de rentrer en Angleterre, lorsque Marie Tudor avait reçu le pouvoir; il avait le titre et les pouvoirs de légat (*Biographie universelle Michaud*, art. *Pole*).

15. Dans *Lucrèce Borgia*, le dramaturge oppose nettement les Espagnols aux Italiens, la droiture et le courage à la fourberie. Fabiano Fabiani, personnage inventé par Hugo d'après le modèle de Courtenay, porte sur sa personne la dualité qui caractérisait Gubetta, porteur du faux nom espagnol de Belverana : son prénom est espagnol, son nom de famille est italien. Sa duplicité est inscrite dans ses noms.

16. Région italienne, au nord des Pouilles.

17. Ces noms ont été trouvés probablement lors de la lecture d'une ancienne carte. Clanbrassil a été créé sur le modèle de Clan-Richard, Clan-William; Dinasmonddi est une transcription fautive ou modifiée de Dinasmawddwy.

18. Dans Vertot : on citait plusieurs noms pour les prétendants éventuels à la main de la reine; parmi eux, le frère du roi Jean III du Portugal, l'infant don Luis. Christian III (1503-1559) a introduit le luthéranisme au Danemark. Thomas Percy (1528-1572) a montré sa sympathie pour le catholicisme. Peu importent ici les convictions religieuses de ces personnages, compte avant tout le fait que l'aventurier se voit traité à l'égal des princes les plus importants d'Angleterre et d'Europe.

19. Clinton est alors âgé de 43 ans. Tant d'événements ont eu lieu en vingt ans qu'il lui paraît qu'il a vécu plus longtemps.

20. Ce lieu-dit est cité dans *Cromwell;* il figure chez Bacon, sur la route qui va de Lambeth à la Tour de Londres. Les trois modes de peine : la corde, le bûcher, la hache.

21. Le nom des Blantyre est lié à celui de Stuart. — Si la forme Northcary existe, Southreppo pourrait avoir été créé par Hugo, tenté par l'opposition entre « north » et « south », nord et sud. — Les Tyrconnel étaient une très ancienne famille. Hugo a peut-être lu ce nom dans *La Pucelle* de Voltaire; dans la *Biographie universelle Michaud*, art. *Courtilz de Sandras*, qui suit immédiatement l'article *Courtenay*. Auteur des *Mémoires* de d'Artagnan, Courtilz prétendait avoir écrit, à la Bastille, des *Mémoires* de Tirconnel qui n'ont jamais été trouvés.

22. Cette réaction contre l'austérité du règne précédent : dans Godwin.

23. Lord Clinton s'est permis une critique de l'état du royaume. Lord Montagu est davantage un esprit politique.

24. Cf. *Biographie universelle Michaud*, art. *Renard*.

25. L'opposition est symbolique : l'activité de Fabiani veut être secrète, l'âme de la reine est obscure; mais c'est dans l'ombre que travaille Renard.

26. Le même rapprochement figurait dans la première version de l'acte I. Les cartes permettent de tricher et elles dépendent davantage du hasard, qu'on peut solliciter par l'astuce ou le bluff.

27. Simon Renard prédit le sort de Fabiani non comme un astrologue mais comme un tacticien. Il mène le jeu.

28. Première apparition de l'ouvrier dans le théâtre de Hugo. Homme du peuple, Triboulet était l'amuseur de la cour. Gilbert est non pas orfèvre, mais ouvrier, au métier précis et délicat.

29. Le guichetier est placé en opposition avec l'ouvrier; il parle du passé, Gilbert songe à l'avenir. Celui-ci crée; le premier emprisonne.

30. Catherine d'Aragon, répudiée, morte en 1536; Anne Boleyn, décapitée en 1536; Jane Seymour, morte en couches à la suite d'une opération césarienne (1537); Anne de Clèves, répudiée (1542); Catherine Parr, décapitée (1542).

31. Le geôlier n'a pas de parti. Hugo lui prête la formule de Godwin : sous Henri VIII on pendait ceux qui étaient pour le pape, on brûlait ceux qui étaient contre. L'absurdité de l'époque est ainsi soulignée. Cf. n. 33.

32. Henri VIII avait d'abord soutenu le catholicisme; se détachant de Rome il a instauré le schisme, par l'Acte de Suprématie qui le faisait chef de l'Eglise d'Angleterre.

33. Note de Hugo en 1837 : « suspenduntur papistæ, comburuntur antipapistæ ».

34. Luther avait rompu avec l'Eglise catholique en 1520-1521.

35. La prédiction de Joshua est fausse, comme sa conception de l'existence est étroite : Gilbert ira à la Tour.

36. Cette fois, Joshua est clairvoyant : l'excès d'amour est un danger. C'est par excès d'amour maternel que Lucrèce Borgia a été la cause de la mort de son fils et de la sienne propre.

37. Le mariage de Gilbert et les fêtes de la nouvelle année coïncideront. Une vie nouvelle pour Gilbert va s'ouvrir avec l'année.

38. Fabiani est inspiré de Lord Courtenay, qu'aima passionnément la reine et qui courtisa Elisabeth (Godwin, Hume, Vertot, Griffet). La *Biographie universelle Michaud* lui consacre un article. Hugo connaissait-il l'existence d'un aventurier napolitain, Brancazzo, qui, venu à Londres, voulut séduire la reine en 1554 ? L'hypothèse est de Marc Blanchard.

39. Ce détail semble inventé.

40. Joshua est doté d'un certain humour, dû à l'indifférence.

41. A l'image double de la Tour de Londres et du château de Westminster répond celle des galeries souterraines des intrigues; à la violence instable et publique de la reine correspondent les ruses cachées de Simon Renard.

42. Le P. Griffet parle de sa violence. « Très bien né » aurait-il un sens ironique ? Gardiner, évêque de Winchester (1483-1555). était de naissance illégitime (*Biographie universelle Michaud*, art. *Gardiner*).

43. William Paget, baron de Beaudesert (1505-1563), était d'origine modeste, sans plus de précision. Le Père Griffet : « on le disait fils d'un savetier »; les deux caractéristiques précédentes : « délié » « ascendant », figurent aussi chez Griffet.

44. Cette apparition soudaine intensifie la note de peur. En outre, l'esprit qui pense la politique se trouve joint au bras qui exécute. Déjà s'esquisse une image qui prendra toute son ampleur dans *Angelo, tyran de Padoue*.

45. La poupée de Joshua et le poignard que ciselle Gilbert : deux objets antithétiques et signifiants.

46. Après le tableau de la situation en Angleterre, une scène de la vie privée; après la haine religieuse, l'amour. C'est pour cette scène que Hugo a rejeté la première version de cet acte I. La scène III se déroule la nuit, à l'extérieur. Le banc constitue le lien entre le foyer et la rue. Gilbert synthétise les traits du père et de l'amoureux. Le sentiment qu'éprouve Jane va au premier, non à l'autre. Il reste que l'amour est la seule lumière dans la vie de l'ouvrier.

47. Nom trouvé dans Bacon. Godwin parle de Lord Fitz-Gerard : Edouard VI venait de le restaurer dans ses Etats et l'avait créé comte de Kildare en 1554. Arundel et Norfolk (qui avait été emprisonné sous Edouard VI) sont cités par Hume.

48. Le mensonge de Jane est le signe de sa culpabilité.

49. Voltaire (*Essai sur les mœurs*, ch. CIII) : le concile de Latran (1215) imposa aux Juifs de porter un signe distinctif, une petite roue; « les marques changèrent avec le temps ».

50. La famille Talbot était très ancienne. Allusion est faite à elle dans *Amy Robsart* (III, 3) : Jean, premier comte de Shrewsbury, a combattu Jeanne d'Arc, sans succès, et conquis la Guyenne. Cette ascendance place Jane dans une illustre famille et accroît au maximum l'écart entre elle et Gilbert. Mais la lignée des Talbot était nombreuse en 1554.

51. Le manuscrit montre que Hugo avait conçu une autre fin pour cette scène. Il l'a biffée. L'homme découvrait immédiatement à Gilbert que Jane avait un amant. Une autre raison a guidé le drama-

turge : il fallait découvrir au public l'identité de Jane et la manière dont elle a été confiée à Gilbert et retarder la révélation de son mensonge. Voir, pour le texte, p. 270.

52. Ce personnage mystérieux a les traits du comparse dans le mélodrame. Mais il a un plan. Sa présence constitue la réplique de Simon Renard.

53. « Faviano » s'explique par la prononciation du *v* en espagnol, proche du *b*.

54. Le mot était utilisé au masculin et au féminin au XVIe et au XVIIe siècle.

54 *bis*. Le titre élevé va de pair avec le nombre et la qualité des terres. Comme Waterford, Wexford se trouve dans l'Irlande du Sud-Ouest.

55. La reine a cru qu'elle était enceinte; elle souffrait peut-être d'hydropisie.

56. Le nom est tiré de Godwin, *Annales des choses les plus mémorables (...)*.

57. La locution est prise dans son sens courant, avec ironie.

58. Ce serment en prépare un autre, p. 207.

59. Dans le Ms. : « Ce qui me plaira. » Hugo y a substitué un ample développement, où est expliqué le comportement du Juif.

60. Le Cantersteen existait à Bruxelles, au haut de l'actuelle rue de la Madeleine. Les Juifs étaient groupés, à la fin du Moyen Age et au XVIe siècle, dans un quartier avoisinant. L'histoire des documents concernant Jane a sa logique; Hugo a voulu réduire la part du hasard.

61. Le marc est une unité de poids pour l'or et l'argent. Venu de Bruxelles, l'homme parle selon les normes utilisées sur le continent. Le P. Griffet constituait pour ce détail une caution et une source : il parle incidemment d'une somme de 10 000 marcs d'argent des Pays-Bas. Hugo l'amplifie avec l'or. Hume parle de 60 000 marcs d'argent levés sur sept mille paysans. La reine tentait d'améliorer les finances publiques par un emprunt.

62. Une des contributions indirectes, notamment sur les débits de boissons.

63. Fabiani porte sur lui une image de l'antisémitisme. Proférées par lui, les injures adressées au Juif perdent leur valeur.

64. Au meurtre Fabiani ajoute l'hypocrisie et le faux témoignage.

65. Hommes de la police.

66. Le détail, qui accentue l'antisémitisme jusque dans les institutions, paraît inventé.

67. Dans son cynisme, le comportement de Fabiani rappelle celui de François Ier; le courtisan, comme le roi, séduit une jeune fille du peuple. Gilbert éprouve pour sa protégée un sentiment analogue à celui de Triboulet pour sa fille, la difformité étant remplacée ici par la pauvreté. Mais François Ier est superficiel, Fabiani est implacable, et il a le sentiment d'appartenir à l'élite, par un faux, d'ailleurs.

68. Fabiani cache son jeu à la reine ; les courtisans et l'homme du peuple le connaissent. Le Juif qu'il vient de tuer est allé le plus avant dans sa conscience.

69. L'écart entre l'aristocrate et l'homme du peuple est marqué par l'absence d'arme chez celui-ci. Didier n'avait pas d'épée *(Marion de Lorme)*, Triboulet pas davantage, qui doit recourir à un spadassin *(Le Roi s'amuse)*. Le cri de vengeance annonce l'action ultérieure de Gilbert qui sépare Ruy Blas et don Salluste.

70. L'objet est là comme signe et comme révélateur.

71. Simon Renard est partout présent, comme le sera le Conseil des Dix, par ses espions, dans *Angelo*. Mais il agit seul, non par des émissaires.

72. Le pacte qui lie Simon Renard et Gilbert rappelle celui que concluent Hernani et don Ruy Gomez. Ceux-ci traitaient d'égal à égal; le légat et l'ouvrier sont séparés dans la hiérarchie sociale.

73. A la statuette de la *Première Journée* correspond le prie-Dieu.

74. Autre signe de duplicité : Fabiani chante pour la reine la même mélodie que lorsqu'il allait vers Jane. Toutes les femmes se valent pour lui.

75. Ou conseil privé, chargé de donner des avis aux souverains.

76. Parmi les nombreuses antithèses qui jalonnent ce texte, celle de l'ange et du démon remonte plus haut : Marion de Lorme était l'un et l'autre pour Didier, Lucrèce l'était successivement pour Gennaro.

77. Hugo transpose-t-il la légende antique de l'anneau de Gigès ? Ou a-t-il lu un conte de fées anglais ? Les contes français ne mettent en scène que des transformations ou des déplacements insolites. Hugo connaissait-il les légendes celtiques et la fée Viviane ?

78. Le témoin est invisible chez la reine comme il l'était dans la rue.

79. Allusion à l'origine italienne de Fabiani.

80. Dans Hume et Godwin. Après la révolte de Wyat, Thomas Trogmorton a été jugé à Guildhall et absous. La reine l'a fait garder prisonnier pendant plusieurs années; les jurés ont été emprisonnés et condamnés à une amende.

81. La reine se montre ici conforme à son surnom, Mary la sanglante. Elle est aussi l'aristocrate qui achète la vie d'un homme.

82. L'amour est tel que Gilbert ne voit pas les signes qu'il a vus. Sa foi est telle qu'il ébranle la reine.

83. La première épouse de Henri VIII, cf. n. 30.

84. Contre toute vraisemblance, l'ouvrier dicte ses conditions à la souveraine. Hugo suit la logique du drame, non celle des apparences sociales. Ceci lui permet de mettre face à face l'orgueil de la reine et la bonté originelle et la fermeté du peuple.

85. La reine étant instable et passionnée, seul un serment religieux peut la lier.

86. Gilbert se place moralement au-dessus de Fabiani, qui a commis les trois fautes.

87. L'arme qui doit tuer Fabiani est celle avec laquelle il a tué.

88. Attiré par les sonorités des noms, Hugo a repéré celui-ci, parmi d'autres, dans Chamberlayne, *Magnæ Britanniæ Notitia*.

89. Autre défi à la vraisemblance, cette décision est dans la logique du personnage, violent, impulsif. Marie Tudor n'avait-elle pas parlé à Gilbert et à Jane comme un être qui ne contrôle pas ses élans et qui perd tout sens des convenances ?

89 *bis*. Lord Gardiner. Cf. n. 42.

90. Dans Griffet. Charles Quint a envoyé en Angleterre trois ambassadeurs pour le mariage de son fils Philippe : Jean de Montmorency, seigneur de Courrières, Jacques de Marnix, seigneur de Toulouse, et Simon Renard. — Griffet a raison d'écrire « Toulouse » : il s'agit de la localité bourguignonne, relevant de l'Empire.

91. Soutenu peut-être par la France, il avait soulevé le sud-est de l'Angleterre et était arrivé jusque dans les faubourgs de Londres en 1554. Il fut exécuté avec soixante partisans. Selon le P. Griffet, le comte de Pembroke et lord Clinton ont dirigé les troupes royales dans la bataille de Saint-James. Voir aussi *Biographie universelle Michaud* (art. *Marie Ire Tudor*).

92. La distinction est subtile entre le rire (mauvais) et le sourire (favorable). La fin du drame est significative à cet égard.

93. La reconnaissance de la vérité — l'origine noble de Jane —

s'allie, d'une manière basse, à la vengeance personnelle de la reine.

94. La ville se trouve dans la province de Guadalupe, à 30 km de Madrid.

95. L'opposition entre Espagne et Italie resurgit. Larino est dans la région de Naples. La profession du père de Fabiani aurait-elle été appelée par les origines de Paget, fils d'un « savetier » (n. 43) ?

96. Dans une note IV de l'édition de 1837, Hugo a paré au reproche d'injustice à l'égard des Italiens. Il n'en reste pas moins que l'opposition est constante dans son esprit entre la grandeur du caractère espagnol et la bassesse de l'italien :

NOTE IV

DEUXIÈME JOURNÉE

SCÈNE VII

Italien, cela veut dire fourbe; napolitain, cela veut dire lâche, etc.

Si d'honorables susceptibilités nationales n'avaient été éveillées par ce passage, l'auteur croirait inutile de faire remarquer ici que c'est la reine qui parle, et non le poète. Injure de femme en colère, et non opinion d'écrivain. L'auteur n'est pas de ceux qui jettent l'anathème sur une nation prise en masse, et d'ailleurs ses sympathies de poète, de philosophe et d'historien, l'ont de tout temps fait pencher vers cette Italie si illustre et si malheureuse. Il s'est toujours plu à prédire dans sa pensée un grand avenir à ce noble groupe de nations qui a eu un si grand passé. Avant peu, espérons-le, l'Italie recommencera à rayonner. L'Italie est une terre de grandes choses, de grandes idées, de grands hommes, *magna parens*. L'Italie a Rome, qui a eu le monde. L'Italie a Dante, Raphaël et Michel-Ange, et partage avec nous Napoléon.

97. L'on avait vu les formes officielles d'exécution, le bûcher, la pendaison, la décapitation; voici les formes privées. Exploitées dans *Lucrèce Borgia*, d'un bout à l'autre du drame, elles y constituaient une pratique courante, mais souvent secrète, connues de tous, mais perpétrées dans l'ombre. *Marie Tudor* met en contraste la politique, cruelle mais affichée, et la vie privée, la persécution religieuse et le crime secret, ici accompli par un étranger. D'où viennent les paroles qui suivent. Par le sadisme qui anime la reine, trompée en tant que femme et reine, l'amant se voit infliger la mort comme un criminel d'Etat.

98. Dans Chamberlayne : le roi saxon Edgar était « dominus quatuor marium », les mers d'Angleterre, d'Ecosse, d'Allemagne et d'Irlande.

99. Dans Godwin : Kingston était constable à la Tour.

100. Fabiani utilise le meilleur argument juridique : il en appelle au légat du pape, en tant que sujet du roi de Naples. Terme juridique : non « rappeler » — l'extradition n'existait pas encore — mais faire passer devant une juridiction déterminée.

101. Pour ces noms, Hugo avait l'embarras du choix. Il a retenu deux prénoms aux consonances typiquement anglaises.

102. La Haute Cour de justice, composée des membres du conseil du roi; elle siégeait sans jury. Henri VIII en avait porté de sept à huit ses membres (Godwin). Le plafond de la salle était orné d'étoiles.

103. Le P. Griffet et Noailles dans ses dépêches appelaient ainsi, en italianisant son nom, Peter Carew, qui avait suscité une révolte devant la possibilité d'un mariage catholique de la reine : à Exeter il unit quelques gentilshommes et une foule assez considérable (Vertot).

104. Le duc de Suffolk avait soutenu la rébellion de Wyat. L'anecdote qui suit comporte un détail issu d'une mauvaise traduction faite par le P. Griffet : Suffolk a été découvert chez un garde-chasse nommé Underwood « sous bois » (« underwood »), non au creux d'un arbre. Le détail prosaïque était plus frappant.

105. Le mensonge de Gilbert contraste avec celui de Fabiani au début du drame : Gilbert parle selon la vengeance et dans l'ordre imposé par la reine, Fabiani n'a menti que par intérêt personnel.

106. L'objet a, plus que jamais, une fonction signifiante dans le drame, comme le poignard.

107. Démasqué, Fabiani a menti contre toute évidence, sauf contre celle qu'il est le seul à connaître avec Gilbert.

108. Dans Chamberlayne : Guillaume le Conquérant a rassemblé les lois et les coutumes diverses des régions qu'il s'était soumises au XIe siècle, et il y a ajouté la coutume de Normandie.

109. Le serment de Gilbert repose sur une équivoque délibérée; à ne retenir que ses paroles, il ne commet pas de faux serment : pour ses auditeurs, Fabiani est régicide; pour Gilbert, il est l'assassin du Juif.

109 *bis*. La présence du bourreau dans la chambre de la reine a choqué, par son invraisemblance, le public de 1833.

110. L'association de l'acte politique et de l'acte religieux, du geste officiel et du geste privé est délibérée. La communion pour la fête de Pâques, alors que la reine vient d'assouvir une vengeance personnelle, met en évidence la nature équivoque de sa foi; vraie croyante, elle aurait dû pardonner. — Exford : Hugo copie une faute du P. Griffet. Lire Oxford.

111. Ceux de Henry VIII, d'Edouard VI et de Marie.

112. Hugo avait lu ces deux vers gravés au château de Chambord. Ils avaient trouvé leur place dans *Le Roi s'amuse*.

113. La reine est versatile.

114. La chronologie s'avère flottante. Gilbert a appris l'intrigue de Fabiani avec Jane le 23 décembre (dans la première version : le 1er janvier). Le démasquage du favori a eu lieu au palais royal peu après, sans que nous ayons quelque précision sur la date. Les prisonniers sont dans la Tour depuis trois semaines. Il est impossible que l'arrêt de la chambre étoilée ait été prononcé pendant l'avent, période de l'année liturgique qui se situe avant la Noël. Hugo a-t-il voulu écrire « carême » ? comme la reine a parlé de faire ses pâques (n. 110), cette hypothèse n'est pas impossible. Elle impliquerait qu'un temps plus long se soit passé depuis l'acte II : la scène I de l'acte III pourrait avoir lieu au plus tôt trois semaines après, le 17 février, deuxième dimanche du carême, lorsque Pâques a lieu le plus tôt. Hugo a négligé un point : l'Angleterre suivait le style julien, qui faisait commencer l'année à Pâques.

115. La femme amoureuse se révèle dans la reine, devant le diplomate dont elle doit se défier tant pour sa fonction officielle que pour son caractère.

116. Dans un fragment manuscrit de Hugo, on trouve : « Sur le choix d'un mari, Charles V écrit : Courtenay vous déplaît. Polus ne veut pas quitter l'église; je suis trop vieux, prenez mon fils. » (d'après une dépêche de Charles Quint le 20 septembre 1553). En outre : « On avait aussi proposé le roi de Danemarck, l'Infant du Portugal, le

fils du R des Romains et le Prince de Piémont »; ceci d'après Vertot.

117. Dans Chamberlayne : le roi est empereur d'Angleterre et d'Irlande.

118. Cf. *Lucrèce Borgia* (II, 1re partie, sc. IV). Marie Tudor a une politique machiavélique, mais maladroite.

119. Distraction simulée ou réelle ? La reine traite Renard comme un Anglais, puis lui confère son titre.

120. Marie dévoile devant le diplomate étranger l'état d'avilissement où elle est tombée.

121. Un Kildare, vice-roi d'Irlande, est mort à la Tour de Londres en 1534; son fils, en 1537, avec ses cinq oncles. Son demi-frère a été restauré dans ses Etats (Godwin). Ils étaient catholiques.

122. Le marquis de Noailles, ambassadeur de France en Angleterre, jouait un rôle important dans les intrigues qui se nouaient à propos du mariage de la reine; il tentait de contrecarrer la politique de Simon Renard, donc de Charles Quint. Ses dépêches sont une source de Hugo, ainsi que *Les Ambassades de Monsieur de Noailles* de Vertot.

123. Contrairement aux héroïnes des drames précédents, Marie Tudor est un être divisé et impulsif; la passion ne l'unifie pas dans un vouloir unique. Si la reine en elle reparaît, c'est pour sauver sa passion; le pouvoir qu'elle a est utilisé pour son favori.

124. Traduction littérale de « City House », l'équivalent de l'actuel hôtel de ville. Elle est reprise au P. Griffet. La reine y avait tenu un discours violent lors d'une assemblée générale lorsque grondait l'émeute de Wyat.

125. Jusqu'à présent Jane était le témoin passif et la victime des événements. Les dessous de l'intrigue lui étant révélés, sa jalousie devient un élément actif dans le conflit. Ses origines sont aristocratiques; mais elle est formée par et dans le peuple.

126. Le Ms. comportait des passages qui ont été supprimés par Hugo. L'amour et le repentir de Jane s'y dévoilaient totalement.

JANE, *tremblante.*

Monsieur Gilbert, je ne suis plus rien pour vous, vous détournez vos yeux de moi et vous avez raison, je ne suis plus pour vous qu'une femme qu'on a connue peut-être autrefois, et qu'on ne regarde plus, une personne qu'on a vue passer dans la rue... — Oh! ne secouez pas ainsi la tête. Oui, je sens que ma vue vous est odieuse, mais, écoutez, laissez-moi seulement mettre votre vie en sûreté. Je vous jure que je ne chercherai plus à vous revoir après. Demain, ce soir, vous ne me verrez plus. Jamais. Jamais, monsieur Gilbert. Oh! qu'à cela ne tienne, je vous le jure bien, mon Dieu!

. . . .

JANE

... A peine ai-je été tombée aux bras du démon qui m'a perdue, que j'ai pleuré mon ange! Je ne comprends plus même aujourd'hui comment j'ai pu être séduite par cet homme, moi que Gilbert daignait aimer! Ah! il faut que j'aie été une bien misérable créature!

GILBERT

Pourquoi parles-tu de cela, puisque je viens de te dire trois fois de suite que je te pardonnais! tu n'as donc pas entendu ? — Tu m'aimes. C'est oublié!

JANE

Toujours généreux! toujours! Ah! vous êtes le seul qui soit ainsi! Si je vous aime! Mon Dieu, donnez-moi des paroles pour lui dire cela! Ah! vous ne savez pas, vous, combien l'amour qui a des torts à se reprocher est un amour profond, exclusif et désespéré! Le jour où vous vous êtes dévoué pour moi, le jour où je vous ai vu mener à la Tour, le jour où j'ai entendu prononcer l'arrêt de votre mort qui était aussi l'arrêt de la mienne... mais à quoi bon les rappeler l'un après l'autre ? tous les jours, tous les jours, sans en excepter un, j'ai été pleine de vous, pleine d'amour, pleine de remords, pleine d'inexprimable douleur! La nuit je me relevais. J'appuyais ma tête contre le mur et je pensais à vous. J'étais toute la journée au pied de la Tour avec cette seule idée, la fuite, l'évasion, la vie, Gilbert! Il y avait des moments où je devais faire à ceux qui me voyaient l'effet d'une statue. Quelquefois les passants voulaient m'emmener parce qu'il pleuvait. — Oh! Gilbert, je t'aime, vois-tu. Je te trouve beau, tu es si noble! Tous les hommes ne sont rien devant toi, tu ne te doutes pas de cela, toi. Dieu! que je t'aime! Tu ne me crois peut-être pas. Je t'ai trompé une fois. Je t'ai tant offensé. C'est pourtant bien sincère ce que je te dis. Oh! réponds! est-ce que tu me crois encore un peu ? Oh! des paroles, des paroles, cela n'est rien, Gilbert, je voudrais qu'on pût s'ouvrir une porte sur le cœur et dire à l'homme qu'on aime : Regarde! Il y aurait tant de choses à te dire dans ma position, que je sens et que je ne puis exprimer. Il n'y a pas moyen de te faire comprendre à quel point tu es tout pour moi, à quel point je suis confuse, repentante et à genoux devant toi! Je voudrais que le son de ma voix fût une caresse qui te rendît heureux. — Oh! tu ne mourras pas! nous nous sauverons ensemble! tu es à moi! nous nous aimons! Qui m'eût dit cela ce matin ? Quel changement! — Mon Dieu! je suis folle, n'est-ce pas ? Gilbert, je me méprise et je me hais tant, qu'il me semble impossible que tu m'estimes et que tu m'aimes. Tu ne sais pas comme j'ai été malheureuse! — Donne-moi ta main. Je t'aime! je t'aime! Regarde mes yeux, ils disent que je t'aime. Regarde mes larmes, elles disent que je suis heureuse! — Oh! encourage-moi à te parler ainsi. C'est mon cœur qui s'ouvre, le cœur de la pauvre fille perdue. J'avais des ailes comme toi autrefois. Je n'en ai plus. Comment se fait-il que tu veuilles encore de moi ? Comment se fait-il que tu tiennes encore à mon amour ? Est-ce que c'est vrai que tu y tiens, dis ? Ce n'est pas par pitié seulement que tu dis cela ? Bien sûr, tu m'aimes ? Tu m'aimes! Dieu m'est témoin que tu me remplis le cœur de joie. Tu viens du ciel, Gilbert!

GILBERT

O Jane, il n'y a rien à répondre après de telles paroles, dites comme tu les dis! Le cœur se fond. C'est à croire qu'on va mourir de ravissement. Oh! que m'importe le passé ? Qui est-ce qui résisterait à ta voix ? qui est-ce qui ferait autrement que moi ? Oh oui! je te pardonne bien tout, mon enfant bien-aimé!...

127. Se découvrant aristocrate, la jeune fille reste attachée au peuple, dans lequel elle a vécu. Elle est l'opposé de Marie Tudor, qui est loin des couches populaires.

128. Au contraire de Didier *(Marion de Lorme)*, Gilbert n'est pas marqué par la fatalité; il aime la vie malgré les conditions précaires dans lesquelles se déroule son existence. Il n'a renoncé à elle que lorsque l'amour, le seul qu'il ait éprouvé jamais et qu'il puisse connaître, l'a trompé. Il est généreux.

129. L'antithèse, apparemment facile et naturelle, fait partie de l'imaginaire hugolien. Elle apparaissait dans *Marion de Lorme*, successivement ange et démon pour Didier; dans le double visage de Lucrèce Borgia : la mère inconnue est pour Gennaro un ange et Lucrèce, identifiée ou non, une incarnation de Satan.

130. L'assaut de la foule rappelle celui des truands dans *Notre-*

Dame de Paris; ils veulent libérer Esmeralda prisonnière; la foule veut tuer le favori détesté. Le bruit du tumulte a sa pleine signification dramaturgique; absente, la foule, acteur invisible, est présente par ses cris.

131. Le quiproquo est délibéré : Gilbert étant le double inverse de Fabiani depuis le début du drame, et son adversaire jusque dans sa condamnation, il est amené à tenir le même rôle jusqu'au bout.

132. Signe de la pureté morale, que n'a pas entamée la faute commise avec Fabiani, la blancheur est l'indice qui marquait doña Sol, Marion de Lorme après qu'elle avait changé de vie, Blanche la fille de Triboulet.

133. Le nombre de portes est précisé pour marquer l'extrême difficulté et accroître le suspens. Hugo a choisi un nombre symbolique, d'origine biblique (les apôtres, les tribus d'Israël); en outre, les douze travaux d'Hercule. Et douze était une ancienne division de l'unité — douze pouces pour un pied, douze onces pour une livre.

134. La présence de la reine dans la Tour de Londres est insolite, sinon invraisemblable. La passion fait que Marie Tudor rejette tout protocole.

135. Clarence, héraut de Henry VIII, Edouard VI et Marie. (Godwin.)

136. Les vassaux directs de la reine; donc la haute noblesse.

137. La future Elisabeth, fille de Henry VIII et d'Anne Boleyn. Son nom apparaît pour la première fois dans le drame. La rivalité des deux demi-sœurs se greffe sur le drame privé de Marie. Marie trouvait dans sa demi-sœur une rivale non seulement sur le plan politique, mais aussi en amour; Courtenay l'adulait. Nombreux étaient les partisans d'Elisabeth.

138. La reine déteste la foule et le peuple. Simon Renard, homme politique, voit clair; aveuglée par la passion et par l'orgueil, la reine ne perçoit du peuple que l'aspect qu'elle a accoutumé de voir. La révolte contre Fabiani est proche d'une révolution contre la reine.

139. Evêque d'Arras, favorable à l'union de Philippe avec la reine (*Biographie universelle Michaud*, art. *Renard*).

139 *bis*. Le héraut de l'ordre de la Jarretière.

140. Hugo fait accuser les contrastes des bruits extérieurs : « immense rumeur », « profond silence », « immense battement de mains ».

141. Les mentions des lieux sont brèves; réduites à quelques noms, elles n'impliquent pas une connaissance directe de la ville de Londres. Hugo avait certainement consulté une carte ancienne en rédigeant *Cromwell*. Noter que l'ancien palais de Westminster avait été détruit par un incendie en 1517.

142. Le sens probable de ce mot est « flétri », « navré ».

142 *bis*. La charte de 1215 qui fixait les libertés fondamentales du peuple anglais.

143. L'opposition des deux couleurs fondamentales est forte, comme celle de leur pouvoir de réfléchir la lumière.

144. De tombeaux. Même les dalles marquent l'aspect funèbre de la salle.

145. La reine en noir, Marie en blanc : le contraste est délibéré.

146. Le cortège rappelle celui des pénitents, dans *Lucrèce Borgia*, dans un contexte tout différent, mais avec la même issue : la mort.

147. La pertuisane est une hallebarde plus tranchante. On notera les trois teintes, noir, blanc, rouge, comme elles étaient annoncées dans le décor. La chasuble du prêtre est noire avec une croix d'argent.

148. Le contraste est brusque et violent. Pour la première fois

dans le drame, la ville apparaît en pleine lumière, bien que ce soit la nuit : le peuple tient sa victoire. Pour la première fois aussi, on voit toute la ville de Londres. Les paroles de Marie Tudor contiennent un écho lointain du monologue de don Carlos dans les souterrains d'Aix-la-Chapelle (*Hernani*, IV, 2); mais au sens politique du futur empereur est substitué ici le sentiment personnel, la passion destructrice. Marie hait sa ville. Don Carlos considérait le peuple comme un océan, Marie le voit comme un monstre. Voir aussi Shakespeare, *Henri IV* (2), introduction : « (...) qui donc sinon moi, la Rumeur, prépare les troupes redoutables ».

Le rire de la reine est le signe de sa malice foncière (cf. n. 92). Les bûchers des condamnés s'amplifient en un immense brasier où tous les Londoniens sont confondus, coupables et innocents. La haine inspire à Marie un discours de type « unanimiste » fondé sur la fureur.

149. Rappel du catholicisme, par la mère de la reine et par une des croyances propres à l'Eglise romaine.

150. Le destin paraît au sein des actions les plus délibérées.

151. Jane n'accepte pas le destin; elle veut le forcer.

152. La passion personnelle l'emporte sur la justice et même sur la raison d'Etat. Plutôt une iniquité que le salut de l'innocent.

153. Un des rares personnages de Hugo à éprouver une intuition, Jane en est capable par la force de l'amour, fécondé par la reconnaissance.

154. Le Ms. comportait une autre fin :

(*Le rideau du fond s'entr'ouvre. Le geôlier paraît et à sa suite Fabiano.*)

La reine

C'est Fabiano!

Jane, *tombant sur le pavé.*

Gilbert!

Cette conclusion était proche de celle de *Marion de Lorme*. Hugo a hésité jusqu'à la fin sur l'issue, optimiste ou pessimiste, qu'il voulait réserver au drame. La nouvelle version s'explique par un sursaut de son être intime : il fallait que Marie Tudor fût condamnée dans son sentiment le plus profond, à défaut de l'être par la population; il fallait aussi assurer au peuple une victoire morale, avec l'exécution de Fabiani et le bonheur de Gilbert et de Jane. Ce bonheur est peut-être provisoire : la réaction ultérieure de la reine est imprévisible, puisque Gilbert s'est offert à la mort et que Jane dépend de sa souveraine. La fatalité frappe la reine en vertu d'une logique interne aux événements. Hugo a-t-il senti que le public aurait été choqué par le triomphe des forces du mal? Simon Renard prononce la phrase finale : l'esprit machiavélique a manipulé les événements depuis la première scène; le premier mot qu'il prononce est : « Patience! » Le dernier y fait écho. La destinée, c'est lui qui l'organise, à travers les coïncidences et les hasards. Cela est nouveau dans le drame de Hugo : le Politique, qui n'en attire pas pour autant les sympathies de l'auteur et du public. Le peuple londonien est content; la reine est sacrifiée moralement; l'ouvrier est sauvé et l'amour sincère préservé. *Lucrèce Borgia* se soldait par la disparition de tous les acteurs du drame, bons et mauvais; *Marie Tudor* laisse la porte ouverte sur l'avenir, même précaire.

ANGELO

1. L'accent est mis non sur le problème social comme tel, mais sur la femme face à la société, sur la faute et l'innocence.

2. La pointe pouvait être comprise immédiatement en 1835; elle visait les critiques qui s'acharnaient sur Hugo et, avec lui, sur le romantisme. Désiré Nisard dénigrait le mouvement récent au théâtre en le rapprochant des auteurs de l'antiquité tardive, dans la *Revue de Paris* (1833, t. 57) et dans *Etudes* [...] *sur les poètes latins de la décadence* (Paris, Gosselin, 1834); le drame y était qualifié de « littérature facile » et ses auteurs étaient taxés de plagiat. Le classique Gustave Planche avait publié une *Lettre à M. Victor Hugo* (*Revue des Deux Mondes*, 1er mars 1834), qui poussait Hugo à délaisser le théâtre. Jules Janin et Armand Carrel ont joué un rôle dans cette polémique.

3. Le portrait d'une époque, même simplifié, paraît dans le drame; contrairement à Byron, le dramaturge a estompé les aspects politiques et moraux du conflit.

4. Un salut est adressé aux compagnons de la lutte romantique ; quant à la critique, Hugo établit soigneusement le départ entre la vraie et la fausse.

5. Ce doge a été élu en 1545 (Amelot). — Aux noms tirés de la mythologie et de la légende, Thisbé, Orphée, Daphné, correspondent les noms chrétiens, Angelo, Catarina. Le nom Homodei existait au Moyen Age; Hugo l'a peut-être retrouvé, sous la forme plus étrange d'Homodeus, dans un volume anonyme, *Dell'antico corso dei fiumi in Padova* (Padoue, 1776). Cf. n. 55. Voir aussi les noms de Troilo et de Palinure, n. 66 et 67. Le choix de ces noms comporte une dérision amère : l'ange est un tyran, l'homme de Dieu un espion, Orphée un assassin. Conformément à la légende babylonienne de Pyrame et Thisbé, Tisbe est une amoureuse; mais elle se sacrifie par dévotion filiale.

6. Le premier titre : *Padoue en 1549* mettait l'accent sur l'époque. Il a paru meilleur à Hugo d'insister sur le conflit des personnages. — Est adoptée, comme pour *Marie Tudor*, et pour des raisons semblables, la division du drame en « journées »; l'acte III comporte deux parties. Contrairement à son habitude, Hugo met en évidence dans les titres non des personnages ou leurs fonctions, mais des objets. Ils ont été ajoutés après coup.

7. L'ombre règne sur la ville comme sur la personne de son maître; seuls le jardin et le palais voisin sont illuminés.

8. Gouverneur d'une ville soumise à Venise. Est adoptée la forme francisée, courante au XVIIe siècle avec ou sans « t » final. Amelot écrit « podestà ».

9. Dans les villes ou les régions auxquelles s'était étendu son pouvoir, Venise faisait régner le même despotisme que chez elle. République, elle était dirigée par une oligarchie de patriciens.

10. Les Turcs avaient conquis Constantinople en 1453 et traitaient les chrétiens avec dureté.

11. Située à quatre-vingts kilomètres de Milan, la ville avait été cédée aux Vénitiens en 1426.

12. Originaire de Vicence. — Le nom d'Ordelafo figure dans Byron, *Marino Faliero*, comme un ancêtre de Faliero, mort à Zara (III, 1).

13. Dans le Ms. :

« à qui mon frère a sauvé la vie une nuit que des gens gagés voulaient tuer ce jeune seigneur dans la rue.

ANGELO

Dans la rue ?

LA TISBE

Dans la rue.

ANGELO

La nuit ?

LA TISBE

La nuit.

ANGELO

Dites à votre frère qu'il ne se permette pas de pareilles équipées à Padoue. Dans les Etats de Venise, il faut laisser faire ce qui se fait dans les rues la nuit ».

14. Giovanni Rucellaï avait écrit *Rosmonda* (1525), une des premières tragédies modernes. Le choix du titre et de l'œuvre n'est pas arbitraire : la légende de Rosemonde est pleine de cruauté et de vengeances. Hugo avait-il lu la tragédie d'Alfieri, portant le même titre et traitant du même sujet ? Elle avait été traduite en français en 1822 par A. Trognon, un nom qui suggère au dramaturge un néologisme audacieux dans *Ruy Blas*, cf. p. 628, n. 323. Une *Rosemonde*, tragédie en cinq actes et en vers de F. B. de Bonnechose avait été représentée au Théâtre-Français le 28 octobre 1826.

15. La Tisbe se moque de son interlocuteur en mimant ses paroles. Le prénom Virgilio, même courant en Italie, s'insère dans la liste choisie par Hugo.

16. La Tisbe insiste sur ses origines populaires. L'image de la mère est totalement absente dans *Amy Robsart*, dans *Marion de Lorme*, dans *Hernani :* elle émerge en un seul épisode du *Roi s'amuse* (II, 3); centrale dans *Lucrèce Borgia*, elle s'efface dans *Marie Tudor*. Très différente de Gennaro, la Tisbe éprouve cependant une aspiration semblable à la sienne à l'égard de sa mère, qu'elle considère comme un ange. Le schéma dramaturgique Gennaro-Lucrèce suscite, par contraste, celui de Tisbe et sa mère; l'opposition subsiste d'autant que Gennaro est guerrier, voire chevalier, et la Tisbe comédienne, avec la promiscuité que suppose son métier.

17. Venise est riche et puissante; la Morlaquie, qu'elle s'est soumise avec la Dalmatie (cf. Voltaire, *Essai sur les mœurs*, ch. CVI), est faible et pauvre. C'était un très petit pays (environ 4 600 kilomètres carrés), situé entre la Dalmatie et la Croatie. Amelot le mentionne. Cette partie de l'Europe avait été mise en évidence par le premier romantisme français : parmi les amis de Hugo, Nodier et Mérimée avaient contribué à passionner le public pour l'« Illyrie », le premier avec *Jean Sbogar* (1818), un roman, le deuxième avec *La Guzla* (1827), un recueil de fausses chansons populaires.

18. Le célèbre condottiere vénitien, mort en 1443; son tombeau est conservé à Padoue; sa statue célèbre, due à Donatello, a été érigée à Padoue sur l'ordre de Venise, dont il avait sauvé l'armée. Cette mention rappelle le lien qui unit les deux villes.

19. Le nom est dans Amelot. La narration de la Tisbe met en évidence à la fois son passé et l'arbitraire, la cruauté de la république, qui punit de mort une peccadille commise par une femme illettrée. Le crime de lèse-majesté avait été étendu aux paroles (Amelot).

20. Comme le voile de Blanche *(Le Roi s'amuse)*, le poignard et la bourse de Fabiani *(Marie Tudor)*, l'objet est investi de valeur signifiante; il sera un moyen d'identification. — Si la mère a ramassé le crucifix après avoir été déliée, c'est qu'elle l'avait laissé tomber, soit de peur, soit parce que les liens la serraient trop.

21. L'apologie de la femme se fait insistante. Hugo songe-t-il à sa mère, qu'il a connue malheureuse ? ou, plus immédiatement, à Juliette Drouet ? A toute époque, la jeune fille est, selon lui, plus touchée par le malheur parce qu'elle est bonne, donc sensible.

22. Officier de police (italianisme). Le mot figure chez Mathurin Régnier.

22 *bis*. Les sequins avaient cours dans le Levant et à Venise,

qui était en rapport constant avec les pays de la Méditerranée.

23. Absente des premiers drames de Hugo, l'intuition se voit accorder une place et une fonction dans *Marie Tudor*. Ici, elle est source de certitude sans qu'aucun indice ne l'étaie; elle l'est davantage : contre toute vraisemblance ou toute probabilité

24. Reparaît ici, inversée, une situation déjà imaginée pour *Lucrèce Borgia :* l'homme endormi.

25. Le premier dignitaire du chapitre d'une église. Le nom apparaît dans Amelot. — Saint-Marc : Homodei vient donc de Venise.

26. Dante parle de cette grande famille italienne; l'un de ses membres, Francesco, l'accueillit lorsqu'il fut exilé (*La Divine Comédie*, *Purg.*, ch. VIII).

27. Le primicier a menti : Homodei comprend, il espionne.

28. Le tyran porte en lui la cruauté et la peur.

29. Ce tribunal suprême de la république était formé de dix sénateurs. La présence/absence du conseil dans le drame suscite l'existence d'un être mystérieux et tout-puissant, comme une divinité maléfique et terrifiante, politique et inhumaine.

30. Robe longue et traînante.

31. Large bande d'étoffe ou de peau, que l'on passe autour du cou et qui pend sur les épaules, au-devant du corps. Le livre d'Amelot contient une gravure représentant le doge avec sa simarre et son étole, le sénateur avec l'étole.

32. Le long des galeries de Saint-Marc, ces bouches devaient recevoir « les billets et les mémoires des accusateurs », les « denuncie secrete » dont parle Amelot; une bouche par sorte de crime.

33. Les célèbres prisons, dont parle Casanova dans ses *Mémoires*, se trouvaient sous des toitures de plomb. S'y joignent les puits, geôles souterraines où stagnait l'eau. L'imaginaire de Hugo s'organise selon un principe binaire, le haut et le bas, la chaleur et le pourrissement, le feu et l'eau.

34. Canal « noir », selon l'étymologie que propose Amelot, qui dit qu'on y jetait les condamnés, sur une claie lestée de deux pierres.

35. L'opposition entre Venise ville de fêtes et du carnaval et Venise ville politique est marquée, comme à Padoue l'obscurité et la lumière pendant la conversation d'Angelo avec la Tisbe. De même, le palais et ses couloirs secrets.

36. « être sur » : le mot de la puissance.

37. Angelo se montre comme un tyran presque malgré lui, en tout cas dominé par un système qui le terrifie. On peut suivre la courbe de l'image du pouvoir dans les drames de Hugo : officielle et nulle dans la personne de Louis XIII, mais souveraine et avérée dans celle de Richelieu *(Marion de Lorme)*, émergeant, consciente de soi *(Hernani*, IV), futile et arbitraire *(Le Roi s'amuse)*, despotique *(Lucrèce Borgia, Marie Tudor)*, ici faible devant la puissance supérieure, qui est occulte. D'où la dualité d'Angelo, énoncée d'une manière lapidaire. Charles Quint *(Hernani)* est maître de l'univers, mais il sait que le peuple existe et peut défaire son pouvoir; il peut pardonner; Angelo non.

38. *Amy Robsart*, inspiré par le roman de Walter Scott *Kenilworth*, avait mis en scène l'alchimiste qui, machinant un complot, est tué par l'explosion de l'alambic qu'il avait allumé.

39. L'autre face d'Angelo : sa vie privée; elle est marquée par le même principe d'exclusivité que la face officielle. En principe, il est le pouvoir suprême.

40. Rodolfo est marqué de noir parce qu'il est proscrit.

41. Dans le Ms. : « supplice! me voilà dans la même cage que ce podesta! Te rappelles-tu cette chienne enfermée avec ce tigre, que

nous avons vus à Florence ? Rodolfo, cette pauvre chienne, c'est moi ».

42. La Tisbe est dans une situation pareille à celle d'Angelo : elle n'admet pas de rivale; elle va jusqu'à reprendre ses expressions. Mais ses raisons sont autres. Comme lui, elle est absolue; il l'est dans la peur et dans l'amour.

43. Ceci laisse supposer que depuis dix ans la comédienne a eu des amants. Contrairement à Marion, elle ne doit pas cacher son passé.

44. Dans le Ms. : « Tu sais bien que je dis tout ce qui me passe par la tête. Je voudrais te faire rire. » Ceci marquait le caractère spontané de la Tisbe. Comédienne, elle est femme du peuple; elle ne feint pas lorsqu'elle parle de ce qu'elle aime. La Thisbe de la légende était tout aussi entière dans son amour, comme la Juliette de Shakespeare. Mais ici, il y a une faille, que la Tisbe ignore pour le moment : son amour n'est pas partagé.

45. Les trois premières scènes se sont déroulées sous le regard absent et présent d'Homodei, double comme son nom. Sa lucidité, la connaissance qu'il a de l'identité des personnages rappellent Simon Renard *(Marie Tudor)*. « Homme de Dieu », il a une connaissance souveraine; il n'a pas l'amour. Et il ne détient pas le pouvoir suprême : Homodei est un agent.

46. Le nom est fréquent et important dans l'histoire de Padoue. Hugo connaissait-il, ne fût-ce que par le titre, *La Mort d'Ezzelin, tyran de Padoue*, la pièce écrite en latin par l'humaniste Albertino Mussato au début du XIIIe siècle ? Ezzelin Ier était seigneur de Romano; son fils et son petit-fils ont gouverné Vicence *(Biographie universelle Michaud*, art. *Ezzelin)*.

47. L'église San Giorgio Maggiore.

48. Nom donné à une religieuse.

49. Cette tradition a fait s'implanter une oligarchie patricienne, qu'évoque Byron dans ses drames « vénitiens » *(Marino Faliero, Les deux Foscari)*; de même Sismondi et Daru.

50. L'amour de Rodolfo est exclusif et définitif, comme celui de Didier qui, lui, est de naissance inconnue. Mais il a connu la débauche.

51. Hugo choisit cette date parce qu'elle est associée à sa liaison avec Juliette Drouet.

52. Le pont le plus ancien de la ville; il existe encore.

53. La famille Magaruffi a disputé le pouvoir aux Carrare dans Padoue au début du XIIIe siècle. Ezzelin III da Romano, doge en 1215, fut « cruel » envers les seigneurs.

54. Homodei a plongé jusque dans la vie la plus secrète de Rodolfo et de Catarina. Sa connaissance est liée à un voyeurisme de nature exclusivement politique.

55. Amelot signale qu'Octavien Bon avait été inquisiteur de terre ferme. Un Alexandre Bon a été décapité pour avoir répandu la fausse nouvelle d'une conspiration et avoir ainsi troublé le Grand-Conseil. Le nom choisi par Hugo se trouve dans le livre *Dell'antico corso dei fiumi in Padova* : Alberto da Baone, un des principaux seigneurs padouans, vivait en 1538.

56. Homodei reprend le mot qu'a utilisé la Tisbe, scène I. Il le redira scène VI.

57. Rodolfo est « fatal », comme l'étaient Didier, Hernani. La prédiction marque également Maffio et Gennaro *(Lucrèce Borgia)* : elle a annoncé qu'ils mourraient ensemble.

58. Un dicton comme Hugo aime en insérer dans ses textes, quitte à les inventer.

59. La Tisbe prend conscience qu'elle aussi est prise dans un réseau.

60. Malgré sa spontanéité native, la Tisbe est comédienne aussi dans la vie.

61. Benvenuto Cellini (1500-1571), le plus grand orfèvre de la Renaissance, est célèbre. Compte ici surtout la formule binaire : au crucifix grossier de la mère de Tisbe fait pendant la clef précieuse d'Angelo. Le premier objet renvoie à la religion catholique; la clef, aux couloirs secrets, au monde souterrain. — Selon Amelot, les inquisiteurs avaient la clef du Palais de Saint-Marc et pouvaient entrer dans la demeure du doge. Hugo transpose à Padoue ce pouvoir.

62. Les jeux du désir et du refus permettent à Tisbe de découvrir le rôle de la clef; contrairement à sa consigne du silence, Angelo est amené à parler; l'amour aveugle son esprit critique et sa prudence.

63. Amelot rapporte une parole de Jean de Montluc, frère du mémorialiste, évêque de Valence (Dauphiné). Les deux frères étaient des adversaires farouches des huguenots.

64. Homodei accepte l'argent, en principe. Il ne se laisse pas corrompre pour autant.

65. Au rouge et à l'or de la chambre fait pendant l'obscurité relative de la nuit, comme à l'acte I la lumière et l'obscurité.

66. Souvenir du personnage de Shakespeare ? — ou plutôt de l'*Iliade ?* Troïlus a eu le courage d'attaquer Achille; il a été tué.

67. Dans l'*Enéide,* le timonier d'Enée meurt noyé. L'origine des deux noms Troïlo et Palinuro et leur sort semblable ne peuvent être fortuits. La mort est présente jusque dans les noms des comparses.

68. Le monde clos, opposé au monde ouvert de l'acte I, doit être un lieu du secret. Mais les murs de la chambre ne sont pas plus sûrs que le jardin où s'entretenaient la Tisbe et son amoureux. Homodei est présent chaque fois. Plus qu'un artifice scénique, c'est un élément de structure dramaturgique.

69. Conseil des Dix.

70. Le fleuve traverse Padoue; son nom ramène ici l'image de la noyade. En outre, la thématique du haut et du bas est sous-jacente. Mais la Brenta ne passait pas à côté du palais du doge.

71. Alliance des contraires : la beauté, la richesse (fleurs, parfum) et la mort.

72. Dans le Ms., texte biffé :

... La femme du podesta!
Dites-moi, est-ce que vous ne trahissez personne ici ?

HOMODEI

Encore des questions sur moi, monsieur. Je vous ai déjà dit que je n'y réponds pas. Si vous avez peur, il est temps encore, voici la porte ouverte, allez-vous-en.

RODOLFO

Mais Catarina ?...

HOMODEI

Qui vous dit que je ne viens pas de sa part ?

RODOLFO

De sa part ? Ah oui! il a raison. Quel trait de lumière! Suis-je fou de ne pas avoir deviné cela! Oh! merci! et pardon! Oh! que Dieu vous récompense! Je n'ai sur moi que ma bourse...

HOMODEI

Je suis payé.
— Restez-vous ?

RODOLFO

Si je reste! si je reste! Mais c'est pour elle et non pour moi que je craignais. As-tu pu te méprendre à ce point ? Que m'importe ma vie ? Oh! la revoir...

73. La place principale de Padoue, San Prosdocimo. La situation d'Homodei est analogue à celle de Saverny *(Marion de Lorme)* qui est sauvé de six assaillants par Didier. Comme Didier, Rodolfo est un être « fatal ». Comme lui il éprouve le besoin d'une amitié indéfectible.

74. Le Ms. de la scène :

RODOLFO

Oh! Est-ce que je ne peux rien pour vous ?

HOMODEI

Rien. — Au fait, si.

RODOLFO

Quoi ?

HOMODEI

Remettre ce billet vous-même de ma part à madame Catarina.

RODOLFO, *prenant la lettre.*

Je le ferai.

HOMODEI

Adieu.

RODOLFO

Ma vie est à vous.

HOMODEI

Je le sais.

Le type discontinu des reparties, proche du langage quotidien, a sans doute déplu à Hugo. La réflexion équivoque de Homodei, à la fin, devient plus explicite en aparté dans la version définitive.

75. Catarina appartient à un autre monde que celui qui l'entoure : elle aime, il hait et il craint, elle veut vivre, il veut tuer. Elle est prisonnière du palais comme elle l'est de son amour clandestin; celui-ci constitue la seule issue dans l'isolement et l'étouffement qui l'oppressent. L'appel à la mère fait écho à la narration de la Tisbe (première scène du drame).

76. Hugo a d'abord fait que Dafne assistait à l'entrée de Rodolfo; il a préféré que la rencontre ait lieu sans témoin.

77. Ceci est un défi à la vraisemblance : dans un monde clos, où règne l'espionnage, un chant, surtout la nuit, éveille l'attention. Le poétique l'emporte sur tout souci de vérisme.

La première version contenait une chanson en trois couplets; seul le dernier devait être chanté par Rodolfo; elle a été supprimée et insérée dans les *Chants du crépuscule* (1835) :

Autre Chanson.

L'aube naît et ta porte est close!
Ma belle, pourquoi sommeiller ?
A l'heure où s'éveille la rose
Ne vas-tu pas te réveiller ?

O ma charmante,
Ecoute ici
L'amant qui chante
Et pleure aussi!

Tout frappe à ta porte bénie;
L'aurore dit : Je suis le jour!
L'oiseau dit : Je suis l'harmonie!
Et mon cœur dit : Je suis l'amour!

O ma charmante,
Ecoute ici
L'amant qui chante
Et pleure aussi!

Je t'adore ange et t'aime femme.
Dieu qui par toi m'a complété
A fait mon amour pour ton âme
Et mon regard pour ta beauté!

O ma charmante,
Ecoute ici
L'amant qui chante
Et pleure aussi!

Février 18...

78. La scène a été conçue par analogie et en contraste avec celle du chant de Fabiani *(Marie Tudor)*. Le favori exprimait son sentiment par la musique et par les paroles; mais il feignait. Rodolfo révèle par la chanson le fond de son être; le texte qu'il a composé ou qu'il a choisi insiste sur la complémentarité des choses et des êtres humains, alors que, comme Catarina, il vit dans un univers où les hommes sont divisés entre eux et jusqu'au fond d'eux-mêmes par la peur ou par la volonté de dominer. Le poème d'abord choisi par Hugo ne contenait pas cette binarité essentielle; de là vient qu'il a été écarté. Le dialogue qui suit insiste sur la dualité qui se résout en unité.

79. L'accent est mis ici sur l'acte de regarder, le contraire de celui de l'espion et de ses maîtres. Homodei, feignant de dormir, entendait, voyait (I, 1); l'amour de Catarina et celui de Rodolfo se repaissent du regard direct.

80. Les prisonniers sont enfermés dans les Plombs ou dans les Puits. Catarina est séquestrée dans un appartement luxueux. Dieu les voit tous.

81. Deux formes de l'ivresse s'opposent : l'une, matérielle, l'autre, psychologique; chez un Homodei elles sont toutes deux destructrices.

82. Autre dualité : le désir d'Homodei et l'amour de Rodolfo. Par là, Homodei pourrait être une projection de Iago (*Othello*).

83. Catarina cache la clef de la même manière que Marion la lettre de rémission de Louis XIII (*Marion de Lorme*, IV,8).

84. Robe large qui peut être jetée sur les autres vêtements. Le mot existait au XVIe siècle.

85. Le Ms. contenait une introduction plus longue. Y a été ajouté un jeu de scène, après lequel la Tisbe révèle immédiatement à Catarina leur situation respective dans le réseau qui les enserre.

86. Dans sa spontanéité, le langage de la Tisbe est moins celui de la comédienne que celui de la femme du peuple, qui réagit violemment devant la rivale et devant la femme d'une condition supérieure. Toutes ses paroles obéissent au principe de binarité qui apparaissait dès le début de l'acte.

87. Au fard de la comédienne correspond l'hypocrisie de la femme du monde : celle-ci est comédienne dans la vie; celle-là, sur la scène.

88. Dans le Ms. : « vous perdre, là, absolument, complètement, sans pitié, sans ressource, sans retour, madame; comme je suis perdue, moi » Hugo a-t-il senti que ces paroles passionnées faisaient se rapprocher la Tisbe du monde haïssable d'Homodei ?

89. L'objet révélateur, comme bientôt le crucifix.

90. Reparaît ici, sur le plan tragique, une scène de comédie, celle où la comtesse défend au comte Almaviva l'entrée au cabinet où est enfermé Chérubin (*Le Mariage de Figaro*). De telles transpositions apparaissent ailleurs chez Hugo : don Ruy Gomez porte des traits d'Arnolphe, l'homme âgé, qui veut épouser la pupille (Molière, *L'Ecole des femmes*, IV, 1). Compte moins la réminiscence que la reprise, sur un mode grave, d'une situation dramaturgique.

91. Catarina utilise, sans le savoir, l'argument qui doit toucher la Tisbe au plus profond d'elle-même. L'absence de la mère amène la référence au crucifix.

92. La prédiction de la mère de la Tisbe est une forme des prémonitions qui jalonnent le théâtre de Hugo.

93. Situation analogue à celle d'Hernani, avec don Carlos et don Ruy Gomez à l'acte I, sc. III, dans la chambre de doña Sol.

94. Pour le mensonge la Tisbe est plus habile que Catarina; comédienne, elle sait l'art d'improviser une mise en scène. De la passion, même hostile, elle passe immédiatement à la tactique, qui n'exclut pas pour autant la souffrance.

95. Le titre reprend l'opposition de la nuit avec la lumière (I), celle de l'obscurité extérieure avec la clarté de la chambre (II) et celle de l'action occulte du pouvoir avec la transparence des êtres aimants.

96. Le passage soudain du palais du doge à la masure reprend, à d'autres fins, l'effet de rupture que provoquait l'opposition entre le palais du roi et le bouge de Saltabadil (*Le Roi s'amuse*). Cette partie a été écartée, pour ménager les suceptibilités du public, lors des représentations de 1834. Elle n'a été portée à la scène qu'en 1905. — Pour les claies, cf. n. 34.

97. La contradiction de la formule est révélatrice.

98. Cf. n. 34.

99. Les mufles des dogues humains — Hugo a-t-il ne pas pu rapprocher ce mot et celui de « doge » — contiennent une référence implicite aux têtes de lions en bronze du palais Saint-Marc (cf. n. 32); celles-ci reçoivent les dénonciations, les sbires les exécutent.

100. Un élément a troublé le calcul d'Homodei, imprévisible : la reconnaissance de la Tisbe; il n'a vu que la jalousie.

101. Même l'amitié est réduite à néant dans le monde régi par le Conseil des Dix.

102. Homodei est, sur le plan moral, un double inversé de Quasimodo ; la monstruosité morale va de pair avec l'amour, mais sans aucun sentiment de reconnaissance. Il est plus près de Claude Frollo.

103. Dans le Ms. :

ORDELAFO, *s'approchant de l'oreille d'Homodei et montrant Reginella.*

Tuons-nous cette fille ?

HOMODEI

Non, c'est inutile.

104. Seuls les trois noms de rue constituent des détails précis sur la ville.

104 *bis*. La clef grossière du tiroir forme le pendant de celle qui ouvrait la chambre de Catarina.

105. Les sbires n'ont pas seulement une face animale; leur intelligence est nulle; ce sont des hommes-objets. Ce bref passage annonce le langage de certains personnages de Samuel Beckett.

106. La dernière image que veut laisser de lui Homodei résume toute sa vie : faire le mal, détruire.

107. Réminiscence de *Lucrèce Borgia :* Roderigo était le fils que Lucrèce aurait eu, selon une tradition historique; Pandolfo Petrucci est une des victimes de César Borgia.

108. La cathédrale de Padoue et le saint auquel elle est dédiée sont célèbres. D'où l'allusion à la châsse, un peu plus loin.

109. Les deux pièces forment une microstructure binaire, comme le métal qui la forme chacune. Cette charité est purement formelle, comme le faste de l'enterrement.

109 *bis.* Les Bragadini étaient une des neuf anciennes familles de Venise citées par Moreri *(Dictionnaire)*.

110. Le clergé obéit sans protester; il est prisonnier du système établi par le Conseil des Dix. La scène forme un parallèle avec celle où, à un autre niveau, Homodei mettait en place ses sbires.

111. Dans le Ms. : « Un homme, un espion, a été trouvé assassiné ce matin, quelque part par là, n'importe. Les deux guetteurs de nuit l'ont relevé. En mourant, — le malheur est que cet homme soit mort —, il a remis pour moi aux deux guetteurs une lettre qu'ils m'ont apportée. C'est une lettre écrite à ma femme par un amant.

LA TISBE

Qui s'appelle ?

ANGELO

La lettre n'est pas signée. Vous me demandez le nom de l'amant ? C'est justement ce qui m'embarrasse. J'ai deux noms.

LA TISBE

Comment ? Lesquels ?

ANGELO

L'homme assassiné n'a dit qu'un nom. Mais les deux guetteurs de nuit, — si vous saviez quelles faces stupides! — ils ont entendu chacun un nom différent. De là, deux noms.

LA TISBE.

Et ces deux no. ?

ANGELO

Roderigo et Pandolfo.

LA TISBE, *à part.*

Je respire.

ANGELO

Deux noms qui ne se ressemblent guère pourtant. Il y a quelque méprise. Ce n'est peut-être ni l'un ni l'autre. C'est égal. Il n'existe sous ces deux noms à Padoue que deux jeunes gens, Roderigo Montagnone et Pandolfo Salinguerra (a). Dans le doute, je les ai toujours fait saisir et mettre à la question. Mais ils n'avouent rien.

(a) Le premier nom est inconnu. Le second est repris à celui du parti gibelin de Ferrare, au XIIIe siècle, qui reçut l'aide d'Ezzelin II da Romano — donc d'un ancêtre de Rodolfo — et qui fut arrêté malgré son sauf-conduit et mené en prison à Venise.

Cette première version était très explicite, elle l'était trop dans la bouche d'un tyran contraint à observer le silence. Hugo y avait ajouté la torture sur simple présomption, en quoi il reprenait la tradition touchant le despotisme à Venise.

112. On distinguait à Venise l'Etat de terre ferme et l'Etat de mer; celui-ci était constitué par Venise et les îles qui lui étaient soumises. Le podestat de terre ferme gouvernait une ville ou une région de l'intérieur.

113. Dans le Ms. : « Et savez-vous ce que c'est que les Malipieri, Tisbe ? Deux doges, quatre procurateurs de Saint-Marc (a), un général du golfe, un évêque de Castello, dix-sept provéditeurs (b), vingt podestas, tout le reste sénateurs depuis cinq cents ans. Voilà ce que nous sommes. » Ceci rappelait la coutume, impérative pour les doges, de garder la tradition du pouvoir : les mêmes familles détiennent Venise depuis des siècles et y exercent les plus hautes fonctions.

(a) Les neuf procurateurs étaient de grands dignitaires de la république et avaient comme charge d'administrer les revenus de l'église Saint-Marc, la bibliothèque de Saint-Marc et les archives. Ils étaient les premiers sénateurs, ils avaient la préséance sur toute la noblesse vénitienne.

(b) Les provéditeurs, au nombre de deux à Venise, avaient la charge des édifices publics, des voies, des salles, la surveillance des ventes. Portaient le même titre les gouverneurs des provinces soumises à Venise.

La faute commise par Catarina est double : l'amour adultère, une faute contre toute une famille.

114. Angelo n'aime pas sa femme; sa jalousie est fondée sur le désir de domination. — Autre faute : l'infécondité; la famille ne pourra plus compter dans le patriciat de la république.

115. Ms. : « — *(Il met la main sur son cœur)* ceci est du bronze aussi ».

116. Prénom fréquent dans la famille d'Este, à Ferrare.

117. Nom d'une très ancienne famille vénitienne; une des douze maisons d'électeurs à Venise (Amelot). Pierre Badoero était doge à Venise au xᵉ siècle. Que le père d'Angelo ait fait exécuter le descendant d'une lignée aussi importante est un témoignage de la dureté des haines dans la ville. Pour la graphie : on trouve Badoüaro. Hugo suit Amelot, qui écrit : Badoer, ou *Dell'antico corso* (cf. n. 5).

118. Catherine Cornaro (1454-1500) appartenait aussi à une famille ancienne du duché. Elle avait épousé Lusignan III, roi de Chypre; après la mort de son mari, elle a régné sur l'île, puis l'a remise aux Etats vénitiens. Le poison est, comme dans *Lucrèce Borgia*, l'arme secrète, comme les Plombs et les Puits. Le choix de deux noms, repris aux familles très anciennes révèle que la haine se porte sur les pairs et qu'elle ne tient pas compte du sexe.

119. Qu'Angelo se réclame du souvenir de sa mère l'oppose à la Tisbe : celle-ci vit dans la pensée de l'amour meurtri; le tyran, dans un idéal de dureté.

120. L'attitude de Catarina devant la mort accentue et parachève le contraste qu'elle offre avec la Tisbe : la peur domine chez elle. Devant la mort, la patricienne n'a pas la même constance que la femme du peuple. La Tisbe aura été la femme active du drame; elle affronte les obstacles pour assouvir une vengeance, puis pour pardonner. Catarina est essentiellement passive.

121. Dans le Ms. :

CATARINA

Mourir tout de suite comme cela, c'est affreux! Mais je n'ai rien fait qui mérite la mort, vraiment! Ah! ciel! vous ne m'avez donc jamais aimée, monsieur ?

ANGELO

Madame!...

CATARINA

Est-ce que je suis forcée d'avoir du courage, moi ? Je ne suis pas un homme, mon Dieu! Je suis une femme, une femme bien faible, dont il faudrait avoir pitié. Je pleure parce que la mort me fait peur. Je n'ai pas honte de cela. Ce n'est pas ma faute.

122. La bouche de marbre rappelle celles de bronze (cf. n. 32) : l'impassibilité devant toutes les fautes et le devoir de les dénoncer.

123. Hugo projette ici moins sa hantise de la mort que celle de la peine capitale, qu'il avait traitée avec maîtrise dans *Le Dernier Jour d'un condamné* (1822), une sorte de long monologue.

124. Marie Tudor faisait comparaître le bourreau dans le palais royal. Dans la république vénitienne, le tyran fait de même, en secret.

125. Dans le Ms. : « Mon Dieu ! Est-ce que vous ne pouvez me faire grâce ? Pourquoi ne me faites-vous pas grâce ? »

126. Hugo avait d'abord écrit autrement cette scène VI.

CATARINA. — Ciel ! Rodolfo !

RODOLFO. — Catarina ! c'est moi ! moi pour un instant ! pour un petit instant ! Te voir ! je n'ai pu résister au désir de te voir aujourd'hui. Je me suis servi de la clef que tu m'as donnée. Tu vois ? Ne crains rien. Aucun danger en ce moment pour toi, ni pour moi. Le podesta est sur le pont Molino en grande conférence avec les six seigneurs criminels de nuit. Oh ! je voudrais tout te dire à la fois. Catarina ! tu es ma vie, je te dis que tu es ma vie. Vois comme je suis essoufflé. Ne crains plus rien de ce sbire, de cet Homodei. Il ne te fera plus de mal. Entends-tu ? sois tranquille. Pauvre amie, tu es toute pâle encore ! Des émotions de cette nuit, n'est-ce pas ? Oh ! c'est une étrange aventure, et que je ne comprends pas encore, mais tu vois bien que Dieu est pour nous. Oh ! j'ai une clef de chez toi ! Quand je pense que je pourrai peut-être te voir ainsi tous les jours ! quelle joie ! Dieu nous protège, va !

CATARINA. — Tu crois ?

RODOLFO. — Comme tout est calme et charmant autour de toi ! A quelque chose de sacré qui est répandu dans cette chambre, Catarina, on sent que tu l'habites jour et nuit. Cette chambre est pleine de tous les parfums de ton âme. Les beaux arbres sous ta fenêtre ! le beau printemps ! le beau soleil ! Tout est paisible et pur ici. C'est le seul coin béni dans cette ville maudite ! Oh ! oui, bien maudite, en effet ! Aujourd'hui, par exemple, tu ne te doutes pas de cela, Padoue ou Venise commet dans l'enceinte de ces murs quelque grand crime. Il y a quelque chose. La ville est morne. Les archers battent les rues. Tout le monde parle bas. A l'église Saint-Antoine, il paraît qu'on dit l'office des morts pour quelqu'un qui va mourir. Pour qui ? on l'ignore. Tu n'en sais rien, toi ?

CATARINA. — Non, Rodolfo, je n'en sais rien.

RODOLFO. — Oui, à l'heure où nous parlons, il se passe, à coup sûr, une chose terrible quelque part. Des gens disent que c'est Roderigo Montagnone et Pandolfo Salinguerra qui vont être décapités. Ange ! rien de tout cela n'arrive jusqu'à ta solitude.

CATARINA. — Non, rien...

RODOLFO. — La tyrannie et l'inquisition partout ! Quand je suis entré dans le palais, le capitaine-grand m'a prévenu que ni moi, ni personne ne pourrions en sortir avant la nuit, et, à chaque pas qu'on y fait, un sbire.

CATARINA. — Personne ne sortira du palais avant la nuit !

RODOLFO. — Personne.

CATARINA, *à part*. — Pas d'évasion possible. O Dieu !

RODOLFO. — Mais je te vois, je te parle, j'oublie tout. A quoi pensais-tu, dis, quand je suis entré ? Cela t'a-t-il surprise de me voir ? Que faisais-tu ?

CATARINA. — Moi ? rien. Je pensais à vous, mon Rodolfo bien-aimé. J'essayais de me rappeler cet air que vous chantez si bien, vous savez... Tenez, j'ai encore là ma guitare.

RODOLFO. — Je t'ai écrit ce matin...

127. Membres d'une milice, levée dans la population (Amelot).

128. Catarina s'est ressaisie. Elle joue à son tour, avec courage, la comédie de l'ignorance. Cela explique la réflexion de la Tisbe, cf. n. 87.

129. « Oui, madame.

CATARINA

Combien avez-vous de soldats dans l'antichambre ? combien dans le palais ? combien dans la rue ? combien dans toute la ville ? combien êtes-vous d'hommes ? *(regardant la Tisbe)* — et de femmes — contre moi ? Et il faut que je boive! — Une femme seule dans une chambre avec deux bourreaux. Le poison est là. Le mari dit : buvez! — Oh! ce qui se passe ici, on ne le croirait pas, et cela est pourtant!

130. Amelot cite le nom de cette famille puissante, comme celle de Badoer, puis déchue de tous honneurs et droits et bannie.

131. Nous n'avons trouvé aucune mention de ce droit, parmi les nombreuses sources de revenus de l'Etat de Venise, énumérées par Daru.

132. Les reproches de Catarina mettent en évidence le côté personnel du drame, non son aspect politique. Hugo prend la défense de la femme, opprimée par le mari.

133. Dans *Les Deux Foscari*, de Byron, le doge Foscari fait infliger à son fils Jacopo la question; il a fait tuer le père et l'oncle de Jacques Loredano, un patricien, qui, pour les venger, fait déposer le doge.

134. La binarité inscrite dans le texte de la première scène est rappelée ici, en quelques mots et par deux présences devant l'être passionné.

135. Dans Ms. :

CATARINA

Hé bien! vous me prenez le bras maintenant! vous allez employer la force ? Vous ne me laissez pas seulement le temps de me préparer. La chose faite comme cela, c'est encore plus lâche. *(Angelo la quitte.)*

136. Le rappel de la mère, par Catarina, émeut la Tisbe.

137. Dans le Ms. : « Mourir à mon âge! est-ce que cela ne vous fait pas pitié ? Je n'ai pas de courage d'abord, je ne m'en cache pas : est-ce que vous en auriez, vous, à ma place ? O mon Dieu! parlez au podesta. Je ne vous ai pas nommé la personne qui a écrit la lettre. Est-ce que vous le feriez, vous ? Madame, écoutez-moi. Quand je vous aurai expliqué la chose, vous verrez comme c'est une histoire triste. Je n'ai jamais été heureuse. Il y a sept ans que j'aime quelqu'un en effet. Bien avant d'être mariée. On ne m'aurait pas mariée si j'avais eu ma mère. »

Ce passage contenait un réquisitoire contre le mariage de convention; il a été écarté.

138. Dans Ms. : « Les deux hommes entrent dans l'oratoire et on les voit reparaître portant Catarina, sur laquelle un linceul blanc a été jeté. La Tisbe va au prie-Dieu, en détache le crucifix de cuivre et le dépose sur la poitrine de Catarina.

LA TISBE

Prends-la sous ta garde, ma mère. »

139. L'appartement de Catarina était assez nu; celui de la Tisbe est encombré. Dans le Ms. : « Entre la Tisbe, un flambeau à la main.

Les guetteurs de nuit la suivent, portant Catarina. Derrière eux, son page noir, vêtu de brocart d'argent, portant deux flambeaux. »

140. N'y aurait-il pas quelque ironie à inventer, ou à souligner, que le « Mont-Bacchus » se trouve dans les terres qui relèvent de la papauté ? Cela rejoindrait la forme d'humour qui caractérise le choix des noms de personnes.

141. Dans le Ms. : « Plutôt que de vivre sans son amour, tu serais morte avec joie, n'est-ce pas ? Si tu avais senti que ta vie n'avait de racines dans le cœur de personne, qu'aurais-tu fait ? Oh! tu n'aurais pas eu le courage d'achever ta journée, tu te serais déclarée fatiguée d'avance d'une aussi longue route, tu aurais dit à la tombe : J'ai envie de dormir! *(Entrouvrant un petit coffret sur une table.)* Oui, des deux choses qu'il y avait dans cette boîte, un puissant narcotique et un poison terrible, il n'en reste qu'une maintenant. Demain il n'y restera rien. »

142. Voici la première indication donnée sur la chronologie de l'action.

143. La Tisbe devient l'héroïne du drame. Se sacrifiant pour sauver l'amour et la vie de sa rivale, elle est une Marion de Lorme sans son lourd passé de galanterie. Elle est actrice : c'est là un éloge à Juliette Drouet. En outre, fille issue du peuple, elle n'a pas connu le bonheur : sa mère est morte dans des circonstances dramatiques, sa vie n'a pas été marquée par la joie, sinon celle, factice, du théâtre; sa mort est un sacrifice, pour un être qu'elle aime et qui ne l'aime pas. Le crucifix est l'image de son existence.

144. Comme beaucoup de personnages masculins chez Hugo, Rodolfo ne devine rien de la trame des événements; certes, la réalité est imprévisible, ou improbable; mais ils croient en une logique qui n'est pas celle des cœurs ni surtout celle du destin. Rodolfo n'a pas l'intuition du sentiment profond qui anime la Tisbe. Son amour pour Catarina l'aveugle.

145. Au moment de tuer, Rodolfo éprouve un plaisir douloureux et de nature sadique à faire souffrir celle qui l'aime. Il rejoint ainsi Angelo : la passion engendre sa forme de tyrannie.

146. Autre objet qui constitue un signe, sinon une preuve. Le mouchoir et le crucifix se joignent.

147. La Tisbe prononce les paroles de l'amour profond au moment où le drame va s'achever. Derrière le masque, derrière la profession, la femme reparaît, d'origine populaire, et le rappelle.

148. Dans le Ms. :

LA TISBE, *à Rodolfo.*

« On ne sait pas tout ce que nous avons souvent de vertu et de courage. Hélas! si tu savais comme j'ai souffert toute ma vie! Oh! comme tu l'aimes, cette femme! Tout à l'heure, tu en parlais, et j'aurais mieux aimé que tu me tordisses les entrailles. Oh! tue-moi! Puisque Dafne a tout entendu, puisqu'elle était là, à deux pas, séparée seulement par une porte, tu es bien sûr de ce que tu fais. Mon pauvre ami, ce n'est pas moi qui te dirai rien pour t'en empêcher, va! Oh! oui, nous sommes bien heureuses, nous autres! On nous applaudit au théâtre. Que cette femme joue bien la Rosmonda! On nous admire. » Les phrases qui suivent, dans la version définitive, sont un plaidoyer pour la vie libre des actrices, condamnée par un public aux principes moraux mais qui se plaît aux histoires d'adultère sur la scène.

149. Dans le Ms. : « Par le ciel, je crois que vous vous en vantez, misérable! Ah! empoisonnée! Et vous ne voyez pas que vous me rendez fou! Madame! Madame! il faut que je venge la femme assassinée, et vous avez fait votre crime, et je vais faire le mien! C'est fait! c'est dit! » *(Il la frappe.)*

150. Blanche *(Le Roi s'amuse)* revêt des habits masculins pour se faire tuer par celui qui devait assassiner le roi. La situation s'inverse ici : le travesti sauve la femme et celui qu'elle aime. C'est ici la dernière image du théâtre, mais inséré dans l'existence : le changement de l'apparence extérieure permet de sortir du drame réel lié à la nature même de l'Etat de Venise. La seule action positive de toute la pièce vient d'une actrice qui a porté à la scène tant d'actions fictives et qui, dans sa vie privée, a connu bien des aventures galantes. Tisbe-Marion sauve celui qu'elle aime, au prix de sa vie. Le dernier mot reste à la bénédiction.

151. Le langage de l'héraldique n'est pas compris par le public; l'équivoque « gueules » (« rouge ») engendre le rire ou le sarcasme. « Sinople » : « vert » ; « azur » : « bleu ».

152. Marie Dorval était la maîtresse de Vigny. Elle allait interpréter le rôle de Kitty Bell dans *Chatterton* (1835).

153. Dans la seconde préface des *Orientales*, février 1829.

154. Tacite avait fourni, pour *Lucrèce Borgia*, une leçon de philosophie de l'histoire, en montrant la permanence de la conduite des grands. Hugo se réclame à nouveau de lui. Le texte cité figure dans *Agricola*, 45, par. 3. Hugo l'a repéré dans Amelot de la Houssaie. « L'aspect majeur des souffrances était de voir et d'être regardé. »

155. Gilbert Burnet, *Voyage de Suisse, d'Italie et de quelques endroits d'Allemagne et de France fait ès années 1685 et 1686* [...] Rotterdam, A. Acher, 1687.

156. Ces extraits des Statuts de l'inquisition d'Etat ont été trouvés par le dramaturge dans Daru.

157. « Mystères du pouvoir. » Tacite, *Annales*, II, 59.

RUY BLAS

1. *Art poétique*, V, 127. Les deux mots n'ont de sens que dans leur contexte, où nous les soulignons. « Que Médée soit cruelle et inflexible, Ino affligée, Ixion traître, Io errante, Oreste *fatal*. Si tu veux confier au théâtre quelque thème inédit et que tu oses créer un personnage nouveau, qu'il soit maintenu jusqu'au bout tel qu'il aura été présenté dès le début, et *qu'il soit cohérent avec lui-même.* » Ces noms, empruntés à la tragédie grecque, permettent à Hugo de justifier sa propre dramaturgie.

2. Hugo unit ici ses admirations constantes. Il conçoit d'une manière dynamique leurs relations.

3. « Fortune » peut être pris dans le sens courant, actuel, mais aussi dans celui, ancien et latin, de « sort », « destin ».

4. Le tzigane. Voltaire cite ce mot italien (*Essai sur les mœurs*, CIV).

5. L'image du peuple s'accroît depuis *Marie Tudor*.

6. Dans la relation d'un voyage qu'il fit au Mont-Blanc (1825 ?), Hugo parle de Sallanche *(sic)*, qu'il a vu dans le Dauphiné. La Croix-de-Fléchères se trouve en Savoie.

7. L'héritage porte non sur des terres — encore que ces princes aient contribué à donner à l'Europe sa configuration moderne — mais sur une conception et sur une pratique du pouvoir.

8. Allusion à la parole qu'on prête à Charles Quint : le soleil ne se couche jamais sur mon empire.

9. Au prénom Ruy, que portait le duc Gomez de Silva dans *Hernani*, est joint le nom de famille Blas, fréquent, comme dans *Gil Blas de Santillane* de Lesage, que Hugo avait lu, qu'il avait commenté.

Pour Casilda : nom d'une suivante dans *Louis Perez de Galice*, de Calderon.

10. Chronologie des événements : début de l'action : fin mai 1698; début de l'acte II : un mois plus tard — la mention de la fête des saints Pierre et Paul est précise : le 29 juin (v. 750); l'acte III, six mois plus tard, donc fin décembre ou janvier 1699, ce que confirme l'allusion à l'infant qui « se meurt » (v. 1083), et qui est mort le 6 février 1699. — Le Palais royal apparaît dans le drame sous une triple forme : le Palais de Madrid, où se passe l'action, l'Escurial et la résidence d'Aranjuez, mentionnés simplement.

11. Premier titre dans le Ms. *La reine s'ennuie*. La réminiscence du *Roi s'amuse* était évidente, et aussi l'opposition : François Ier se divertit à des amours illégitimes (Diane de Poitiers, la fille de Triboulet); la reine ne connaîtra qu'un amour, authentique.

12. Ce salon semble n'avoir pas existé. Hugo pourrait avoir choisi le nom pour son symbole : Danaé avait été enfermée par son père dans une tour afin d'éviter qu'elle n'eût un descendant qui, selon l'oracle, aurait porté malheur à son père. Le nom du salon soulignerait le thème de la captivité royale.

13. Mobilier en bois très foncé et lourd.

14. La dorure des châssis marque le luxe, mais c'est la prison.

15. L'ordre de chevalerie a été institué en 1429, par Philippe le Bon à Bruges, un des ascendants de Charles Quint, donc du roi d'Espagne.

16. La garde de l'épée.

17. Vêtement passé au-dessus du costume. L'absence d'épée signale immédiatement la condition inférieure de Ruy Blas, avant même qu'on ne lui ait adressé la parole, à la première scène.

18. Une première version avait été rédigée pour les scènes I et II; Gudiel n'y apparaissait pas; en revanche, don Salluste dialogue avec Zafari, le nom que porte don César; Ruy Blas n'a donc pas, à ce moment, l'importance qu'il se voit conférer ensuite. Pour Zafari, cf. n. 43.

SCÈNE II

DON SALLUSTE, Z

Z

Après que Ruy Blas est sorti,
il s'avance gravement vers don Salluste.

Don Salluste, hier soir, le front sur un pavé,
Devant l'ancien palais des comtes de Teve,
— C'est là, depuis vingt ans, que la nuit je m'arrête, —
Je m'endormais, avec le ciel bleu sur ma tête,
Lorsqu'un homme a passé qui m'a dit, parlant bas,
De venir chez monsieur le marquis de Finlas,
Président du conseil de justice suprême,
Dans le palais royal, ici, ce matin même,
Avant l'aube. Cet homme, ayant ainsi parlé,
M'a donné votre passe et puis s'en est allé.
Or, moi qui n'ai pas peur de votre âme profonde,
Et qui n'ai fait de mal à personne en ce monde,
Moi, le gueux Zafari, ce libre compagnon,
Dont vous seul à Madrid connaissez le vrai nom,

Je viens, puisqu'à venir votre grâce m'invite.
Si c'est pour m'envoyer en prison, faites vite.

DON SALLUSTE, *allant à lui.*

Don César, donnez-moi votre main.

Z

Quoi!

DON SALLUSTE, *lui tendant la main.*

Donnez,

Mon cousin!

Z

Mon cousin! Vous vous en souvenez!

[...]
Je suis le fruit de l'une, et vous la fleur de l'autre.

Z

Fleur fanée en ce cas! mais le sort est changeant.

DON SALLUSTE

Dites-moi, vous devez avoir besoin d'argent?

Z

Mon pourpoint a beaucoup de bouches qui le disent.
Car sous l'ample surtout dont les plis me déguisent,
Le démon fait sortir, avec son doigt railleur,
Mon linge par des trous non prévus du tailleur.
Et sans Matalobos...

DON SALLUSTE

Ce voleur de Galice

Qui désole Madrid?

Z

Malgré votre police.
Il est de mes amis. Sans lui, c'est presque nu
Que César chez Salluste ici serait venu.

DON SALLUSTE

Comment?

Z

Il m'a donné le justaucorps du comte
D'Alva.

DON SALLUSTE

Vous le portez?

Z

Je n'aurai jamais honte
De mettre un bon habit brodé, passementé,
Qui l'hiver me réchauffe et me pare l'été.
— Voyez, il est tout neuf. — Les poches en sont pleines
De billets doux au comte adressés par centaines.
Souvent, fort amoureux, n'ayant rien sous la dent,
J'avise une cuisine au soupirail ardent
D'où la vapeur des mets aux narines me monte.
Je m'assieds là. J'y lis les billets doux du comte,
Et pauvre et vieux, lisant et flairant tout le jour,

J'ai l'odeur du festin et l'ombre de l'amour!
Quant à l'argent, jamais je n'ai vu l'eau plus basse.
Je n'en ai plus besoin depuis que je m'en passe.
Certes, le roi Carlos, votre maître et le mien,
Vous estimerait fort et vous paierait très bien,
Marquis, si vous pouviez, pour un jour de ressource,
Trouver des courtisans aussi plats que ma bourse.
[...]

Z

Don Salluste, la fleur se fane, que je crois.

DON SALLUSTE

Quel charmant cavalier vous étiez autrefois!

Z

Oui, j'eus aussi mes jours de richesse et de joie!
Mon pourpoint de drap d'or et ma cape de soie!
Oh! comme le front haut et vivant à pleins bords
J'allais dans les jardins! oh! j'avais tout alors,
Botte à large éperon résonnant sur les marbres,
Grand feutre dont la plume effarouchait les arbres,
Rubans prodigieux, rabats extravagants,
Brette [a] à vaste coquille où je mettais mes gants,
Au dos une guitare, au cœur une étincelle.
A force de tirer ce que Dieu mit en elle
De folle volupté, de plaisir étourdi,
Une piastre [b] à la fin devient maravédi.
Moi, je suis devenu ceci. — Vraiment, les belles
D'autrefois, — oui, vraiment, j'en ris, — que diraient-elles,
Elles qui de César se disputaient l'amour,
En voyant au Prado, vers la chute du jour,
Marcher, sous un chapeau sans plume aux bords énormes,
Un grand manteau troué sur des bottes difformes ?
Bah! ne regrettons rien. Ces temps sont loin de moi.
Vous avez désiré me parler ?

DON SALLUSTE

Oui.

Z

Pourquoi ?

DON SALLUSTE

César, je vous admire! il est resté le même.
Aimant les femmes!

Z

Oui, Salluste, je les aime —
Toujours. — De près jadis, aujourd'hui de fort loin.
Leur ombre maintenant me suffit. J'ai besoin
D'aller voir tous les soirs, plaisir pour vous bien mince,
Les Lucindes sortir du théâtre du Prince.
Je leur dis dans mon cœur : Vivez! c'est votre tour!
Riez! chantez! ayez la joie! ayez l'amour!
Mais, visages charmants, mais, folles que vous êtes,

Belles folles, vraiment, croyez-moi, pas de dettes!
Voyez le bel état où les dettes m'ont mis!
J'avais un nom illustre, un palais, des amis.
Hé bien! je n'ai plus rien, ô mes belles Lucindes!
Madrid depuis vingt ans me croit mort dans les Indes.
Je suis sorti du monde et des plaisirs brillants
Et de mon nom, pour fuir vingt créanciers hurlants!
Oh! tremblez quand le soir, passant, le rire aux lèvres,
Vous rencontrez la vitre ardente des orfèvres.
Non, vous ne tremblez pas, et vous achèterez!
Sans argent, à crédit. — Eh bien, ces riens dorés,
Cette mante en satin dont l'agrafe vous tente,
Ce bouquet émaillé, cette perle éclatante,
Tous ces objets exquis dont le moindre est charmant,
Dans un an, dans un mois, prendront subitement
La forme épouvantable, infâme, monstrueuse,
D'un créancier! d'un être à face vertueuse,
Aux manières d'abord mielleuses, qui viendra
Vous parler gêne, ennuis, commerce, et caetera,
Mais qui, changeant bientôt et voulant son salaire,
Fera chez vous le bruit d'une hyène en colère!
Alors autant on vit de hochets, de bijoux
Luire à vos bras de neige et jouer sur vos cous,
Autant de gnomes vils, vendeurs, marchands, cloportes,
Viendront grouiller chez vous et cogner à vos portes,
Marcher sur vos tapis, compter vos diamants
Et dire à vos portiers le nom de vos amants!
Vous les amadouerez ? Mais c'est honteux à dire,
Dépenser pour cela votre divin sourire!
Puis, le beau résultat! vous avez maintenant
Un tas d'êtres hideux toujours vous talonnant,
Et qui prennent le droit, dans vos jeux, dans vos fêtes,
De se mêler sans cesse à tout ce que vous faites;
Si bien que leur personne et leur accoutrement,
Leur gros ventre d'où sort un gros rire assommant,
Leurs yeux gris, leur nez rouge, et leur fraise [c] et leurs chausses
Font à tous vos plaisirs d'abominables sauces!

a. Longue épée à ample pommeau. Voir Saint-Simon.
b. Monnaie espagnole; le maravédis : menue monnaie.
c. Collerette empesée.

19. L'infériorité sociale de Ruy Blas est indiquée par le ton et par la nature des ordres qui lui sont donnés; il apparaît comme une « utilité ».

20. Invisible à ce stade où l'action ne fait que commencer, le parallélisme entre don Salluste et Ruy Blas existe : l'aristocrate est chassé de la cour comme un domestique, malgré son autorité. L'arbitraire du pouvoir royal est ainsi mis en évidence, et sa rigueur morale.

21. Marie de Neubourg (1667-1740) était la deuxième femme de Charles II d'Espagne. Sur ce personnage Hugo projette les traits de Marie-Louise d'Orléans, la première épouse du souverain, sans la nommer pour éviter de froisser la famille d'Orléans qui, en France, lui était favorable. Pour l'intrigue de la reine avec Ruy Blas, c'est plutôt Marie-Anne d'Autriche qui inspire le dramaturge : veuve de Philippe VI, elle a eu un favori, Valenzuela. Cf. Mme d'Aulnoy.

22. Salluste est donc âgé d'au moins quarante ans.

23. Les alcades : les juges. Don Salluste est le chef de la justice. Il porte des traits de Laffemas *(Marion de Lorme)*, mais il appartient

à l'aristocratie. L'ambition a été son mobile, plus que la justice.

Dans Vayrac, Hugo a lu que sa fonction plaçait le président des Alcades au Conseil et lui conférait ainsi le rang de ministre. La puissance de Salluste, qui fait songer au pouvoir du Conseil des Dix à Venise *(Angelo, tyran de Padoue)*, était un fait historique : son jugement était sans appel.

24. Le présent (s'écroule) a la double valeur d'un passé proche et d'un futur. C'est l'image d'un état constant dans le royaume.

25. Le mépris de l'artistocrate pour le peuple est évident.

26. Fabiano Fabiani *(Marie Tudor)* perd en un instant tout pouvoir auprès d'une reine aussi despotique que le roi d'Espagne est ici sans autorité.

27. Finlas : Fonelas se trouve en Andalousie. Vayrac est ici la source de Hugo, qui adopte la déformation française du nom de la ville et l'erreur de son informateur.

28. Agents de police en Espagne.

29. Le contraste est délibéré entre le luxe de la chambre et le gueux. Le regard échangé constitue un signe : il introduit un élément de suspens, que souligne le vers suivant, prononcé par don Salluste. Président de la police, il est attentif aux moindres détails.

30. Est utilisé un nom qui apparaît chez Mme d'Aulnoy.

30 *bis*. Justaucorps de cuir, servant de cuirasse. — Surveille : l'avant-veille.

31. L'ordre de Saint-Jacques était mentionné dans *Hernani :* fondé par les moines de Cîteaux, il était religieux et militaire (1175). Le manteau était blanc avec une broderie représentant une croix rouge en forme d'épée.

32. La Plaza Mayor existe encore à Madrid.

33. Le mot n'avait pas le sens actuel : logis misérable des gens du peuple. — Les assaillants sont des « va-nu-pieds ».

34. Terme péjoratif pour désigner la police, normal dans la bouche d'un gueux.

35. Impôts sur le sel. Le mot figure chez Scarron, chez La Fontaine.

36. La France avait été en guerre avec l'Espagne depuis le XVIe siècle. La paix avait été conclue (traité de Ryswick, 1697).

37. Ces deux prénoms, empruntés à deux saints, soulignent la fonction du personnage.

38. Mons était dans la province des Pays-Bas du Sud, désignée ici par la Flandre. Comptent la gradation des délits commis par don César et l'effet de grotesque du personnage, souligné par le langage délibérément prosaïque adopté par Hugo.

39. Ces chanoines avaient des quartiers de noblesse fixés par le roi.

40. Le nom de Job, associé à l'extrême misère, est célèbre (Bible).

41. Nom de la famille royale du Portugal.

42. La cape est élimée. « Magistrale » doit être entendu dans son sens premier : d'un maître. Le gueux est grand seigneur, mais pittoresque comme un bohémien.

43. Une variété de grenades porte le nom de celui qui les introduisit en Espagne : Zafari. Hugo a dû les connaître à Madrid. L'allusion à une nourriture et le mot rare ont dû le séduire pour désigner don César.

44. Femmes du peuple.

45. Lucinda apparaît chez Cervantès (*Don Quichotte*, ch. I, 24). Hugo a pu retrouver ce nom dans les *Mémoires* d'Aulnoy. Isabelle : jeune première dans la comédie italienne et qu'on retrouve chez Molière. Don César connaît des amours théâtrales. Et il est poète.

46. Le nom proviendrait d'un ruisseau à Madrid. Hugo n'a pas pu ne pas être frappé par l'étymologie : « tue-loups » et par la ressem-

blance avec « Matamore » (tue-More). C'est aussi le nom d'une plante en espagnol; on se souviendra que, dans un texte manuscrit de *Lucrèce Borgia*, le dramaturge avait déjà inventé un nom propre dérivé de l'appellation espagnole d'une plante vénéneuse (cf. n. 159). Enfin, le nom de Matalobos reparaîtra dans une esquisse des *Jumeaux*, où le personnage devait être hâbleur et bonimenteur, voire espion.

47. D'abord : d'Alva. La famille d'Albe était une des grandes lignées d'Espagne. Un duc d'Albe a été gouverneur des Pays-Bas et a réprimé avec rigueur le protestantisme au XVIe siècle.

48. Garni d'un galon à fil d'or, d'argent ou de soie.

49. Double sens : ardent signifie brûlant dans la double acception, matérielle et morale.

50. Don César vit d'effluves et non de substance.

51. Dans Vayrac Hugo a lu que la seigneurie de Garofa appartenait à don Alvar de Bazan; mais elle était située dans la province de Cordoue et non en Castille. Hugo se plaît à modifier l'histoire.

52. « Sort » a le sens latin, « fortuna », proche de « destin » plus que de « hasard ». Don César, coiffé de folie, est prodigue, gaspilleur.

53. Le nom semble avoir été inventé par Molière. Pris ici dans le sens plus général d'actrices, il contient un hommage à un maître de prédilection.

54. Le nom espagnol de cette famille est Teba.

55. Les Indes occidentales, l'Amérique.

56. Ms. :

« La fontaine du Pampre a de l'eau, j'y vais boire.
En m'étonnant qu'on ait cette malice noire
De nous faire verser de l'eau par un Bacchus. »

Les *Délices de l'Espagne et du Portugal*, IV, parlent d'une fontaine de Bacchus.

57. La famille italienne Spinola, citée par Vayrac. Le marquis Ambroise de Spinola (1569-1630) a dirigé l'armée espagnole dans les Pays-Bas au XVIIe siècle.

58. Par une fantaisie de Hugo, le Bacchus de la fontaine (n. 56) a été transféré à la porte du palais du nonce.

59. De l'italien « bravaccio », dont le sens était péjoratif en raison du suffixe « accio » (cf. *Lorenzaccio* de Musset); d'un courage ostentatoire.

59 *bis*. Emprunt à la langue classique : souci.

60. Le gueux n'a pas deviné des intentions secrètes chez son parent.

61. Monnaie d'or frappée à Gênes au XIIIe siècle (où « doge » est l'équivalent de « duc »).

62. Personnage de la commedia dell'arte; le matamore, comme le capitan. Le nom avait été noté très tôt par Hugo.

63. L'émeute paraît pour la première fois dans le théâtre de Hugo, dans *Marie Tudor;* déjà *Notre-Dame de Paris* (1832) mettait en scène un mouvement populaire.

64. Même s'il emprunte des mots que connaissait le XVIIe siècle, Hugo leur confère, par un léger anachronisme, un sens plus proche de celui qu'ils avaient au XIXe : « opéra », « symphonie » impliquent une ampleur et une grandiloquence qui caractérisent ces genres après 1800, même si le mot « génie » peut être entendu dans son sens premier de « talent » — mais il peut aussi avoir la signification moderne.

65. Thème du double, qui prendra une valeur particulière dans *Les Jumeaux*. Ici, il s'inscrit en « blanc et noir ».

66. Don César a une réaction analogue à celle de Flibbertigibbet *(Amy Robsart)*, homme du peuple que rebutent les vilenies des aristocrates, et qui aide la jeune Amy. Né noble, don César a acquis, au contact des gueux, le sens de la droiture populaire.

67. Valets, utilisés souvent pour des coups durs; — guichetiers : valets de geôliers.

68. Ont été biffés dans le Ms. les vers suivants :

« J'aimerais mieux, monsieur, porter le plâtre et l'auge
A ce maçon, plus noir qu'un pourceau dans sa bauge
Qui sculpte pour charmer les loisirs des valets
Un saturne de pierre au portail du palais. »

69. L'écart entre la parole et le regard est significatif chez Hugo, qui exige l'authenticité de l'être : étaient sincères Didier et Saverny après qu'il a été sauvé *(Marion de Lorme)*, Hernani, don Ruy Gomez *(Hernani)*, Gennaro *(Lucrèce Borgia)*, Rodolfo *(Angelo)*, Gilbert *(Marie Tudor)* : leurs paroles correspondent à leurs convictions et à leur regard. — Un thème analogue au v. 280 : le déguisement peut être une forme d'hypocrisie ou une autre manière d'exister.

70. La ressemblance entre Ruy Blas et Didier s'accuse. Mais Ruy Blas a été formé d'après Gil Blas; et il est différent : il veut devenir, monter sinon dans la hiérarchie sociale, du moins au point de vue moral. Et la misère lui a donné le sens de l'Etat.

71. Don Salluste porte des traits du Conseil des Dix et de leurs émissaires. La clef : objet signifiant.

72. Ruy Blas est le frère des arrivistes de talent ou de génie tels que les a multipliés le monde napoléonien : chez Balzac, Rastignac, Rubempré; chez Stendhal, Julien Sorel. Don Salluste a certains traits en commun avec Vautrin.

73. Charles II était un descendant des Habsbourg. Il régnait sur l'empire des Indes occidentales.

74. C'était la résidence d'été des rois en Espagne. — L'Escurial est à une trentaine de kilomètres de Madrid. Les deux palais forment ici un parallèle, la détente et le travail du roi.

75. Les grands d'Espagne seuls pouvaient rester couverts devant le roi.

76. Louis XIII aussi passait son temps à la chasse *(Marion de Lorme,* IV). Et il était faible comme l'est ici le roi d'Espagne Charles II.

77. La rue existe encore aujourd'hui : rue Hortaleza.

78. La fleur bleue a d'abord un sens moral : image de l'évasion, du rêve et de l'idéal. Marie de Neubourg était d'origine allemande.

79. Petite ville de la banlieue de Madrid (en fait : Carabanchel). Dans un brouillon, on lit : « Depuis Galapager jusqu'à Caramanchel »; Galapager est également dans la banlieue de Madrid.

80. Les « barbelés » d'aujourd'hui ou les pointes cimentées au faîte des murs, les chevaux de frise.

81. Voir Vayrac : Don Diego Gaspar Velez de Guevarra et Tassis II, comte d'Oñate et de Villamediane, marquis de Guevarra et de Camporeal, chevalier de l'ordre de Calatrava (...). Sa famille, ancienne, est citée dans le *Romancero general.*

82. A l'origine : le maître d'hôtel de la maison royale ou du prince; puis : titre de noblesse.

83. Contrairement à Hernani, Ruy Blas maudit sa passion; il la ressent comme un inférieur à l'égard de sa souveraine, comme Gilbert *(Marie Tudor)* lorsqu'il apprend que Jane, qu'il aime, appartient à une grande famille d'Angleterre.

84. Contrairement aux couples d'amis des pièces précédentes (Didier et Saverny) *(Marion de Lorme)*, Gennaro et Maffio *(Lucrèce Borgia)*, Rodolfo et Anafesto *(Angelo)*, les deux hommes sont complémentaires parce qu'ils sont sur un pied d'égalité; l'aristocrate est tombé au niveau du peuple, le plébéien est, par sa passion, monté au rang de l'aristocrate; tous deux se trouvent dans ce statut intermé-

diaire où ils ne sont plus d'aucune classe précise. D'où la formule émue : « mon frère »; ils forment des « doubles ».

85. Le mot existait à la fin du XVIe siècle ; il apparaît chez Boileau.

86. Hugo avait d'abord écrit : « Tortose », puis « Murviedro ». Les trois noms ont été repris à Vayrac : le Murviedro est une rivière, la ville homonyme est située près de Valence; Tortosa était un port sur l'Ebre; Denia : port et ville forte dans le royaume de Valence : de là partaient les galions. La vente d'hommes aux corsaires figure dans bon nombre de romans : la Méditerranée a été écumée par les pirates du Nord de l'Afrique jusqu'à la fin du XVIIIe siècle (voir : *Les Fourberies de Scapin* de Molière et *La Provençale* de Regnard (1731).

87. Cette monnaie d'argent avait cours dans les pays barbaresques, à Malte, à Chypre, dans les pays du Levant et dans les Indes occidentales.

88. Dans le Ms. :

Non, frère! — A son démon nul ne peut se soustraire.

DON CÉSAR

Alors viens me trouver quand tu voudras d'un frère.

89. La ressemblance physique a été introduite tardivement dans le texte. Elle accentue la parenté morale.

90. Dans un premier état du texte, la lettre constituait un piège plus simple.

91. Le nom a été trouvé dans les *Horas devotas*.

92. Cet engagement écrit rappelle la parole donnée par Hernani à don Ruy Gomez. Cette dernière était uniquement verbale et constituait une promesse d'honneur. A une époque de déclin politique et moral, l'écrit se substitue à la parole. Et don Salluste s'adresse à un inférieur.

93. Dans *Marie Tudor*, Gilbert était ciseleur, notamment de poignards. On notera la parenté phonique des noms.

94. Le nom figure dans le registre des Grands d'Alonso Nuñez de Castro, *Libro historico-politico y el Cortesano en Madrid* (1675). *Solo Madrid es Corte :* « Marques del Basto. Su appellido Avalos. » Ses terres se trouvaient à Naples.

95. Le masque ne se produit plus dans le secret, comme c'était la coutume chez Hugo, mais en pleine cour; il est constitué non plus par un individu, mais par un maître de jeu, qui tient les fils.

96. A la fontaine de Bacchus, évoquée par don César, fait pendant le vivier d'Apollo. Mme D'Aulnoy et Colmenar parlent d'un étang avec les statues d'Apollon, de Pégase et des Muses.

97. Lion pourrait contenir un second sens, qu'avait ce mot au XIXe siècle : homme du monde, élégant, épris de femmes.

98. Navires marchands qui portaient les denrées des Indes; sans armes sauf pour se défendre; le plus souvent, ils étaient escortés.

99. Pour cette généalogie, partiellement recomposée et arrangée par Hugo, voir l'article de Labadie-Lagrange *(Les origines historiques des personnages de Ruy Blas)*, dans *La Revue hebdomadaire* de novembre 1902.

100. Ibiza existe encore aujourd'hui. Le thème du double est exploité avec beaucoup de subtilité : Ruy Blas devient le substitut social, sinon politique, de don César et il est la créature de don Salluste. Le vers final le souligne, dans un parallélisme qui paraît jeu d'esprit, mais qui va plus loin.

101. Santa Cruz, terre de Castille, marquisat, est mentionné par Vayrac. Le nom de Gor avait déjà été utilisé dans *Hernani* (IV, v. 1726), par Hernani lui-même, lorsqu'il dévoile ses ancêtres. Gor est une localité de la province de Grenade.

102. Est-ce une allusion à l'Atalante chasseresse, qui vainquit le Centaure Rhéus qui voulait lui faire violence ? ou celle qui, rapide à la course, fut vaincue par la ruse d'Hippolyte ? — Le nom de Lindamire a été repéré probablement dans un roman ou une comédie.

103. Le nom doit se prononcer à l'espagnole : le *d* ne s'y fait presque pas entendre.

104. La fonction des clefs secrètes rappelle Padoue et Venise dans *Angelo*.

105. Le mépris pour la cour est affirmé par un grand d'Espagne, qui a la volonté de Vautrin. En outre, la thématique du regard reparaît.

106. Cf. n. 75.

107. Hugo choisit le mot le plus brutal : « cette femme », non « cette reine » ou « cette dame ». Le contraste entre la marque de politesse et la parole est davantage marqué.

108. Il s'agit non d'une sainte, mais d'une appellation espagnole de la Vierge, repérée dans les *Horas devotas;* Hugo l'a mal comprise, puisqu'il oppose la statue à celle de la madone. Le parallélisme est délibéré : la sainte, d'une part, la madone près du roi, de l'autre.

109. Les couleurs ont leur fonction : la reine en blanc et argent, alors que nous trouvions noir et or précédemment pour les courtisans. Le contraste avec les duègnes est marqué.

110. Villars et Mme d'Aulnoy parlent de doña Juana de la Cueva, duchesse d'Albuquerque, décédée en 1698, à laquelle Hugo attribue la conduite de la duchesse de Terranova qui l'avait précédée dans ses fonctions à la cour.

111. Prénom fréquent en Espagne. Hugo l'avait noté parmi d'autres.

112. Une version manuscrite ajoute ceci :

« Au fond, d'autres vieilles femmes, en noir également, travaillent à des broderies diverses. La camerera paraît par instants comme endormie, puis elle se réveille brusquement pour surveiller autour d'elle. »

113. Hugo attribue à la reine un cérémonial qui était réservé au roi.

114. Pour mieux souligner les intentions de don Salluste, Hugo lui fait commettre une impolitesse : un grand d'Espagne ne joue pas avec un objet, quel qu'il soit, dans le cortège qui va vers le souverain ou la reine.

115. La femme a l'intuition de l'ennemi. Le fait est rare chez Hugo.

116. Souvenir de La Fontaine, *Fables, le Héron ?* Don Guritan est « grand, sec ». Les indications à son sujet renvoient toutes à la même image.

117. Bois précieux, odorant, venu des Indes. On trouve aussi calambar, calambouc ou calambou, ou bois d'aloès. Hugo a peut-être trouvé le mot chez Voltaire. Ce bois était de couleur verte.

118. Comme Louis XIII, négligeant sa femme et se préoccupant peu des affaires de l'Etat. Mais Richelieu suppléait à cette carence et conférait à la France la grandeur la plus étonnante que, selon Hugo, elle ait connue. Pour lui, le déclin commence avec Louis XIV (et le classicisme).

119. Hugo multiplie les interdits réels que faisait peser sur la reine le protocole.

120. Jeu de hasard, aux cartes.

121. Marie-Anne d'Autriche était morte en 1666.

122. En fait, la reine était mariée depuis 1689. Hugo transpose sur elle la situation de la reine Marie-Louise d'Orléans.

123. La cour, assimilée à un marécage, c'est là une image qui ne peut venir à l'esprit que d'une suivante non noble. Celle-ci est la seule à éprouver de la pitié pour la reine.

124. Louis XIV avait soixante ans.

125. Charles, deuxième fils de Léopold Ier d'Autriche et de la

fille de Philippe IV, né en 1685, qui allait être proclamé roi d'Espagne en 1703. La rivalité avec Philippe V, petit-fils de Louis XIV, entraîna la guerre de succession. Charles ne régna pas sur l'Espagne.

126. Ms. :

CASILDA, *à la reine.*

... Eh bien, pour vous désennuyer,
Je vais faire monter le nouvel écuyer.

DONA MARIA

Qui donc ?

CASILDA

Le roi vous donne un nouveau gentilhomme.

DONA MARIA

Je ne sais même pas le nom dont il se nomme.
Tu dis que je gouverne, et, chez moi, tu vois bien,
On fait des écuyers sans me parler de rien.

CASILDA, *à part.*

Bah! faisons-le monter. C'est peut-être un jeune homme.
Car vraiment cette cour vénérable m'assomme.
Je crois que la vieillesse arrive par les yeux.
Et qu'on vieillit plus vite à voir toujours des vieux.

Elle va au fond parler à un page, qui sort.

Il n'est pas encore là. Tant pis! pour qu'on le voie
Quand il arrivera j'ai dit qu'on nous l'envoie.

127. Cf. *Angelo :* tous les lieux ont des oreilles.

128. L'expression familière permet une métaphore plaisante. L'image s'oppose à celle des multiples clefs qui enferment la reine.

129. Cette image de l'Allemagne, même construite à partir de la réalité (le château de Neubourg était entouré de bois et de champs), est rêvée selon le schéma romantique de l'Allemagne idyllique.

130. L'homme en noir, préfiguration du destin.

131. Dans les *Mémoires* (d'Aulnoy), la duchesse de Terranova fait étrangler les perroquets parce qu'ils ne parlent que le français.

132. Cf. *Les Rayons et les Ombres*, XXIII, *Guitare*. La chanson des ouvrières est celle du bonheur et de la liberté.

133. Un plan de 1630-1650 montre le palais royal situé à une extrémité de la ville et entouré de deux côtés par les champs, non loin du Manzanarès. Un incendie le détruisit en 1734.

134. Il était interdit à Marie-Louise d'Orléans de regarder par la fenêtre (Mme d'Aulnoy).

135. Pierre et Paul : le 29 juin.

136. La dentelle, signe d'une identification possible; l'objet a un rôle dans la dramaturgie de Hugo.

137. La lettre sur le cœur, comme Gennaro et Lucrèce (*Lucrèce Borgia*).

138. Le thème du double, mais antagoniste, reparaît : ange-spectre, amour-haine. Nouvelle apparition de l'intuition, qui n'est ici qu'un pressentiment.

139. La reine se sent aussi un être fatal; contrairement aux autres, son sort n'est pas fixé : elle est comme une barque agitée sur les flots. D'où l'apostrophe, qui suit, à l' « astre de la mer », lui-même inspiré par la liturgie catholique : « stella maris », « étoile de la mer » (Antiennes de la Vierge). En revanche, la formule « espoir du martyre » est déconcertante : « du martyr » ou « dans le martyre » eût mieux convenu. Mais « spes nostra » figure dans le *Salve Regina*. Hugo a mêlé deux

invocations, l'une à la « reine des martyrs » et l'autre, à « notre espoir ».

140. « Reine » et « Douceur » : deux invocations à la Vierge dans le *Salve Regina*.

141. « Consolatrice des affligés », dans les litanies de la Vierge.

142. Toute la thématique du haut et du bas, qui fait écho à la situation sociale de Ruy Blas et de la reine, est reprise ici.

143. Cf. Aranjuez, n. 10.

144. La phrase se trouve citée telle quelle par Mme d'Aulnoy.

145. Nouveau signe matériel de reconnaissance, comme la dentelle.

146. La pâleur : autre signe, comme les lignes de la main, la dentelle.

147. Les hésitations sont peu nombreuses dans le théâtre de Hugo. *Ruy Blas* les exploite à fond, comme les apartés.

148. Le regard, thème important dans *Hernani*, pour identifier l'ennemi : Hernani-don Carlos, don Ruy Gomez-Hernani. Ici, il est lié à l'amour.

149. Don Guritan est le substitut, donc le double du roi-mari absent ; d'abord, sur le mode ridicule, ici sur le mode sérieux.

150. L'âge de don Guritan est révélé; il doit avoir dix ans de plus que ce qui est indiqué en tête de l'Acte II. L'imagination entraîne Hugo, qui voit son personnage plus âgé qu'il ne l'a conçu.

151. Au sens premier, en espagnol : capitaine.

152. D'abord, « Oliva », le duc d'Olivarès; puis Iscola, peut-être inventé par Hugo.

153. Le nom a déconcerté les commentateurs. Il faut lire, semble-t-il : Grifel [originaire de] de Viserta (Bizerte). Le comparse, esclave tunisien, a pu être tué sans façon par un estafier.

154. Tirso est le prénom du dramaturge Molina. Gamonal est une localité dont parle Vayrac. Hugo avait d'abord écrit : « Ladron d'Añover ». Ladron de Guevara a existé : il a combattu en Flandres et au Venezuela.

155. La mule était un attelage de luxe. La fantaisie de la ferrer d'or a été un caprice de César Borgia *(Biographie universelle Michaud)*.

156. Un jeu de scène qui ressemble à ceux qu'emploie Beaumarchais.

157. Jeunes fats qui font le galant auprès des dames, étourdis. Le mot existe chez Scarron et a été employé longtemps après. Damerets : hommes affectés dans leur toilette et leurs gestes.

158. Le jeu de mots : Ruy Blas jeûne comme don Guritan; mais il est jeune.

159. Le contraste de Pénélope, tissant sa toile pendant le long temps du retour d'Ulysse, avec la jeunesse de Ruy Blas. L'allusion vaut pour la reine, attendant en vain le retour du roi.

160. La reine se comporte en coquette, ce qui contraste avec l'ennui qu'elle montrait auparavant.

161. Le jeu avec le langage est évident. Elision : « [que] je meure ».

162. Du v. 949 au v. 958 : le texte est divisé en petits segments comme on en trouve des exemples chez La Fontaine, *Le loup et le chien :*

« — Rien — Quoi ! Rien ? — Peu de chose. »

163. Mérimée avait écrit *Une femme est un diable*, dans *Théâtre de Clara Gazul* (1825). Le contraste avec l'image angélique de la reine est net.

164. Réunion du Conseil de Castille. La salle est décrite par Mme d'Aulnoy et par Vayrac. Vayrac donne la dénomination de « junte du Dépêche Universel », conseil « où le Roi préside toujours, et en son absence, la Reine lorsqu'elle est déclarée Régente du Royaume ». Les membres sont sept ou huit. Ce conseil s'assemble tous les jours, parfois deux fois. « Toutes les affaires du gouvernement tant du

dedans que du dehors du Royaume y vont aboutir et s'y décident en dernier ressort. »

165. Dans les *Mémoires secrets* de Louville et dans les *Mémoires* de Saint-Simon. Le comte de Camporeal est créé à partir d'un des titres du comte d'Oñate; ce nom est pris dans Vayrac, comme celui de Priego *(Histoire de l'avènement de la maison de Bourbon)*, la fonction d'écrivain des Rentes Royales, d'Antonio Ubilla qui était « secrétaire des dépêches » et non écrivain mayor. Montazgo n'est rien d'autre qu'un nom d'impôt (Vayrac), un droit tiré de la montagne où paît le bétail. Covadenga est un nom de lieu, plus exactement d'une collégiale (le nom réel est Covadonga); Vayrac signale qu'il existait un Conseil suprême et royal des Indes, Isles et Terre-Ferme; le secrétaire pour le Mexique remplissait la charge de secrétaire des Iles. L'accumulation des noms et des charges, ainsi que leur diversité, exprime l'étendue du pouvoir et la difficulté qu'il y a à l'administrer; le roi est puissant en principe, mais son pouvoir réel est caduc. De même le faste des cérémonies, même courantes, contraste avec la faiblesse morale de l'homme. En outre, le cérémonial paralyse.

166. Cf. n. 31.

167. Les textes contemporains parlent de la faiblesse mentale du roi.

168. La reine est devenue active, alors qu'elle était prisonnière.

169. Ceci laisse entendre que l'amour de Ruy Blas et de la reine est resté chaste.

170. Nom tiré d'une branche de la famille d'Albe (Vayrac).

171. Aveugle, muet, obscurité, domestiques noirs : les images sont convergentes.

172. Camporeal s'étonne que, étant de bonne famille, Ruy Blas soit honnête, parce qu'il se souvient du passé du pseudo-don César.

173. Le népotisme n'appelle pas de commentaire de la part du courtisan.

174. Don César est né sous le signe de la lune parce que fou, lunatique.

175. Il a pris son capital comme si ce n'était que l'intérêt du capital.

175 *bis*. Cette possession de l'Espagne avait des mines d'or.

176. Les frais d'entretien et de personnel pour la vie quoditienne et pour les réceptions officielles.

177. Les courtisans jugent Ruy Blas selon leur propre nature; ils ne voient que l'intérêt, la prévarication.

178. Allusion au duc d'Olivarès, qui avait été ministre sous Philippe IV.

179. L'ironie de Hugo se fait jour : les « affaires publiques » ne sont qu' « oisiveté générale ». Et cette activité officielle permet les arrangements personnels et intéressés.

180. Hugo aurait-il inventé une taxe sur le culte des reliques ?

181. Hugo avait d'abord écrit : Villareal. Le nom de cette famille existait; l'a-t-il, pour cette raison, remplacé par un nom inventé ?

182. L'hypocrisie de Covadenga se révèle : ses partenaires sont entrés dans le jeu. Par delà le conseil royal, Hugo ne vise-t-il pas toute administration qui détient le pouvoir et qui s'en sert à des fins privées ?

183. Le mot n'était pas propre à l'Espagne. La « ferme » était le droit concédé par un prince de tirer des revenus de telle ou telle activité imposable (le jeu, le tabac). Vayrac fournit une liste, où l'on trouve les cartes à jouer, le sel, les mines, les parfums. Hugo y reprend un bon nombre de cas dans les vers suivants, sauf l'indigo (mais il fait partie des produits venus des Indes).

184. Substance tirée d'une variété de gazelle d'Asie et qui servait de parfum.

185. Impôt payé par la Castille pour acheter les soldats qu'elle devait procurer au royaume.

186. Impôt sur toutes les marchandises qui allaient d'Espagne aux Indes; cinq pour cent du plus haut prix qui y était donné dans les ports (Vayrac). Voir la note finale de Hugo, p. 539.

187. Cinq pour cent des produits : l'or était tiré des Indes occidentales; l'ambre jaune, tiré du sol en Asie. Le jais (minerai noir destiné à faire des bijoux); le jais d'Islande est une variété de l'ambre. Outre le sens immédiat de l'accumulation des richesses sur lesquelles les conseillers prennent leur part personnelle, cette énumération contient un jeu sur le langage, qui culmine dans le terme arabe d'almojarifazgo et dans l'archaïsme de jayet.

188. Dans Vayrac, comme les droits suivants.

189. Les défilés dans les montagnes espagnoles.

190. Cf. n. 183.

191. Remarquer la formule : « rendez-moi », comme si ces perceptions leur appartenaient.

192. L'apostrophe est familière, elle contraste avec le cérémonial officiel et marque la complicité des grands entre eux. Don César l'utilisera pour son cousin (v. 1913).

193. L'Amérique.

194. Dans la Méditerranée et dans l'Atlantique. Majorque et Ténériffe indiquent que les profits de Covadenga vont de la Méditerranée à l'Atlantique.

195. Griffe et pic ont la même connotation, avec « s'accroche ».

196. Le mot a une double valeur, d'hispanisme et de signification péjorative, puisqu'il s'agit d'esclaves qui sont vendus, comme des marchandises. Chaque « nègre » devait payer un tribut de deux écus. Ils allaient travailler dans les Indes (Vayrac).

197. L'accumulation des profits, signalée par celle des noms des impôts, aboutit à la querelle finale.

198. Le noir et le rouge : couleurs conjointes du pouvoir et de la fatalité.

199. L'expression familière, triviale pour le sens qu'elle porte, met les maîtres du royaume à leur vraie place : celle de chiens à la curée. Elle pouvait paraître actuelle, vers 1840, avec l'avènement de la monarchie bourgeoise et l'accession au pouvoir des banquiers et des hommes d'affaires.

200. Espagne agonisante : le plébéien a, tout seul, le sens de l'Etat plus que tous les ministres réunis. Il est le pur face aux bénéficiaires corrompus du régime.

201. Philippe IV avait régné de 1621 à 1665; le Portugal s'était détaché de l'Espagne en 1640 et le Brésil était devenu sa colonie. La ville de Brisach avait été unie à la France par le traité de Westphalie (1648). Sous le règne de Charles II (1665-1700), l'Espagne, qui possédait les Pays-Bas du Sud (l'actuelle Belgique), a perdu Steinfort (1681), puis la Franche-Comté (1678). Le Roussillon avait été donné à la France en 1659, par la paix des Pyrénées. Ormuz, sur le golfe Persique, avait été pris par un sultan en 1623. Goa était colonie portugaise depuis 1640. Pernambouc est au Brésil. Les Montagnes Bleues (Jamaïque) ont été occupées par les Anglais en 1655. Hugo reprend, en le mettant en forme d'une manière très dense, le tableau fourni, avec les mêmes noms, par la *Relation de ce qui s'est passé en Espagne à la disgrâce d'Olivarès*. Un nom n'y figure pas : Steinfort.

202. L'endroit où le soleil se couche. Le mot était courant au XVIIe siècle.

203. La Hollande, sur terre, dans les Pays-Bas au sud (cf. paix

de Nimègue, 1678); l'Angleterre, sur les mers et dans les colonies, cf. n. 201.

204. Allusion au cardinal espagnol Portocarrero, qui soutenait la France ?

205. Victor Amédée de Savoie, dont la politique était peu sûre.

206. La famille d'Espagne étant sans héritier, les candidats au trône ne manquaient pas; deux se réclamaient de la parenté avec la famille des Bourbons. D'où la possibilité que Louis XIV devînt roi d'Espagne par son appartenance à cette famille. Le comte d'Harcourt s'employait à faire réussir ce plan.

207. Cf. n. 125.

208. Le fils de Maximilien II, Emmanuel, allait mourir le 8 février 1699, donc peu après la date de cette scène. Mais rien ne laissait présager ce décès.

209. Medina-Celi a été vice-roi de Naples et capitaine général ; il agitait la cour par ses caprices, en forçant les courtisans à admettre comme leur égale sa concubine (Vayrac).

210. Charles-Henri de Vaudémont gouvernait le Milanais : bâtard de Lorraine, il tentait d'échanger le Milanais et la Lorraine pour rendre celle-ci à la France.

211. Le marquis Diego de Guzman, de Legañez, ne pouvait pas les perdre, n'ayant pas été gouverneur des Flandres. Mais il avait été un favori d'Olivarès.

212. Deux cents navires avaient été perdus avant 1650.

213. Ruy Blas se fait le porte-parole et la conscience du peuple, brimé par les exactions des grands. Hugo ne peut pas ne pas songer à la situation du prolétariat français depuis la montée de l'industrialisation. Les paroles que son personnage adresse aux gentilshommes espagnols s'appliquent aux maîtres de la politique sous la Restauration et surtout sous la monarchie de Juillet.

214. Aventuriers et pillards qui s'étaient formés en bandes au XVIIe siècle. L'appellation est restée en France sous diverses formes. — Reîtres : soldats en rupture de ban, devenus brigands. La dégénérescence de la tête du royaume s'étend aux couches inférieures, par la carence de l'autorité. La cause générale en est la faim. Même l'Eglise est divisée, ce qu'atteste Louville dans ses *Mémoires*. Mais la ruine de l'Eglise, dans l'Espagne du XVIIe siècle, n'est que l'image amplifiée de ce qui précède : elle était la bénéficiaire du pouvoir et de la foi populaire.

215. Madrid est le microcosme de l'Espagne entière. Louville fournit encore le renseignement, que Hugo reproduit presque textuellement : « cent coupe-jarrets à sa solde ». « Babel » s'explique par la présence des langues différentes.

216. Mme d'Aulnoy parle de la corruption des juges.

217. Sous Charles Quint, l'Espagne dominait l'Europe, l'Amérique et une partie de l'Afrique. Sur cette réalité historique se projette une image plus proche, celle de Napoléon.

218. Louville : « six mille hommes de guerre en bon état ».

219. Matalobos devient une hyperbole des forces occultes, nocturnes, qui opposent à un pouvoir de principe une unité réelle, pour le pillage et le vol. Voir le Vautrin de Balzac.

220. Louville : le roi était injurié quand il passait dans les quartiers populaires.

221. Sens premier : auquel on a arraché les nerfs. C'était une des formes de supplice au Moyen Age et sous l'Ancien Régime.

222. L'appel à la grandeur — le lion — amène naturellement le souvenir de Charles Quint. Dans *Hernani*, la méditation sur le pouvoir, que poursuit don Carlos dans le caveau d'Aix-la-Chapelle,

est empreinte du souvenir napoléonien, et implique la conception du peuple comme un océan capable de défaire un empire. Le globe royal devenant la sphère lunaire souligne fortement la sclérose de l'empire, devenant un astre mort.

223. Cf. n. 8.

224. Le nain difforme appelle l'image du bouffon, mais mendiant.

225. Cette métaphore, appliquée à Charles Quint, prolonge l'image napoléonienne.

226. La chute est brutale : du style éloquent et noble Ruy Blas tombe soudain dans la trivialité, délibérée. Les v. 1141-1142 ont été supprimés lors des représentations de 1839; les deux vers précédents ont été modifiés et adoucis.

227. Peut-être Hugo se souvient-il de *Struensee* de Gaillardet, IV, 3, 4, 5.

228. Olivarès (1587-1643), qui était premier ministre sous Philippe IV, avait essayé de redresser l'état de l'Espagne en encourageant l'industrie et en luttant contre les forces adverses aux Pays-Bas et en France (Richelieu). Il échoua et avait été exilé.

229. Henri d'Harcourt était ambassadeur en Espagne depuis 1697. Il allait recevoir le titre de duc et pair en 1700. Il essayait de faire succéder la maison française, par le duc d'Anjou, sur le trône d'Espagne. Cf. n. 246. Son nom apparaît souvent dans les *Mémoires* de Saint-Simon.

230. Le comte Ferdinand-Bonaventure de Harrach (1637-1706), Autrichien, était le rival de d'Harcourt sur le plan politique.

231. Les rois précédents entendaient, comprenaient, mais n'agissaient pas. La comparaison avec le plébéien énergique est marquée d'autant plus fortement; cf. au v. 1183 : « haute façon », « superbement ».

232. La reine n'a pas seulement entendu; elle a vu. Ruy Blas a tout dit, alors que les rois ne faisaient rien. Ce « dire » est un « faire ». Et la reine s'interroge sur l'origine de cette force.

233. Sur ce point, la force politique est liée à la force amoureuse. Le drame personnel de Ruy Blas offre une double face. Hugo n'écrit pas seulement un drame politique; la pureté morale de Ruy Blas a deux aspects, l'idéalisme amoureux et l'intransigeance politique. Livré à lui-même, il connaît l'effroi.

234. Le « discours » de la reine se fait plus haletant, comme celui de Ruy Blas aux v. 1205 et suiv.

235. La reine et Ruy Blas sont tous deux prisonniers alors qu'ils sont passés au pouvoir et à l'action.

236. Sauver non pas le peuple en général, mais celui qui travaille; il est la force laborieuse, opposée aux parasites des classes dirigeantes.

237. Mot essentiel : le « génie » est supérieur au pouvoir. Il suffit d'un léger glissement et le poète génial a des droits à l'action politique.

238. Ms. :

LA REINE

O César! un esprit sublime est dans ta tête!
Laisse-moi l'approcher. Un baiser sur ton front.
Adieu.

Elle baise Ruy Blas au front. Elle sort.

RUY BLAS, *seul.*

Devant mes yeux un noir bandeau se rompt.
De ma vie, ô mon Dieu, cette heure est la première.
Tout un monde éclatant, regorgeant de lumière,

S'entr'ouvre, et, comme un jour qu'on verrait tout à coup,
M'inonde de rayons jaillissant de partout!

A la fin de la scène III et au début de la scène IV, l'accent est mis sur la lumière : les deux protagonistes se sont révélés l'un à l'autre et ont prononcé des paroles décisives. L'avenir semble assuré, le leur et celui de l'Espagne. C'est le moment où la catastrophe approche. Le comble du bonheur, chez Hugo, touche à sa destruction.

239. Didier aussi aimait Marion comme un ange.

240. Hugo avait d'abord écrit : « portrait », puis : « blason ». *Aigle* renvoie au pouvoir suprême; mais la reine le détient par son mariage avec le roi, et non par elle-même. Le bracelet est donc le signe d'un pouvoir indirect.

241. Ms. :

Astre sacré! du jour où pour moi tu brillas,
Tu m'as fait loyal, noble et pur!

Don Salluste est entré depuis quelques instants.

DON SALLUSTE

Hé bien, Ruy Blas ?

Cette première version, avec son contraste brutal, offrait plus qu'un effet de scène; elle remettait soudain le héros à sa place, par le seul énoncé de son nom. Hugo a préféré développer la description du personnage mystérieux et désigner, par les vêtements, don Salluste comme un inférieur de Ruy Blas, comme un double inversé. Le : « bonjour » qu'il lui lance est d'un supérieur.

242. L'effarement de Ruy Blas provient de la conscience que son identité sera bientôt révélée. Il a assumé une personnalité supérieure, socialement et moralement. La révélation pourra être fatale. D'où sa peur, son langage et son attitude de subordonné (tête nue, debout).

243. Dans Vayrac : blason d'or avec une bande d'argent.

244. Adaptation de l'expression : « homo homini lupus » (« l'homme est un loup pour l'homme »), jointe à une autre : « hurler avec les loups ».

244 *bis*. Les nobles « du roi » se distinguaient des nobles « du royaume » (Louville).

245. Archaïsme. Les premiers étaient grands d'Espagne. Cf. Note p. 540. « Etre proche de. »

246. Charles, deuxième fils de Léopold Ier d'Autriche; il deviendra roi d'Espagne en 1703 et empereur, Charles VI, en 1711. La France avait son candidat, le duc d'Anjou, Philippe. Le comte d'Harcourt essayait de faire prévaloir les droits de celui-ci, d'où la possibilité d'une guerre entre la France et l'Empire.

247. Tous les gestes de Ruy Blas marquent son état d'inférieur, que soulignent les paroles et le comportement de don Salluste, Hugo voit et écrit la situation d'une manière scénique. Voir la présence de la fenêtre, ouverte par Ruy Blas, au début du drame (I, sc. 1). Les signes se répondent. Le contraste est brutal entre les deux mondes.

248. « Petit génie » répond aux paroles de Ruy Blas et de la reine à la scène précédente. Ici, le héros est réduit à son état social premier par le gentilhomme; son attitude est stigmatisée : « pédant », « vos cuistres ». Le gentilhomme méprise les parvenus.

249. Le texte se présentait d'abord sous une autre forme :

Chacun pour soi, mon cher. Je parle sans phébus.
Allez-vous prendre l'air d'un redresseur d'abus,
Dogue aboyant autour du fisc et des gabelles ?
En honneur! n'est-il pas des postures plus belles ?

Etre ainsi, c'est se fort compromettre à mon gré;
C'est faire à tout propos un bruit démesuré
Qui sent son factotum et son petit génie;
En deux mots, ce n'est pas de bonne compagnie.

« *Phébus* » signifiait, au XVIIe siècle, « complication » « parole alambiquée »; *factotum*, homme à tout faire, renvoie à Figaro, qui, lui aussi, tenait tête à l'aristocratie. L'argument final porte sur le bon ton et fait sentir la différence de condition. Don Salluste voit de la démagogie dans l'idéalisme de Ruy Blas.

250. L'étoffe ou ses déchets dont on rembourrait les balles au jeu de paume; par extension, les balles.

251. Le cynisme du gentilhomme contraste avec l'idéalisme de Ruy Blas. Il souligne l'enflure du révolté (bouffi, mot creux, gros sous, clinquant, pathos, ballon, billevesées) telle qu'elle est perçue par un esprit sans illusions et rivé aux intérêts immédiats.

252. « Donnée » souligne l'attitude hautaine de don Salluste.

253. Le mot a son sens fort.

254. A la passion sincère est opposé le calcul; don Salluste est le politique qui de sang-froid manipule les hommes et crée les conditions de l'action.

255. Ruy Blas songe plus à la reine qu'à sa propre situation.

256. Le geste désinvolte et la parole révèlent l'égoïsme et la lucidité du maître du jeu. Même jeu de scène qu'au v. 600.

257. Une des rares prières prononcées par un héros dans le théâtre de Hugo. Elle est appelée par l'inhumanité de son interlocuteur. Elle correspond aux paroles pieuses de la reine à l'acte II, scène 2.

258. Don Salluste se réclame de la raison d'Etat, qui écrase l'individu et ses aspirations intimes.

259. « Bouffon », « laquais », « argile », « vase » sont autant de manières de considérer le subalterne, réduit à l'état d'objet, comme le couteau d'ivoire avec lequel don Salluste a joué. Après avoir écrasé son interlocuteur, don Salluste va le redresser et faire de lui un instrument politique, pour un piège qu'il entend construire : « je veux votre bonheur ».

260. Le naufrage de son bonheur et de son honneur inspire à Ruy Blas un sentiment de culpabilité, mais pour quelle faute ?

261. Valet de la commedia dell'arte; il y était le type de l'hypocrite; passant dans la comédie française, il désigne un valet, sans plus.

262. L'image de la machine servant à torturer est placée dans la logique du discours tenu par don Salluste, aussi impitoyable qu'un bourreau qui détruirait l'être moral, en attendant de supprimer le corps. L'image porte un sens involontairement ironique : don Salluste « construit » une machinerie, mais il détruit le pays.

263. La fenêtre fermée, jusqu'ici humiliante, correspond à une reprise de Ruy Blas par lui-même.

264. Le rouge et l'or sont passés. Le miroir de Venise, comme dans *Les Jumeaux :* orné de dessins mats, signifiant ici.

265. La couleur noire du vêtement s'allie à celle de la chambre : elle marque le retour de Ruy Blas à l'obscurité. Dans ses *Mémoires*, Alexandre Dumas a noté que le quatrième acte, chez Hugo, constitue souvent une parenthèse dans la trame de l'action : ainsi dans *Marion de Lorme* (la conversation entre Louis XIII et L'Angely), dans *Hernani* (don Carlos devant le tombeau de Charles Quint). Ici, la fantaisie fera irruption, sans que rien ne l'annonce, sauf le titre de l'acte.

266. L'image annonce le titre du dernier acte, le tigre et le lion.

267. Même situation de la reine dans les *Mémoires* de Mme d'Aulnoy.

268. Le dévouement du page est acquis à celui qu'il a éprouvé

comme bon. De l'homme du peuple, même caché sous les vêtements de la grandeur, à son semblable, la relation est celle de la fidélité.

269. Nouveau recours à la prière.

270. Une console.

271. L'arrivée inattendue de don César, et par une voie exceptionnelle, est la réponse grotesque à la parole de Ruy Blas au v. 1552.

272. Ms. :

Que ce soit un démon ou que ce soit un ange
Je salue très humblement celui que je dérange.

Le brouillon, comportant trois fautes de versification, a été récrit :

Je viens très humblement par une porte étrange
Saluer celui, celle ou ceux que je dérange.

273. En toute situation, don César retrouve ses esprits et semble trouver naturel tout événement. Son langage s'applique à une rencontre, tout ordinaire, dans la rue.

273 *bis*. Cette comparaison a été jugée triviale et inconvenante par la critique.

274. Coquin. D'origine littéraire (*Le Roland furieux*, de l'Arioste), ce nom était devenu un nom commun depuis que *Le Roland furieux* l'a fait connaître.

275. Le changement de vêtement forme un parallèle avec celui, tragique, qu'avait opéré Ruy Blas. Celui-ci et don César s'opposent à don Salluste. Le pourpoint qu'abandonne don César est celui que Matalobos avait volé au comte d'Albe (I, 1). Il jouera un rôle plus loin. Il a donc accompagné don César à travers toutes ses pérégrinations, en prison, dans le bateau, dans le bagne; l'état dans lequel il est a une valeur signifiante.

276. Don César veut se faire reconnaître par une société qui le rejette. Son double, Ruy Blas, à qui on a attribué jusqu'à son nom, ne peut plus se faire admettre par elle. La nature de l'interdit est différente, et aussi les raisons qui les incitent tous deux.

277. Rubans qui ornaient, au XVIIe siècle, la culotte à la hauteur des genoux. Cf. v. 1893. Hugo s'est-il inspiré de tableaux ou de gravures ? Les précieux de Molière parlent de leurs canons.

278. « Tragédies » a ici un sens ironique, sinon bouffon; don César ne songe évidemment pas aux tragédies littéraires. La maison est décrite rapidement de l'extérieur; le cabinet sur lequel donne la chambre est aussi sans issue.

279. Autre intrusion du prosaïque et du bouffon dans le drame : la nourriture. Jusqu'à présent, Hugo l'avait écartée de ses drames, sauf dans *Amy Robsart* (avec Flibbertigibbet), et *Lucrèce Borgia*, où le dîner orgiaque était appelé par le thème du poison. Don César le magnifie par son langage, qui laisse présager celui de *Cyrano de Bergerac*.

280. Xérès de la Frontera était évoquée dans *Lucrèce Borgia* (III, 1). Ici, Hugo la confond avec la ville citée par don César, à moins qu'il n'ait voulu montrer à la fois la connaissance qu'a don César et son appétit, qui lui fait priser un vin de moindre qualité.

281. Jeu de mots évident : spiritueux-spirituel.

282. L'expression, usitée au XVIIIe siècle, était familière.

283. La métaphore s'explique par l'extase où est plongé don César : manger et boire est pour lui un acte religieux. Peut-être aussi allusion bachique : il rend hommage aux dieux lares.

284. Donner au diable, enrager. Le mot existait.

285. Don César est toujours théâtral; il se donne un rôle à lui-même, fût-il seul.

286. Le comique naît de la méprise du laquais, prenant don César pour Ruy Blas (qui est un faux don César). Le nom trompe sur l'iden-

tité puisqu'il est double. On voit comment germe dans l'esprit de Hugo le thème des *Jumeaux*.

287. Le souverain était une monnaie des Pays-Bas espagnols. Les autres noms ont été repérés dans Vayrac. Le quadruple d'Espagne était une double pistole. Le gros pesait le cent vingt-huitième d'une livre ou le huitième d'une once; le grain pesait un quatre cent vingtième de l'once — le poids indiquait la quantité de métal précieux utilisée. Le doublon était une monnaie d'or; le marc, une monnaie d'or ou d'argent (il valait soixante-quatre gros ou une demi-livre). Où Hugo a-t-il trouvé « croix-marie », qui pourrait être la « maría » qui, sous Charles II, portait l'effigie de la Vierge et une croix? Prévaut ici moins la valeur réelle que la rareté des mots.

288. La nourriture et l'argent viennent inopinément à don César. Cette scène est marquée par le thème de l'accumulation des biens, fournis par le hasard.

289. Le mot « roman » doit être entendu au sens qu'il avait avant le romantisme : un récit d'aventures fabuleuses, chimériques. Le « million » souligne cet aspect.

290. L'impassibilité du laquais contraste avec la faconde de don César.

291. Aucune des deux localités qui portent ce nom ne produit particulièrement du vin. La sonorité du nom semble avoir attiré Hugo, outre un jeu de mots, « oro-pesa », « or-pèse » ou « pèse (de l')or »; celui-ci serait bien dans la nature du personnage, qui reprend à son compte, au vers 1686, le thème chrétien de la petitesse de l'homme, sur lequel se greffe un souvenir burlesque d'*Athalie* : « Comment en un plomb vil l'or pur s'est-il changé? » (III, 7).

292. Le mot introduit une résonance étrangement moderne dans le texte, et familière.

293. Le prince des démons, parce que don César a vu un Noir.

294. Réminiscence de Molière? « Peste! où prend mon esprit toutes ces gentillesses! » dit Sosie (*Amphitryon*, I, 1 : (la comédie se fonde sur le thème du double).

295. Don César dit en clair ce que les ministres font ouvertement entre eux.

296. Annibal n'a pas pris Rome; l'allusion porte, sans doute, sur les outres que fit remplir de vinaigre Annibal pour dissoudre les rochers des Alpes. Au comique de ces paroles se joint celui qui naît de la référence historique à Tite-Live.

297. Comme une taie sur l'œil. Ceci appelle le double jeu de mots qui suit.

298. Réminiscence de Mathurin Régnier et de sa *Satire XI*, *Le mauvais gîte* : la prostituée loge également à l'étage, auquel on accède par une sorte d'échelle; et le portrait de la femme est loin d'être flatteur.

299. Danse espagnole. Que ce soit chez le pape indique, de la part de don César, à la fois l'irrespect et la fantaisie.

300. La verve du dramaturge jaillit dans ce portrait, inspiré des personnages les plus truculents du roman picaresque. Hugo a tracé des dessins pour ce personnage, dont le nom associe gula et tromba, goinfrerie et tourbillon. Il hante l'esprit de Hugo et devait paraître dans d'autres pièces, dont subsistent des projets. Dans un manuscrit, peut-être contemporain de *Ruy Blas*, on lit un portrait analogue, par Maglia.

301. Terme fréquent dans la comédie classique : coquin (péjoratif).

302. Le langage du laquais a perdu de sa raideur. Il a la familiarité désinvolte du domestique moderne.

303. La morale de don César est l'inverse de celle de don Salluste :

indulgence, sens de l'humanité, sympathie pour les pauvres et les gueux.

304. Don César parodie les morales laïque et chrétienne, surtout celle-ci à en croire l'intention des « fondations pieuses » — pour l'expiation de ses péchés.

305. Jupe de drap fin (satin ou velours), ornée dans le bas de plusieurs rangs de franges.

306. Don Salluste est rapproché du démon, dont la duègne est l'avant-garde.

307. Le panier en métal gris qui soutenait la basquine et la maintenait ronde depuis la ceinture.

308. La duègne est entremetteuse, sous le couvert de la religion.

309. Cet épisode reproduit, sur le mode bouffon et à l'instar de la Macette de Mathurin Régnier *(Satire XIII)*, la scène grave où don Salluste fait écrire à Ruy Blas le billet à la reine (I, 4).

310. Saint Isidore, un des patrons de l'Espagne; il l'était de Madrid.

311. La lune, pays des lunatiques. Une partie du *Roland furieux* se passe dans la lune. Hugo a-t-il songé à Cyrano de Bergerac et à ses voyages imaginaires ? Don César est dans le monde de l'illogisme.

312. Cf. v. 864 : don Guritan avait annoncé deux épées « de pareille longueur ».

313. Ces treize vers (1837-1849) avaient d'abord été attribués par Hugo à don Salluste, mais à l'acte III, scène 5. En cours de rédaction, il a vu qu'ils convenaient mieux à don César.

314. Le thème du « lunatique » revient, face à don Guritan; et les paroles qu'adresse à celui-ci don César, concernant les femmes, un peu plus loin, contredisent sa dévotion à la seule qu'aime don Guritan, la reine.

315. L'alternance est plaisante des paroles échangées par deux hommes fondamentalement différents, et qui ne parlent de la même chose.

316. Hugo avait écrit : « empaillés ». Ne faut-il pas garder ce mot ? Voltaire : « on voyait des têtes proprement empaillées qu'on allait porter à la Sublime-Porte » (*Candide*, ch. 30). Pourquoi n'aurait-on pas empaillé des hommes comme des animaux ?

317. Le malentendu est compris par Guritan comme un jeu de théâtre.

318. Don Guritan est un tigre : l'image est un relais.

319. Situation analogue chez Molière, *Dom Juan*, V, 4.

320. L'arrivée de don Salluste est aussi inopinée que celle de son cousin au début de l'acte. La couleur du costume est choisie avec soin : le courtisan est l'homme fatal pour Ruy Blas, d'où la teinte très sombre du vert.

321. En tactique militaire, un ouvrage souterrain destiné à parer à la mine posée par l'adversaire. Ceci correspond à la sape dont parle don Salluste au v. 29.

322. La toile d'araignée est une image fondamentale chez Hugo; sa création se produit en forme de réseau. Le poulpe, la toile enferment leurs proies. Les victimes du tyran de Padoue sont enserrées dans une nasse d'espions.

323. Le féminin de ce mot, rare, attire Hugo. Composé sur « trogne » et sur « trognon », le verbe « trognonné » a été appelé par les noms d'auteurs de manuels d'histoire, Fleury et Trognon, qui étaient précepteurs des fils du roi Louis-Philippe. Ces deux vers ont suscité une vive réaction du public, pour leur trivialité; ils ont été supprimés à la troisième représentation.

324. Don César avait été observateur et perspicace; le voici qui trahit, sans le savoir, Ruy Blas.

325. Voir v. 192.

326. Autre formule triviale, qui prolonge la première qui nous était donnée de don Guritan aux v. 629 et 670.

327. Il s'agit, ironiquement, des prisons africaines et des galères de la Méditerranée.

328. Palais-prison, échelle double, patient-bourreau : don César est parfaitement conscient de la « duplicité » du monde où vit son frère.

329. Ms. :

Ah! Vous me fabriquez céans des faux César!
Ah! vous compromettez mon nom!

DON SALLUSTE

Mais... le hasard...

DON CÉSAR

Le hasard est un mets, cousin, dont les sots mangent :
J'en use peu.

Don César récuse le hasard; en cela, il ressemble à son cousin, qui est pour ses ennemis un destin. On aura noté le jeu de mots sur « mais — hasard » — « hasard — mets » dans la première version.

330. Le fait de crier son nom sur les toits constitue pour César la proclamation d'une identité, ce qui détruit celle dont a été investi Ruy Blas. C'est aussi le contraire de l'action de Salluste, toute secrète. Par une sorte de logique du destin, c'est à la police que s'adresse don César, le personnage hors-la-norme; et c'est elle qui fera rentrer tout dans l'ordre, celui qui est voulu par don Salluste, au prix d'un mensonge, avec une justification, les manteaux volés.

331. Dans Vayrac et Imhof.

332. L'injure va du noble devenu gueux à son parent qui se comporte moralement comme un gueux.

333. L'image du lion et du tigre, appliquée à l'homme, est profonde en Hugo. Dans *Hernani* (III, 6) :

J'étais grand, j'eusse été le lion de Castille!
Vous m'en faites le tigre avec votre courroux.

Plus tard, dans *Les Misérables :* Javert est dogue et tigre (L. IV, ch.5). Plus qu'une opposition, c'est là une des fonctions binaires de l'imaginaire hugolien, comme le noir et l'or, l'obscurité et la clarté ici présentes dès le lever du rideau.

334. Le calme est revenu pour Ruy Blas, mais pour des raisons surtout extérieures à lui-même. De nouveau, la prière lui vient à l'esprit.

335. Le poison apparaît au cinquième acte d'*Hernani;* il est présent dans tout le drame *Lucrèce Borgia;* là, il constitue la mort volontaire, courageuse et désespérée ou le crime lâche, obscur.

336. Voir dans la *Légende des siècles,* le poème *Conscience,* avec Caïn, dans une tombe analogue. Ici prévaut l'image de la chute dans un abîme, d'où la répétition de « choir » et « chute »; elle est l'inverse de l'ascension sociale et morale du personnage, qui reparaît sous la forme du souvenir, dans un discours discontinu. L'irrésolution qu'évoque Ruy Blas venait d'un excès d'amour, d'une idéalisation extrême de l'être aimé, non d'une faiblesse de caractère.

337. La robe noire cache et laisse entrevoir le vêtement premier. La couleur blanche de la robe correspond à la robe noire de Ruy Blas. De même, la lampe sur la table et la lanterne sourde.

338. Le billet, toujours objet et signe du destin.

339. La phrase que prononce Ruy Blas est décisive : la reine comprend que la mort rôde autour d'eux. Mais elle croit d'abord que lui seul est menacé.

340. La stupéfaction fait surgir, dans la bouche de Ruy Blas, une phrase presque banale, tout au moins dans sa formulation, qui contraste avec la situation, avec la dignité de la reine; de même, la reine : « bonté divine », v. 2073).

341. « démon », « enfer », « Satan » (v. 2084) : Ruy Blas évoque le monde où ils se sont enfermés. Dans une première réaction, il cherche à s'accuser d'une faute qu'il n'a pas commise, pour fléchir la reine et la faire fuir.

342. Non seulement vêtu de noir, mais masqué. Don Salluste est l'image de Satan; il est aussi celle du destin et celle du Commandeur.

343. Le « comte », le « chef des notaires » de la cour. Ceux-ci étaient des secrétaires (Vayrac).

344. La solution qu'offre don Salluste — et qu'il a préparée — est inspirée non par un sentiment humanitaire, mais par pure politique. Là encore, il machine et calcule. Avec « beaucoup d'or », il assure aux deux coupables la sécurité matérielle; il les élimine comme il l'a fait pour son cousin.

345. Cf. le v. 1463 : Vous êtes le gant, je suis la main...

346. Les arguments essentiels de la tentation sont avancés : l'amour, l'argent, la liberté. Les gens qu'il a laissés dehors doivent être les témoins à charge pour les deux « coupables » s'ils refusent.

347. La menace, puis la séduction par un ensemble de mensonges.

348. Transposition de la formule, bourgeoise : « avoir pignon sur rue ». Que don Salluste se réclame de son honneur alors qu'il ment complète son portrait moral.

349. La proclamation de Ruy Blas, devant la reine, est l'équivalent inversé de son discours devant les ministres : homme de la vérité, il a été contraint de jouer un jeu qu'il a mené avec sincérité et qu'il dévoile en se perdant. Le v. 2138 dit son double aspect : son statut social et son état moral, qu'il oppose explicitement à celui du gentilhomme. Seule la vérité permet au héros de vivre et de mourir : Hernani, Didier, Gennaro, Rodolphe. Aucun ne tolère le compromis : c'est tout ou rien.

350. La froideur machiavélique de don Salluste cède sous la pression de ses rancœurs : il découvre ses mobiles. Sa politique est mue par des raisons purement personnelles, comme l'intérêt des ministres cupides.

351. Salluste choisit le mot le plus méprisant; non pas valet, mais laquais.

352. Ms. :

La reine

Oui, je suis bien assez misérablement folle,
Et assez bien perdue, hélas, pour... cela.

Hugo a compris qu'il valait mieux ne pas faire parler la reine et laisser s'affronter les deux ennemis.

353. Ruy Blas n'a pas d'épée (cf. v. 2129, lorsqu'il se montre tel qu'il est, comme au premier acte, laquais). Il doit saisir celle de son adversaire.

354. Le ton est celui de Ruy Blas devant les ministres : il rappelle à l'ordre le gentilhomme, répondant ainsi au : « Madame de Neubourg » du v. 2089.

355. Rappel de Satan, qui domine toute la personne de don Salluste. Ce coup de théâtre dépasse le simple mouvement scénique. Il affirme le droit à l'insurrection, donc la liberté de l'être opprimé, surtout quand l'oppression paraît comme une fatalité. L'image du serpent est-elle appelée à l'esprit de Hugo par celle de l'Eglise, où la Vierge écrase du pied le serpent-démon ? La reine porte, jusque

dans la blancheur de son vêtement, ce signe de la virginité et de l'idéal de pureté. Une antienne, reprise dans l'Office de l'Immaculée Conception, évoque la Vierge écrasant la tête du serpent. Certes, c'est Ruy Blas qui écrase le serpent; mais comme l'archange Michel.

356. La fenêtre, encore une fois, est un objet symbolique.

357. Formule très forte : Ruy Blas n'appartient pas à l'univers mental et moral de don Salluste; sa logique n'est pas la même. Le ton sarcastique atteste que le laquais s'est repris, qu'il se domine, comme il maîtrise la situation.

358. Le mépris de Hugo pour la fourberie, de quelque milieu qu'elle sorte, s'affiche ici, comme pour Laffemas *(Marion de Lorme)*, pour Fabiani *(Marie Tudor)*. L'insurrection indignée de Ruy Blas se tourne autant contre la noblesse que contre l'homme du peuple lorsque les valeurs morales sont bafouées. En même temps est proclamé le droit à l'acte de révolte pour quiconque a le sentiment droit, jusqu'au crime. D'où l'énumération, savamment graduée, des instruments de justice, du noble à l'homme du peuple. Le vers suivant (2180) atteste une reprise de conscience dans le flot de l'indignation : Ruy Blas devient capable d'ironie dans la menace.

359. Ms. :

Mais, s'il veut t'arracher de mes mains, qu'il se montre!
Oh! de nos deux démons, c'est la plus grande rencontre!
Avant d'exécuter le jugement de Dieu,
Voyons, lève le front, que je le voie un peu.
L'amant que tu donnais à cette reine, traître,
C'est bien mieux qu'un laquais, c'est le bourreau, mon maître.

Dans cette première version, Ruy Blas utilisait la formule médiévale le « jugement de Dieu », se posant ainsi en suzerain face au seigneur qui a forfait. — « Fonction » (v. 2182) implique bien la tâche officielle du bourreau.

360. Ms. :

Quoi! Sérieusement, oser!

RUY BLAS, *avec un sourire effrayant.*

Non. C'est un jeu!

361. Le mouvement se renverse ici : de bourreau Ruy Blas devient vengeur, homme du peuple qui assouvit sa haine : d'où les v. 2188-2189, et 2193.

362. Ms. :

LA REINE, *à genoux.*

Grâce!

RUY BLAS, *levant l'épée.*

Non!

DON SALLUSTE

Un instant! Ruy Blas...

RUY BLAS

Il faut finir!

DON SALLUSTE, *se jetant sur lui.*

Traître! Au secours! On veut m'égorger!...

RUY BLAS, *le poussant dans le cabinet.*

Te punir!

363. Le thème du haut et du bas reparaît dans le geste, apparemment naturel, de Ruy Blas qui s'agenouille.

364. Le côté irrationnel de Ruy Blas émerge une nouvelle fois.

365. Le premier acte positif que la reine ait accompli, du moins dans le texte de la pièce : une œuvre de charité.

366. Allusion au voile de Véronique : une femme du peuple, anonyme, a essuyé le visage de l'être crucifié dans son cœur ; cf. v. 2231.

367. Malgré l'amour qu'elle a éprouvé, la reine reste impitoyable; du moins elle a la réaction de son rang.

368. Cf. *Macbeth*, V, 5 : « Eteins-toi, éteins-toi, brève chandelle. »

369. L'homme du peuple bénit la reine qui le rejette. Comme par un réflexe, celle-ci l'appelle de son titre usurpé. Au v. 2224, elle passe au tutoiement, puis au vrai nom de Ruy Blas.

370. A ce moment encore, une prière s'élève dans le cœur de Ruy Blas. Dieu est considéré comme la suprême justice.

371. Voir *Marion de Lorme :* dans la version première, Didier mourait sans pardonner à Marion; la version définitive introduit le pardon. Mais Marion a mené une vie coupable, elle s'est donnée à Laffemas pour sauver Didier. La reine est restée sans tache : sa seule faute a été l'intransigeance, reste de l'orgueil de caste.

372. Le drame se termine par la punition du coupable, don Salluste; par la mort de Ruy Blas, emporté par un amour qu'il n'a pas voulu ni entretenu, et que les circonstances ont porté au pouvoir, où il a tenté de modifier l'ordre mauvais des choses. La reine survit, meurtrie dans la seule affection profonde qu'elle ait éprouvée depuis qu'elle est en Espagne; la seule chose qu'elle puisse faire est de témoigner son amour à l'ultime moment. Mais après ce bouillonnement de passions, intéressées ou désintéressées, rien ne sera changé dans le royaume. Le destin du pays et des hommes est tel. Que Ruy Blas, au moment ultime, prononce les trois mots du v. 2236, le signifie bien : la haute société de la cour n'apprendra que l'histoire d'un double meurtre, un grand tué par son laquais et le suicide de celui-ci; un fait divers. Le dernier mot reste à la reconnaissance.

a. Voir v. 1026.

b. Voir v. 1027.

c. Pièce d'une toute petite valeur.

d. Sur les presses royales.

e. La Préface de *Marie Tudor* parle de conscience et de génie, celle d'*Hernani* évoque « cette œuvre, non de talent, mais de conscience et de liberté ».

f. Lekain (Henri-Louis Cain, dit) (1729-1778) : dès ses débuts à la Comédie-Française, il s'est imposé dans les rôles tragiques. Il a rejeté le costume moderne dans les drames à sujet ancien. Interprète de Voltaire surtout, il recherchait le naturel et la vérité. On lui doit la suppression des sièges sur la scène. — Garrick (David) (1717-1779) : Excellent dans tous les rôles, comédies, farces, tragédies, cet acteur a dirigé pendant vingt ans le théâtre de Drury Lane à Londres. Son effort s'est porté sur la restauration de la tradition shakespearienne en Angleterre. — Kean (Edmund) (1787-1833) : ce grand acteur anglais s'est attaché surtout à l'œuvre de Shakespeare. Dumas l'a mis en scène (*Kean ou Désordre et génie*, 1836), en parlant de l'homme et de sa vie plus que de sa profession. — Talma, François-Joseph (1763-1826) : le plus grand acteur de la Révolution et de l'Empire. Après avoir joué des rôles de Voltaire et de Marie-Joseph Chénier, il a fondé un théâtre dissident puis il est revenu à la Comédie-Française (1799). Ses interprétations de Shakespeare, traduit et révisé par Ducis, sont importantes, ainsi que celles de Corneille. Ses réformes portaient sur la manière de jouer, sur le costume, qu'il a simplifié, sur la diction, qu'il a voulue plus naturelle. En quatre noms se trouvent réunis les réformes les plus importantes du théâtre français du XVIIIe siècle et les tout grands acteurs qui ont précédé Hugo, qui n'a pas tort de situer dans cette lignée Frédérick Lemaître.

g. « Si tu veux que je pleure, il te faut d'abord pleurer toi-même » (Horace, *Art poétique*, 101). Hugo se situe, du moins en principe, dans la tradition romantique du poète; sa théorie écarte l'art comme jeu.

TABLE DES MATIÈRES

TITRES RÉCEMMENT PARUS

AMADO (JORGE)
Mar morto (388)

ARIOSTE
Roland furieux. Textes choisis et présentés par Italo CALVINO (380)

BALZAC
La Maison du chat-qui-pelote (414). Peines de cœur d'une chatte anglaise (445)

BECKFORD
Vathek (375)

BRONTÉ (EMILY)
Hurlevent-des-Monts (Wuthering Heights) (411)

CARROLL (LEWIS)
Tout Alice (312)

CAZOTTE
Le Diable amoureux (361)

CARRINGTON
Le Cornet acoustique (397)

****
Code civil (Le). Textes antérieurs et version actuelle. Éd. J. Veil (318)

COLETTE
La Fin de Cheri (390)

CRÉBILLON
Les Égarements du cœur et de l'esprit (393)

CROS
Le Coffret de Santal. Le Collier de griffes (329)

DAUDET
Contes du Lundi (308)

DESCARTES
Méditations métaphysiques (328)

DIDEROT
Le Neveu de Rameau (143)

DICKENS
David Copperfield 1 (310) - 2 (311)

DOSTOIEVSKI
Récits de la maison des morts (337). L'Idiot 1 (398) - 2 (399)

DUMAS fils
La Dame aux camélias. (Roman, théâtre, opéra. *La Traviata*) (381)

****
Farces du Moyen Âge (412)

FLAUBERT
L'Éducation sentimentale (432). Trois Contes (452)

FORT (PAUL)
Ballades du beau hasard (402)

GAUTIER
Voyage en Espagne (367). Récits fantastiques (383)

GOLDONI
La Manie de la villégiature. Baroufe à Chiogga et autres pièces (322)

HAMSUN
Victoria (422)

HAWTHORNE
La Lettre écarlate (382)

HOBBES
Le Citoyen (De Cive) (385)

HOFFMANN
Contes fantastiques 1 (330) - 2 (358) - 3 (378)

HÖLDERLIN
Hymnes-Élégies (352)

HUGO
Les Burgraves (437). L'Art d'être grand-père (438)

HUME
Enquête sur l'entendement humain (343)

JAMES
Les Deux Visages (442)

KADARÉ
Le Pont aux trois arches (425)

KAFKA
Le Procès (400). Le Château (428)

LABÉ (LOUISE)
Œuvres complètes : Sonnets. Étégrés. Débat de Folie et d'Amour

LA BOÉTIE
Discours de la servitude volontaire (394)

LAGERKVIST
Âmes masquées. La Noce (424)

****
Lettres portugaises. Lettres d'une Péruvienne et autres romans d'amour par lettres (379)

****
Lettres édifiantes et curieuses de Chine (315)

LOCKE
Traité du gouvernement civil (408)

MACHIAVEL
Le Prince (317)

****
Le Mahabharata 1 (433). 2 (434)

MARGUERITE DE NAVARRE
L'Heptameron (355)

MANN
Mario et le magicien (403)

MAUPASSANT
Le Horla et autres contes d'angoisse (409)

MAURIAC
Un adolescent d'autrefois (387). L'Agneau (431)

MELVILLE
Moby Dick (236)

MÉRIMÉE
Carmen. Les âmes du purgatoire (263). La Vénus d'Ille et autres nouvelles (368)

Tamango. Mateo Falcone et autres nouvelles (392)

MIRBEAU
Le Journal d'une femme de chambre (307)

MISTRAL
Mireille (texte provençal et trad. de Mistral) (304)

MORAND
Hécate et ses chiens (410)

MORAVIA
Nouvelles romaines (389). Agostino (396) Le Conformiste (415)

NIETZSCHE
Le Crépuscule des idoles (421)

NODIER
Smarra, Trilby et autres contes (363)

PASCAL
De l'Esprit géométrique, Écrits sur la grâce et autres textes (436)

PETRONE
Satyricon (357)

POE
Histoires grotesques et sérieuses

PROUST
La Prisonnière (376). La Fugitive (446)

RADIGUET
Le Bal du comte d'Orgel (406)

REVERDY
Flaques de verre (405)

RONSARD
Les Amours (335)

SCARRON
Le Roman comique (360)

SCIASCIA
Les Poignardeurs. La Disparition de Majorana (427)

SEGALEN
Le Fils du Ciel (377)

SHELLEY (MARY)
Frankenstein (320)

SIENKIEWICZ
Quo Vadis (362)

STENDHAL
Lucien Leuwen 1 (350) - 2 (351)

STERNE
Vie et Opinions de Tristram Shandy (371). Voyage sentimental (372)

TOCQUEVILLE
De la Démocratie en Amérique 1 (353) - 2 (354)

VAUVENARGUES
Introduction à la connaissance de l'esprit humain et autres œuvres (336)

VESAAS
Palais de glace (423)

VILLIERS DE L'ISLE-ADAM
Contes cruels (340). Claire Lenoir et autres récits insolites (401)

WOOLF (Virginia)
La Traversée des apparences (435)

GF GRAND-FORMAT

CHATEAUBRIAND
Mémoires d'Outre-Tombe. Préface de Julien Gracq (4 vol.)

FORT
Ballades françaises

GUTH
Histoire de la littérature française (2 vol.)

HUGO
Poèmes choisis et présentés par Jean Gaudon

LAS CASES
Le Mémorial de Sainte-Hélène (2 vol.)

MAURIAC
Mémoires intérieurs et Nouveaux Mémoires intérieurs

Vous trouverez chez votre libraire le catalogue complet de notre collection.